LES FORMES
DE
L'INTELLIGENCE

HOWARD GARDNER

LES FORMES DE L'INTELLIGENCE

Traduit de l'anglais (États-Unis) par
Jean-Paul Mourlon avec la collaboration de Sylvie Taussig

EDITIONS
ODILE JACOB

Ouvrage édité avec la collaboration de
Jean-Luc Fidel

Ouvrage publié originellement par
Basic Books, New York, sous le titre :
Frames of mind
© 1983 by Howard Gardner ;
© 1993, Howard Gardner pour l'introduction à l'édition du dixième anniversaire.
Publié en accord avec Basic Books, filiale de Harper Collins Publishers, Inc.

Pour la traduction française :
© ÉDITIONS ODILE JACOB, AVRIL 1997
15, RUE SOUFFLOT, 75005 PARIS
INTERNET : http://www.odilejacob.fr

ISBN 2-7381-0378-2

Avant-propos

Comme je l'ai indiqué dans la note qui suit concernant le Projet sur le potentiel humain, ce livre a eu une genèse exceptionnelle. J'en suis venu à l'écrire grâce à la clairvoyance et à la générosité d'une fondation qui a cherché à en savoir plus sur l'un des concepts clés de sa charte — le « potentiel humain ». Le directeur de la fondation, Willem Welling, et le président du conseil d'administration, Oscar Van Leer, ont conçu le projet de mener des investigations sur le potentiel humain et ont demandé à plusieurs chercheurs de la Graduate School of Education de Harvard de relever ce terrible défi. Le projet a réuni des collaborateurs venant de différentes disciplines qui ont eu la chance de travailler ensemble pendant les quatre dernières années. L'histoire de cette collaboration sera rapportée ailleurs, mais il faut rappeler qu'elle m'a permis de répertorier et d'élucider de façon approfondie toute une gamme de problèmes, ce qui aurait été impossible sans le soutien flexible de la Fondation Van Leer. Je suis donc avant tout reconnaissant à Willem Welling, Oscar Van Leer et leurs associés de la Fondation Bernard Van Leer.

Je souhaite remercier mes collègues plus âgés du Projet sur le potentiel humain — Gerald Lesser, Robert LeVine, Israel Scheffler et Merry White — pour leurs encouragements constants, pour leurs critiques constructives et leur soutien. Nos interactions ont influencé ma vision de nombreux problèmes et m'ont matériellement aidé à écrire et réécrire ce livre. Depuis le début, j'ai eu le bonheur d'avoir des assistants de recherche incroyablement talentueux, perspicaces et capables de travailler dur, et je veux les remercier individuellement et mentionner pour chacun à cette étude : Lisa Brooks (génétique), Linda Levine (psychologie), Susan McConnel (neurobiologie), Susan Pollak (histoire et philosophie), William Skryzniarz (développement international) et Claudia Strauss (anthropologie). En un temps où les jeunes de talent négligent souvent les activités savantes, ils se sont révélés exemplaires par leur indépendance et leur dévouement : je suis heureux de constater qu'ils vont tous poursuivre leur carrière dans la communauté scientifique. Je suis également redevable à d'autres membres du Projet : Leonie Gordon, Margaret Herzig, Francis Keppel, Harry Lasker et Lois Taniuchi. Pour leur soutien administratif généreux, je souhaite remercier Deans Paul Ylvisaker et Blenda Wilson et, plus récemment, Deans Patricia Graham et Jerome Murphy.

Si ce livre est en premier lieu un exposé des potentiels humains vus dans une perspective psychologique, c'est aussi un effort pour rassembler les découvertes que j'ai faites dans deux voies de recherche suivies pendant ces douze dernières années. L'une est le développement, chez les enfants normaux et doués, des aptitudes à utiliser les symboles, surtout dans les arts — j'y ai travaillé dans le cadre du Projet zéro de Harvard. L'autre a été l'effondrement des capacités cognitives chez des individus souffrant de lésion cérébrale, sujet sur lequel j'ai travaillé au Centre médical de l'administration des anciens combattants de Boston et à la faculté de médecine de Boston. Il en est résulté une vision des différentes intelligences — des « formes de l'intelligence », comme le dit le titre de mon livre. Cela me semble la meilleure manière de désigner les capacités cognitives humaines dont j'ai étudié le développement et l'effondrement. Je suis heureux de pouvoir présenter dans ce livre les fondements théoriques qui sont issus de mon effort pour parvenir à une synthèse et de formuler certaines suggestions pour d'éventuelles expériences pédagogiques. Je veux profiter de l'occasion pour remercier les différents organismes qui ont soutenu ma recherche avec générosité au cours de ces dix années : l'Administration des anciens combattants, qui m'a accordé un congé sabbatique de telle sorte que j'ai pu me concentrer sur cette synthèse ; le département de neurologie de la faculté de médecine de Boston, la division de la recherche médicale de l'Administration des anciens combattants et l'Institut national des maladies neurologiques, désordres et attaques de la communication, qui ont tous soutenu mes travaux en neuropsychologie ; et pour le soutien qu'ils ont apporté à mes collègues et à moi pour le Projet zéro de Harvard sur les enfants normaux et doués, la Fondation Spencer, la Corporation Carnegie, la Fondation Markle, la Fondation nationale pour la science et l'Institut national de l'éducation. J'ai une dette importante envers cette institution novatrice qu'est la Fondation MacArthur, qui m'a fourni l'aisance dont j'avais besoin durant une période périlleuse pour les chercheurs en sciences humaines.

Je veux enfin exprimer ma gratitude à tous ceux qui, à titre personnel, ont contribué à ce livre. Nombre de mes collègues ont lu le manuscrit dans son entier, ou de larges extraits, et m'ont fait des observations extrêmement utiles. Je souhaite exprimer ma gratitude à Tom

Carothers, Michael Cole, Yadin Dudai, David Feldman, Norman Geschwind, Linda Levine, David Olson, Susan McConnel, Sidney Strauss, William Wall et Ellen Winner. Ma secrétaire, Dolly Appel m'a servi de processeur et a supervisé la préparation du manuscrit : elle l'a fait d'une manière talentueuse, utile et allègre que j'admire. Jasmine Hall m'a généreusement offert de constituer l'index. Linda Levine m'a épaulé dans d'innombrables aspects de l'écriture et de la réflexion et a entrepris avec beaucoup d'ingéniosité et d'énergie la préparation des notes de référence. Je ne sais pas ce que j'aurais fait sans leurs intelligences ! Et comme pour mes deux derniers livres, mes interlocuteurs chez Basic Books ont été une source de soutien indéfectible : je remercie tout spécialement mon éditeur Jane Isay et son assistante Mary Kennedy, ainsi que Judith Griessman, Janet Halverson, Phoebe Hoss, Lois Shapiro, Vincent Torre — et Pamela Dailey, qui a relu les épreuves.

Je souhaite remercier les personnes et éditeurs suivants de m'avoir permis de reproduire les matériaux dont ils détiennent les copyrights :

Dr Roger N. Shepard pour la permission de reproduire la figure de rotation spatiale de R. N. Shepard et J. Metzler, « Rotation mentale des objets tridimensionnels », *Science*, vol. 171, p. 701-703, Fig. 1, 19 février 1971.

Academic Press pour la permission de reproduire un dessin de Nadia de L. Selfe, *Nadia, un cas d'aptitude extraordinaire à dessiner chez une enfant autiste*, 1977.

L'Association américaine pour l'avancement de la science, pour la permission de reproduire la figure de rotation spatiale de R. N. Shepard et J. Metzler, « Rotation mentale des objets tridimensionnels », *Science*, vol. 171, p. 701-703, Fig. 1, 19 février 1971.

Harper & Row pour la permission de citer le matériau de Kenneth Clark, *Another Part of the Wood : A Self-Portrait*, 1974.

John Murray Publishers, Ltd, pour la permission de citer le matériau de Kenneth Clark, *Another Part of the Wood : A Self-Portrait*, 1974.

A. D. Peters & Company pour la permission de citer des passages de Stephen Spender, *The Making of a Poem*, 1955.

Cambridge, Massachusetts
Juin 1983

Note sur le Projet
sur le potentiel humain

La Fondation Bernard Van Leer de La Haye, aux Pays-Bas, est une institution internationale à but non lucratif, consacrée à la cause des enfants et des jeunes défavorisés. Elle soutient des projets novateurs à l'échelon local, en matière d'éducation et de soin des jeunes enfants, afin d'aider les enfants défavorisés à réaliser leur potentiel.

En 1979, la fondation a demandé à la Graduate School of Education de Harvard d'évaluer l'état des connaissances scientifiques concernant le potentiel humain et sa réalisation. Procédant à partir de cette directive générale, un groupe de spécialistes de Harvard a engagé sur plusieurs années une recherche pour explorer la nature et la réalisation du potentiel humain. Au titre des activités financées par le Projet sur le potentiel humain ont été réalisés des comptes rendus de la bibliographie pertinente en histoire, philosophie et dans les sciences naturelles et sociales, une série de séminaires internationaux sur les conceptions du développement humain dans diverses traditions culturelles. Des articles et des livres nous ont été commandés.

Les principaux chercheurs impliqués dans le Projet viennent d'horizons variés. Gerald S. Lesser, qui a présidé le comité d'organisation du Projet, est un pédagogue et un psychologue du développement, le principal architecte de la création de programmes éducatifs de télévision pour les enfants. Howard Gardner est un psychologue qui a étudié le développement des talents symboliques chez les enfants normaux et doués, et l'altération de tels talents chez les adultes souffrant de lésion cérébrale. Israel Scheffler est un philosophe qui a travaillé dans les domaines de la philosophie de l'éducation, philosophie des sciences et philosophie du langage. Robert LeVine, un anthropologue social, a travaillé dans l'Afrique subsaharienne et au Mexique, pour étudier la vie de famille, l'assistance aux enfants et le développement psychologique. Merry White est une sociologue, spécialiste du Japon, qui a étudié l'éducation, l'organisation formelle et les rôles des femmes dans le tiers-monde et au Japon. Ce large éventail a permis au Projet d'adopter une approche à multiples facettes pour traiter les questions du potentiel humain.

Le premier volume publié sous l'égide du Projet est le livre de Howard Gardner, *Les Formes de l'intelligence*, une étude des potentiels intellectuels humains : il ne puise pas seulement dans la recherche psychologique, mais aussi dans les sciences biologiques et dans les découvertes faites sur le développement et l'usage de la connaissance dans différentes cultures.

Le deuxième livre du Projet à paraître est celui d'Israel Scheffler, *Of Human Potential*, qui envisage les aspects philosophiques du concept de potentiel. Présentant le contexte dans lequel apparaît ce concept et le replaçant dans la perspective d'une théorie générale de la nature humaine, ce travail propose ensuite trois reconstructions analytiques du concept et présente des réflexions systématiques sur la politique et l'éducation des hommes politiques.

Le troisième volume est *Human Conditions : the Cultural Basis of Educational Development*, par Robert A. LeVine et Merry I. White. Mettant l'accent sur le rôle essentiel des facteurs culturels dans le progrès du développement humain, le livre propose de nouveaux modèles de développement fondés sur l'anthropologie sociale et sur l'histoire sociale de la famille et de l'école.

Pour apporter des éléments issus des pays en voie de développement, le Projet a créé des équipes de conseillers en Égypte, en Inde, au Japon, au Mexique, en république populaire de Chine et en Afrique de l'Ouest. Un choix d'articles présentés par ces conseillers au cours des séminaires du Projet paraît dans *The Cultural Transition : Human Experience and Social Transformation in the Third World and Japan*, un quatrième volume édité par Merry I. White et Susan Pollak. Des représentants d'agences pour le développement international ont également été engagés comme conseillers et correspondants durant les cinq années qu'a duré le Projet. C'est grâce à ce type de dialogue et de recherches à un niveau international que le Projet a cherché à créer un nouvel environnement multidisciplinaire pour comprendre le potentiel humain.

L'idée d'intelligences multiples

Une fillette passe une heure avec un examinateur. Il lui pose un certain nombre de questions qui mettent en évidence les informations dont elle dispose (Qui a découvert l'Amérique ? Quelle est la fonction de l'estomac ?), son vocabulaire (Que signifie une « absurdité » ? Que signifie un « beffroi » ?), ses dons arithmétiques (Si une barre de sucre candi vaut deux francs, combien coûteront trois barres ?), son aptitude à se rappeler une série de nombres (5, 1, 7, 4, 2, 3, 8), sa capacité à saisir la ressemblance entre deux éléments (coude et genou, montagne et lac). Il peut aussi lui demander d'effectuer d'autres tâches — par exemple, trouver la solution d'un labyrinthe ou assembler un groupe d'images pour qu'elles forment une histoire cohérente. Ensuite, l'examinateur compte les réponses et obtient un certain nombre, que l'on appelle le quotient intellectuel de la fillette, son QI. Il est probable que ce résultat (dont on peut informer la fillette) aura un retentissement sur son avenir : il influencera l'opinion que ses professeurs se formeront d'elle et déterminera les privilèges auxquels elle aura ou non accès. Le nombre de questions qui lui ont été posées n'est pas indifférent : le résultat obtenu à un test d'intelligence permet de prédire l'aptitude à dominer des sujets scolaires, mais il ne dit pas grand-chose de la réussite ultérieure.

Le scénario précédent se répète des milliers de fois chaque jour, partout dans le monde, et on attache en général une grande portée au QI. Bien sûr, on utilise différentes versions du test suivant l'âge et le contexte culturel. Parfois, il s'agit d'un questionnaire à remplir plutôt qu'un entretien avec un examinateur. Mais pour tester l'intelligence, la méthode, dans ses grandes lignes, est à peu près la même partout dans le monde.

Les critiques ont été nombreuses. Des réponses brèves à des questions brèves ne sauraient suffire à révéler l'intelligence d'une personne. On peut tout au plus prédire ses succès scolaires. Pourtant, en l'absence d'une conception plus précise de l'intelligence et de meilleurs modes d'évaluation des aptitudes individuelles, ce scénario ne risque pas de cesser de se répéter partout et toujours.

Mais laissons un peu aller notre imagination et considérons toutes les activités auxquelles on accorde de la valeur de par le monde. Envisageons, par exemple, un garçon Palau de douze ans vivant dans les îles Carolines. Il a été choisi par ses aînés pour apprendre à devenir maître marinier. Sous la tutelle de maîtres navigateurs, il apprendra à utiliser sa connaissance de la navigation, des étoiles et de la géographie de manière à trouver son chemin au milieu de milliers d'îles. Considérons un jeune Iranien de quinze ans qui a appris par cœur le Coran et maîtrise la langue arabe. Il est envoyé dans une ville sainte pour travailler durant plusieurs années avec un ayatollah qui le préparera à devenir professeur et chef religieux. Songeons enfin à une adolescente parisienne de quatorze ans qui a appris à programmer sur ordinateur et commence à composer des morceaux de musique à l'aide d'un synthétiseur.

Chacun a atteint un haut niveau de compétence dans un domaine difficile. On peut considérer chacun comme intelligent, selon n'importe quelle définition raisonnable du terme. Cependant, il est clair que les méthodes courantes pour évaluer l'intellect ne permettent pas d'évaluer correctement le potentiel de ces personnes et le fait qu'elles ont réussi à naviguer selon les étoiles, à maîtriser une langue étrangère ou à composer de la musique sur un ordinateur. Le problème ne réside pas dans la technique utilisée pour les tests. Il tient à la conception de l'intellect et de l'intelligence. C'est seulement en élargissant et en reformulant notre vision de l'intellect humain que nous serons en mesure d'imaginer des modes d'évaluation plus adaptés et des méthodes d'éducation plus efficaces.

Partout dans le monde, des professionnels de l'éducation sont arrivés aux mêmes conclusions. De nouveaux programmes (certains sont même grandioses) visent à développer l'intelligence humaine, à former les individus à « l'apprentissage anticipé », à développer leur potentiel humain. Des expériences étonnantes (de la méthode Suzuki d'entraînement au violon[1] jusqu'à la méthode LOGO de présentation des fondements de la programmation informatique[2]) cherchent à favoriser la réussite des jeunes enfants. Certaines ont été des succès, d'autres se mettent seulement en place[3]. Quoi qu'il en soit, ces initiatives ne s'appuient pas sur une conception correcte de l'intelligence. Le dessein du présent livre est de parvenir à une telle formulation.

Dans les chapitres qui suivent, j'ébauche une nouvelle théorie des compétences intellectuelles de l'homme. Elle remet en cause la conception classique de l'intelligence admise par la plupart des gens, soit explicitement (après avoir pris connaissance des textes consacrés à la psychologie et à l'éducation), soit implicitement (en vivant dans une culture qui valorise l'intelligence, mais en a une idée limitée). Pour rendre plus évidents les aspects nouveaux de cette théorie, je commencerai par examiner la conception traditionnelle de l'intelligence. D'où vient-elle ? Pourquoi est-elle tellement enracinée ? Quels problèmes laisse-t-elle de côté ? C'est seulement ensuite que j'aborderai ma théorie.

Pendant plus de deux mille ans[4], au moins depuis l'essor de la cité-État grecque, un certain nombre d'idées ont dominé, dans notre civilisation, les débats sur la condition humaine. On a ainsi mis en évidence l'existence et l'importance des pouvoirs mentaux — sous le nom de « rationalité », d'« intelligence » ou d'« esprit ». On a cherché à définir l'essence de l'homme par la soif de connaissance, laquelle est propre à notre espèce. D'où la valorisation du savoir. Que ce soit pour Platon, le roi des philosophes, pour le prophète hébreu, pour le scribe lettré dans son monastère médiéval ou pour l'homme de science dans son laboratoire, l'individu capable d'utiliser ses pouvoirs mentaux a été objet d'élection. Le « Connais-toi toi-même » de Socrate, le « Tous les hommes désirent savoir » d'Aristote et le « Je pense : donc je suis » de Descartes sont les piliers de notre civilisation.

Même au cours du sombre millénaire qui sépare l'Antiquité et la Renaissance, on a rarement remis en cause l'importance des facteurs intellectuels. Saint Augustin a déclaré :

> L'intelligence est l'auteur et le moteur principal de l'univers. Donc, la cause finale de l'univers doit être le bien de l'intelligence, et c'est une vérité [...]. De toutes les poursuites de l'homme, la poursuite de la sagesse est la plus parfaite, la plus sublime, la plus utile et la plus agréable. La plus parfaite, parce que dans la mesure où un homme s'adonne lui-même à la poursuite de la sagesse, c'est dans cette mesure qu'il jouit déjà d'une certaine portion du vrai bonheur.

À l'apogée du Moyen Âge, Dante soutient que « la véritable fonction de la race humaine, prise dans son ensemble, consiste à actualiser continuellement tout le potentiel accessible à l'intellect, d'abord dans la spéculation, ensuite par son extension et pour elle-même, en second lieu dans l'action ». Par la suite, au début de la Renaissance, un siècle avant Descartes, Francis Bacon a décrit le bateau anglais de la Nouvelle Atlantide approchant de l'île d'Utopie, dont l'institution principale est un grand établissement consacré à la recherche scientifique. Le souverain de ce royaume déclare aux voyageurs :

> Je vous donnerai mon plus beau joyau. Car je vous transmettrai, pour l'amour de Dieu et des hommes, un récit du véritable état de la maison de Salomon [...]. L'objectif de notre fondation est la connaissance des causes et les mouvements secrets des choses ; et l'élargissement des

limites de l'empire humain jusqu'à ce que soient accomplies toutes les choses possibles.

Bien sûr, le respect de la connaissance et de ceux qui paraissent la posséder n'est pas le seul thème qui hante ce qu'il faut bien nommer (de façon quelque peu inexacte) le « monde occidental ». Au fil des siècles, les vertus du sentiment, de la foi et du courage ont aussi été des leitmotivs. De fait, elles ont parfois (sinon toujours, à juste titre) été opposées à la recherche du savoir. Notons cependant que, même quand la foi ou l'amour sont exaltés, chacun est opposé aux pouvoirs de la raison. Dans le même ordre d'idées, quand les chefs des régimes totalitaires ont imaginé de remodeler leur société sur des bases nouvelles, ils ont tenté d'éliminer les rationalistes ou les intellectuels qu'ils ne pouvaient enrôler, rendant ainsi une fois de plus une sorte d'hommage indirect aux pouvoirs de la raison.

Raison, intelligence, logique, connaissance ne sont pas synonymes. Ce livre tente justement de démêler les différents dons et capacités impliqués par le terme « mental ». Mais je dois d'abord bien distinguer deux attitudes à l'égard de l'esprit qui se sont affrontées au fil des siècles. Adoptant la distinction séduisante du poète grec Archiloque[5], on peut opposer ceux qui voient l'intellect comme un bloc (baptisons-les les « porcs-épics ») à ceux qui sont favorables à sa fragmentation en plusieurs composantes (les « renards »). Les porcs-épics ne se contentent pas de croire que c'est une seule et unique capacité, propre aux êtres humains. Souvent, ils posent en corollaire que chaque individu est né avec une certaine somme d'intelligence et que nous autres individus pouvons en réalité être classés selon notre intellect donné par Dieu, ou notre QI. Cette conception est si fortement enracinée que la plupart d'entre nous sont tentés de classer les individus comme plus ou moins « habiles », « brillants », « malins » ou « intelligents ».

Une tradition tout aussi ancienne en Occident défend au contraire l'idée que l'esprit comporte d'innombrables fonctions ou parties distinctes de l'esprit[6]. Pendant l'Antiquité, il était commun de distinguer la raison, la volonté et le sentiment. Les penseurs du Moyen Âge ont mis en place le trivium (grammaire, logique et rhétorique) suivi du quadrivium (mathématiques, géométrie, astronomie et musique). Quand la psychologie scientifique a pris son essor, on a posé un ensemble encore plus large d'aptitudes ou de facultés mentales chez l'homme (Franz Joseph Gall, que je présenterai formellement plus loin, a répertorié chez l'homme trente-sept facultés ou pouvoirs de l'esprit ; J. P. Guilford soutient aujourd'hui que l'esprit aurait cent vingt vecteurs)[7]. Certains de ces renards pensent que l'esprit s'ordonne de façon innée, mais nombreux sont aussi ceux qui croient à l'influence de l'environnement et de l'éducation.

Ce débat ancien entre porcs-épics et renards fait rage aujourd'hui encore. À propos du cerveau, les *localisateurs* croient que chaque portion du système nerveux sert de médiateur à une aptitude intellectuelle précise. Ils s'opposent aux *holistes*, pour qui les fonctions intellectuelles majeures impliquent le cerveau dans son ensemble. Dans le domaine des tests d'intelligence, un débat interminable a eu lieu entre ceux qui (derrière Charles Spearman) croient en un facteur général de l'intellect et ceux qui (à l'instar de L. L. Thurstone) admettent qu'il existe une famille d'aptitudes mentales fondamentales, mais pas que l'une d'entre elles est dominante[8]. Dans le domaine du développement de l'enfant, le débat a été vigoureux entre ceux qui postulent des structures générales de l'esprit (comme Jean Piaget) et ceux qui croient en un ensemble de talents mentaux large et relativement sans connexion (l'école d'apprentissage environnemental)[9]. La discussion a, bien sûr, des échos dans d'autres disciplines.

Ainsi donc, si tout le monde, au cours des siècles, a cru en la primauté des pouvoirs intellectuels, la question de savoir si on peut ou non morceler l'intellect reste en suspens. Les très vieux problèmes ont souvent peu de chances d'être résolus. Je doute que les questions du libre-arbitre ou du conflit entre la foi et la raison soient jamais résolues. Mais dans certains cas, on peut espérer un progrès. Il arrive que le progrès soit la conséquence d'une clarification logique. C'est le cas, par exemple, quand on débrouille un sophisme. (Nul ne partage plus la croyance erronée selon laquelle les visages déformés des portraits du Greco seraient dus à son astigmatisme, depuis que l'on a expliqué que l'astigmatisme ne conduit pas à peindre des visages allongés. Un peintre astigmate perçoit les visages sur sa toile [et dans son monde quotidien] comme allongés ; mais en réalité, ces visages apparaissent normaux à des yeux non astigmates.) Le progrès peut aussi résulter de découvertes scientifiques de grande ampleur. (Les découvertes de Copernic et de Kepler ont radicalement changé notre vision de l'architecture de l'univers.) Il peut aussi provenir d'un travail de synthèse qui permet d'accumuler les arguments convaincants. (Ce fut le cas lorsque Charles Darwin a rassemblé des quantités de preuves en faveur du développement et de la différenciation des espèces dans sa théorie de l'évolution.)

Le temps pourrait être venu pour nous d'élucider la structure des facultés intellectuelles de l'homme. En l'occurrence, ce n'est pas une avancée scientifique ou la mise en évidence d'une erreur logique, mais plutôt la convergence d'un faisceau de preuves venu de diverses sources qui pourrait le permettre. C'est dû à l'énergie déployée depuis plusieurs dizaines d'années par tous ceux qui s'intéressent à la cognition humaine. Mais, à supposer qu'elles l'aient été, les lignes de convergence se sont rarement concentrées en un point et n'ont jamais donné lieu à une étude systématique sur un sujet déterminé. De plus, le grand public n'a pas vraiment eu vent de ces recherches. Mon livre se propose justement de les confronter et de les rassembler.

Selon moi, il existe des preuves convaincantes du fait que l'homme possède plusieurs compétences intellectuelles *relativement autonomes*, que j'appellerai par la suite sous forme abrégée, « intelligences humaines ». D'où le titre de cet ouvrage : *Les Formes de l'intelligence*. La nature exacte et l'ampleur de chaque « forme » n'ont pas encore été clairement établies, pas plus que le nombre précis des intelligences n'a été fixé. Mais il me semble de plus en plus difficile de nier qu'il existe au moins plusieurs intelligences, qu'elles sont relativement indépendantes les unes des autres et qu'individus et cultures peuvent les modeler et les combiner en les adaptant de multiples manières.

Les efforts menés auparavant (et il y en a eu beaucoup) pour établir l'existence d'intelligences indépendantes n'ont pas été convaincants, essentiellement parce qu'ils reposent uniquement sur une ou, au maximum, deux lignes de démonstration. On a posé l'existence d'« esprits » ou « facultés » distinctes exclusivement sur la base d'une analyse logique, exclusivement en se fondant sur l'histoire des disciplines de l'éducation, exclusivement en s'appuyant sur les résultats des tests d'intelligence ou bien exclusivement en recourant aux données tirées des recherches sur le cerveau. Ces efforts épars ont rarement donné lieu à la même liste de compétences. De ce fait, l'idée même d'intelligences multiples a paru sujette à caution.

Je procède très différemment. Pour constituer mon dossier, j'ai examiné des arguments issus de nombreuses sources et encore jamais mis en relation : des recherches sur des prodiges, des individus doués, des patients atteints de lésion cérébrale, des *idiots savants*, des enfants normaux, des adultes normaux, des experts dans différents types de travail et des personnes de diverses cultures. J'ai établi (et à mon avis partiellement validé) une liste préalable de candidates au statut d'intelligences en faisant converger les preuves émanant de ces différentes sources. J'ai acquis la conviction qu'une intelligence existe dans la mesure où elle peut se trouver relativement isolée dans des populations particulières (ou absente de façon isolée dans des populations par ailleurs normales), dans la mesure où elle peut être hautement développée chez certains individus ou dans certaines cultures, et où les psychométriciens, les chercheurs expérimentaux et/ou les experts dans telle ou telle discipline particulière peuvent définir des aptitudes clés et, ainsi, cette intelligence. Bien entendu, l'absence de certains de ces indices (ou de tous) conduit à éliminer une candidate. Dans la vie ordinaire, comme je le montrerai, ces intelligences fonctionnent normalement en harmonie. Ainsi leur autonomie peut-elle être invisible. Mais pour qui a les bons instruments d'observation, la nature particulière de chaque intelligence apparaît avec clarté (et souvent de façon surprenante).

Ce livre plaide donc la cause de l'existence d'intelligences multiples (abrégées ensuite en « IM »). Que la plaidoirie se révèle ou non convaincante, j'aurai au moins réuni en un seul ouvrage plusieurs corpus de connaissances qui ont jusqu'à présent vécu dans un isolement relatif. Ce livre a aussi d'autres buts, certains scientifiques, d'autres pratiques. Et ils sont loin d'être accessoires.

Tout d'abord, je voudrais élargir le champ de la psychologie cognitive et développementale (deux domaines dont je me sens le plus proche dans mon activité de chercheur). Il s'agit d'y intégrer les données de la biologie et de la théorie de l'évolution d'un côté, et de l'autre, les variations culturelles. Qui s'intéresse à la cognition et au développement devrait aussi se tenir au courant des recherches sur le cerveau et de l'étude des cultures exotiques.

Deuxièmement, je souhaite envisager les conséquences pédagogiques de ma théorie. Tôt dans la vie d'une personne, il doit être possible d'identifier son profil intellectuel (ou ses inclinaisons) et d'en tirer profit pour déterminer quelles sont les possibilités qui lui sont ouvertes et les options éducatives qui lui sont adaptées. On devrait canaliser au sein de programmes spéciaux les personnes qui ont des talents exceptionnels et, de même, imaginer des programmes de soutien et de développement pour ceux qui présentent un profil de compétences intellectuelles atypique ou en dysfonctionnement.

Troisièmement, j'espère que cette enquête donnera envie aux anthropologues qui s'intéressent à l'éducation de développer un modèle rendant compte de la manière dont les compétences intellectuelles sont stimulées dans les différents cadres culturels. C'est seulement à ce prix qu'il sera possible de déterminer si les théories de l'apprentissage et de l'enseignement voyagent facilement au-delà des frontières nationales ou s'il faut continuellement les remodeler à la lumière des particularités de chaque culture.

Enfin — c'est le défi le plus important, mais aussi le plus difficile — j'espère que mon point de vue sera utile aux politiques et aux professionnels de la formation. Le développement intellectuel est un enjeu international important : le rapport de la Banque mondiale sur le développement humain, l'essai du Club de Rome sur l'apprentissage anticipé et le Projet vénézuélien sur l'intelligence humaine n'en sont que trois exemples visibles récents. Malheureusement, les professionnels s'appuient souvent sur des théories erronées de l'intelligence et de la cognition, de sorte que non seulement leurs programmes échouent, mais ils se révèlent contre-productifs. C'est pour les aider que j'ai voulu présenter ma théorie des intelligences multiples de façon à ce qu'elle puisse s'appliquer à toute situation éducative. Cela pourrait au moins décourager les interventions qui semblent vouées à l'échec et encourager celles qui ont une chance de réussir.

Mais ce livre est aussi une contribution à la science de la cognition encore en voie d'édification. Pour partie, je reprends les travaux d'autres scientifiques, mais je propose aussi une orientation nouvelle. Certains points sont sujets à controverse. La deuxième partie décrit ainsi plusieurs compétences intellectuelles qui existent indubitablement. Mais, comme il convient dans un exposé qui se veut scientifique, je passerai d'abord en revue les autres tentatives pour caractériser les différents profils intellectuels (chapitre 1), puis, après avoir présenté les preuves qui justifient ma théorie, j'en ferai la critique (chapitre 10). La deuxième partie adopte un point de vue biologique et transculturel : je consacre donc des chapitres séparés aux bases biologiques de la cognition (chapitre 2) et aux variations culturelles en matière d'éducation (chapitre 12). Enfin, les chapitres de conclusion sont consacrés plus directement à l'éducation et à la politique.

Un mot, enfin, sur le titre de cette introduction. Comme je l'ai indiqué, l'idée d'intelligences multiples est ancienne. Ma tentative n'est donc nullement originale. J'emploie cependant le mot « idée » parce que la notion d'intelligences multiples n'est pas encore une donnée scientifique prouvée. Elle a simplement conquis depuis peu le droit d'être discutée. Étant donné l'ambition et la portée de ce livre, il est inévitable que cette idée comporte bien des imperfections. J'espère cependant établir qu'elle doit aujourd'hui s'imposer.

Première partie

LE CONTEXTE

CHAPITRE 1

L'intelligence : les théories classiques

À la fin du xviiie siècle, Franz Joseph Gall, alors qu'il était encore écolier, a observé chez ses condisciples une relation entre certaines de leurs caractéristiques mentales et la forme de leur crâne[1]. Par exemple, les garçons aux yeux globuleux semblaient avoir une bonne mémoire. Devenu médecin et homme de science, il a ensuite fondé sur cette idée une discipline qu'il a appelée la « phrénologie » et qui se voulait scientifique[2].

Le principe de la phrénologie est simple. Les crânes humains diffèrent les uns des autres et leurs variations reflètent les différences de taille et de forme du cerveau. Différentes aires dans le cerveau remplissent à tour de rôle des fonctions distinctes. Ainsi, en examinant avec soin la configuration du crâne d'un individu, un spécialiste devrait être en mesure de déterminer les points forts, les faiblesses et les idiosyncrasies du profil mental de l'homme ou de la femme en question.

La liste que donne Gall des pouvoirs et des « organes » de l'esprit, modifiée par son collaborateur, Joseph Spurzheim, était un vrai fourre-tout, où étaient représentés quelque trente-sept pouvoirs différents incluant les facultés affectives comme l'amativité, la philoprogénivité et la secrétivité, des sentiments comme l'espoir, la révérence et l'estime de soi, des pouvoirs de réflexion et des capacités de perception, y compris le langage, la mélodie (pour la musique), ainsi que la sensibilité à des propriétés visuelles comme la forme et la couleur.

La phrénologie de Gall et de Spurzheim a connu une énorme popularité en Europe et aux États-Unis au début du xixe siècle. La doctrine, fort simple, était séduisante, et tout le monde pouvait se prendre au jeu. Son succès fut encore accru par l'approbation de nombreux scientifiques.

Bien sûr, après coup, il est facile de se moquer des défauts de la doctrine phrénologique. Nous savons, par exemple, que la simple taille du cerveau n'a pas de corrélation claire avec l'intellect d'un individu. De fait, des personnes qui avaient un très petit cerveau, comme Walt Whitman et Anatole France, ont réussi tandis que certaines personnes qui ont un cerveau énorme sont parfois idiotes et n'ont, la plupart du temps, rien de remarquable. De plus, la taille et la configuration du crâne lui-même se révèlent des mesures inexactes des configurations importantes du cortex humain.

Néanmoins, de même qu'il serait impardonnable de passer sous silence les défauts des affirmations de Gall, ce serait une aussi grande erreur que de les rejeter entièrement. Gall, après tout, compte parmi les premiers scientifiques modernes à avoir montré le fait que différentes parties du cerveau servent d'intermédiaire à différentes fonctions. Ce n'est pas parce que nous sommes incapables d'indiquer avec précision la relation entre la taille, la forme et la fonction que nous le serons toujours. De plus, Gall a proposé d'autres thèses fécondes, dont cette affirmation fascinante : il n'existe pas de pouvoirs mentaux généraux, comme la perception, la mémoire et l'attention, mais plutôt différentes formes de perception, de mémoire, etc., pour *chacune* des facultés intellectuelles, comme le langage, la musique ou la vue. Quoique rarement prise au sérieux au cours de la plus grande partie de l'histoire de la psychologie, cette idée est très intéressante et pourrait être exacte.

Au siècle suivant, les affirmations originales de Gall ont suscité des réactions variées : tantôt on croyait en la localisation des fonctions et tantôt on mettait en doute sa démonstration visant à établir des corrélations entre le cerveau et le comportement. De fait, cet effet de balancier a toujours cours. Les premières critiques se sont élevées dans la décennie qui a suivi les publications originales de Gall, au début du XIXe siècle : des scientifiques comme Pierre Flourens ont montré, en procédant à l'ablation de certaines parties du cerveau d'un animal et en observant ensuite son comportement, que certaines des affirmations de Gall ne tenaient pas[3]. Dans les années 1860, pourtant, le point de vue de Gall s'est de nouveau imposé quand le chirurgien et anthropologue français Pierre-Paul Broca a prouvé, pour la première fois, qu'il existait indiscutablement une relation entre une lésion cérébrale spécifique et une altération cognitive déterminée. En particulier, Broca a accumulé des preuves montrant qu'une lésion dans une certaine aire de la portion antérieure gauche du cortex humain provoquait une aphasie, c'est-à-dire un effondrement des capacités linguistiques[4]. Quelques années plus tard, on a mis en évidence le fait que différentes lésions dans l'hémisphère gauche peuvent altérer des fonctions linguistiques particulières selon des règles précises. Une lésion altérerait de façon sûre la lecture, tandis qu'une autre compromettrait la nomination ou la répétition[5]. La localisation des fonctions, sinon la phrénologie, gagnait la bataille une fois encore.

Les tentatives pour mettre le cerveau en rapport avec une fonction mentale ou, en l'occurrence, pour découvrir les racines physiques des fonctions mentales remontent avant le XIXᵉ siècle. Les Égyptiens ont localisé la pensée dans le cœur et le jugement dans la tête ou les reins. Pythagore et Platon ont soutenu que l'esprit était dans le cerveau. De même, Aristote pensait que le siège de la vie résidait dans le cœur, tandis que Descartes plaçait l'âme dans la glande pinéale. Les scientifiques du XIXᵉ siècle n'ont donc pas été les premiers à essayer de distinguer l'ensemble des aptitudes intellectuelles humaines (quoiqu'une liste de trente-sept fût plutôt un maximum). Platon et Aristote se sont sans conteste passionnés pour la diversité de la pensée rationnelle et pour les formes de la connaissance. Durant le Moyen Âge, les savants se sont appuyés sur le trivium et le quadrivium, ces domaines de la connaissance que toute personne cultivée maîtrisait. Les *Upanishad* hindous décrivent aussi sept sortes de connaissance. Pourtant, ce que le XIXᵉ siècle a inventé, c'est l'idée que les différentes capacités mentales humaines auraient un profil spécifique. C'est aussi à partir de cette époque qu'on a cherché à s'appuyer sur des études cliniques et des expériences de laboratoire pour rapporter des aires spécifiques du cerveau à des fonctions cognitives particulières.

La psychologie proprement dite

Les premières tentatives pour élever la psychologie au rang de science sont apparues dans la seconde moitié du XIXᵉ siècle, avec des scientifiques comme Wilhelm Wundt en Allemagne et William James en Amérique, qui ont fourni une assise rationnelle et ouvert la voie aux recherches futures. Jusqu'alors, la psychologie préscientifique était empreinte de philosophie plus que de médecine et les premiers psychologues étaient eux-mêmes désireux de définir leur discipline indépendamment de la physiologie et de la neurologie. Les contacts étaient donc rares entre la nouvelle génération de psychologues et les scientifiques qui menaient des expériences sur le cerveau humain. Par conséquent, les concepts des psychologues étaient assez éloignés de ceux qui inspiraient les spécialistes du cerveau. Plutôt que de penser (comme Gall) en termes de contenus mentaux particuliers (comme le langage, la musique ou les différentes formes de la perception visuelle), les psychologues ont cherché (et c'est toujours le cas aujourd'hui) les lois qui régissent les facultés mentales « horizontales » comme la mémoire, la perception, l'attention, l'association et l'apprentissage. On pensait que ces facultés opéraient de façon équivalente — en fait, à

l'aveuglette — quel que soit le contenu, indépendamment de la modalité sensorielle particulière et du type de contenu idéationnel impliqués
dans le domaine. De fait, de tels travaux ont toujours cours sans grande
communication avec les découvertes qui émanent des sciences du
cerveau.

Ainsi une lignée de psychologues scientifiques a-t-elle recherché
les lois fondamentales du savoir humain — ce qu'on pourrait appeler
aujourd'hui les principes du traitement de l'information chez l'homme.
Un secteur d'études tout aussi actif a privilégié les différences individuelles — les profils distincts d'aptitudes (ou d'inaptitudes) chez les
individus. Il y a un siècle, l'encyclopédiste britannique Sir Francis
Galton a contribué à lancer ce domaine d'étude[6]. Galton s'intéressait
en particulier au génie, au talent et aux autres formes de réussite. Il a
donc développé des méthodes statistiques permettant de classer les
êtres humains selon leurs aptitudes physiques et intellectuelles et de
mettre en corrélation de telles mesures les unes avec les autres. Ces
outils lui ont permis de vérifier qu'il existe un lien entre le lignage
généalogique et la réussite professionnelle.

De fait, pour mesurer des individus, on aurait besoin d'innombrables critères. Cependant, il a fallu peu de temps pour que les
psychologues conçoivent différents tests et commencent à classer les
êtres humains en comparant leurs performances selon ces mesures.
Tout d'abord, on s'accordait en général à penser que l'on peut correctement estimer les capacités intellectuelles grâce à différentes tâches de
discrimination sensorielle — par exemple, l'aptitude à distinguer des
lumières, des poids ou des tons. Galton croyait ainsi que des individus
plus cultivés et plus instruits se caractériseraient par des capacités sensorielles particulièrement aiguës. Petit à petit, la communauté
scientifique en est venue à penser qu'il fallait examiner surtout les
capacités plus complexes ou « molaires », comme celles qui impliquent
le langage et l'abstraction, si l'on souhaitait évaluer plus finement l'intellect humain. Le chercheur le plus important dans ce domaine fut le
Français Alfred Binet. Au début du xxe siècle, avec son collègue Théodore Simon, Binet a conçu les premiers tests d'intelligence afin de
repérer les enfants arriérés et de placer les autres enfants au niveau
scolaire qui leur convenait[7].

Au sein de la communauté scientifique et dans l'ensemble de la
société, les tests d'intelligence ont suscité une excitation au moins aussi
prononcée et bien plus durable que ne l'avait été l'enthousiasme dû à
la phrénologie plus d'un siècle plus tôt. L'usage s'en est répandu au
point de devenir une véritable manie. On s'est mis à évaluer les gens à
des fins spécifiques — que ce soit à l'école, à l'armée, pour l'embauche
dans des usines, etc.[8]. Pour la plupart des psychologues, du moins
jusqu'à ces dernières années, les tests d'intelligence étaient une réussite
majeure de la psychologie. Elle justifiait son ambition de servir à la
société et c'était même une découverte scientifique importante en soi.

Ils auraient même applaudi à la conclusion du psychologue anglais H. J. Eysenck[9], selon lequel le concept d'intelligence « constitue un vrai paradigme scientifique au sens de Kuhn* ».

On a si souvent raconté l'histoire de l'essor des tests de QI et des différents débats qui ont fait rage à son propos qu'il n'est pas nécessaire d'en rapporter une fois encore le bruit et la fureur. La plupart des spécialistes en psychologie et presque tous les autres scientifiques sont désormais convaincus que l'enthousiasme suscité par les tests d'intelligence a été excessif. Ces outils sont limités, de même que l'usage qu'on peut (et qu'on doit) en faire. Notamment, les tâches sur lesquelles se fondent ces tests sont à l'évidence biaisées et favorisent des personnes vivant dans une société scolarisée, surtout celles qui ont l'habitude de répondre à des questionnaires ou de faire des schémas. Les tests permettent de prédire d'éventuels succès scolaires, mais leur pouvoir de prédiction hors du contexte scolaire est faible, surtout quand on prend en compte des facteurs plus larges, comme le contexte socio-économique. On a également fait beaucoup trop de bruit sur le caractère peut-être héréditaire du QI. Rares sont ceux qui vont jusqu'à affirmer que le QI n'est hérité à aucun degré. Cependant, les affirmations extrêmes sur l'existence de l'hérédité au sein d'une race et d'une race à l'autre sont discréditées.

Il me faut toutefois mentionner ici brièvement un débat ancien à propos des tests d'intelligence. Il oppose d'un côté les partisans du psychologue de l'éducation anglais Charles Spearman[10] — dans mes termes, un « porc-épic » — qui croient à l'existence d'un facteur « g » — un facteur principal général de l'intelligence, qui se mesure dans toute tâche d'un test d'intelligence — et de l'autre, les partisans du psychométricien américain L. L. Thurstone[11], qui croient à l'existence d'un petit ensemble de facultés mentales primaires qui seraient relativement indépendantes les unes des autres et se mesureraient à travers des tâches différentes, autrement dit les « renards ». Thurstone, de fait, a identifié sept facteurs de ce type — la compréhension verbale, l'aisance à s'exprimer, la facilité numérique, la visualisation spatiale, la mémoire associative, la rapidité de perception et le raisonnement. (D'autres spécialistes, moins souvent cités, posent un nombre beaucoup plus grand de facteurs indépendants[12].)

Aucun des deux camps n'a été en mesure de prendre le dessus. Les problèmes concernant l'interprétation des tests d'intelligence sont en effet de nature mathématique et ne peuvent être résolus de façon empirique. Ainsi, étant donné le même ensemble de données, il est possible, à l'aide d'un ensemble de procédures d'analyse de facteurs, d'obtenir un tableau qui semble démontrer l'existence d'un facteur « g ». Une

---

* Eysenck se réfère ici à Thomas Kuhn, philosophe contemporain qui définit les sciences en fonction de leurs conceptions de base, ou « paradigmes ».

autre méthode d'analyse statistique tout aussi valide justifie l'idée selon laquelle il existerait une famille d'aptitudes mentales relativement distinctes. Comme Stephen Jay Gould l'a montré dans son dernier livre *La Mal-Mesure de l'homme*, aucun élément de ces mesures mathématiques n'est intrinsèquement supérieur à un autre [13]. Lorsqu'il s'agit d'interpréter les tests d'intelligence, tout est une affaire de goût ou de préférence. Ce n'est pas un problème susceptible d'une résolution scientifique.

Piaget

Un chercheur pourtant formé dans la tradition des tests de QI a développé une conception de l'intellect qui a un peu partout supplanté la vogue des tests d'intelligence [14]. Il s'agit du psychologue suisse Jean Piaget, qui a commencé sa carrière vers 1920 en travaillant dans le laboratoire de Simon et qui s'est vite surtout intéressé aux erreurs que les enfants commettent quand ils s'attaquent aux exercices d'un test d'intelligence. Pour Piaget, ce n'est pas l'exactitude de la réponse de l'enfant qui compte. Ce sont plutôt les catégories de raisonnement que l'enfant fait jouer : on peut le voir plus nettement en se concentrant sur les hypothèses et les chaînes de raisonnement qui donnent naissance à des conclusions erronées. Ainsi, par exemple, n'était-il pas révélateur en soi de découvrir que la plupart des enfants de quatre ans pensent qu'un marteau ressemble plus à un clou qu'à un tournevis. Ce qui est important, c'est que les enfants arrivent à cette conclusion parce que leur vision de la ressemblance reflète une co-occurrence physique (les marteaux se trouvent dans le voisinage des clous) plutôt qu'une participation à la même catégorie hiérarchique (outils).

Piaget n'a lui-même jamais entrepris de critiquer la méthode des tests d'intelligence. Mais sa démarche scientifique révèle certaines des insuffisances du programme Binet-Simon. Tout d'abord, la méthode du QI est aveuglément empirique. Elle se fonde uniquement sur des tests qui ont un pouvoir de prédiction en matière scolaire et seulement de façon marginale sur une théorie du fonctionnement de l'esprit. Elle ne dit rien des processus mentaux, de la manière dont on parvient à résoudre un problème : il s'agit uniquement de savoir si l'on arrive à la réponse exacte. Par ailleurs, les tâches présentées dans les tests de QI sont résolument microscopiques, elles sont souvent sans rapport les unes avec les autres et elles correspondent à une évaluation grossière de l'intellect humain. Elles sont souvent éloignées de la vie et reposent principalement sur le langage et le talent de la personne à définir des mots, à connaître des faits sur le monde, à trouver des connexions (et des différences) entre des concepts verbaux.

La plus grande part de l'information en jeu dans les tests d'intelligence reflète une connaissance acquise de l'individu vivant dans un milieu social et éducatif spécifique. Par exemple, l'aptitude à définir le mot *préjudice* ou à identifier l'auteur de *L'Iliade* reflète surtout le type d'école fréquenté ou les goûts familiaux. En revanche, les tests d'intelligence évaluent rarement le talent à assimiler une information nouvelle ou à résoudre de nouveaux problèmes. Ce préjugé en faveur d'une connaissance « cristallisée » plutôt que d'une connaissance « fluide » a des conséquences surprenantes. Un individu peut perdre ses lobes frontaux tout entiers et devenir par ce processus une personne radicalement différente, incapable de faire montre d'une initiative ou de résoudre de nouveaux problèmes. Pourtant, il continue à avoir un QI proche du niveau du génie [15]. De plus, le test d'intelligence est peu révélateur du potentiel de développement d'un individu. Prenons deux personnes qui obtiennent le même résultat de QI : l'une peut se révéler par la suite capable d'une formidable réussite intellectuelle, tandis que l'autre aura déployé toutes ses aptitudes intellectuelles dans le test. Pour reprendre les termes du psychologue soviétique Lev Vygotsky, les tests d'intelligence ne disent rien de la « zone de développement potentiel [ou proximal] [16] ».

C'est sur ces bases, au moins implicites, que Piaget a développé pendant plusieurs dizaines d'années une conception de la cognition humaine radicalement différente et extrêmement puissante. D'après cette théorie, toutes les recherches sur la pensée humaine commencent par poser un individu qui tente de donner un sens au monde. Celui-ci est continuellement en train de forger des hypothèses et de tenter de produire de la connaissance : il essaie de représenter la nature des objets matériels du monde, leurs interactions, ainsi que la nature des personnes, leurs motivations et leur comportement. Enfin, il doit assembler toutes ces connaissances pour former une histoire sensée, un récit cohérent de la nature des mondes physiques et sociaux.

Au tout début, le bébé donne sens au monde principalement par ses réflexes, ses perceptions sensorielles et ses actions physiques sur le monde. Au bout d'un an ou deux, il parvient à une connaissance « pratique » ou « sensori-motrice » du monde des objets, tels qu'ils existent dans le temps et l'espace. Muni de cette connaissance, il peut faire son chemin de façon satisfaisante dans son environnement et estimer qu'un objet continue à exister dans l'espace et dans le temps même s'il est hors de son champ de vision. Ensuite, le tout-petit se met à développer des *actions intériorisées* ou *opérations mentales*. Ce sont des actions qui peuvent être potentiellement effectuées sur le monde des objets. Mais cette aptitude venant juste d'apparaître, ces actions ont seulement besoin d'être exécutées mentalement, à travers des images. Ainsi, par exemple, pour aller de son point d'arrivée à un point de départ familier, l'enfant n'a pas besoin d'essayer différents chemins : il lui suffit de calculer qu'en inversant ses pas, il retournera à l'origine.

En même temps, l'enfant devient aussi capable d'exercice symbolique : il peut utiliser différentes images ou éléments — comme les mots, les gestes ou les dessins — pour représenter des objets « de la vraie vie » dans le monde, et il peut déployer divers *systèmes symboliques*, comme le langage et le dessin.

L'évolution de ces capacités d'*intériorisation* et de *symbolisation* atteint un niveau élevé vers l'âge de sept ou huit ans, quand l'enfant devient capable d'*opérations concrètes*. Armé de son nouvel ensemble de capacités, l'enfant est désormais en mesure de raisonner de façon systématique sur le monde des objets, du nombre, du temps, de l'espace, de la causalité, etc. Maintenant qu'il n'est plus limité dans son action, il peut apprécier les relations qui résultent d'une série d'actions sur les objets. Ainsi comprend-il que les objets, quoique réarrangés, conservent la même quantité, qu'on peut changer la forme d'un matériau sans en affecter la masse, qu'une scène contient les mêmes éléments quelle que soit la perspective sous laquelle on la voit.

Selon Piaget, le stade final du développement a lieu au début de l'adolescence. Maintenant capable d'*opérations formelles*, le jeune garçon ou la jeune fille est en mesure de raisonner sur le monde non pas uniquement par des actions ou des symboles simples, mais plutôt en imaginant les conséquences qui se produisent parmi un ensemble de propositions apparentées. L'adolescent devient à même de penser d'une façon entièrement logique : tel un scientifique en plein travail, il peut formuler des hypothèses sous forme de propositions, les tester et les corriger à la lumière de ses expérimentations. Ces aptitudes une fois maîtrisées, le jeune garçon ou la jeune fille sont arrivés à l'état terminal de la cognition humaine adulte. Ils sont maintenant capables de la pensée logico-rationnelle prisée en Occident et incarnée par les mathématiciens et les scientifiques. Bien sûr, l'individu peut continuer à faire d'autres découvertes, mais sa pensée ne connaîtra plus de changements qualitatifs.

Ce survol des principales lois de Piaget met en évidence certains des points forts et des faiblesses de sa conception. Piaget a pris les enfants au sérieux : il leur a posé des problèmes importants (surtout émanant des sciences) et a prouvé qu'à chaque stade, un vaste ensemble d'opérations mentales se fonde sur la même structure organisée sous-jacente. Par exemple, selon Piaget, l'enfant « opératoire-concret » est capable d'effectuer une gamme de tâches en rapport avec la conservation du nombre, la causalité, la quantité, le volume, etc., parce qu'elles mettent toutes en œuvre les mêmes structures mentales clés. De même, muni des opérations formelles, l'adolescent déploie un groupe structuré d'opérations de sorte qu'il peut raisonner logiquement à propos de tout ensemble de propositions qu'on lui présente. À la différence des architectes des tests d'intelligence, Piaget a également pris au sérieux la liste des problèmes que les philosophes, et au plus haut degré Emmanuel Kant[17], ont jugés centraux pour l'intelligence humaine, notamment le problème du temps, de l'espace, du nombre et de la causalité. Pourtant, Piaget a esquivé les formes de connaissance qui sont seulement mémorisées (comme les définitions de mots) ou il les a réservées à certains groupes culturels (comme ceux qui valorisent la culture littéraire). Sciemment ou non, Piaget a dressé un portrait brillant du type de développement intellectuel auquel les traditions scientifiques et philosophiques de l'Occident accordent la plus haute valeur.

Toutefois, ces indéniables points forts, qui ont fait de Piaget *le* théoricien du développement cognitif, cohabitent avec certaines faiblesses qui sont apparues de plus en plus clairement ces vingt dernières années. Tout d'abord, quoique Piaget ait dressé un remarquable tableau du développement, il ne s'agit toujours que d'une seule sorte de développement. Centré sur le programme intellectuel abordé par le jeune scientifique, le modèle de développement construit par Piaget prend relativement moins d'importance dans un contexte non occidental et sans écriture. En fait, il se peut qu'il ne s'applique qu'à une minorité d'individus, même en Occident. Les étapes nécessaires pour développer d'autres formes de compétences — celles d'artiste, d'avocat, d'athlète ou de dirigeant politique — sont négligées puisque Piaget privilégie une certaine forme de pensée.

Bien sûr, on peut considérer que la perspective de Piaget, bien qu'exacte au sein de son domaine restreint, est limitée. Hélas, une génération de chercheurs empiriques qui ont examiné de près les affirmations de Piaget en ont jugé autrement. Quoique les grandes lignes du développement esquissées par Piaget restent de grand intérêt, nombre de détails sont tout bonnement incorrects. Les stades individuels se réalisent d'une façon beaucoup plus continue et progressive que Piaget ne l'a indiqué. La continuité qu'il a supposée (et qui rend ses affirmations théoriques particulièrement fascinantes) est rare. Ainsi, la plupart des tâches dont il affirme qu'elles entraînent des opérations concrètes peuvent être accomplies par des enfants à l'âge préopératoire pour peu qu'on ait procédé à certains ajustements dans le modèle expérimental. Par exemple, nous savons aujourd'hui que les enfants peuvent conserver le nombre, classer de façon cohérente et cesser d'être seulement centrés sur eux-mêmes dès l'âge de trois ans. La théorie de Piaget ne permettait pas de prédire une telle découverte. (Elle l'interdisait même.)

Un autre point central de la théorie de Piaget est également remis en question. Il prétendait que les différentes opérations qu'il avait découvertes pouvaient s'appliquer indifféremment à tout contenu (en cela, il s'approchait des tenants des « facultés horizontales » comme la perception ou la mémoire, processus englobant tout contenu). En réalité, pourtant, les opérations de Piaget fonctionnent avec certains matériaux ou contenus, mais pas avec d'autres. Ainsi, par exemple, un enfant peut être capable de conserver certaines représentations mais

pas d'autres. Pour Piaget, les opérations ne se cristallisent pas instantanément. Il y aurait même un *décalage* qui permettrait à une même
opération sous-jacente d'apparaître à des moments un peu différents
en fonction des différents matériaux. En fait, ce *décalage* a fini par
s'imposer dans les études sur le développement cognitif[18]. Au lieu de
penser qu'il existe une série complète d'aptitudes s'unissant à peu près
en même temps (à l'instar de Piaget), on considère aujourd'hui que des
aptitudes théoriquement reliées apparaissent à différents moments.

Ses théories comportent également d'autres limites. Malgré son
scepticisme à l'égard des tests de QI qui sont essentiellement verbaux,
les tâches auxquelles il s'est intéressé supposaient en fait le langage. Et
quand on cherche à se passer du langage, on obtient souvent des résultats différents de ceux mis en évidence à Genève dans le laboratoire de
Piaget[19]. Quoique plus molaires et complexes que celles sur lesquelles
reposent les tests d'intelligence, un grand nombre de tâches de Piaget
sont pourtant assez éloignées du type de pensée qui a cours dans la vie
quotidienne normale. Ce sont des tâches de laboratoire. Enfin, Piaget
a bien décrit l'enfant actif, qui explore le monde. Cependant, il n'a
presque rien dit de la créativité, qui occupe pourtant le premier rang
des sciences, et de l'originalité, qui est la chose la plus prisée en art ou
dans les autres domaines de la créativité humaine. Ainsi Piaget a-t-il
échoué à construire un modèle universel du développement cognitif
valable pour tous les enfants normaux. De plus, ses théories ne permettent pas de découvrir des phénomènes nouveaux ou de formuler des
problèmes que de nombreux scientifiques considèrent comme centraux dans la vie de l'esprit. Les schémas de développement proposés
par Piaget sont peut-être les meilleurs dont nous disposions, mais leurs
défauts sont évidents.

Le traitement de l'information

Les tests d'intelligence étaient en vogue il y a quarante ans et la
théorie de Piaget était à la mode il y a vingt ans. Aujourd'hui, c'est la
psychologie dite du « traitement de l'information » ou « science cognitive » qui domine chez le spécialiste[20]. Le psychologue du traitement
de l'information utilise des méthodes conçues au XXe siècle par les psychologues expérimentaux pour étudier des tâches complexes
analogues à celles auxquelles Piaget et d'autres théoriciens de la cognition se sont employés. Par exemple, on s'efforce de décrire de façon
« microgénétique », seconde par seconde (ou même milliseconde par
milliseconde), les étapes mentales que suit un enfant qui résout (ou
bien échoue à résoudre) un problème de conservation. Le processus
commence avec l'information délivrée à l'œil ou à l'oreille et ne se

termine que quand une réponse est émise, par la bouche ou par la main. Plutôt que de donner, à l'instar de Piaget, une simple description des deux ou trois stades de base découverts à différents âges et des stratégies privilégiées à chaque moment, le psychologue du traitement de l'information tente de décrire dans leurs plus fins détails toutes les étapes parcourues par un enfant donné. De fait, le but ultime de la psychologie du traitement de l'information est de décrire ces étapes de façon exhaustive et minutieuse pour pouvoir simuler sur ordinateur ce qu'accomplit un individu. Ce tour de force implique l'analyse détaillée de la tâche elle-même ainsi que des pensées et du comportement du sujet observé.

Soucieuse du détail du traitement de l'information et des micro-structures, cette théorie constitue un progrès par rapport aux recherches antérieures. Elle donne une vision beaucoup plus dynamique de ce qui arrive au cours de la résolution d'un problème : le processus qui permet d'aller chercher l'information ou les mécanismes d'accès à l'information ; les formes de la rétention immédiate et à court terme qui permettent de la conserver jusqu'à ce qu'elle puisse être encodée en mémoire ; les différentes opérations de recodage et de transformation qui peuvent être imposées à l'information nouvelle-ment acquise. De plus, cette théorie soutient qu'il existe des fonctions exécutives, « méta-composantes » ou autres mécanismes de contrôle de niveau supérieur, dont la mission est de déterminer à quels pro-blèmes il faut s'attaquer, quels buts il faut rechercher, quelles opérations il faut appliquer et dans quel ordre. Elle est assez typique du point de vue américain, lequel met souvent l'accent sur les aspects mécaniques : sur ce qui se fait, dans quel ordre, par quels mécanismes, afin d'obtenir un effet ou un résultat particulier.

La psychologie du traitement de l'information représente donc à certains égards un progrès. Cependant, à la différence du paradigme de Piaget, elle ne dit pas comment les différentes formes de la cogni-tion entrent en rapport les unes avec les autres (ou se distinguent les unes des autres). Il arrive souvent qu'en examinant les études publiées, on trouve un millier de systèmes experts menant à bien telle ou telle opération mais sans connexion particulière les uns avec les autres. Comme chez Piaget, on trouve aussi les défauts opposés : nombreux sont les chercheurs qui supposent un mécanisme de résolution de pro-blèmes uniques et hautement général, lequel pourrait faire face à tout l'éventail des problèmes humains. L'idée de dispositif « horizontal » de résolution de problèmes est attirante en théorie. Mais pour la justifier, on constate que les problèmes auxquels il est censé s'appliquer ont été choisis de façon à présenter des analogies inquiétantes. On ne peut donc pas affirmer que nous utilisons toujours le même dispositif de résolution de problèmes. De fait, comme chez Piaget, presque tous les problèmes examinés par les psychologues du traitement de l'informa-tion sont de type logico-mathématique. Il se pourrait même que les problèmes de base — résoudre des théorèmes logiques, mener à bien des démonstrations géométriques, jouer aux échecs — soient directement inspirés des tâches intellectuelles fondamentales archivées par Piaget.

La psychologie du traitement de l'information en est encore à ses débuts. Il serait donc déloyal de lui reprocher de n'avoir pas encore résolu les questions majeures que pose l'intelligence. Elle a même connu récemment un développement nouveau ! Lorsque Robert Sternberg, par exemple, a tenté d'identifier les opérations impliquées dans la résolution des exercices des tests d'intelligence standard[21]. Pourtant, à mon avis, on peut prédire que cette approche se heurtera à un obstacle à long terme parce qu'elle donne de la pensée un modèle inspiré de l'informatique, qu'elle est trop mécaniste et qu'elle privilégie les problèmes scientifiques. Comme les approches antérieures, elle néglige par principe les aspects biologiques (au point d'être même parfois antibiologique) et se soucie peu du fonctionnement du système nerveux. D'autre part, elle ne s'intéresse pas à la créativité au sens large, laquelle est pourtant fondamentale dans les plus hautes réussites intellectuelles de l'homme. Les problèmes posés ne présentent qu'une seule solution ou un petit ensemble de solutions, tandis que ce type d'approche n'accorde guère attention aux problèmes qui ont un éventail indéfini de solutions et à la création de problèmes nouveaux.

Plus profondément, il semble qu'il n'existe pas de procédure pour trancher les principaux débats dans le domaine de la psychologie du traitement de l'information. Existe-t-il un exécutif central ou non ? Existe-t-il une aptitude générale à la résolution de problèmes ou bien seulement des aptitudes spécifiques ? Quels éléments changent avec le développement — le nombre et la taille des aires de stockage, les types de stratégies disponibles ou l'efficacité avec laquelle ces opérations sont menées à bien ? Les psychologues du traitement de l'information pourraient rétorquer : « Cette critique vaut pour le moment, mais elle sera moins juste quand nous aurons accumulé plus de données. Quand nous aurons réussi à produire un ensemble assez riche de simulations informatiques, nous déterminerons *quelle* simulation imite de plus près les pensées et le comportement des êtres humains. »

Cependant, il me semble un peu trop facile d'accumuler des simulations alors qu'elles peuvent donner lieu à des interprétations contradictoires ou de corriger un modèle illégitime en se contentant d'effectuer de petits ajustements. On peut, par exemple, affirmer qu'une mémoire à court terme peut contenir plus que le prétendu « nombre magique » de sept morceaux[22]. Cependant, un défenseur du point de vue classique peut simplement compter différemment les morceaux ou affirmer que ce qui semblait former quatre morceaux a été « remorcelé » en deux. D'une manière plus générale, faute de critères d'évaluation précis, il est probable qu'il existera autant de modèles convaincants que de chercheurs ingénieux.

Les « systèmes symboliques »

Toute investigation mettant l'accent sur une conception de l'intellect humain donne tout naturellement naissance à une contre-théorie. Comme nous l'avons vu, l'approche par le QI, l'approche piagétienne et l'approche par le traitement de l'information privilégient un certain type de résolution de problème logique ou linguistique. Elles négligent la biologie. Elles ne nous apprennent rien de la créativité à son niveau le plus élevé et elles ne tiennent pas compte du large éventail des activités et des fonctions à l'œuvre dans les sociétés humaines. Il n'est donc pas étonnant que certains chercheurs aient tenté de s'intéresser précisément à ces points négligés.

En l'occurrence, il m'est difficile d'adopter un ton détaché parce que ces démarches nouvelles voisinent avec mes propres travaux et mes propres convictions. Il vaut mieux considérer cette section finale comme une introduction aux thèses que je vais développer que comme une conclusion à l'analyse que j'ai entreprise dans ce chapitre. À titre de « symbole » de cette « démarche », j'adopterai le pluriel « nous » pour décrire les traits principaux de cette approche.

Pendant une bonne partie du XXᵉ siècle, les philosophes se sont intéressés aux aptitudes symboliques de l'homme. Selon des penseurs aussi influents qu'Ernst Cassirer, Susanne Langer et Alfred North Whitehead, l'aptitude des êtres humains à utiliser différents véhicules symboliques pour exprimer et communiquer des significations distingue nettement les êtres humains des autres organismes[23]. L'utilisation de symboles a joué un rôle clé dans l'évolution de la nature humaine et a donné essor au mythe, au langage, à l'art, à la science ; elle a été également centrale dans les plus hautes créations humaines, toutes celles qui exploitent la faculté symbolique de l'homme.

La philosophie a connu deux glissements « paradigmatiques ». Au début, l'intérêt porté depuis l'Antiquité aux objets du monde physique s'est vu remplacer par le souci de l'esprit et de ses objets. Hume, Kant et d'autres penseurs des Lumières sont typiques de ce changement de point de vue. Au XXᵉ siècle, pourtant, le regard a encore changé d'orientation pour se fixer sur les véhicules symboliques réels de la pensée. Ainsi les travaux contemporains en philosophie se tournent-ils pour une bonne part vers la compréhension du langage, des mathématiques, des arts visuels, des gestes et des autres symboles humains.

Des tendances similaires sont à l'œuvre en psychologie. On a cessé de s'intéresser seulement au comportement extérieur pour se pencher plus directement sur les activités et productions de l'esprit humain et, de façon précise, sur les différents véhicules symboliques qu'utilisent les êtres humains. Plutôt que de considérer ces outils symboliques (ou les médiums par lesquels ils sont transmis) comme des modes transparents de présentation des mêmes contenus, un grand nombre de chercheurs — dont David Feldman, David Olson, Gavriel Salomon et moi-même — ont choisi de faire des systèmes symboliques humains leur objet principal d'étude. De notre point de vue, la cognition se distingue du traitement de l'information en ce qu'elle implique des systèmes symboliques. La question est ouverte, comme problème empirique, de savoir si une opération d'un système symbolique comme le langage implique les mêmes aptitudes et processus que les systèmes apparentés, comme la musique, les gestes, les mathématiques ou les images. Il est tout aussi ouvert de savoir si une information rencontrée dans un médium (disons, un film) est la « même » information que celle qui est transmise par un autre médium (disons, des livres).

En adoptant cette perspective symbolique, mes collègues et moi-même ne proposons pas de jeter le bébé piagétien avec l'eau du bain. Il s'agit plutôt d'utiliser les méthodes et les modèles conçus par Piaget en les détachant des seuls symboles linguistiques, logiques et numériques pour les ouvrir à un éventail plus large de systèmes symboliques, par exemple musicaux, corporels, spatiaux et même personnels. Le défi consiste pour nous à dresser un portrait type du développement de chacune de ces formes de compétence symbolique et de déterminer empiriquement les connexions et les distinctions qui existent entre elles.

David Feldman a tenté de concilier l'approche pluraliste de la cognition et le modèle unilinéaire du développement selon Piaget[24]. Selon lui, on peut parler de réalisations cognitives dans de nombreux domaines. Certains, comme le domaine logico-mathématique étudié par Piaget, sont *universels*. Partout dans le monde des personnes doivent nécessairement se colleter à eux et les maîtriser, parce qu'elles appartiennent à la même espèce et doivent évoluer dans l'environnement social et physique de notre espèce. D'autres domaines sont limités à *certaines cultures*. Par exemple, la capacité à lire est importante dans de nombreuses cultures, mais inconnue (ou moins valorisée) dans d'autres. À moins de vivre dans une culture où ce domaine est représenté, on n'y accomplira pas du tout de progrès, ou très peu. Par exemple savoir établir une carte est important dans certaines sous-cultures qui maîtrisent l'écriture, mais pas dans d'autres. On rencontre aussi des domaines qui sont hautement idiosyncrasiques. Les échecs, la maîtrise du jeu de go au Japon, la compétence à faire des mots croisés ne sont essentiels dans aucune portion de la société. Pourtant, certaines personnes réussissent très bien en la matière, au sein d'une culture déterminée.

Enfin on trouve à l'extrême opposé des domaines universels les domaines *uniques*, qui se caractérisent par un talent dans lequel, au départ, seulement un individu ou une toute petite poignée d'individus font des progrès. Le scientifique ou l'artiste, homme ou femme, qui innove travaille dans un domaine unique. Il en est au début le seul habitant. Ce qui est particulièrement fascinant, c'est qu'un individu ou un petit groupe d'individus peut si bien explorer et développer des domaines uniques qu'ils deviendront en fin de compte accessibles aux autres. De nombreuses avancées scientifiques ou artistiques, comme le calcul intégral ou la théorie de l'évolution, ont tout d'abord été des domaines uniques. Elles incarnent aujourd'hui une partie de notre culture. Peut-être en était-il de même autrefois pour la cartographie ou la lecture.

Étudier la maîtrise de ces différents domaines implique certaines hypothèses. Nous sommes convaincus de ce qu'au sein de chaque domaine, il existe une série d'étapes ou de stades, allant du niveau de débutant au statut d'expert ou de maître, en passant par le statut d'apprenti ou de compagnon. Quel que soit le domaine, il doit exister (pour raisonner comme Piaget) une série claire de stades par laquelle tout individu doit passer. Pourtant, les individus diffèrent les uns des autres par la vitesse avec laquelle ils franchissent ces étapes. *Contra* Piaget, le succès dans un domaine n'a pas nécessairement de corrélation quant à la vivacité ou au succès dans d'autres domaines. En ce sens, les différents domaines sont cloisonnés. De plus, le progrès dans un domaine ne dépend pas entièrement de l'action d'un individu solitaire au sein de son monde. Une grande partie de l'information sur un domaine est contenue dans la culture elle-même, car c'est la culture qui définit les stades et fixe les limites de la réussite individuelle. On doit concevoir l'individu *et* sa culture comme incarnant une certaine série de stades, une grande partie de l'information essentielle au développement se trouvant dans la culture elle-même plutôt que seulement à l'intérieur du crâne d'un individu.

Cherchant à mieux comprendre les progrès accomplis par un individu à l'intérieur d'un domaine, Feldman s'est intéressé aux enfants surdoués. On peut les considérer comme des individus qui traversent un ou plusieurs domaines avec une rapidité formidable, faisant preuve d'une vitesse qui semble les rendre qualitativement différents des autres. Selon Feldman, l'existence d'un surdoué dépend de la « co-incidence » d'un grand nombre de facteurs — parmi lesquels un don, peut-être inné, la pression considérable des parents et de la famille, des professeurs excellents, une haute motivation et (c'est peut-être le point le plus important) une culture dans laquelle ce don a une chance de s'épanouir. Le développement d'un surdoué donne une image « en accéléré » de ce qui est à l'œuvre dans tout processus d'éducation. À la différence de l'individu piagétien qui avance essentiellement par lui-même le long d'un chemin accessible à tous les humains de par le monde, le surdoué est un amalgame fascinant de don mais aussi de stimulation et de structure déterminées par la propre société dans laquelle il vit.

L'étude des surdoués éclaire certains aspects centraux de l'approche nouvelle du développement intellectuel. Tout d'abord, l'existence même de surdoués pose un problème que la théorie de Piaget ne peut traiter : comment un individu peut-il être précoce dans un seul secteur de développement ? (Notons qu'aucune des approches que j'ai passées en revue ici ne rend compte des surdoués.) Deuxièmement, l'existence de surdoués plaide en faveur des domaines symboliques : on trouve des surdoués dans certains domaines (mathématiques, jeu d'échecs), mais rarement, et peut-être même jamais, dans d'autres (en lettres). L'existence d'une série de stades spécifiques semble également attestée, conformément aux convictions de Piaget : on peut en effet décrire le processus par lequel les surdoués passent petit à petit. Mais leur succès ne serait pas possible sans le soutien de leur environnement, ce qui tend à révéler combien la contribution de la société est importante. Enfin, si on étudie des populations peu nombreuses comme les surdoués, on peut mettre en évidence la nature et le fonctionnement des différentes compétences intellectuelles dans leur forme originelle.

Très naturellement, les chercheurs que j'ai cités travaillent chacun sur un aspect différent. Par exemple, Gavriel Salomon, psychologue de l'éducation travaillant en Israël, s'est consacré tout particulièrement aux médiums de transmission [25] : il étudie le *modus operandi* de la télévision, des livres et du cinéma et la manière dont ces médias choisissent et transmettent ces systèmes symboliques. De plus, il s'est attaqué à la question des « prothèses » qui permettent aux individus de tirer plus facilement de l'information des différents médiums. David Olson, psychologue du développement cognitif à l'Institut des sciences de l'éducation de l'Ontario, a joué un rôle dans son domaine en montrant que, même dans une tâche aussi simple que tracer une diagonale, le médium de présentation exerce une influence profonde sur ce qu'accomplit l'enfant [26]. Récemment, Olson s'est penché sur le rôle des systèmes symboliques de la lecture et de l'écriture. Il a accumulé des preuves montrant que des personnes élevées dans une société où l'on valorise la lecture et l'écriture, apprennent (et raisonnent) différemment de celles qui emploient d'autres types de systèmes symboliques dans un cadre non scolarisé.

Travaillant au Projet zéro de Harvard [27], nous avons cherché, mes collaborateurs et moi-même, à découvrir la structure fine du développement au sein de chaque système symbolique particulier. Nous avons voulu voir si certains processus communs peuvent recouper différents systèmes symboliques ou si, à l'inverse, chaque système symbolique a son propre développement. Ensuite, dans les recherches complémentaires que nous avons menées au Centre médical de l'administration des anciens combattants de Boston [28], nous nous sommes demandé comment les différentes capacités symboliques de l'homme s'effondrent en cas de lésion cérébrale. En utilisant des sources émanant de la psychologie du développement et de la neuropsychologie, nous avons tenté de mieux comprendre la structure et l'organisation du fonctionnement symbolique de l'homme. Notre but était de donner une typologie naturelle des systèmes symboliques, mettant en évidence leurs relations et leur fondement dans le système nerveux.

À mon avis (mais je crois parler pour tous les autres chercheurs appartenant à ce courant), la question fondamentale concerne la définition et les limites des différents domaines symboliques. Des considérations logiques permettent de distinguer les systèmes symboliques spécifiques. C'est la voie que Nelson Goodman et d'autres philosophes ont choisie [29]. On peut aussi adopter un point de vue historique ou culturel en se fondant sur la liste des systèmes symboliques particuliers ou des domaines qu'une culture donnée a choisi d'exploiter dans un dessein d'éducation ou de communication. On se réfère alors à la cartographie ou au jeu d'échecs, à l'histoire et à la géographie en tant que domaines, pour la simple et bonne raison qu'ils sont valorisés dans l'ensemble de la culture. On peut aussi adopter le point de vue empirique des tenants des tests d'intelligence : il suffit alors d'apprécier les tâches symboliques qui sont statistiquement en corrélation et de supposer qu'elles reflètent la même compétence sous-jacente. Cependant, on est limité par la nature des tâches utilisées. Par conséquent, on peut mettre au jour une corrélation trompeuse, surtout s'il se trouve qu'on a utilisé un assortiment idiosyncrasique de tâches.

Enfin, on peut adopter l'approche des neuropsychologues. Ceux-ci demandent quelles capacités symboliques s'effondrent ensemble en cas de lésion cérébrale et supposent qu'elles sont naturellement apparentées [30]. Même cette approche (que j'ai personnellement épousée) comporte des pièges. Tout d'abord, il se peut que la proximité physique dans le système nerveux ne reflète pas des mécanismes neuraux similaires. Des fonctions hautement différentes peuvent être menées à bien dans des régions voisines du cortex. D'autre part, la manière dont les différentes cultures « moulent » ou « exploitent » certaines capacités computationnelles brutes peut influencer leur organisation [31]. Il se peut que d'une culture à l'autre on rencontre différents modèles d'effondrement — comme c'est le cas, par exemple, quand certaines cultures ont déployé des formes de lecture radicalement différentes, l'une impliquant des pictogrammes, l'autre se fondant sur la correspondance entre les sons et les caractères. La lésion qui provoque des troubles de la lecture dans une culture (disons, en Italie) ne produit aucun trouble dans une culture où la lecture procède selon un autre mécanisme (disons, au Japon).

L'approche neuropsychologique se heurte à d'autres difficultés encore. Quoique les effondrements donnent une idée correcte de l'organisation des capacités restées intactes, on ne peut pas être absolument certain qu'un effondrement révèle directement une organisation. Le type de panne qui survient dans une radio (par exemple à la

suite de la destruction d'une prise de courant) ne renseigne pas nécessairement sur son mode de fonctionnement ordinaire. On peut
toujours l'arrêter en débranchant la prise. Cette information n'est pas
pertinente pour comprendre le fonctionnement mécanique et électrique réel de l'appareil.

Compte tenu des limites inhérentes à chaque « fenêtre » ouverte
sur le fonctionnement symbolique, j'ai choisi une approche résolument
éclectique dans ce qui suit. Je passe en revue l'information en provenance d'un large éventail de sources — des données
développementales, des découvertes psychométriques, des descriptions
de populations particulières, comme les *idiots savants* et les surdoués
— afin d'arriver à la meilleure description possible de chaque domaine
de la cognition et de la symbolisation. Néanmoins, tout chercheur a
ses partis pris. En ce qui me concerne, je crois probable que l'information la plus valable (et la moins trompeuse) peut venir de la
connaissance précise du système nerveux, de son organisation, de son
développement, de son effondrement. Les découvertes concernant le
cerveau doivent servir de critères ultimes dans le débat sur la cognition. C'est pourquoi, avant d'aborder les différentes intelligences, je
voudrais présenter certaines données biologiques récemment mises en
évidence. Elles nous serviront ensuite.

CHAPITRE 2

Les fondements biologiques de l'intelligence

Le problème

Pour être complète, une science de la vie doit rendre compte de la nature et de la variété des compétences intellectuelles humaines. Au vu des progrès spectaculaires accomplis ces dernières décennies en biochimie, en génétique et en neurophysiologie, on peut penser que les sciences biologiques seront bientôt en mesure de rendre compte de façon convaincante et définitive des phénomènes intellectuels. Du reste, il n'est que temps que notre compréhension de l'intellect humain se nourrisse des découvertes accumulées dans les sciences biologiques depuis l'époque de Franz Joseph Gall. Cependant, comme les psychologues et les biologistes travaillent de façon isolée, l'effort pour rassembler les données biologiques susceptibles d'expliquer l'intelligence humaine vient à peine de commencer.

Les découvertes récentes dans les sciences biologiques et la connaissance du cerveau intéressent la question de l'intelligence à deux titres. Une première découverte porte sur la *flexibilité du développement humain*. Dans quelle mesure les aptitudes intellectuelles d'un individu ou d'un groupe peuvent-elles être modifiées par des facteurs extérieurs ? On peut penser tout d'abord que le développement est fixe, préordonné, et ne peut être modifié que dans des cas très particuliers. À l'inverse, force est de constater que le développement est très malléable et que des interventions appropriées à certains moments cruciaux influencent en profondeur les aptitudes de l'organisme. On doit alors s'interroger sur le type d'interventions les plus efficaces, leur chronologie, le rôle des périodes critiques pendant lesquelles des modifications fondamentales peuvent avoir lieu. Ce n'est qu'en résolvant de telles questions que l'on pourra déterminer quelles interventions péda-gogiques sont les plus efficaces pour permettre aux individus d'atteindre leur plein épanouissement intellectuel.

Second volet : quelle est la nature des aptitudes *intellectuelles* que les êtres humains peuvent développer ? Pour ceux que j'ai appelés les porcs-épics, les êtres humains possèdent des pouvoirs très généraux, des mécanismes de traitement de l'information très étendus qui peuvent être employés de manière large, voire infinie. À l'inverse, selon les renards, les fonctions intellectuelles sont très spécifiques. Dès lors, on peut se demander si les différentes parties du système nerveux sont impliquées dans des fonctions intellectuelles spécifiques, ou si elles sont utilisées pour un grand éventail d'opérations. Cette question peut être posée à différents niveaux, des fonctions spécifiques des cellules à celles de chaque moitié du cerveau. Au bout du compte, le biologiste doit rendre compte des aptitudes les plus élevées de tous les individus normaux (comme le langage) mais aussi d'aptitudes qui ne s'épanouis-sent au plus haut degré que chez certaines personnes (comme la musique).

Ces questions conduisent à se demander quels sont les principes généraux qui régissent la nature et le développement des capacités intellectuelles humaines et déterminent comment elles sont organi-sées, exploitées et transformées au long de la vie. Bien que ceux-ci n'aient pas été conçus à cette fin, une bonne part des travaux actuels dans les sciences biologiques me paraît se rapporter à ces questions.

Il me semble qu'on peut en tirer les conclusions suivantes. Il existe une plasticité et une flexibilité considérables dans la croissance humaine, surtout pendant les premiers mois de la vie. En outre, cette plasticité même est modulée par des contraintes génétiques fortes qui opèrent depuis le début et guident le développement selon certaines voies plutôt que d'autres. Il semble prouvé que les êtres humains sont prédisposés à certaines opérations intellectuelles spécifiques dont la nature peut être déduite d'observations et d'expérimentations atten-tives. L'éducation doit être fondée sur la connaissance de ces tendances intellectuelles et leurs points de flexibilité et d'adaptivité maximaux.

Ces thèses s'appuient sur des preuves biologiques. Ceux qui sont familiers des découvertes biologiques et les lecteurs que rebutent les développements techniques empruntés aux sciences « dures » passe-ront directement au chapitre 4 où je présente ce qu'est une intelligence. Ceux qui s'intéressent aux détails qui sous-tendent les conclusions que je viens de présenter sont invités à lire les considérations génétiques qui suivent.

Les leçons de la génétique

Pour mieux comprendre le développement biologique, quelques rudiments de génétique sont nécessaires. De plus, compte tenu des progrès incroyables accomplis en génétique depuis que « le code a été déchiffré » par James Watson et Francis Crick il y a trente ans environ, il n'est pas étonnant que les psychologues aient cherché — dans la composition de l'ADN, de l'ARN et de leur interaction fascinante — la solution aux énigmes de l'intellect. Malheureusement, les retombées de ce type de recherches sont loin d'être directes[1].

Assurément, les découvertes des généticiens doivent servir de point de départ à toute étude biologique. Après tout, nous sommes des organismes vivants et, en un sens, tout ce que nous accomplissons a été codé dans notre matériau génétique. De plus, la distinction entre le génotype — la constitution de l'organisme déterminée par la contribution de chaque parent — et le phénotype — les caractéristiques observables telles qu'exprimées dans un environnement donné — est fondamentale pour considérer le profil intellectuel et le développement de tout individu. Tout aussi essentielle est la notion de variation : à cause du nombre considérable de gènes apportés par chaque parent et de leurs innombrables combinaisons possibles, nous n'avons pas à nous inquiéter que deux individus (hormis de vrais jumeaux) se ressemblent ou qu'ils aient des profils identiques[2].

La génétique a accompli un pas décisif en rendant compte de caractéristiques simples dans des organismes simples. Nous en savons beaucoup sur les bases génétiques des structures et des comportements de la mouche du fruit. Ces travaux ont permis de mieux comprendre la transmission de maladies humaines spécifiques comme la drépanocytose, l'hémophilie et l'agnosie des couleurs. Mais s'agissant d'aptitudes humaines plus complexes — par exemple, l'aptitude à résoudre des équations, à apprécier ou à créer de la musique, à maîtriser des langues — nous ne connaissons malheureusement pas encore la composante génétique impliquée et son expression phénotypique. Tout d'abord, on ne peut étudier ces aptitudes expérimentalement en laboratoire. De plus, loin d'être liée à un gène spécifique ou à un petit ensemble de gènes, toute détermination complexe reflète de nombreux gènes, dont un bon nombre sera polymorphe (ce qui donne lieu à des expressions différentes d'un environnement à l'autre). De fait, lorsqu'il s'agit d'aptitudes aussi importantes (ou vagues) que les intelligences humaines, il est même discutable de parler de « détermination ».

Les spécialistes se sont bien sûr demandé ce que pouvait être un don. Pour certains, des combinaisons particulières de gènes pourraient être corrélées entre elles, ce qui pourrait traduire des enzymes modifiant certaines structures spécifiques d'une région du cerveau. À la suite de l'action de l'enzyme, ces structures pourraient se développer, présenter plus de connexions ou provoquer davantage d'inhibitions, chacune de ces possibilités pouvant accroître le potentiel de succès. Mais le seul fait que ces spéculations impliquent tant d'étapes hypothétiques suffit à indiquer qu'elles sont loin d'être des faits établis. Nous ne savons même pas si les individus qui ont un don (ou, en l'occurrence, un défaut manifeste) ont une disposition génétiquement déterminée à former certaines connexions neurales (qui se retrouveraient alors chez les membres proches de leur famille) ou s'ils représentent seulement un cas extrême d'une distribution engendrée au hasard. (Dans ce cas, ces connexions se présenteraient de la même façon chez des individus sans lien génétique.)

Les indices les plus fiables pour progresser dans la génétique des dons humains viennent sans doute des études de jumeaux. En comparant vrais et faux jumeaux, ou de vrais jumeaux élevés ensemble avec d'autres élevés séparément, nous pouvons déterminer quelles sont les caractéristiques les plus sujettes aux influences héréditaires. Toutefois, en se fondant sur des données résolument semblables, on peut aboutir à des conclusions radicalement opposées sur ce qui est héréditaire[3]. Sur la base de certaines suppositions mathématiques et scientifiques, des chercheurs évaluent la part de l'hérédité dans l'intelligence (mesurée par les tests de QI à 80 %). En d'autres termes, 80 % de la variabilité des résultats d'intelligence dans la population considérée pourraient être attribués au langage génétique de l'individu. D'autres chercheurs, à partir des mêmes données, mais se fondant sur d'autres hypothèses, estiment la composante héréditaire à moins de 20 %, voire à zéro. Naturellement, le plus grand nombre d'estimations donne des résultats situés entre les deux ; les chiffres les plus souvent cités vont de 30 à 50 %. On s'accorde à penser que les caractéristiques physiques sont pour la plupart simplement génétiques, que les traits de caractère le sont largement aussi, mais que le style cognitif ou la personnalité sont beaucoup moins marqués par l'hérédité.

La littérature génétique apporte peu de réponses sans équivoque aux questions des spécialistes de l'intelligence. Cependant, certains concepts peuvent être utiles pour orienter notre recherche. Ainsi, certains individus, du fait de leur constitution génétique, sont « à risque » pour certaines maladies (comme l'hémophilie) ou pour certains états neurologiques (comme l'arriération mentale). Cela ne signifie pas qu'ils développeront la maladie. Les facteurs de probabilité ainsi que les accidents de l'environnement ou d'un traitement spécial jouent également leur rôle. Toutes choses égales par ailleurs, ces individus contracteront plus facilement la maladie que quelqu'un qui n'a pas cette prédisposition héréditaire.

Par analogie, il peut être utile de considérer certains individus comme « prometteurs » pour développer un don donné. À nouveau, ce diagnostic n'assure pas qu'ils le développeront : on ne devient pas un grand joueur d'échecs, ni même un médiocre, d'ailleurs, en l'absence d'échiquier. Mais dans un environnement où l'on joue aux échecs et moyennant une certaine stimulation, les individus prometteurs ont une chance de devenir habiles et même experts. Être prometteur est une condition *sine qua non* pour devenir un prodige. C'est même ce qui explique que, grâce à certaines méthodes de formation comme le programme Suzuki, quelqu'un qui a un potentiel génétique apparemment modeste peut faire de grands pas en peu de temps[4].

On peut aussi s'interroger sur la variété des caractères et de comportements dont les individus humains sont capables. Dans une population nombreuse et hétérogène comme la nôtre, où il y a eu beaucoup de mariages entres groupes différents, on rencontre une grande variété de caractères. En revanche, certaines populations (par exemple, celles des îles isolées du Pacifique) ont vécu de façon isolée depuis des milliers d'années. Ces populations subissent une *dérive génétique* ; par les processus de sélection naturelle, elles en viennent à posséder un bagage génétique qui peut être très différent de celui des autres populations[5].

Il n'est pas toujours possible de séparer les facteurs purement génétiques de ceux qui reflètent un environnement naturel exceptionnel ou un système culturel exotique. Ainsi, selon le virologue Carleton Gajdusek, qui a étudié de nombreuses sociétés primitives, les populations soumises à une dérive génétique manifestent souvent un ensemble de caractéristiques particulières, qui comprend des maladies, des immunités, des caractéristiques physiques, des modèles de comportement et des coutumes exceptionnelles. Il est capital d'enregistrer ces facteurs avant qu'ils ne disparaissent ou deviennent invisibles à cause de la mort de ce groupe ou de son métissage. Dresser le profil précis de ces groupes permettra de déterminer l'éventail complet des aptitudes humaines. Une fois que ces groupes auront disparu, nous ne pourrons plus, ne serait-ce qu'imaginer les actions, les dons et les caractéristiques qu'ils ont manifestés en réalité. Mais une fois établi qu'un certain groupe — et donc que tout être humain — a manifesté une certaine compétence, nous pouvons la rechercher — et tenter de l'encourager — chez d'autres membres de l'espèce, la nôtre. (On peut aussi procéder de manière opposée en cas de caractères ou de compétences non souhaitables.) Certes, on ne peut jamais établir avec une totale certitude qu'un caractère donné a une composante génétique, mais cela n'empêche pas de dresser la carte de la variété de la nature humaine.

Considérons autrement cette perspective. Notre héritage génétique est si varié que l'on peut en déduire tout type d'aptitudes et de dons (comme de maladies et d'infirmités) qui ne sont pas encore apparus ou que nous n'avons pas encore appris à reconnaître. Avec le génie génétique, d'autres possibilités sans nombre se présentent également. Un esprit imaginatif pourrait anticiper certaines de ces possibilités. Toutefois, il me semble plus prudent d'échantillonner les êtres humains de différents groupes et de déterminer les compétences auxquelles ils sont effectivement parvenus. Les études de groupes éloignés et isolés — très prisées par les généticiens — sont d'un grand apport pour les psychologues. Plus l'échantillonnage est large, plus il est probable que l'éventail des intelligences humaines sera complet et précis.

La perspective neurobiologique

Alors que la génétique est relativement peu utile à l'étude de l'intelligence, certaines découvertes neurobiologiques — en neuroanatomie, en neurophysiologie et en neuropsychologie — pourraient être bien plus fructueuses. La connaissance du système nerveux se développe aussi vite que celle de la génétique et les découvertes concernent plus directement la cognition et l'esprit.

CANALISATION ET PLASTICITÉ

La neurologie peut fournir des éléments importants sur la flexibilité du développement et la nature des compétences humaines, questions centrales dans ce chapitre. Je commencerai par envisager la question de la flexibilité, en particulier les découvertes qui mettent en évidence la plasticité relative du système nerveux pendant les premières phases du développement. Ensuite, j'aborderai les recherches qui permettent d'éclairer les aptitudes et les opérations dont les êtres humains sont capables. Ce livre concerne essentiellement les aptitudes humaines et la possibilité de les développer par des interventions pédagogiques pertinentes. Toutefois, la plupart des découvertes que je vais évoquer proviennent de recherches menées sur les animaux invertébrés ou vertébrés. Deux types de travaux en particulier ont permis de mieux comprendre les principes du développement : ceux de David Hubel, Torsten Wiesel et de leurs collaborateurs[6] sur le développement du système visuel chez les mammifères, et ceux de Fernando Notebohm, Peter Marler, Mark Konishi et de leurs collaborateurs sur le développement du chant chez les oiseaux[7]. L'extrapolation aux humains de données issues de populations animales doit être prudente. Toutefois, les découvertes dans ce domaine sont tellement fécondes qu'on ne peut les négliger.

Le concept de la canalisation est fondamental pour comprendre la croissance et le développement neuraux[8]. Proposée pour la première fois par C. H. Waddington, généticien à l'université d'Édimbourg, la canalisation se définit comme la tendance de tout organe (comme le système nerveux) à suivre certains chemins développementaux plutôt que d'autres. De fait, la croissance du système nerveux est déterminée dans le temps et précisément programmée. L'origine des cellules dans le tube neural jeune et leur migration dans des régions où elles vont constituer en fin de compte le cerveau et la moelle épinière peuvent être observées avec une régularité prévisible à l'intérieur d'une espèce donnée et, dans une certaine mesure, également d'une espèce à l'autre. Loin de représenter une accumulation fortuite ou accidentelle, les connexions neurales qui sont établies en réalité reflètent un haut degré de contrôle biochimique. On voit une stupéfiante séquence épigénétique où chaque étape prépare le terrain pour la suivante et facilite son déroulement.

Assurément, le développement de tout système reflète également des influences environnementales[9] : si, par une intervention expérimentale, on modifie l'équilibre chimique, on peut porter atteinte à la migration de certaines cellules ou même forcer une cellule à remplir une fonction en général assurée par une autre. Pourtant, selon Waddington, il est étonnamment difficile de détourner de tels modèles de ce qui apparaît comme étant leurs buts développementaux prescrits — dans le cas présent, un système nerveux fonctionnant de façon adéquate. Selon les termes mêmes de Waddington : « Il est très difficile de persuader le système en développement de ne pas finir par produire son résultat final normal. » Même si l'on cherche à bloquer ou à détourner les modèles attendus, l'organisme tendra à trouver un moyen pour atteindre son statut « normal » ; s'il est contrecarré, il ne retournera pas à son point d'origine, mais trouvera un équilibre à un point plus tardif du développement.

Jusqu'à présent, ma description du développement du système nerveux a privilégié les mécanismes génétiquement programmés. Cela est approprié. Pourtant le développement biologique est flexible — pour adopter un vocabulaire plus technique, étonnamment plastique. Un organisme manifeste sa plasticité de nombreuses manières. Pour commencer, durant certaines périodes du développement, des environnements relativement différents peuvent provoquer les mêmes effets. (Par exemple, si un nouveau-né humain est emmailloté pendant la plus grande partie de sa première année, il marchera normalement dans la deuxième.) De plus, au cas où un jeune organisme est privé de quelque chose ou endommagé de manière importante, il peut souvent manifester de grands pouvoirs de récupération. En effet, la plasticité est en général d'autant plus grande que le développement en est à ses débuts. Par exemple, même si un nouveau-né humain perd son hémisphère cérébral dominant, il apprendra tout de même à parler[10]. Mais il y a un moment où le Rubicon est franchi et où la plasticité décline sans rémission possible. L'adolescent ou l'adulte qui perd un hémisphère sera gravement handicapé.

Pourtant, il faut nuancer même ces généralités sur la plasticité [11]. Tout d'abord, il arrive qu'une lésion ou une privation précoces puissent avoir des conséquences très graves. (Par exemple, l'impossibilité d'utiliser un œil pendant les premiers mois de la vie empêche la vision binoculaire.) De plus, certaines aptitudes ou talents résistent même à un traumatisme survenant à l'âge adulte, de sorte qu'une plasticité subsiste tout au long du cycle de la vie. Deuxièmement, certains adultes récupèrent l'aptitude à parler en dépit d'atteintes étendues de l'hémisphère gauche (ou dominant) du cerveau, et nombreux sont ceux qui retrouvent l'usage de membres paralysés. Globalement, la plasticité dépend du moment précis où se produisent certaines manipulations ou interventions de la nature de la compétence comportementale impliquée.

La plasticité est aussi limitée d'autres manières. Sous l'influence du béhaviorisme, certains psychologues ont supposé que la plupart des organismes peuvent, moyennant une formation *ad hoc*, apprendre à peu près tout. Ils ont cherché à établir des « lois d'apprentissage horizontales ». Les êtres humains aussi pourraient tout apprendre à tout âge. Cependant, des études plus récentes sont venues remettre en cause cette vision optimiste. Et on s'accorde aujourd'hui à penser que chaque espèce — dont la nôtre — est spécialement « préparée » à acquérir certaines sortes d'informations et qu'il lui est extrêmement difficile, voire impossible, d'en maîtriser d'autres.

Quelques exemples de cette « préparation » et « contre-préparation » seront utiles [12]. Nous savons que beaucoup d'oiseaux sont capables d'apprendre des chants et que certains peuvent produire une grande variété de chants. Pourtant, les femelles des moineaux peuvent être « préaccordées », de sorte qu'elles ne sont sensibles qu'à un dialecte particulier chanté par les mâles de leur propre région [13]. Les rats peuvent apprendre très vite à courir ou à sauter pour échapper à une décharge électrique, mais ils éprouvent les plus grandes difficultés à apprendre à presser un levier pour y échapper. De plus, même leurs mécanismes du saut sont limités. Alors que le saut pour échapper à la décharge semble une réponse « naturelle » ou « préparée », si le rat doit sauter dans une boîte avec un couvercle fermé, l'apprentissage est extrêmement lent. Tous les individus normaux (et même la plupart de ceux qui sont en dessous de la normale) maîtrisent assez facilement leur langue maternelle (en dépit de son apparente complexité). On peut donc penser que l'espèce dans sa totalité est spécifiquement préparée à être à l'aise dans ce domaine. De même, les difficultés que la plupart des humains éprouvent pour apprendre à raisonner logiquement — surtout quand certaines propositions sont présentées sous forme abstraite — suggère que nous ne sommes pas spécifiquement préparés pour cela. Peut-être sommes-nous même prédisposés à suivre les caractéristiques concrètes propres à une situation donnée *plutôt que* ses implications purement logiques. Bien que l'on ne comprenne pas les raisons de cette préparation sélective, il se peut que certains centres neuraux puissent être facilement déclenchés, stimulés, programmés et/ou inhibés, tandis que d'autres seraient beaucoup plus difficiles à activer ou à inhiber.

Ces remarques générales sur la plasticité du comportement permettent d'aborder les données qui se rapportent au degré de déterminisme (ou de flexibilité) qui caractérise l'organisme en développement. Quelles sont les particularités de la plasticité dans la période qui entoure la naissance ? Quels sont les effets de différentes expériences précoces sur le développement ultérieur ? Est-il possible que différents types d'apprentissage puissent être compris au niveau neurologique ou biochimique ?

Principes de la plasticité au début de la vie. Quoique les particularités concernant chaque espèce diffèrent, la recherche sur la plasticité au début de la vie a produit bon nombre de principes qui semblent solides. Le premier énonce qu'au début de la vie la flexibilité est maximale. Considérons un exemple d'étude allant dans ce sens. Comme W. Maxwell Cowan, neurobiologiste au Salk Institute, l'explique, le télencéphale et la partie neuronale de l'œil se développent tous deux à partir de la terminaison de la plaque neurale[14]. Si, à un stade précoce du développement, on enlève un petit morceau du tissu ectodermique, les cellules voisines prolifèrent, et le développement du cerveau et de l'œil a lieu d'habitude normalement. Mais si cette même opération est un peu plus tardive, le télencéphale ou l'œil présentent un défaut permanent. La lésion effective dépend spécifiquement du morceau enlevé. Un tel « blocage » progressif conduit à déterminer des régions de plus en plus précises du cerveau. Des études menées par d'autres neurobiologistes, comme Patricia Goldman, confirment que pendant la période la plus précoce de la vie, le système nerveux peut s'adapter pour faire face à de graves atteintes ou à une modification expérimentale[15]. Pendant quelque temps, ensuite, le système nerveux peut imaginer une autre voie ou d'autres connexions qui peuvent se révéler adéquates. Mais si la lésion ou la modification survient trop tard pendant le processus développemental, les cellules concernées se connecteront au hasard ou s'atrophieront ensemble.

Un deuxième principe lié au premier montre l'importance des *périodes critiques* au cours du processus de développement[16]. Par exemple, chez le chat, il existe une période critique dans le développement visuel de la troisième à la cinquième semaine après la naissance. Si pendant cette période, un œil est privé de forme ou de lumière, les connexions centrales de l'œil changent, et celui qui voit mal ne peut fonctionner. Une telle interférence semble permanente. De manière générale, il semble que l'organisme est le plus vulnérable précisément durant de telles périodes sensibles. Une lésion irréversible du système nerveux central surviendrait à la suite de restrictions même légères pendant une telle période critique. Inversement, des conditions favorables pendant la période critique permettraient un développement rapide.

Selon le troisième principe, le degré de flexibilité diffère d'une région du système nerveux à l'autre. Les régions qui se développent plus tard dans l'enfance, comme les lobes frontaux ou le corps calleux, s'avèrent plus malléables que celles qui se développent dans les premiers jours et semaines de vie, comme le cortex sensoriel primaire [17]. Le degré surprenant de *non-différenciation* qui caractérise les régions comme le corps calleux semble refléter la nécessité d'être modifiables à un haut degré pour certaines connexions corticales et aussi l'importance d'expériences postnatales spécifiques pour déterminer le type de connexion qui sera finalement fait. En effet, s'agissant des capacités humaines les plus complexes comme le langage, l'individu peut résister à une lésion même massive, dont l'ablation d'un hémisphère entier pendant les premières années de la vie, et acquérir tout de même l'aptitude à parler de façon relativement normale : cette récupération suggère que de larges portions du cortex restent indifférenciées (et donc disponibles pour différentes utilisations) pendant la petite enfance [18].

Un quatrième principe concerne les facteurs qui servent de médiateur ou modulent le développement. Un organisme échoue à se développer normalement s'il ne subit pas certaines expériences. Ainsi le système visuel du chat ne se développera-t-il pas normalement — et certaines parties s'atrophieront-elles pratiquement — si l'animal n'est pas exposé après sa naissance à des motifs lumineux [19]. De plus, le chat doit être exposé à un environnement varié, il doit avoir la possibilité d'utiliser ses deux yeux et de se déplacer dans son environnement. S'il n'est exposé qu'à des motifs horizontaux, les cellules destinées à traiter des formes verticales s'atrophieront ou seront employées à d'autres fonctions. Si l'on ne permet au chat d'utiliser qu'un seul œil, les cellules consacrées à la vision binoculaire dégénéreront. Et si le chat ne se meut pas activement dans son environnement — par exemple, s'il est transporté passivement à travers un environnement qui comporte pourtant ces motifs — il ne parviendra pas à développer un système visuel normal. Il semble que le système neural qui sert de médiateur à la vision soit programmé pour le développement de façon à « attendre » certains stimuli visuels pendant certaines périodes sensibles. Si la bonne stimulation fait défaut ou en cas de stimulation inappropriée, les buts de développement ne seront pas atteints, et l'animal ne pourra fonctionner correctement dans son environnement.

Un dernier principe rend compte des effets à long terme des lésions du système nerveux [20]. Alors que certaines lésions ont des effets immédiats et évidents, d'autres peuvent être invisibles au premier abord. Supposons par exemple qu'une région du cerveau qui est destinée, plus tard au cours du développement, à remplir une fonction importante, soit lésée tôt dans la vie. Il se peut qu'on n'en observe pas tout de suite les conséquences. Ainsi certaines lésions des lobes frontaux chez les primates peuvent-elles ne pas être détectées pendant les premières années de vie, mais se révéler plus tard lorsque l'animal est censé adopter les formes de comportement complexes et organisés dont les lobes frontaux sont d'ordinaire les médiateurs. Une lésion cérébrale précoce peut aussi stimuler certaines réorganisations anatomiques qui produisent en fin de compte l'effet inverse. Par exemple, il peut se former des connexions qui permettent à l'animal de mener à bien, dans un premier temps, certaines tâches capitales, mais qui ne permettront pas l'apparition de talents dont il aura besoin plus tard. En ce cas, la tendance du système nerveux à canaliser peut, en fait, avoir des conséquences néfastes pour son adaptation à long terme.

Il est impossible de répondre de façon tranchée à la question de savoir si le développement est entièrement déterminé ou si la flexibilité domine. Ces deux dimensions jouent un rôle important dans le développement du jeune organisme. C'est la détermination (ou canalisation) qui permet à la plupart des organismes d'exécuter normalement les fonctions de l'espèce. La flexibilité (ou plasticité) permet au contraire de s'adapter à des circonstances qui changent, y compris des environnements anormaux ou des atteintes précoces. Il est clair que si l'on doit subir une atteinte, il vaut mieux la subir tôt. Mais il est probable que toute déviation du chemin développemental normal a son coût.

Premières expériences. Jusqu'à présent, j'ai considéré essentiellement les effets d'expériences précises (comme l'exposition à certains types de rayures) dans certaines régions relativement circonscrites du cerveau (notamment le système visuel). Mais les psychologues et les neurologues ont aussi examiné les effets plus généraux d'une stimulation ou d'une privation sur le fonctionnement global des organismes.

À cet égard, Mark Rosenzweig et ses collaborateurs de l'université de Berkeley en Californie ont accompli un travail pionnier[21]. Le groupe de Rosenzweig a commencé, au début des années soixante, à élever des animaux (essentiellement des rats) dans un environnement enrichi : il y avait d'autres rats en grand nombre ainsi que différents « jouets », des échelles et des roues. Un ensemble comparable de rats a été élevé dans un « environnement appauvri » qui contenait assez de nourriture, mais aucune particularité. Les « rats enrichis » exécutaient mieux différentes tâches comportementales et étaient aussi plus soignés que leurs pairs bien nourris mais plus limités. Au bout de quatre-vingts jours dans ces environnements très différents, le cerveau de ces rats a été soumis à une analyse. Le cortex cérébral des rats enrichis pesait 4 % de plus que celui des rats appauvris (qui était pourtant plus gras). Surtout, c'étaient les parties du cerveau qui servent à la perception visuelle qui avaient le plus augmenté de poids, probablement les parties les plus stimulées dans l'environnement enrichi.

D'innombrables études menées sur des rats et d'autres espèces ont confirmé qu'un environnement enrichi produit un comportement plus élaboré ainsi que des changements significatifs dans la taille du cerveau. Ces effets peuvent même être très spécifiques. L'équipe de Rosenzweig a montré que si l'on fournit une expérience plus riche à la moitié du cerveau seulement, la structure de ses cellules seules va changer. William Greenough a prouvé que chez des animaux élevés dans un environnement complexe, on trouve de plus grandes cellules nerveuses dans certaines régions du cerveau et plus de synapses, de connexions synaptiques et d'autres connexions dendritiques[22]. En résumé, « les changements grossiers de taille qui accompagnent les différences dans l'expérience sont associés à des modifications au niveau neuronal en ce qui concerne le nombre, le modèle et les qualités des connexions synaptiques ».

D'autres modifications étonnantes et hautement spécifiques du cerveau ont été rapportées. Dans certaines de ses études sur les chants des canaris mâles, Fernando Nottebohm a établi une corrélation entre la taille de deux noyaux dans le cerveau de l'oiseau et l'apparition du chant[23]. Pendant les périodes les plus riches des chants, ces deux noyaux ont une taille double de celle qu'ils atteignent pendant la période la moins productive, la mue estivale. Ainsi, quand le cerveau devient plus gros en automne, de nouvelles fibres nerveuses se développent, de nouvelles synapses se forment, et en conséquence un répertoire de chants plus large apparaît à nouveau. Chez les oiseaux l'apprentissage (ou le réapprentissage) d'une activité motrice semble influer directement sur la taille des noyaux concernés, le nombre des neurones et l'étendue des connexions entre ces neurones.

À ma connaissance, les scientifiques ont hésité à s'interroger sur les changements similaires dans la taille du cerveau qui accompagneraient (ou provoqueraient) les différents profils d'aptitude chez les êtres humains. En l'absence de méthodes expérimentales adaptées, une telle prudence semble raisonnable. Il convient cependant de citer l'observation de deux neuroanatomistes remarquables, O. et A. Vogt[24]. Il y a quelques années, les Vogt ont mené des recherches neuroanatomiques sur le cerveau de nombreux individus, dont des artistes doués. Un peintre dont ils ont observé le cerveau s'est avéré avoir une couche n° 4 très épaisse dans son cortex visuel. Un musicien qui avait l'oreille absolue depuis sa petite enfance avait, de la même façon, une couche n° 4 très épaisse dans son cortex auditif. À mesure que cette hypothèse est mieux reçue et que se développent des méthodes non invasives pour étudier la taille, la forme et les modes de traitement du cerveau, je ne serais pas surpris que ces recherches d'inspiration phrénologique connaissent une faveur nouvelle.

Mais la taille n'est pas toujours un signe de qualité. Avoir plus de cellules ou de fibres n'est pas toujours un mérite en soi. L'une des découvertes les plus fascinantes de ces dernières années en neurobiologie confirme ce point de vue. Au départ, le système nerveux produit des fibres nerveuses en excès. Le développement implique que s'atrophient les connexions excédentaires qui ne semblent pas nécessaires et peuvent être dommageables pour les fonctions normales. Jean-Pierre Changeux et Antoine Danchin[25] ont ainsi montré que dans différentes régions du cerveau, on trouve beaucoup plus de neurones au départ qu'il n'en survivra en fin de compte. Une période de « mort neuronale sélective » survient en général à peu près au moment où la population des neurones forme des connexions synaptiques avec leur cible désignée[26]. Cette mort neuronale peut concerner, selon les régions, de 15 à 85 % de la population neuronale initiale.

Pourquoi cet excès de connexions initiales ? Pourquoi certaines connexions subsistent-elles alors que d'autres s'atrophient ? Le « bourgeonnement » précoce et excédentaire refléterait (ou plutôt fonderait) la flexibilité de la période de croissance. Cette caractéristique normale du développement a aussi des avantages adaptatifs. Si une lésion survient alors même que des connexions en excès sont disponibles, l'organisme a plus de chances de survivre malgré l'atteinte. De fait, les connexions cellulaires croissent en grand nombre immédiatement après une lésion : six semaines de croissance sont parfois accomplies en soixante-douze heures[27]. De façon analogue, si un œil est enlevé à la naissance, la mort des cellules ganglionnaires rétiniennes qui a lieu d'habitude dans les deux premières semaines après la naissance est réduite[28].

D'autres raisons pourraient expliquer cette prolifération de processus cellulaires et de synapses. Pendant cette période de richesse, il semble qu'il existe une compétition intense entre les cellules, celles qui sont les plus efficaces pour former des connexions solides et spécifiques ayant la plus forte probabilité de survie. Peut-être, pour raisonner à l'instar de Darwin, cette prolifération entraîne-t-elle une compétition qui permet aux fibres nerveuses de l'organisme les plus capables ou les plus adaptées de prévaloir.

L'excès de fibres nerveuses au début du développement peut conduire à l'apparition transitoire de propriétés fonctionnelles et comportementales associées à l'excès de connexions. Un phénomène qu'on peut représenter par un U se produit alors : le comportement de l'organisme immature (le bras gauche du U) présente une ressemblance frappante avec le comportement qu'on observe habituellement chez les organismes adultes (le bras droit du U)[29]. Il est tout à fait possible que certains réflexes précoces chez les humains — comme la nage ou la marche — reflètent une prolifération de connexions qui permettent temporairement certains comportements précoces. Il est également possible que l'apprentissage formidablement rapide dont les jeunes organismes sont capables, surtout pendant certaines périodes critiques, soit en rapport avec un excès de connexions dont certaines seront rapidement élaguées ou éliminées. Par exemple, chez les êtres humains, la densité des synapses augmente brusquement pendant les premiers mois de la vie. Elle atteint un maximum à l'âge de un ou deux ans (grossièrement 50 % de plus que la densité adulte moyenne), pour diminuer entre deux et seize ans et ensuite rester relativement constante jusqu'à l'âge de soixante-douze ans. Pour nombre de scientifiques, l'apprentissage extrêmement rapide du jeune enfant (par exemple, dans le domaine du langage) pourrait reposer sur l'exploitation du grand nombre de synapses disponibles à ce moment.

Que se passe-t-il après l'élagage ? On peut donner une définition fonctionnelle de la maturité : c'est le moment où les cellules en excès ont été éliminées et les connexions initialement ciblées effectuées. La flexibilité de la jeunesse semble toucher à sa fin. Les meilleurs survivant, le nombre de neurones est maintenant adapté pour correspondre à la taille du champ qu'ils sont censés innerver. (Si une nouvelle cible, comme un nouveau membre, est ajoutée chirurgicalement, le nombre de neurones ne diminuera pas aussi vite. Il y a maintenant un espace supplémentaire dans lequel des synapses peuvent se former.) La période critique semble s'achever quand le processus d'élimination des synapses a progressé jusqu'au point où un faible nombre de synapses, ou aucune, est encore capable d'interactions compétitives. Pour la plupart des scientifiques, certains changements neuraux supplémentaires surviendraient plus tard dans la vie[30]. Mais ils ne sont toujours pas d'accord sur la question de savoir si, avec le vieillissement, la densité synaptique décline, si la longueur des dendrites et de leur branchement se réduit, si la perte est plus sélective (limitée à certaines régions du cortex)[31].

Fondements biologiques de l'apprentissage. Comme on peut le comprendre, l'essentiel des recherches en neurobiologie qui ont des implications pour les êtres humains a été mené sur des primates. On s'est attaché surtout aux systèmes sensoriels principaux, lesquels fonctionnent vraisemblablement de façon similaire tout au long de l'échelle biologique. Cependant, on s'est récemment penché sur les bases de l'apprentissage dans des espèces très éloignées de l'homme. Ces découvertes étant riches d'enseignements, je voudrais en donner ici deux échantillons.

L'étude du chant des oiseaux constitue pour les spécialistes de la cognition un véritable trésor d'informations stimulantes[32]. Bien qu'issus d'un autre ordre d'animaux, les chants d'oiseaux impliquent des activités hautement complexes qui sont latéralisées dans la partie gauche du cerveau et dont la maîtrise dépend d'une éducation précoce.

Par-delà les différences d'une espèce d'oiseaux à l'autre, on peut noter quelques généralités. Au début de sa première année de vie, l'oiseau mâle produit un *sous-chant*, une émission babillante qui se poursuit durant plusieurs semaines. Vient ensuite une période de *chant plastique*, un intervalle plus long où l'oiseau répète un grand nombre de morceaux des chants qu'il utilisera finalement pour signifier son territoire aux autres oiseaux, pour faire la parade et trouver une compagne. Cette répétition « ludique » s'apparente aux activités exploratoires dont les primates font preuve dans de nombreux domaines.

Les espèces d'oiseaux diffèrent les unes des autres par la flexibilité et les conditions d'apprentissage du chant. Certains, comme le pigeon, en viennent à chanter le chant de leur espèce même en l'absence d'exposition au bon modèle. Certains, comme les canaris, ont besoin d'un rétrocontrôle de leur propre façon de chanter, mais pas d'exposition à un modèle (si de tels oiseaux sont sourds, ils ne parviennent pas à maîtriser le répertoire de leur espèce). D'autres, comme le pinson, doivent être exposés aux modèles fournis par leurs congénères pour chanter le bon chant. Certains chantent le même chant chaque année, tandis que d'autres modifient leur répertoire tous les ans (il est clairement vital de comprendre les étayages biologiques de ces différences « culturelles »). Mais ce qui est frappant, c'est que l'oiseau émet pendant l'apprentissage beaucoup plus de chants et de morceaux de chant qu'il n'en vocalisera à la fleur de l'âge. De plus, les oiseaux tendent à privilégier les chants issus de l'environnement que leur espèce est destinée à apprendre, et à ignorer (relativement) les chants venant d'autres espèces ou même d'autres dialectes de leur propre espèce.

Comme je l'ai déjà souligné, la production du chant dépend de structures situées dans la portion gauche du système nerveux de l'oiseau. Des lésions dans cette région se révèlent beaucoup plus dérangeantes que dans les zones correspondantes du cerveau droit. On peut, en fait, produire une aphasie — ou amusie — chez les oiseaux. Mais le canari aphasique peut récupérer ses chants antérieurs parce que les voies homologues de l'hémisphère droit peuvent être exploitées. Les oiseaux ont plus de chances de « récupération fonctionnelle » que les humains adultes.

L'apprentissage des chants d'oiseaux constitue un étonnant modèle de la façon dont des organismes réussissent à maîtriser une aptitude très particulière de talent grâce à l'interaction de la stimulation environnementale, de la pratique exploratoire et de la prédisposition à développer certaines structures du système nerveux. Il sera peut-être un jour possible d'appliquer certains des principes impliqués dans l'apprentissage du chant d'oiseaux aux processus en vertu desquels des organismes plus élevés (dont les êtres humains) réussissent à maîtriser les systèmes cognitifs et symboliques de leur propre milieu culturel. Dans une tout autre direction, les recherches menées sur un mollusque appelé *Aplysia californica* jettent également une lumière supplémentaire sur les bases biologiques de l'apprentissage.

Eric Kandel et ses collaborateurs de l'université Columbia ont examiné les formes les plus simples d'apprentissage chez l'aplysie[33]. Ils se sont demandé comment cet organisme, qui dispose d'un petit nombre de neurones, peut s'habituer à un stimulus (de façon à ne plus répondre au bout d'un certain temps), peut au contraire y être sensible (de façon à pouvoir répondre même en présence d'une stimulation moindre) et peut être conditionné de façon classique (de façon à pouvoir répondre à un stimulus appris ou conditionné ainsi qu'à un stimulus conditionné ou réflexif). Quatre principes majeurs ont été dégagés.

Tout d'abord, les aspects élémentaires de l'apprentissage ne sont pas distribués de façon diffuse dans le cerveau. Ils sont plutôt localisés dans l'activité de cellules nerveuses spécifiques. Certains comportements appris peuvent ne pas impliquer plus de cinquante neurones. Deuxièmement, l'apprentissage est le résultat d'une modification des connexions synaptiques entre cellules : plutôt que d'entraîner nécessairement de nouvelles connexions synaptiques, l'apprentissage et la mémoire résultent d'ordinaire d'une modification dans la force de contacts déjà existants. Troisièmement, des changements prolongés et profonds de la force des synapses peuvent être dus à une modification dans la quantité de transmetteur chimique libéré dans les terminaisons neuronales — les sites où les cellules communiquent avec d'autres. C'est par exemple le cas au cours de l'habituation, chaque potentiel d'action produisant progressivement moins d'influx de calcium et donc moins de libération de transmetteur que le potentiel d'action précédent. Enfin, ces processus simples de modification des forces synaptiques peuvent se combiner, ce qui explique que des processus mentaux plus complexes se mettent progressivement en place et produisent ainsi une « grammaire cellulaire » qui sous-tend des formes variées d'apprentissage. Les processus qui expliquent la forme la plus simple d'habituation servent d'alphabet pour des formes plus complexes d'apprentissage, comme le conditionnement classique. Kandel résume ainsi ses découvertes[34] :

> Les formes de base de l'apprentissage, l'habituation, la sensibilisation et le conditionnement classique *choisissent* parmi un large répertoire de connexions préexistantes et modifient la force d'un sous-ensemble de ce répertoire [...]. Une conséquence de ce point de vue est que les potentialités pour de nombreux comportements dont un organisme est capable sont construites dans l'échafaudage de base du cerveau et sont dans cette mesure sous contrôle génétique et développemental [...]. Des facteurs environnementaux et l'apprentissage font ressortir ces capacités latentes en modifiant l'efficacité des schémas préexistants, de manière à mener à l'expression de nouveaux modèles de comportement.

Grâce à Kandel et à l'aplysie, on peut décrire certaines des formes majeures de l'apprentissage en termes d'événements cellulaires, comprenant même certaines interactions chimiques. Le fossé qui semblait naguère infranchissable entre comportement et biologie semble avoir été comblé. Les travaux de Kandel et de ses associés sont également féconds pour répondre à la spécificité des compétences particulières dont nous nous occuperons dans les pages suivantes. Il semble que les mêmes principes puissent caractériser toutes les cellules neurales, indépendamment de leur appartenance à une espèce ou de leur forme d'apprentissage — ce qui plaide en faveur d'une conception « horizontale » de l'apprentissage. Pourtant, comme Kandel l'indique, les organismes semblent eux-mêmes capables seulement de certains modèles de comportement, à l'exclusion d'autres. Ce phénomène devra lui aussi être pris en compte par toute approche biologique de la cognition.

À l'inverse de ce qu'on a noté pour la génétique, l'apport de la neurobiologie à l'étude de la cognition humaine semble décisif. Des principes clairs concernant la plasticité et la flexibilité, la détermination et la canalisation, ont été établis. Moyennant certaines modifications, ils pourraient s'appliquer au développement chez les êtres humains de certains systèmes cognitifs et à l'apprentissage intellectuel. On a, par exemple, démontré que certaines expériences précoces riches (ou appauvries) avaient un effet sur le fonctionnement général de l'organisme. On sait également que la malnutrition a des effets analogues dans notre propre espèce, et même avec des conséquences délétères pour le fonctionnement à la fois affectif et cognitif[35]. Enfin, grâce aux études sur des populations aussi improbables que les oiseaux chanteurs et les mollusques californiens, nous en savons plus sur la manière dont les formes d'apprentissage se manifestent au niveau cellulaire et biochimique dans le système nerveux. La distance reste énorme entre ces formes simples de comportements et les modes d'apprentissage et de développement qu'on rencontre chez les êtres humains. Cependant, ces recherches pourraient servir de base pour l'étude de l'homme.

IDENTIFICATION DES ÉLÉMENTS DU SYSTÈME NERVEUX

Jusqu'à présent, j'ai admis par moments une fiction commode : le système nerveux serait relativement indifférencié et on pourrait discuter de ses variations en termes de taille, de densité et de connexions sans tenir compte de l'emplacement où ces différences se trouvent. En fait, pourtant, une étude du système nerveux a révélé une architecture organisée de façon étonnamment haute, avec une spécificité incroyable en matière d'apparence et d'organisation. De plus, il semble que des différences d'organisation soient étroitement liées aux différences de fonctions effectuées par les différentes régions du cerveau. Par exemple, il est clair que les régions du cortex dont la maturation se produit précocement sont impliquées dans les fonctions sensorielles primaires (la perception d'objets visuels et de sons isolés), tandis que les cortex sensoriels d'association dont la maturation a lieu plus tard sont responsables de la signification des stimuli et assurent les connexions entre les modalités sensorielles (par exemple associer des objets à des noms entendus).

Pour notre propos, la structure de l'organisation du système nerveux peut être considérée en détail à deux niveaux : la structure fine ou moléculaire et la structure plus grossière ou molaire. C'est peut-être une fiction commode, mais ce n'est pas dépourvu de sens : de fait, le prix Nobel 1981 a été partagé entre Roger Sperry, qui étudie le niveau molaire, et David Hubel et Torsten Wiesel, qui étudient la structure moléculaire. Voilà qui est donc pertinent pour notre recherche sur la nature des fonctions intellectuelles humaines.

Le niveau moléculaire. Selon Vernon Mountcastle, physiologiste à l'université John Hopkins, on peut considérer que le cortex cérébral humain est organisé en colonnes ou modules [36]. Disposées verticalement par rapport à la surface du cortex, celles-ci ont approximativement une longueur de 3 millimètres et une largeur de 0,5 à 1 millimètre. Ce sont des entités anatomiques séparées qui donnent naissance à différentes fonctions presque indépendantes. De fait, la perception et la mémoire peuvent être distribuées à travers le système nerveux en la « personne » de ces « démons cognitifs » à but particulier.

Ces colonnes ont d'abord été mises en évidence dans le cortex visuel. Selon Hubel et Wiesel [37] :

> Étant donné ce qui a été appris sur le cortex visuel primaire, il est clair que l'on peut considérer une portion élémentaire du cortex comme un bloc d'environ un millimètre carré et de deux millimètres de profondeur. Connaître l'organisation de ce morceau de tissu revient à connaître l'organisation de tout le [cortex visuel] ; l'ensemble doit être principalement une version intégrée de cette unité élémentaire.

Des découvertes plus récentes semblent montrer que d'autres zones sensorielles sont également constituées de telles colonnes. Le lobe frontal — zone jugée responsable de la connaissance plus abstraite et moins organisée topographiquement — aurait également une organisation en colonnes.

À quoi répondent ces colonnes — ou les cellules qui les constituent ? Dans le système visuel, elles répondent à l'orientation horizontale, verticale, oblique — et à la dominance oculaire — degrés différents de préférence oculaire. Les cellules corticales, moins bien comprises, peuvent aussi répondre à la couleur, à la direction du mouvement et à la profondeur [38]. Dans le système somato-sensoriel, les colonnes répondent au côté du champ qui a été stimulé et à la localisation des récepteurs dans les couches de la peau. Dans le lobe frontal, elles répondent à des informations spatiales et temporelles sur les objets qui ont été présents dans le champ de l'organisme. Prises ensemble, les zones motrices et sensorielles semblent contenir des cartes bidimensionnelles du monde qu'elles représentent. L'information sur la vision, le toucher ou le son étant relayée d'une zone corticale à la suivante, la carte devient progressivement plus floue, et l'information transportée plus abstraite[39].

Ces colonnes pourraient être les unités fondamentales d'organisation à travers l'évolution. Ainsi, différentes espèces de singes peuvent-elles avoir chacune un cortex d'une taille propre et leur propre nombre de colonnes. Mais les véritables dimensions des colonnes sont les mêmes. Patricia Goldman et Martha Constantine-Paton ont émis l'hypothèse que, lorsque le nombre d'axones dirigés dans une certaine voie dépasse un nombre critique, des colonnes vont se former, comme une manière éprouvée par le temps et efficace de remplissage dans l'espace[40]. En effet, si l'on implante un œil supplémentaire sur une grenouille pendant la gestation, une colonne va immédiatement s'établir.

Peut-on penser le système nerveux seulement en termes de colonnes ou de modules ? Vernon Mountcastle, dont les travaux ont conduit à la découverte de l'organisation en colonnes du système nerveux, distingue lui-même entre les minicolonnes (qui peuvent avoir aussi seulement cent cellules et constituer par là même l'unité de traitement du néocortex la plus petite, de façon irréductible) et les macrocolonnes, contenant chacune plusieurs centaines de microcolonnes. À un niveau plus grossier d'organisation, Francis Crick suggère l'existence de zones distinctes plus grandes. Le singe hibou, par exemple, a au moins huit zones corticales qui sont primairement visuelles : toutes sont distinctes sur le plan perceptif et ont une frontière assez bien définie. Selon lui, il existerait peut-être cinquante ou cent zones distinctes dans le cortex humain. Selon ses propres termes, non dénués de mélancolie, « si chaque zone pouvait être clairement colorée en *post-mortem* de telle sorte que nous puissions voir exactement combien il y en a, la taille de chacune et comment elle se relie aux autres, nous ferions un grand pas en avant[41] ». On peut donc diviser le système nerveux en unités de tailles très différentes. En favorisant l'apparition et la localisation de différentes unités neurales, la nature fournit des indices importants sur l'identité de ses fonctions et de ses processus.

Le niveau molaire. En abordant les régions plus vastes du cortex cérébral, on touche à ce qu'on peut appeler l'analyse molaire du cerveau : on traite alors de régions observables à l'œil nu. Alors que les recherches moléculaires reposent surtout sur l'enregistrement de cellules isolées, visibles seulement au microscope à fort grossissement, la source principale d'information sur la molarité de l'esprit provient des études cliniques menées sur des patients qui ont subi une lésion cérébrale.

À la suite d'un accident vasculaire cérébral, d'un traumatisme ou d'autres accidents, certaines personnes peuvent souffrir de lésions de régions du cerveau importantes, mais toutefois limitées. Le lobe frontal peut être détruit entièrement ou en partie (de manière unilatérale). Une lésion peut avoir lieu dans le lobe temporal ou à la jonction temporo-pariétale. On peut en observer les conséquences grâce à des examens radiologiques (scanner cérébral) et, bien sûr, après autopsie. C'est l'objet de nombreuses querelles scientifiques. Il est en effet possible de corréler la perte de portions mesurables du cerveau — parfois précisément limitées, parfois dispersées parmi plusieurs régions — avec des modèles spécifiques d'effondrement comportemental et cognitif.

La découverte selon laquelle les deux moitiés du cerveau ne remplissent pas les mêmes fonctions est celle qui a suscité le plus d'excitations[42]. Alors que chaque hémisphère contrôle les capacités motrices et sensorielles du côté opposé du corps, un côté du cerveau est clairement dominant : une telle dominance détermine si l'individu est droitier (en cas de dominance hémisphérique gauche) ou gaucher (en cas de dominance hémisphérique droite). Plus important, notre entreprise est le fait, désormais établi sans le moindre doute, que l'hémisphère gauche est dominant pour le langage chez la plupart des droitiers, alors que l'hémisphère droit est dominant (bien que ce ne soit pas dans la même mesure) pour les fonctions visuo-spatiales.

C'est bien connu de tous ceux qui s'intéressent aux sciences biologiques. On sait moins que la spécificité d'une fonction cognitive peut être plus précisément liée à des régions plus fines du cortex cérébral humain. Preuve en est le langage[43]. Une lésion du lobe frontal — en particulier de la zone dite aire de Broca — rend difficile la production d'un discours grammatical, alors même que la compréhension est relativement préservée. Au contraire, en cas de lésion du lobe temporal (dans l'aire dite de Wernicke), le discours reste relativement fluide, grammaticalement correct, mais le sujet a des difficultés de compréhension. D'autres désordres linguistiques encore plus spécifiques s'avèrent liés à des régions particulières du cerveau (difficultés sélectives à répéter, dénommer, lire et écrire).

Il semble donc clair que chez l'adulte normal, des fonctions intellectuelles et cognitives distinctes peuvent être liées à des régions particulières du cerveau, dans de nombreux cas elles-mêmes morphologiquement dictinctes. David Hubel en témoigne[44] :

> Nous sommes conduits à attendre que chaque région du système nerveux central ait son problème bien particulier qui requiert des solutions spécifiques. Pour la vision, il s'agit des contours, de la direction et de la profondeur. Pour le système auditif, d'autre part, nous pouvons prévoir une galaxie de problèmes liés aux interactions temporelles des sons de différentes fréquences, et il est difficile d'imaginer que c'est le même appareil neural qui traite tous ces phénomènes [...] pour les

aspects majeurs des opérations du cerveau, aucune solution magistrale n'est probable.

Beaucoup des questions posées plus haut réapparaissent dès lors qu'il s'agit de la cognition humaine. Par exemple, l'hémisphère gauche est « chargé » d'être l'hémisphère du langage. Si cet hémisphère est enlevé de façon précoce, la plupart des personnes développeront pourtant un langage relativement normal. Assurément, le langage de certains patients hemisphérectomisés est altéré, mais pour s'en assurer, il faut des tests très fins. En d'autres termes, la plasticité est évidente dans l'acquisition du langage, mais cette flexibilité diminue rapidement après la puberté. Il est probable qu'une lésion même relativement circonscrite dans l'hémisphère gauche d'un adulte de plus de quarante ans produira une aphasie permanente et débilitante.

On a longtemps considéré que les zones du langage étaient impliquées dans le langage oro-acoustique. Pourtant, elles ne deviennent pas inopérantes si un individu est sourd[45]. En effet, elles peuvent être utilisées pour acquérir le langage des signes ou d'autres systèmes de communication de remplacement. Par exemple, les enfants sourds qui n'habitent pas dans un foyer « qui signe » inventeront eux-mêmes ou à deux des langages gestuels : des analyses attentives menées par des linguistes montrent des analogies claires entre le langage gestuel imaginé et le langage naturel des enfants qui entendent — par exemple, dans la manière de construire des propositions à deux mots[46]. Ainsi existe-t-il manifestement une canalisation non seulement dans l'exploitation de certaines régions du cerveau, mais aussi dans les directions fonctionnelles le long desquelles se développe un système de communication. Enfin, si à la suite de mauvais traitements, un enfant est privé de langage jusqu'à la puberté et qu'on lui donne ensuite l'occasion d'apprendre à parler, il peut faire des progrès dans certains aspects du langage. Pourtant, dans le seul cas qui a été étudié attentivement, ces progrès ont apparemment eu lieu grâce à l'exploitation des régions de l'hémisphère droit[47]. Il est possible qu'une période critique pour la mobilisation des structures de l'hémisphère gauche ait eu lieu de sorte que son langage soit déficient dans les aspects hémisphériques gauches comme la grammaire.

L'organisation cérébrale

On est loin de connaître les autres fonctions cognitives aussi bien que le langage. Cependant, on peut déterminer l'organisation corticale de ces fonctions mentales supérieures. De plus, elles peuvent aussi s'effondrer de façon prévisible. Prouver qu'il existe bien plusieurs intelligences humaines est l'objet des chapitres suivants de ce livre. À ce point, cependant, il est pertinent de passer en revue les différents points de vue sur les relations entre l'intellect et l'organisation cérébrale, ainsi que certains efforts pour relier la cognition humaine aux capacités computationnelles spécifiques représentées par les colonnes ou régions neurales.

Les débats autour des relations entre l'intellect et le cerveau reflètent les conceptions dominantes de l'organisation générale du cerveau. Lorsque dominait l'idée de localisation, on croyait que différentes parties du cerveau remplissaient différentes fonctions cognitives. On a parfois défendu l'idée qu'il existerait des facultés « horizontales » — la perception était considérée comme résidant dans une région, la mémoire dans une autre. Cependant, la plupart du temps, on considérait seulement que les contenus spécifiques étaient « verticaux » — traitement visuel dans le lobe occipital, langage dans les régions temporale et frontale gauches. À d'autres époques, on a regardé le cerveau comme un mécanisme qui traitait des informations générales et comme un organe « équipotentiel » où les fonctions pouvaient être exécutées et les aptitudes enracinées dans n'importe quelle section du système nerveux[48]. L'intelligence était considérée, à la manière des porcs-épics, comme une seule et unique aptitude, liée à la masse moyenne du tissu cérébral utilisable.

Il y a cinquante ans, les holistes ou « équipotentialistes » semblaient devoir l'emporter. D'après le neuropsychologue Karl Lashley, la quantité de tissu cérébral intact plutôt que son identité particulière (en termes de fissures et commissures) pourrait déterminer si un organisme (comme un rat) peut exécuter une tâche. Lashley a montré que même si l'on coupait les régions de presque toutes les aires du cerveau, le rat était encore en mesure de trouver son chemin dans un labyrinthe[49]. Alors que ce résultat semblait sonner le glas des théories localisationnistes, un réexamen de cette recherche a révélé un défaut majeur. Le rat se servant de signaux très redondants d'aires sensorielles pour trouver son chemin dans le labyrinthe, enlever telle ou telle région du cerveau ne faisait pas grande différence du moment qu'on en laissait d'autres. Lorsqu'on a commencé à s'occuper des types spécifiques de signaux utilisés et à éliminer les redondances, même des lésions très focales se sont avérées altérer la performance du rat.

On peut noter des tendances parallèles dans l'étude des processus cognitifs humains. L'âge d'or des holistes ou généralistes (comme Henry Head et Kurt Goldstein) a eu lieu il y a un demi-siècle. L'intelligence semblait liée à la quantité de tissu cérébral épargné, plutôt qu'à sa localisation particulière. De fait, de nombreuses tâches intellectuelles humaines peuvent être menées à bien même à la suite de lésions cérébrales importantes. Mais, après un examen plus attentif, on peut en général démontrer qu'elle dépend de certaines aires cérébrales clés. Des études récentes ont révélé que les régions pariétales extérieures, en particulier dans l'hémisphère gauche, sont décisives pour certaines tâches censées mesurer l'intelligence « à l'état brut », comme les matrices progressives de Raven[50]. Même dans la perspective des tests d'intelligence, il semble que le système nerveux soit loin d'être équipotentiel[51].

L'idée de localisation cérébrale semble donc susciter un nouveau consensus. Le cerveau peut être divisé en régions spécifiques, chacune étant relativement plus importante pour certaines tâches et relativement moins pour les autres. Il n'y a toutefois pas de « tout ou rien », mais plutôt un degré bien défini d'importance. De même, peu de tâches dépendent entièrement d'une région du cerveau. Au contraire, l'examen d'une tâche relativement complexe révèle les afférences d'un nombre important de régions cérébrales, chacune ayant une contribution caractéristique. Par exemple, dans le cas du dessin à main levée, certaines structures de l'hémisphère gauche sont indispensables pour fournir les détails, tandis que les structures de l'hémisphère droit sont nécessaires pour maîtriser le contour général de l'objet dépeint[52]. On sait qu'une agression à une moitié du cerveau produira une altération, mais on ne peut connaître le type d'altération qui s'ensuivra que si l'on sait où la lésion cérébrale a eu lieu.

Cette description de l'organisation cérébrale serait sans doute admise par la plupart des chercheurs en neuropsychologie. Elle ne fait toutefois pas l'unanimité chez les cognitivistes américains. (En Europe, au contraire, la neuropsychologie est mieux admise par les cognitivistes, sans doute parce que ce domaine est dominé par des chercheurs qui ont une formation médicale.) En effet, la plupart des spécialistes de la cognition n'admettent pas que les données portant sur l'organisation du cerveau puissent les aider dans leurs recherches. Ou bien ils pensent que les processus neuraux doivent être rendus compatibles avec les descriptions cognitives, plutôt que le contraire. Le « hardware » semble sans rapport avec le « software ». On croit encore trop souvent en l'existence d'aptitudes extrêmement générales de résolution de problèmes qui recoupent tous les genres de contenus et impliquent n'importe quelle région du système nerveux. Bien sûr, même si la localisation s'est révélée une juste description du système nerveux, il reste possible qu'il existe également des dispositifs très généraux de résolution de problèmes, ainsi qu'une structure « horizontale » importante — la perception, la mémoire, l'apprentissage, etc. recoupant des contenus hétérogènes. Cependant, il serait grand temps pour les psychologues de prendre au sérieux le fait que les analyses molaires du système nerveux — et même les analyses moléculaires — puissent avoir des implications précises pour les processus cognitifs.

À partir de points de vue très divergents sur la cognition, le philosophe Jerry Fodor, le psychologue physiologiste Paul Rozin, le neuropsychologue Michael Gazzaniga et le psychologue cognitif Alan Allport admettent tous que la cognition humaine repose sur plusieurs dispositifs cognitifs « à objectif particulier », dont ils présument qu'ils dépendent de « circuits neuraux[53] ». J'évoque leurs analyses très différentes au chapitre 10. Mais pour lors, les points sur lesquels ils s'accordent sont les suivants :

Au long de l'évolution, les êtres humains en sont venus à posséder un certain nombre de dispositifs de traitement de l'information adaptés à des objectifs particuliers, souvent appelés « mécanismes computationnels ». Nous en partageons quelques-uns avec certains animaux (la perception des visages), mais d'autres s'avèrent spécifiques aux êtres humains (analyse syntaxique). Certains d'entre eux sont franchement moléculaires (détection des lignes), mais d'autres sont plutôt molaires (contrôle de l'action volontaire).

Le fonctionnement de ces mécanismes peut être considéré comme autonome en deux sens. Tout d'abord, chaque mécanisme opère selon ses propres principes et n'est pas « couplé » avec un autre module, quel qu'il soit. En second lieu, les dispositifs de traitement de l'information peuvent opérer sans être dirigés à le faire, simplement en présence de certaines formes d'information à analyser. En effet, il se peut que leur fonctionnement ne soit pas soumis à une utilisation consciente et se révèle donc difficile, voire impossible, à contrecarrer. Ils peuvent être simplement « déclenchés » par certains événements ou informations de l'environnement (dans le jargon, ils sont « cognitivement impénétrables » ou « encapsulés »). Il est possible également que certains puissent être accessibles à une utilisation consciente ou à une exploitation volontaire.

De fait, le pouvoir d'être conscient du fonctionnement de son système de traitement de l'information pourrait être un trait distinct (et prisé) de l'être humain[54]. Pourtant, il n'est pas toujours possible d'accéder à l'« inconscient cognitif ». Même la conscience qu'un individu a de son fonctionnement peut ne pas suffire pour influencer sa mise en œuvre. (On peut penser, par exemple, à ce qui arrive quand on sait que l'on regarde ou que l'on écoute une illusion. On reste malgré tout incapable de percevoir véritablement le stimulus.)

Malgré les différences, la plupart des partisans du point de vue moléculaire n'admettent pas l'idée de mécanisme central de traitement de l'information décidant de l'ordinateur à invoquer. Les homoncules ne sont pas à la mode. La notion de mémoire générale de travail ou d'espace de stockage pouvant être utilisée (ou empruntée) par les différents mécanismes computationnels à objectif particulier n'est guère plus prisée. On considère plutôt que chaque mécanisme intellectuel fonctionne bien mieux avec sa propre vapeur, en utilisant ses propres capacités perceptives et mnémoniques, et a peu de raison (ou de besoin) d'emprunter de l'espace à un autre module. Au cours de l'évolution, des emprunts entre les systèmes ont pu survenir. Des systèmes ont pu se combiner. Et de nombreux mécanismes, sinon la plupart, travaillent ensemble pour exécuter un comportement complexe. Mais à chaque stade clé, on peut préciser que les procédés constituent chaque mécanisme computationnel ou, autrement dit, chaque forme d'intelligence.

Le lecteur sera surpris d'apprendre que je penche pour cette position « modulaire ». Lorsque je considère les données dont on dispose, les découvertes que les psychologues ont accomplies sur le pouvoir de différents systèmes symboliques et celles que les chercheurs en neurosciences ont faites sur l'organisation du système nerveux militent les unes et les autres en faveur de la même conception de l'esprit : il semble qu'il consiste en un certain nombre de mécanismes computationnels hautement spécifiques et hautement indépendants. Il se peut qu'il existe des propriétés et des régions communes, mais elles ne suffisent pas à tout, et il se peut même qu'elles ne soient pas la partie la plus pertinente (et la plus décisive pour l'éducation).

Il reste encore à greffer cette analyse modulaire aux principes plus généraux de plasticité et d'expérience précoce que j'ai examinés plus haut. Les principes de plasticité pourraient imprégner le système nerveux et être invoqués indépendamment du mécanisme computationnel en question. Un tel résultat ne pose pas problème pour nous ici. Il semble toutefois beaucoup plus probable que chacune des intelligences ait ses propres formes de plasticité et ses propres périodes critiques : elles n'ont pas besoin de survenir en même temps ni pendant le même intervalle de temps, et elles n'entraînent ni les mêmes coûts ni les mêmes bénéfices. En effet, si je peux adopter la perspective dite « hétérochronique », différents systèmes neuraux peuvent se développer à différentes vitesses ou de différentes manières, selon la période d'évolution des primates où ils ont commencé à fonctionner et les objectifs pour lesquels ils ont été mis en place.

Conclusion

Quelle image du système nerveux ce survol trop rapide de la neurologie donne-t-il ? La croissance est certainement déterminée par le génome. Malgré la très grande variabilité du développement, il avance le long d'avenues bien canalisées. Nous aurions eu du mal à survivre en tant qu'espèce pendant de nombreux milliers d'années sans une forte probabilité de parler, de percevoir et de nous rappeler les nombreuses formes d'informations de manière relativement similaire. La plasticité du système nerveux est tout aussi claire. En particulier pendant les périodes précoces de la croissance, avec son bourgeonnement et son élagage, il se peut qu'il soit très élastique et adaptable. Cela favorise la survie. Mais cette croissance par des voies alternatives n'est pas toujours un avantage. Des connexions nouvellement imaginées peuvent mener à bien certains processus de façon adéquate, mais se montrer inadéquates pour d'autres, ou entraîner des effets pernicieux à long terme. Les principes généraux du système nerveux qui ressortent de notre analyse sont une programmation, une spécificité, une flexibilité précoces importantes, pour certains coûts [55]. Nous pouvons raisonnablement nous attendre à pouvoir appliquer les mêmes principes lorsque nous considérerons comment des êtres humains normaux font face à différents défis intellectuels et progressent dans différents domaines symboliques.

Les travaux récents en neurologie plaident de plus en plus en faveur de l'existence d'unités fonctionnelles dans le système nerveux. Certaines unités remplissent des fonctions microscopiques dans les colonnes individuelles des aires sensorielles ou frontales. D'autres, beaucoup plus larges et visibles à l'inspection, assurent des fonctions plus complexes et molaires, comme dans le traitement linguistique ou spatial. Les intelligences spécialisées ont donc une base biologique. Toutefois, même les spécialistes du système nerveux les mieux informés ne s'accordent pas sur le niveau des modules qui servent différents objectifs scientifiques ou pratiques. Il est clair que même l'étude impartiale du système nerveux ne nous donnera pas un tableau complet des différents types de cognition.

Toutefois, la neurobiologie, au niveau molaire aussi bien que moléculaire, donne des indications sur les différents « types naturels » possibles d'intelligence humaine. Nous ne pouvons pas (même si nous le souhaitions) exclure avec soin la culture de cette équation, parce que la culture influence tout individu (à l'exception peut-être de certains monstres) et module dès le début la manière dont son potentiel intellectuel se développe. Prendre en compte la culture est toutefois un atout pour l'analyse. Elle invite à examiner le développement et l'épanouissement des compétences intellectuelles à partir de diverses perspectives : le rôle des valeurs sociales ; les activités dans lesquelles des individus deviennent des experts ; les spécialisés des domaines où l'on peut trouver des prodiges, des individus arriérés ou des individus incapables d'apprendre ; et les types de transferts de talents auxquels nous pouvons nous attendre dans un cadre éducatif.

Tel est donc le fardeau de ce livre : il invite à prendre en compte des idées prises aux différents aspects de la cognition, aussi bien culturels que biologiques, et à examiner quelles familles de compétence intellectuelle, prises ensemble, ont le plus de sens. Il ne reste qu'à expliciter les critères sur lesquels doit s'appuyer cet effort de synthèse.

CHAPITRE 3

Qu'est-ce qu'une intelligence ?

Tout est désormais en place pour présenter les intelligences. Grâce à l'examen des conceptions antérieures de l'intelligence et de la cognition, nous savons qu'il existe des points forts intellectuels (ou des compétences) et que chacun suit son propre développement. Les données neurobiologiques récentes suggèrent que certaines zones cérébrales correspondent, au moins approximativement, à certaines formes de cognition. On peut également penser que le cerveau est organisé de façon à héberger différents modes de traitement de l'information. Au moins en psychologie et en neurobiologie, il semble que notre époque soit disposée à admettre l'existence de plusieurs compétences intellectuelles humaines.

Mais en science, on ne peut jamais procéder de façon totalement inductive. Admettons que nous menions tous les tests et expérimentations psychologiques concevables ou que nous dénichions tous les câblages neuroanatomiques nécessaires, nous n'aurons toujours pas identifié les intelligences humaines que nous recherchons. Nous ne nous heurterons pas à un problème de manque de connaissance, mais plutôt à un problème épistémologique. Il est nécessaire d'avancer une hypothèse, ou une théorie, et ensuite de la tester. C'est seulement quand les points forts — et les limites — de la théorie seront connus que la formulation initiale deviendra plausible.

En science, on ne donne jamais non plus de réponse complètement exacte et définitive. On constate des progrès et des régressions, des embardées et des surplaces. On ne découvre jamais la pierre de Rosette, clé unique d'un ensemble de problèmes connexes. C'est vrai en physique et en chimie. C'est encore plus vrai — et même, hélas, trop vrai — dans les sciences humaines et celles du comportement.

C'est pourquoi il n'existe pas, et il ne pourra jamais exister, de liste des intelligences humaines qui soit irréfutable et universellement admise. On ne s'accordera jamais sur une liste de trois, sept ou trois cents intelligences. Nous pouvons approcher de ce but en nous attachant à un seul niveau d'analyse (par exemple, la neurophysiologie) ou à un seul but (par exemple, prédire des études techniques réussies). Mais si nous tentons de construire une théorie ultime de toute l'intelligence humaine, nous pouvons nous attendre à ne jamais en finir.

Pourquoi alors suivre ce chemin délicat ? Parce que nous avons besoin d'une classification des compétences intellectuelles humaines meilleure que celle dont nous disposons actuellement. Parce que nombre de données récentes issues de recherches scientifiques, d'observations transculturelles et d'études sur l'éducation doivent être examinées et organisées. Et peut-être, par-dessus tout, parce qu'il semble à notre portée de proposer une liste des points forts intellectuels qui se révélera utile pour les chercheurs et les professionnels. Elle leur servira au moins à s'entendre sur ce qu'il convient d'appeler l'intelligence. En d'autres termes, s'il est impossible que la synthèse que nous recherchons suffise jamais à tout le monde, elle peut cependant être utile à certains.

Avant d'aborder les compétences intellectuelles elles-mêmes, deux précisions s'imposent. Tout d'abord, quelles sont les conditions que doit satisfaire une intelligence ? C'est-à-dire, quelles sont les règles générales auxquelles un ensemble de talents intellectuels doit se conformer pour prétendre figurer dans notre liste ? En second lieu, quels sont les critères permettant d'élire une compétence au rang d'intelligence ? Parmi les critères doivent également figurer les facteurs permettant de dire si nous sommes sur une fausse piste : autrement dit, si une compétence intellectuelle éligible n'a pas les qualités requises ou si nous en avons oublié une qui semble très importante.

Les conditions nécessaires

Une compétence intellectuelle humaine implique la capacité à résoudre des problèmes rencontrés, éventuellement en créant un produit efficace, mais aussi à *découvrir ou à créer de nouveaux problèmes* afin d'acquérir de nouvelles connaissances. Tels sont les points forts intellectuels qui sont importants quel que soit le contexte culturel. Cependant, la valeur qu'on leur accorde diffère d'une culture à l'autre : créer de nouveaux produits ou poser de nouvelles questions est relativement peu important dans certains cadres.

Ces conditions nécessaires permettent de s'assurer qu'une intelligence humaine est authentiquement utile et importante, au moins dans certains cadres culturels. Ce critère peut à lui seul disqualifier certaines capacités qui, à d'autres titres, satisferaient aux critères que je cherche à poser. Par exemple, l'aptitude à reconnaître des visages est une aptitude qui semble être relativement autonome et située dans une aire spécifique du système nerveux de l'homme[1]. De plus, elle suit sa propre histoire développementale. Pourtant, à ma connaissance, quoique de graves difficultés à reconnaître les visages puissent embarrasser certains individus, il semble que certaines cultures ne valorisent guère cette aptitude. La reconnaissance des visages ne permet guère de découvrir des problèmes nouveaux. La finesse dans l'utilisation des systèmes sensoriels pourrait aussi être une intelligence. Le goût ou l'odorat sont cependant appréciés différemment d'une culture à l'autre. (Je concède que cette affirmation peut déplaire à des gastronomes plus avertis que moi.)

D'autres aptitudes centrales dans les relations humaines n'ont pas, non plus, les qualités requises. Par exemple, les aptitudes utilisées par un scientifique, un chef religieux ou un homme politique sont très importantes. Pourtant, comme ces fonctions peuvent être décomposées en un ensemble de compétences intellectuelles particulières, elles n'ont pas elles-mêmes les qualités requises pour être des intelligences. À l'inverse, de nombreuses aptitudes testées depuis une éternité par les psychologues — de la mémorisation de syllabes absurdes à la production d'associations inhabituelles — n'ont pas, non plus, les qualités requises : loin d'être valorisées par une culture, ce sont des inventions d'expérimentateurs.

Nombreuses ont été les tentatives pour nommer et décrire en détail les différentes formes d'intelligences, depuis les trivium et quadrivium du Moyen Âge jusqu'aux cinq modes de communication (lexical, socio-gestuel, iconique, logico-mathématique et musical) du psychologue Larry Gross[2] aux sept formes de connaissance (mathématiques, sciences physiques, compréhension interpersonnelle, religion, littérature et beaux arts, morale et philosophie) du philosophe Paul Hirst[3]. Ces classifications ne sont pas fausses *a priori*. Elles peuvent même être utiles, dans une certaine mesure. Cependant, elles ont été conçues *a priori* et traduisent l'effort d'un individu (ou d'une culture) pour distinguer plusieurs types de connaissance. J'appelle, au contraire, de mes vœux une théorie empiriquement fondée sur des données biologiques et psychologiques. Il se peut que cette entreprise échoue et que nous devions nous appuyer de nouveau sur des schémas *a priori*, comme celui de Hirst. Il n'en reste pas moins que rechercher un fondement plus solide est nécessaire.

Ma liste ne prétend pas à l'exhaustivité. Il serait étonnant qu'elle soit complète. Pourtant, laisser des vides manifestes, ou mal rendre compte de la plupart des fonctions et des talents que valorisent les différentes cultures humaines ne conviendrait pas. Ainsi une théorie englobante des intelligences multiples doit-elle (et c'est une condition préalable) couvrir le spectre relativement complet des aptitudes qui ont de la valeur dans les cultures humaines. Nous devons prendre en compte les talents du chaman et du psychanalyste aussi bien que du yogi et du saint.

Les critères

J'en ai assez dit sur les conditions nécessaires auxquelles doit satisfaire mon entreprise. Passons aux critères, ou « signes ». Le seul emploi du mot *signes* signale que cette tâche doit être provisoire : je n'inclus pas un élément pour la seule raison qu'il manifeste un ou deux des signes, et je n'exclus pas non plus une intelligence candidate pour la seule raison qu'elle n'a pas les qualités requises à tout point de vue. Je voudrais seulement donner un échantillonnage aussi large que possible et inclure parmi les intelligences les candidates qui conviennent le mieux. Suivant le modèle fécond de l'informaticien Olivier Selfridge, on peut imaginer que ces signes sont un groupe de démons : chacun se met à crier quand une intelligence entre en résonance avec ses « exigences propres[4] ». Quand ils sont assez nombreux à crier, une intelligence est incluse. Quand la majorité refuse son approbation, elle est exclue.

On devrait pouvoir disposer d'un algorithme de sélection permettant à tout chercheur bien formé de déterminer si une intelligence candidate satisfait aux bons critères. Pour le moment, il faut admettre pourtant que cette sélection relève plus du jugement esthétique que de l'évaluation scientifique. Pour utiliser un concept statistique, la procédure ressemble fort à une analyse factorielle « subjective ». Elle est cependant scientifique, dans la mesure où les critères que j'utilise sont explicites, de sorte que d'autres chercheurs peuvent examiner les arguments et en tirer leurs propres conclusions.

Voici donc, sans souci d'ordre, les huit signes caractéristiques d'une intelligence.

ISOLEMENT POSSIBLE EN CAS DE LÉSION CÉRÉBRALE

Dans la mesure où une faculté particulière peut être détruite ou *épargnée* isolément, à la suite d'une lésion cérébrale, son autonomie relative par rapport aux autres facultés humaines semble probable. Dans les pages qui suivent, je m'appuie ainsi sur des arguments neuropsychologiques, en particulier sur une expérience hautement révélatrice — une lésion au niveau d'une aire spécifique du cerveau. Les conséquences d'une telle atteinte cérébrale pourraient fournir les données les plus significatives eu égard aux aptitudes distinctes ou computationnelles qui résident au cœur d'une intelligence humaine.

L'EXISTENCE D'IDIOTS SAVANTS, DE PRODIGES ET D'AUTRES INDIVIDUS EXCEPTIONNELS

Après la lésion cérébrale vient la découverte d'un individu qui manifeste un profil d'aptitudes et de défaillances hautement inégal. Les prodiges sont des personnes extrêmement précoces dans un — ou, de temps en temps, dans plus d'un — domaine de compétence humaine. Dans le cas de l'*idiot savant*[5] (et autres individus arriérés ou exceptionnels, y compris les enfants autistes), une aptitude humaine bien précise est préservée alors que les performances sont médiocres ou très en retard[6]. L'existence de ces populations permet d'observer l'intelligence humaine de façon isolée. Dans la mesure où la condition de prodige ou d'*idiot savant* peut être liée à des facteurs génétiques ou bien à la configuration de certaines régions neurales, on conforte l'affirmation d'une intelligence spécifique. En même temps, l'absence sélective d'un talent intellectuel — qui peut caractériser les enfants autistes ou les jeunes qui ont des inaptitudes à apprendre — donne la confirmation négative d'une certaine intelligence.

UNE OPÉRATION CLÉ OU UN ENSEMBLE D'OPÉRATIONS IDENTIFIABLE (S)

Centrale pour ma notion d'intelligence est l'existence d'*une ou plusieurs* opérations ou mécanismes de base de traitement de l'information permettant de négocier divers types de données spécifiques. On peut aller jusqu'à définir une intelligence humaine comme un mécanisme neural ou un système computationnel génétiquement programmé pour être activé ou « déclenché » par certains types d'informations présentées intérieurement ou extérieurement. À titre d'exemples, la sensibilité aux relations entre hauteurs de sons serait une des clés de l'intelligence musicale, ou l'aptitude à imiter un mouvement des autres un des piliers de l'intelligence corporelle.

Dès lors, il est capital d'identifier ces opérations clés, de localiser leur substrat neural et de prouver qu'elles sont effectivement distinctes. La simulation sur ordinateur est prometteuse à cet égard. L'identification des opérations clés a beau être, pour le moment, encore largement conjecturelle, elle est néanmoins importante dans ma réflexion. Corrélativement, la résistance à cette démarche peut signifier qu'on est en présence d'un tout qui devrait être décomposé selon les intelligences qui le constituent.

UNE HISTOIRE DÉVELOPPEMENTALE DISTINCTE, EN MÊME TEMPS
QU'UN ENSEMBLE DÉFINISSABLE DE PERFORMANCES EXPERTES
OU « ÉTATS TERMINAUX »

Une intelligence doit avoir une histoire développementale identifiable, que les individus doués ainsi que les personnes normales suivent au cours de l'ontogenèse. Assurément, l'intelligence ne se développe pas isolément sauf chez une personne anormale. Ainsi est-il nécessaire de considérer les fonctions ou situations où l'intelligence occupe une place centrale. De plus, il devrait être possible d'identifier des niveaux distincts d'expertise dans le développement d'une intelligence, du stade initial par lequel passe tout novice à des niveaux de compétence extrêmement hauts, observables seulement chez des individus ayant un talent exceptionnel et/ou ayant suivi un entraînement spécial. Il peut exister dans l'histoire développementale des périodes critiques distinctes, ainsi que des tournants identifiables, liés les uns et les autres à la formation ou à la maturation physique. Il est de la plus haute importance pour les professionnels de l'éducation d'identifier l'histoire développementale de l'intelligence et d'analyser si elle est susceptible de modification et de formation.

HISTOIRE ET PLAUSIBILITÉ ÉVOLUTIONNISTES

Toutes les espèces déploient des zones d'intelligence (et d'ignorance). Les êtres humains ne font pas exception à cette règle. Les racines de nos intelligences actuelles remontent à des millions d'années dans l'histoire de l'espèce. Une intelligence spécifique est plausible si on peut localiser ses antécédents évolutionnistes, y compris les aptitudes (comme le chant des oiseaux ou l'organisation sociale des primates) partagées par d'autres organismes. On doit aussi traquer les aptitudes computationnelles spécifiques qui semblent opérer isolément dans d'autres espèces, mais sont couplées les unes avec les autres chez les êtres humains. (Par exemple, il se peut que des aspects distincts d'intelligence musicale apparaissent dans de nombreuses espèces mais ne soient réunis que chez les êtres humains.) Les périodes de croissance rapide dans la préhistoire humaine, les mutations qui peuvent avoir conféré des avantages spéciaux à une population donnée, de même que les voies d'évolution qui n'ont pas prospéré sont autant de grain à moudre pour qui étudie les intelligences multiples. Pourtant, il faut insister sur le fait que c'est un domaine où la spéculation pure est particulièrement tentante et les faits solides particulièrement fuyants.

SOUTIEN VENU DES TÂCHES DE LA PSYCHOLOGIE EXPÉRIMENTALE

De nombreux paradigmes en faveur dans la psychologie expérimentale éclairent le fonctionnement des intelligences candidates. Utilisant les méthodes du psychologue cognitif, on peut par exemple étudier des détails du traitement linguistique ou spatial avec une spécificité exemplaire. On peut aussi mener une investigation sur l'autonomie relative d'une intelligence. Spécialement fécondes sont les recherches portant sur des tâches qui s'entravent (ou non) réciproquement, qui changent (ou non) d'un contexte à l'autre, ainsi que l'identification des formes de mémoire, d'attention et de perception qui peuvent être particulières à un type de données. De tels tests expérimentaux peuvent justifier l'affirmation que des aptitudes particulières sont (ou non) des manifestations des mêmes intelligences. Dans la mesure où différents mécanismes computationnels spécifiques — ou systèmes procéduraux — travaillent ensemble en sous-main, la psychologie expérimentale peut aussi montrer comment certaines aptitudes modulaires ou spécifiques à un domaine peuvent interagir dans l'exécution de tâches complexes.

SOUTIEN VENU DES DÉCOUVERTES PSYCHOMÉTRIQUES

Les résultats des expériences psychologiques constituent une source d'information pertinente pour les intelligences et les résultats des tests standard (comme les tests de QI) procurent un autre type d'indice. Jusqu'ici, j'ai beaucoup critiqué la tradition des tests d'intelligence. Elle est cependant pertinente pour mon entreprise. Les tâches qui doivent permettre d'évaluer une intelligence sont fortement corrélées les unes avec les autres et beaucoup moins avec celles qui permettent d'évaluer d'autres intelligences. Dans la mesure où les tests psychométriques donnent des résultats contraires à ma théorie, voilà une raison de s'y intéresser. Il faut pourtant souligner qu'ils ne testent pas toujours ce qu'ils sont censés tester. Ainsi, de nombreuses tâches impliquent-elles en réalité l'utilisation d'autre chose que leur aptitude cible, tandis que de nombreuses autres tâches peuvent être accomplies par des moyens variés. (Par exemple, certaines analogies ou matrices peuvent être effectuées par l'exploitation de capacités linguistiques, logiques et/ou spatiales.) De même, le privilège accordé aux questionnaires exclut d'avance qu'on puisse tester convenablement certaines aptitudes, surtout celles qui impliquent la manipulation active de l'environnement ou l'interaction avec d'autres individus. C'est pourquoi l'interprétation des découvertes psychométriques n'est jamais directe.

LA POSSIBILITÉ D'ENCODAGE DANS UN SYSTÈME SYMBOLIQUE

Une bonne part de la représentation et de la communication de la connaissance passe chez l'homme par le truchement de systèmes symboliques — systèmes de signification culturellement inventés qui captent des quantités importantes d'information. Le langage, la peinture, les mathématiques ne sont que trois des systèmes symboliques devenus essentiels partout dans le monde pour la survie et l'action efficace de l'homme. Une capacité computationnelle brute me semble utile si elle peut être intégrée dans un système symbolique culturel. À l'inverse, on pourrait dire que les systèmes symboliques pourraient avoir évolué *seulement dans le cas* où il existait une capacité computationnelle capable d'être prise en charge par la culture. Peut-être une intelligence peut-elle procéder sans système symbolique, ou sans autres formes imaginables d'incarnation culturelle. Toutefois, il semble bien que l'intelligence humaine ait une tendance naturelle à s'incarner dans des systèmes symboliques.

Tels sont donc les critères qui permettent d'évaluer qu'une intelligence en est bien une. J'y aurai souvent recours dans chacun des chapitres substantiels qui suivent. Venons-en aux critères d'exclusion.

Délimitation du concept d'intelligence

Un groupe d'intelligences candidates inclut celles dont parle le langage courant. Il peut sembler, par exemple, que la *capacité à traiter des séries auditives* doive y figurer. En effet, de nombreux expérimentateurs et psychométriciens ont élu cette capacité. Pourtant, l'étude des effets d'une lésion cérébrale a montré que les chaînes musicales et linguistiques sont traitées de manière différente et peuvent être compromises par des lésions différentes. Ainsi donc, malgré les apparences, il semble préférable de ne pas regarder cette aptitude comme une intelligence séparée. D'autres aptitudes qu'on observe souvent chez certaines personnes — par exemple, le bon sens ou l'intuition — pourraient passer pour des dons. Dans ce cas, pourtant, les concepts utilisés semblent flous. Une analyse plus soigneuse révèle qu'il existe différentes formes d'intuition, de bon sens ou de sagacité dans différents domaines intellectuels : l'intuition en matière politique n'a pas grand-chose à voir avec l'intuition dans le domaine mécanique ou musical. Les candidats au premier abord séduisants doivent donc être éliminés.

Il est, bien sûr, possible que notre liste donne une idée juste des aptitudes intellectuelles clés, mais que certaines aptitudes plus générales aient en fait la priorité sur elles ou servent à les réguler. Cela pourrait être le cas de la « conscience de soi », qui dérive d'un mélange particulier d'intelligences ; de la « capacité de décision », qui mobilise plusieurs intelligences à des fins spécifiques, et de l'esprit de synthèse, qui rassemble des conclusions venues de plusieurs domaines intellectuels spécifiques[7]. Ce sont là des phénomènes importants, qui méritent un examen. Mieux vaut cependant repousser cette discussion à plus tard quand, après avoir présenté les intelligences spécifiques, j'en amorcerai moi-même une critique, au chapitre 10. Par ailleurs, il est de toute première importance de déterminer comment des intelligences spécifiques se lient, se combinent ou s'équilibrent pour exécuter des tâches plus complexes culturellement pertinentes. J'aborderai ce problème à de nombreuses reprises.

Une fois posés les critères ou signes permettant l'identification d'une intelligence, il est important de définir également ce que les intelligences *ne* sont *pas*. Pour commencer, les intelligences ne sont pas équivalentes aux systèmes sensoriels. Une intelligence n'est en aucun cas entièrement dépendante d'un seul système sensoriel et aucun système sensoriel ne peut être élevé au rang d'intelligence. Les intelligences s'expriment par l'intermédiaire de plus d'un système sensoriel.

Ce sont des entités plus larges que certains mécanismes computationnels hautement spécifiques (comme la détection des lignes), mais plus étroites que les aptitudes les plus générales, comme l'analyse, la synthèse ou la conscience de soi (à supposer que ce soit là autre chose que des combinaisons d'intelligences spécifiques). Chacune opère selon ses propres procédures et a ses propres bases biologiques. On ne peut donc pas les comparer trait pour trait : chacune a son propre système avec ses propres lois. De même, quoique l'œil, le cœur et les reins soient tous des organes corporels, il serait encore erroné de vouloir les comparer dans toutes leurs particularités. La même restriction vaut dans le cas des intelligences.

Les intelligences ne sont nullement des valeurs. Quoique le mot *intelligence* ait dans notre culture une connotation positive, il n'y a aucune raison de penser qu'une intelligence doive nécessairement être employée à bonne fin. De fait, on peut utiliser ses intelligences logico-mathématiques, linguistiques ou personnelles à des fins hautement néfastes.

Il s'agit de penser les intelligences hors de programmes d'action particuliers. Bien sûr, il est plus facile d'observer les intelligences quand elles sont exploitées pour mener à bien tel ou tel programme d'action. Il est pourtant plus exact de considérer la possession d'une intelligence comme un *potentiel* : on peut dire, pour un individu en possession d'une intelligence, qu'aucune circonstance ne l'empêche de l'utiliser. Le fait qu'il choisisse d'agir ainsi (et à quelle fin il peut appliquer son intelligence) échappe au propos de ce livre (voir les notes 7 et 8).

Dans l'étude des talents et des aptitudes, il est habituel de distinguer le *savoir-comment* (la connaissance tacite de la manière d'exécuter une action) et le *savoir-que* (la connaissance propositionnelle de l'ensemble réel des procédures impliquées dans l'exécution)[8]. Ainsi sommes-nous nombreux à savoir rouler à bicyclette, mais à ne pas savoir comment nous faisons. En revanche, nous sommes nombreux à avoir une connaissance propositionnelle de la manière de faire un soufflé sans savoir comment faire. Cette distinction me semble sommaire. Cependant, on veut dire que les différentes intelligences sont essentiellement des *ensembles de savoir-comment* — des procédures permettant de faire des choses. De fait, il semble que certaines cultures choisissent de s'intéresser particulièrement à la connaissance propositionnelle pour ce qui est des intelligences, mais que de nombreuses autres cultures ne manifestent à cet égard que très peu d'intérêt, voire aucun.

Conclusion

Ces remarques et précautions devraient nous aider à adopter le bon point de vue pour considérer les différents types d'intelligence décrits dans la partie suivante de ce livre. Naturellement, un ouvrage qui passe en revue tout le spectre des intelligences ne peut s'étendre trop longuement sur chacune en particulier. En effet, il faudrait au moins un gros volume pour traiter avec assez de sérieux une seule compétence intellectuelle comme le langage. Le plus que je puisse espérer ici est de donner une idée de chaque intelligence spécifique, de présenter succinctement ses opérations clés et la façon dont elle apparaît et se développe jusqu'à ses plus hauts niveaux, de décrire sa trajectoire de développement et son organisation neurologique. Je m'appuierai en particulier sur certains exemples fondamentaux et certaines autorités dans chaque domaine. Mais pour exposer mon point de vue, j'aurais pu aussi bien m'appuyer sur d'autres sources. De même, je me fonderai sur un petit nombre de fonctions culturelles clés dont on peut dire à bon droit que chacune, si elle repose sur l'utilisation de plusieurs intelligences, n'en privilégie pas moins une. Les références annexées à chaque chapitre donneront une idée des données plus larges sur lesquelles je me fonde et des sources pertinentes pour une enquête plus complète. Mais je ne suis que trop conscient du fait que mon plaidoyer en faveur de chacune des intelligences reste à compléter.

Pour finir, un point capital avant que je ne me tourne vers les intelligences elles-mêmes. Nous autres hommes, nous ressentons universellement la tentation de donner du crédit à des mots auxquels nous sommes attachés parce qu'ils nous ont parfois aidés à mieux comprendre certaines situations. C'est le cas avec le mot *intelligence* : nous l'utilisons si souvent que nous en sommes venus à croire à son existence. Nous pensons que c'est une entité authentiquement mesurable, tangible, et pas seulement un moyen commode de désigner certains phénomènes.

Ce danger de réification est grave. Surtout quand il s'agit de proposer de nouveaux concepts scientifiques. Il est probable que moi, et mes lecteurs bienveillants, nous prendrons le pli de dire que nous voyons à l'œuvre ici ou là l'« intelligence linguistique », l'« intelligence interpersonnelle » ou l'« intelligence spatiale ». Mais ce n'est pas le cas. Ces intelligences sont des fictions — du moins des fictions utiles — désignant des processus et aptitudes qui (comme la vie dans son ensemble) sont continus les uns par rapport aux autres. La nature ne souffre pas de discontinuités aussi fortes que celles que je propose ici. Nous avons défini séparément nos intelligences et nous les avons décrites strictement afin d'éclairer certaines questions scientifiques et de nous attaquer à certains problèmes pratiques prenants. Il est permis de commettre le péché de réifier *tant que nous restons conscients que c'est bien là ce que nous faisons*. Ainsi, au moment de me tourner vers les intelligences spécifiques, je dois répéter qu'elles n'existent pas comme entités physiquement vérifiables, mais seulement comme des constructions scientifiques opératoires. Puisque c'est le langage qui nous a conduits dans ces marais (et qui continuera longtemps à nous plonger dedans), il est peut-être opportun de commencer la discussion des intelligences particulières en considérant ses pouvoirs uniques.

Deuxième partie

LA THÉORIE

CHAPITRE 4

L'intelligence linguistique

> « Il est vrai que l'homme blanc peut voler ; il peut parler par-dessus l'océan ; dans les travaux du corps, il est effectivement plus fort que nous, mais il n'a pas de chants comme les nôtres, ni de poètes qui égalent les chanteurs de l'île. »
>
> UN INDIGÈNE DES ÎLES GILBERT [1]

> « Dans [...] l'écriture [...], tous les instincts naturels sont à l'œuvre comme certaines personnes jouent d'un instrument de musique sans avoir pris de leçons ou comme d'autres comprennent un moteur dès l'enfance. »
>
> LILLIAN HELLMAN, *An Unfinished Woman* [2]

La poésie : un exemple parfait d'intelligence linguistique

Au début des années quarante, Keith Douglas, un jeune poète britannique, a commencé à écrire à T. S. Eliot, qui était alors le doyen des poètes anglais [3]. Les réponses d'Eliot, précieuses comme toujours, sont révélatrices de son attention aux mots employés dans chaque vers d'un poème et aux corrections qui s'ensuivent. Eliot le prévient contre l'emploi d'« adjectifs inefficaces » et critique une expression comme « un édifice impermanent » : « Il aurait fallu avoir clairement établi cette impermanence plus tôt dans le poème. » Comme le jeune poète se compare lui-même à un pilier dans une maison de verre, Eliot lui demande : « Pensez-vous que vous êtes aussi en verre ? » Évoquant la comparaison qui suit entre le poète et une souris, Eliot met encore en évidence une contradiction manifeste : « Je ne pense pas que vous puissiez être un pilier et ressembler à une souris dans la même strophe. » Pour ce qui est de l'ensemble du poème, Eliot en fait une critique plus générale.

> Je ne suis pas sûr que le mythe en soit complètement cohérent. Par exemple, vous parlez vers la fin d'exorciser la femme morte dans la chambre du haut. On parle d'exorciser des fantômes de maisons matérielles, mais dans votre cas la dame semble avoir bien plus de substance que la maison dans laquelle vous l'avez mise. C'est ce que je veux dire quand je parle de cohérence.

En écrivant cela, Eliot se contente de rendre explicites certains des processus que peut traverser un poète, homme ou femme, chaque fois qu'il (ou elle) écrit un poème. Les remarques d'Eliot révèlent son soin, et souvent son angoisse, au moment de choisir le mot exact. Par exemple, dans *Four Quartet*, il a essayé les expressions « à l'aube », « la première faible lueur », « après les lanternes », « hors lanternes », « lanternes éteintes », « l'heure des lanternes », « le crépuscule d'avant le jour », « l'heure d'avant le jour », « l'obscurité d'avant le jour », avant d'accepter la suggestion d'un ami « crépuscule en déclin ». Au cours de ce siècle qui valorise l'introspection, de nombreux contemporains d'Eliot ont raconté comment ils ont, en une expérience analogue, finement pesé des termes équivalents[4]. Par exemple, Robert Graves s'est penché sur ses efforts pour trouver un substitut au mot « modèle » dans la phrase « et je fixe mon esprit sur un modèle exact de doute[5] ». Il a considéré « charpente de doute » (trop formel) et « réseau » (connotation trop négative) avant de se rabattre, après un voyage au bord de la mer, sur l'expression « et je fixe mon esprit sur une correcte coiffe de doute ». Graves a consulté le *English Oxford Dictionary* et a découvert que le mot *coiffe* recelait tous les sens dont il avait besoin : un nouveau chapeau pour assurer la gloire d'une femme ; un tissu arachnéen tissé par des araignées ; et une membrane douce semblable à un chapeau dans laquelle on dit qu'un enfant chanceux est né (un enfant né coiffé). Mis à côté de *correcte*, *coiffe* offrait encore une allitération plaisante.

Stephen Spender évoque dans des lignes semblables la manière dont il a construit un poème à partir d'une des notes de son journal[6] :

> Il y a certains jours où la mer s'étend comme une harpe s'étale au pied des falaises. Les vagues brûlent comme des fils métalliques de l'éclat cuivré du soleil.

Il a tenté au moins vingt versions de ces vers dans un effort pour clarifier cette scène, transmettre son sentiment musical, rendre réelle son « image interne » de la courte vie de la terre et de la mort de la mer. Parmi ses tentatives, on lit :

> The waves are wires
> Burning as with the secret songs of fires
>
> The day burns in the trembling wires
> With a vast music golden in the eyes
>
> The day glows on its trembling wires
> Singing a golden music in the eyes
>
> The day glows on its burning wires
> Like waves of music golden to the eyes
>
> Afternoon burns upon the wires
> Lines of music dazzling the eyes
>
> Afternoon gilds its tingling wires
> To a visual silent music of the eyes[7].

Chacune de ces attaques pose un problème. Par exemple, dans le premier vers, la proposition directe « les vagues sont des fils métalliques » crée une image qui n'est pas parfaitement appropriée, parce qu'exagérée. Du point de vue de Spender, le poète doit éviter de donner trop ouvertement sa façon de voir. Dans la sixième tentative, « le silence de la musique visuelle des yeux » mêle trop de figures de style dans une expression quelque peu maladroite. La version définitive de Spender place les images au sein d'un contexte expansif :

> There are some days the happy ocean lies
> Like an unfingered harp, below the land
>
> Afternoon gilds all the silent wires
> Into a burning music of the eyes[8].

L'effet global, avec ses réminiscences venues d'Homère et de Blake, n'a peut-être pas la même originalité frappante que certaines des tentatives précédentes, mais la version définitive capte, avec fidélité et clarté, l'inspiration de Spender, sa façon de voir initiale.

Les combats du poète pour trouver les termes d'un vers ou d'une strophe mettent en scène certains aspects centraux de l'intelligence linguistique. Le poète doit être sensible, au plus haut degré, aux nuances de sens d'un mot. En effet, plutôt que d'effacer les connotations, il doit essayer de préserver le plus grand nombre possible de significations. C'est la raison pour laquelle le mot *coiffe* était le plus souhaitable parmi les possibilités que Graves a pesées. De plus, il ne faut pas considérer isolément les significations des mots. Chaque mot comportant ses propres significations cachées, le poète doit vérifier que les sens d'un mot dans un vers du poème ne heurtent pas le sens évoqué par la

présence d'un second mot dans un autre vers. C'est pourquoi Eliot pré-
venait le jeune poète contre la présence simultanée de « pilier » et de
« souris » dans la même strophe et critiquait le fait qu'il pût parler
d'exorciser une dame alors que cette expression s'applique plutôt à une
maison hantée. Enfin, les mots doivent capter aussi fidèlement que
possible les émotions ou les images qui ont stimulé au départ le désir
de composer tel poème. Les vers que Spender n'a pas choisis peuvent
être frappants ou agréables, mais s'ils ne transmettent pas la vision
qu'il a eue d'emblée, ils échouent à former poème — ou bien, pour le
dire autrement, ils peuvent devenir le point de départ d'un nouveau
poème, que le poète n'avait pas l'intention d'écrire au début.

Ce débat sur les significations ou les connotations des mots nous
introduit à la *sémantique*, l'examen de la signification que l'on considère universellement comme essentielle au langage. Eliot a un jour
observé que la logique du poète est aussi stricte, quoique différemment
orientée, que la logique du scientifique[9]. Il a également fait remarquer
que la disposition des images demande « autant de travail cérébral fondamental que la disposition des arguments ». Là où la logique du
scientifique demande d'être attentif aux conséquences d'une proposition (ou d'une loi) sur une autre, la logique du poète privilégie la
sensibilité aux nuances de signification et à ce qu'elles impliquent (ou
interdisent) pour les mots voisins. De même que l'on ne peut espérer
être un scientifique sans prendre en compte les lois de la déduction
logique, on ne peut aspirer à être poète sans être sensible à l'interaction
entre les connotations linguistiques.

Mais d'autres domaines du langage, tels que présentés par les linguistes, sont aussi très importants pour qui aspire à être poète. Le
poète doit avoir une sensibilité aiguë à la *phonologie* : les sons des
mots et les interactions musicales entre eux. Il est clair que les aspects
métriques centraux de la poésie dépendent de la sensibilité auditive, et
les poètes ont souvent remarqué comme ils se fiaient à leurs propriétés
auditives. W. H. Auden a déclaré : « J'aime à me promener parmi les
mots, écouter ce qu'ils disent[10]. » Herbert Read, un autre poète de la
génération d'Eliot, note qu'« au degré où ils sont poétiques [...] les mots
sont des associations automatiques de nature plus auditive que visuelle[11] ». Et la *correcte coiffe* de Graves devait faire effet comme ensemble
de sons autant que du point de vue de la sémantique.

La maîtrise de la *syntaxe*, c'est-à-dire des règles qui gouvernent
l'ordonnancement des mots et de leurs flexions, est une autre condition
sine qua non de la poésie. Le poète doit comprendre, de façon intuitive,
les règles de la construction des phrases ainsi que les occasions où il
est permis de défigurer la syntaxe, de juxtaposer les mots qui, selon
les principes ordinaires de la grammaire, ne devraient pas se trouver
ensemble. Enfin, le poète doit savoir apprécier les fonctions *pragmatiques*, les emplois que l'on peut faire du langage : il doit être conscient
des différents genres du discours poétique, du lyrisme amoureux à la

description épique, du caractère direct d'un ordre aux subtilités d'une plaidoirie.

La maîtrise du langage est si centrale, si déterminante pour la vocation du poète, qu'il est clair que c'est l'amour du langage et l'avidité à en explorer toutes les veines qui font le jeune poète. La fascination pour le langage et la facilité technique à manier les mots sont les poinçons du futur poète, plus que le désir d'exprimer des idées. Quoique cela ne soit probablement pas une exigence stricte, l'aptitude à recueillir des expressions et à se les rappeler facilement, et surtout celles qui sont en faveur chez d'autres poètes, voilà des ressources inestimables pour le poète. Le critique Helen Vendler se rappelle avoir suivi les cours d'écriture poétique de Robert Lowell[12] : ce grand poète américain se remémorait sans effort les vers des poètes illustres du passé et parfois améliorait un vers qu'il trouvait inadéquat. Cette facilité linguistique, comme Vendler le note, « vous donnait le sentiment d'être une forme de l'évolution plutôt retardée face à une espèce inconnue, mais supérieure ». Cette espèce — le poète — a une relation avec les mots qui va au-delà de nos pouvoirs ordinaires : il est pour ainsi dire le dépositaire de tous les emplois que l'on a assignés à certains mots dans les poèmes qui ont précédé. Cette connaissance de l'histoire de l'emploi du langage prépare — ou bien elle l'en libère — le poète à tenter certaines combinaisons personnelles quand il fabrique un poème original. C'est dans ces combinaisons nouvelles de mots, comme Northop Frye le souligne, que réside pour nous le seul moyen de créer des mondes nouveaux[13].

Les opérations clés du langage

Chez le poète, on voit donc à l'œuvre avec une particulière netteté les opération clés du langage : la sensibilité à la signification des mots, ce par quoi un individu apprécie les nuances subtiles entre de l'encre versée « intentionnellement », « délibérément » ou « à dessein »[14], la sensibilité à l'ordre des mots — la capacité à suivre les règles de la grammaire et, en des occasions soigneusement choisies, à les violer, la sensibilité aux sons, rythmes, inflexions et mètres, aptitude qui peut rendre belle à entendre même la poésie écrite dans une langue étrangère, et la sensibilité aux différentes fonctions du langage — son potentiel à animer, convaincre, stimuler, transmettre une information, ou simplement plaire.

Mais la plupart d'entre nous ne sont pas des poètes — pas même des amateurs. Et pourtant, nous possédons ces sensibilités à un degré significatif. En effet, on ne pourrait apprécier la poésie sans dominer au moins tacitement ces aspects du langage. Qui plus est, on ne pourrait espérer évoluer dans le monde sans dominer la tétrade linguistique, phonologie, syntaxe, sémantique et pragmatique. La compétence linguistique est, de fait, l'intelligence — la compétence intellectuelle — qui semble la plus largement et la plus démocratiquement partagée au sein de l'espèce humaine. Là où le musicien ou l'artiste visuel — pour ne rien dire du mathématicien ni du gymnaste — fait preuve d'aptitudes qu'un individu moyen trouve lointaines, voire mystérieuses, le poète semble seulement avoir développé à un degré extrêmement aigu des aptitudes dont disposent les individus normaux — et peut-être même de nombreux individus en dessous de la normale. Ainsi le poète peut-il nous servir de guide sérieux ou de bonne introduction au domaine de l'intelligence linguistique.

Mais pour ceux parmi nous qui ne sont pas poètes, à quels autres emplois majeurs le langage peut-il être assigné ? Parmi d'innombrables candidats, je voudrais isoler quatre aspects de la connaissance linguistique qui se sont révélés importants pour les hommes. En premier lieu, on trouve l'aspect rhétorique du langage — l'aptitude à utiliser le langage pour convaincre d'autres individus d'agir. C'est l'aptitude que les dirigeants politiques et les avocats ont développée au plus haut degré, mais que tout enfant de trois ans désireux d'une seconde part de gâteau a déjà commencé à cultiver. Le deuxième aspect, c'est le potentiel mnémonique du langage — la capacité à utiliser ces outils pour se souvenir d'une information, de la liste de biens que l'on possède aux règles d'un jeu, des instructions pour trouver sa route aux procédures pour faire fonctionner une nouvelle machine.

Un troisième aspect du langage est son rôle pour fournir des explications. Bon nombre d'actes d'enseignement et d'apprentissage passent par le langage — jadis, surtout par l'oral, par l'emploi de vers, de recueils d'adages ou d'explications simples, aujourd'hui, de plus en plus, à travers l'écrit. Les sciences en donnent un exemple parfait. En dépit de l'importance évidente du raisonnement logico-mathématique et des systèmes symboliques, le langage reste, dans les manuels, le meilleur moyen pour transmettre les concepts fondamentaux. En outre, le langage fournit les métaphores essentielles pour lancer et expliquer un nouveau développement scientifique.

Nous trouvons enfin le potentiel du langage à expliquer ses propres activités — l'aptitude à utiliser le langage pour réfléchir sur le langage, pour engager une analyse « métalinguistique [15] ». Nous avons des indices de cette capacité chez le jeune enfant qui dit : « Veux-tu dire X ou Y ? » C'est ainsi qu'il induit le destinataire de son message à réfléchir sur l'utilisation première du langage. Des exemples bien plus frappants de la sophistication métalinguistique sont apparus au cours de notre siècle, surtout au cours des trente dernières années. Grâce à la révolution provoquée dans l'étude du langage par Noam Chomsky, nous sommes parvenus à avoir une connaissance plus solide de ce qu'est le langage et de la manière dont il fonctionne, ainsi qu'à émettre certaines hypothèses audacieuses sur la place qu'il occupe dans la sphère des activités humaines [16]. Quoique la tendance à s'occuper de cette forme de connaissance propositionnelle du langage (du type savoir-que) semble plus marquée dans notre culture que dans d'autres, il ne semble pas que l'intérêt porté au langage comme système soit limité à l'Occident ou aux autres cultures à orientation scientifique.

Faire goûter la saveur de ces différentes facettes du langage est le principal fardeau de ce chapitre. Nous prêtons attention au langage, en tout premier lieu, parce qu'il est l'instance prédominante de l'intelligence humaine. Il a aussi été la forme d'intelligence la mieux étudiée, et nous nous trouvons donc sur un sol relativement solide pour décrire le développement de l'intelligence linguistique et disserter sur l'effondrement des capacités linguistiques en cas de lésion cérébrale. Nous disposons également d'informations pertinentes sur l'évolution du langage humain, ses manifestations transculturelles et ses relations avec les autres intelligences humaines. Par conséquent, en évoquant ce qu'on sait aujourd'hui de l'intelligence linguistique, on peut non seulement résumer l'état de nos connaissances sur cette sphère particulière, mais aussi donner des indications quant au type d'analyse qui, je l'espère, seront disponibles à l'avenir pour chacune des intelligences restant à étudier.

Le développement des aptitudes linguistiques

On peut déceler les racines du langage parlé dans le babillage de l'enfant au cours des premiers mois de sa vie [17]. En effet, les nouveau-nés, même sourds, commencent à babiller au début de leur vie et pendant les premiers mois, tous les nourrissons émettent des sons qu'ils puisent dans leurs réserves linguistiques même lorsqu'ils sont tenus à l'écart de leur langue maternelle. Mais au début de la deuxième année, l'activité linguistique change : elle implique (dans les pays anglophones) l'émission ponctuée de mots simples : « mommy » (maman), « doggy » (chienchien), « cookie » (gâteau). Et, peu de temps après, l'enchaînement de couples de mots formant des expressions riches de sens : « manger gâteau », « au revoir maman », « bébé pleurer ». Une autre année passe, et l'enfant de trois ans émet des séries d'une bien plus grande complexité, y compris des questions (« Quand je me lève ? »), des négations (« Je veux pas aller dormir ») et des phrases comportant plusieurs propositions (« Avoir du lait avant de déjeuner, s'il te plaît ? »). À l'âge de quatre ou cinq ans, l'enfant a corrigé les petits défauts syntaxiques de ses phrases et il peut parler très facilement en utilisant, pour l'essentiel, la même syntaxe qu'un adulte.

De plus, pour épicer cette liste de réussites, les enfants, à cet âge tendre, ne se limitent pas à une expression banale. Les enfants d'environ quatre ans sont en mesure de trouver des figures de style attirantes (comparer un pied qui s'engourdit avec un soda qui pétille), de raconter de courtes histoires sur leurs propres aventures et celles de personnages qu'ils ont inventés, de changer de niveau de langue selon la personne à laquelle ils s'adressent, adultes, enfants de leur âge ou plus jeunes qu'eux ; et même d'engager des badinages métalinguistiques simples : « Que veut dire X ? », « Dois-je dire X ou Y ? », « Pourquoi n'as-tu pas dit X quand tu as cité Y ? » En bref, les capacités des enfants de quatre ou cinq ans font honte à tout programme informatique de langage. Même les plus talentueux linguistes du monde ont été incapables d'écrire les règles qui rendent compte de la forme (et de la signification) des expressions de l'enfance.

De surcroît, le développement linguistique est un fait qu'aucun spécialiste ne conteste (du moins pour autant que j'en sois informé). Ce qui suscite plus de controverses, mais que l'on admet en général, c'est l'idée que la maîtrise du langage implique des processus spécifiques d'acquisition, différents de ceux qui se trouvent dans les autres sphères intellectuelles. Noam Chomsky est le porte-parole le plus ardent de cette proposition : il affirme que les enfants doivent naître avec une forte « connaissance innée » des règles et des formes du langage et doivent posséder, au titre de leur patrimoine, des hypothèses spécifiques sur la manière de décoder et de parler leur langue, ou toute autre « langue maternelle ». Chomsky argue du fait qu'il est difficile d'expliquer comment le langage peut être si rapidement et si correctement acquis en dépit de l'impureté des échantillons de discours que l'enfant entend, à un moment où les autres aptitudes des enfants en matière de résolution de problèmes semblent relativement sous-développées. D'autres spécialistes, comme Kenneth Wexler et Peter Culicover, ont affirmé que les enfants ne seraient pas en mesure d'apprendre le langage s'ils ne commençaient pas par faire certaines propositions sur la façon dont le code doit — et ne doit pas — fonctionner, de telles hypothèses étant, comme ils le présument, construites à l'intérieur du système nerveux [18].

Tous les enfants normaux, ainsi qu'une proportion importante d'enfants arriérés, apprennent le langage selon le schéma que je viens d'esquisser, et ce en peu d'années. Voilà qui plaide en faveur des spécialistes pour lesquels le langage est un processus spécifique ayant ses propres règles de fonctionnement, mais il pose en même temps des problèmes à ceux (comme Piaget) pour qui l'acquisition du langage nécessite seulement des processus psychologiques généraux. Ces deux positions pourraient être vraies en même temps. Il semble en effet que les processus syntaxiques et phonologiques soient particuliers, et probablement spécifiques aux êtres humains, et qu'ils puissent se déployer sans grand soutien de facteurs environnementaux. Pourtant, d'autres aspects du langage, comme la sémantique et la pragmatique, peuvent aussi impliquer des mécanismes plus généraux du traitement de l'information, et ils sont moins strictement ou moins exclusivement liés à un « organe du langage ». Selon les « critères » que j'ai posés pour une intelligence, nous pouvons dire que la syntaxe et la phonologie se trouvent proches du cœur de l'intelligence linguistique tandis que la sémantique et la pragmatique comportent des données venues d'autres intelligences (comme l'intelligence logico-mathématique et les intelligences personnelles).

Même si les processus décrits ici conviennent à tous les enfants, il est clair que les différences individuelles sont importantes. Elles tiennent au type de mots que les enfants émettent en premier (certains prononcent d'abord des noms de choses, tandis que d'autres, écartant les noms, favorisent les exclamations), mais aussi à la proportion de signaux qui sont, en fait, copiés sur ceux émis par leurs aînés (certains imitent beaucoup, d'autres à peine), ainsi qu'à la rapidité et au talent avec lesquels les enfants maîtrisent les aspects essentiels du langage, et ce n'est pas la moindre des choses.

Le jeune Jean-Paul Sartre était, à cet égard, extrêmement précoce [19]. Le futur auteur montrait tant de talent à singer les adultes, y compris leur style et leur niveau de conversation, qu'à l'âge de cinq ans, il pouvait enchanter son auditoire par son aisance linguistique. Peu de temps après, il commença à écrire et remplit bientôt des livres entiers. Il s'épanouit en écrivant, en s'exprimant lui-même avec son stylo, laissant complètement de côté la question de savoir si ses mots seraient jamais lus par d'autres.

> En écrivant, j'existais [...]. Ma plume allait si vite que, souvent, j'avais mal au poignet ; je jetais sur le parquet les cahiers remplis, je finissais par les oublier, ils disparaissaient... J'écrivais pour écrire. Je ne le regrette pas : eussé-je été élu, je tentais de plaire, je redevenais merveilleux. Clandestin, je fus vrai [à neuf ans].

Voilà un enfant qui avait découvert ses pouvoirs remarquables en exerçant avec acharnement son intelligence linguistique.

Le développement de l'écrivain

En écrivant beaucoup et en prenant le plus pleinement conscience de lui en tant que jeune écrivain, Sartre suivait la voie commune à tous ceux qui deviennent auteurs, qu'ils soient poètes, essayistes ou romanciers. Ici, comme dans tout domaine intellectuel, la pratique est la condition *sine qua non* du succès ultérieur. Les écrivains parlent de

leur talent comme d'un muscle qui demande un entraînement quotidien — *pas un jour sans une ligne* est leur devise, exactement comme
Sartre.

En reconstituant leur propre développement, de nombreux écrivains ont été en mesure d'éclairer des facteurs positifs importants,
ainsi que les pièges qui menacent de perdre le jeune être qui aspire à
être écrivain. Auden affirme que, chez un jeune écrivain, les promesses
ne se trouvent ni dans l'originalité de ses idées ni dans le pouvoir de ses
émotions, mais plutôt dans son talent technique à manier le langage.
Il propose une analogie instructive avec un jeune homme qui fait sa
cour [20] :

> Dans les premiers stades de son développement, avant d'avoir trouvé son
> style distinctif, le poète est pour ainsi dire fiancé au langage, et il est
> exact et juste que, comme tout autre jeune homme qui fait sa cour, il
> joue le chevalier servant, porte des paquets, subisse des épreuves et des
> humiliations, attende des heures au coin de la rue et obéisse aux
> moindres caprices de celle qu'il aime, mais une fois qu'il a prouvé son
> amour et qu'il a été agréé, c'est une autre affaire. Une fois qu'il est marié,
> il doit être le maître chez lui et responsable de la relation.

Une autre des premières composantes essentielles de la maîtrise
linguistique, selon Spender, réside dans la mémoire complète de ses
expériences [21] :

> La mémoire exercée d'une manière particulière est le don naturel du
> génie poétique. Le poète est, par-dessus tout, une personne qui n'oublie
> jamais certaines impressions sensibles dont il a fait l'expérience et qu'il
> peut faire revivre encore et toujours dans toute leur fraîcheur originale
> [...]. Il n'est donc pas surprenant que, quoique je n'aie aucune mémoire
> des numéros de téléphone, des adresses, des visages et de l'endroit où
> j'ai posé mon courrier ce matin, j'aie une mémoire parfaite de la sensa-
> tion de certaines expériences qui se sont cristallisées pour moi autour
> de certaines associations. Je pourrais le démontrer à partir de ma propre
> existence par la nature irrésistible des associations qui, soudain réveil-
> lées, m'ont remis si complètement dans le passé, et surtout dans mon
> enfance, que j'ai perdu tout sens du temps et de l'espace présents.

Le jeune poète commence généralement son auto-éducation en
lisant d'autres poètes et en imitant leur voix du mieux qu'il le peut. Il
est normal, et peut-être même nécessaire, d'imiter ainsi la forme et le
style d'un maître, pourvu que cela n'étouffe pas le développement de
sa propre voix poétique. Mais on observe à cette époque des signes
innombrables d'immaturité poétique : le futur poète imite excessivement son modèle ; il énonce trop souvent ou trop volontiers sa propre
émotion, tension ou idée ; il colle rigidement à un schéma rimique ou
à un modèle rythmique donné ; il montre trop d'affectation dans son

effort pour jouer avec les sons et les significations. L'effort pour faire joli ou esthétiquement « convenable » est donc suspect. Plutôt que d'être présentées ouvertement au lecteur, la beauté et la forme doivent jaillir de l'expérience totale qu'est la lecture d'une œuvre.

Selon Auden, un poète « en voie de développement » peut se révéler d'au moins trois manières[22]. Il peut paraître ennuyeux ; il peut ressentir de l'urgence et donc écrire une poésie techniquement négligée ou exprimée sans soin (témoins les vers de jeunesse de Keith Douglas) ; ou bien, il peut produire une œuvre qui semble délibérément fausse ou de mauvais goût. Selon Auden, on obtient ce genre de « camelote » quand on essaie de réaliser, au travers de la poésie, ce qu'on ne peut accomplir par ses seules actions personnelles, par l'étude ou par la prière. Les adolescents se révèlent particulièrement coupables de ce défaut : s'ils ont du talent et ont découvert que la poésie peut effective-ment exprimer quelque chose, ils peuvent en déduire que toute idée peut être exprimée au moyen du vers.

Sur la route de la maturité poétique, les jeunes poètes se fixent souvent un grand nombre de tâches poétiques, comme écrire un poème de circonstance. Les poètes novices peuvent varier le degré de difficulté dans les consignes qu'ils se donnent ; par exemple, ils obéis-sent à certaines consignes dans le seul but de maîtriser une certaine forme. Auden montre bien les avantages (et les limites) de ces exer-cices : « Cela demanderait un immense effort [...] que d'écrire une demi-douzaine d'hexamètres rhopaliques en anglais, mais il est prati-quement sûr que le résultat n'aura aucune vertu poétique. » Après un si rude entraînement, il est souvent souhaitable de s'assigner une tâche un peu plus simple. À ce moment-là, il se peut que les talents aupara-vant maîtrisés se lancent automatiquement, et que les mots coulent. Thornton Wilder s'en explique : « Je crois que la pratique de l'écriture consiste à reléguer de plus en plus les opérations schématiques au niveau du subconscient[23]. » Walter Jackson Bate se souvient de ce qui est arrivé quand Keats a, un temps, réduit ses ambitions : « S'il se tour-nait temporairement vers un poème moins ambitieux, de forme différente, la porte devait vite s'ouvrir, et il se trouvait lui-même non seulement en train d'écrire avec une aisance remarquable, mais encore d'incorporer, vite et sans effort, abondance de traits de locution et de versification qui avaient fait partie de la conception de l'œuvre précé-dente, plus astreignante[24]. » De fait, c'est par sa pratique que le poète, homme ou femme, finit par atteindre une aisance telle que, comme Auden ou Sue Lenier, « la poétesse possédée », il (ou elle) peut devenir capable d'écrire des vers pratiquement sur commande, avec la même facilité que d'autres parlent en prose[25]. Alors le danger, paradoxale-ment, est d'avoir une production trop facile, qui peut s'embourber dans le bavardage superficiel plutôt que de rechercher la profondeur.

À la fin, bien sûr, l'écrivain qui veut devenir un maître en poésie doit trouver la bonne charpente pour exprimer ses mots et ses idées. Comme le poète Karl Shapiro l'a dit un jour[26] :

> Il est probable que, chez un poète, le génie ne soit qu'une connaissance intuitive de la forme. Le dictionnaire contient tous les mots, et un manuel de versification contient tous les mètres, mais rien ne peut dire au poète quels mots choisir et dans quel rythme les laisser tomber, sinon sa propre connaissance intuitive de la forme.

Cerveau et langage

Les futurs écrivains sont des individus chez qui l'intelligence linguistique a fleuri grâce à leur œuvre et peut-être aussi grâce à la chance de la loterie génétique. D'autres individus, moins heureux, peuvent connaître des difficultés singulières avec le langage. Il arrive que ce ne soit pas trop grave : on dit qu'Albert Einstein a commencé à parler très tard. Mais, plus que toute autre chose, sa réticence initiale peut lui avoir permis de voir et de conceptualiser le monde d'une manière moins conventionnelle que les autres[27]. Bien des enfants, par ailleurs normaux ou proches de la normale, éprouvent certaines difficultés à apprendre à parler. Il arrive parfois que ce soit dû à un problème de discrimination auditive : parce que ces enfants ont des difficultés à décoder une série rapide de phonèmes, non seulement ils ont des problèmes de compréhension, mais ils peuvent articuler de façon incorrecte. L'aptitude à traiter rapidement des messages linguistiques — condition préalable à la compréhension d'un discours normal — semble reposer sur un lobe temporal gauche intact. Dès lors, des lésions, ou bien un développement anormal de cette zone neurale suffisent à provoquer des altérations du langage.

À côté des nombreux enfants qui éprouvent des difficultés au niveau des aspects phonologiques du langage, on en rencontre qui souffrent d'altération d'autres composantes linguistiques. Certains sont insensibles aux facteurs syntaxiques : si on leur donne des phrases à imiter, ils sont obligés d'effectuer des simplifications, comme suit[28] :

Phrase cible	Imitation altérée
Ils ne vont pas jouer avec moi.	Ils ne/pas jouer avec moi.
Je ne peux pas chanter.	Je pas chanter.
Il n'a pas d'argent.	Il pas d'argent.
Elle n'est pas très vieille.	Elle pas très vieille.

Il est frappant de voir que de tels enfants résolvent de façon presque normale toutes sortes de problèmes pourvu que ceux-ci n'obligent pas à mobiliser les canaux oraux-auditifs de présentation.

À la différence de ces enfants qui sont presque normaux sauf pour une difficulté sélective dans les tâches du langage, de nombreux enfants perturbés sous d'autres rapports ont un langage sélectivement épargné. J'ai déjà souligné que de nombreux enfants arriérés déploient une aptitude surprenante à maîtriser le langage — surtout dans ses aspects clés phonologiques et syntaxiques — quoiqu'ils ne puissent avoir que des énoncés relativement insignifiants à émettre. Encore plus frappant est le cas rare des enfants qui, en dépit de leur arriération ou de leur autisme, savent lire à un âge étonnamment précoce. La lecture commençant normalement à l'âge de cinq ou six ans, ces enfants « hyperlexiques » sont souvent en mesure de décoder des textes dès l'âge de deux ou trois ans [29]. De fait, ces mêmes enfants qui ont une conversation assez pauvre en significations (et leur capacité à répéter est souvent restreinte), se saisiront, quand ils entrent dans une pièce, de n'importe quel support de lecture, et commenceront à lire à haute voix d'une façon ritualisée. Leur lecture est si compulsive qu'il est difficile de les arrêter. Autre signe, l'enfant ne tient aucun compte de l'information sémantique, et il ne se soucie guère de savoir d'où les matériaux sont tirés, d'un premier livre de lecture, d'un journal technique ou d'un recueil de bêtises. De temps en temps, l'hyperlexie s'accompagne d'autres symptômes propres à l'*idiot savant* ou à l'enfant autiste. Par exemple, un enfant hyperlexique étudié par Fritz Dreifuss et Charles Mehegan pouvait dire immédiatement le jour de la semaine correspondant à des dates historiques lointaines, tandis qu'un autre montrait une excellente mémoire des nombres.

Chez les individus droitiers normaux, comme je l'ai déjà souligné, le langage est étroitement lié au fonctionnement de certaines aires situées dans la sphère gauche du cerveau [30]. Par conséquent, on peut se demander quel sera le destin du langage chez de jeunes individus dont les aires principales de l'hémisphère gauche ont dû être supprimées pour des raisons thérapeutiques. En général, si l'on enlève des aires aussi importantes qu'un hémisphère cérébral entier au cours de la première année de la vie, un enfant sera capable de parler tout à fait bien. Apparemment, tôt dans la vie, le cerveau est assez plastique (ou équipotentiel) et le langage assez important pour se développer dans l'hémisphère droit, même si, en contrepartie, cela doit gêner les fonctions visuelles et spatiales, qui doivent normalement se localiser à cet endroit.

Il faut pourtant insister sur le fait que cette prise en charge des fonctions du langage par l'hémisphère droit ne va pas sans contrepartie. Un examen soigneux de ces enfants révèle qu'ils utilisent des stratégies linguistique différentes de celles des individus (normaux ou anormaux) qui emploient les aires normales du langage dans l'hémisphère gauche. En particulier, les individus qui utilisent les mécanismes analytiques de l'hémisphère droit procèdent presque entièrement par analyse de l'information sémantique : ils décodent les phrases à la lumière de la signification des principaux faits lexicaux, mais ils se révèlent incapables d'utiliser les indices de la syntaxe. Seuls les enfants dont le langage exploite les structures de l'hémisphère gauche peuvent accorder de l'attention aux indices syntaxiques, comme l'ordre des mots. Ainsi, les individus qui ont un seul hémisphère, qu'il soit gauche ou droit, sont en mesure de comprendre les phrases dont la signification peut être déduite de la seule connaissance de la signification des substantifs :

Le chat a été heurté par le camion.

Le fromage a été mangé par la souris.

Mais seuls les individus qui ont un hémisphère gauche intact peuvent décoder des phrases où la différence critique de signification se trouve tout entière dans des indices syntaxiques :

Le camion a été heurté par le bus.

Le bus a été heurté par le camion.

Il semble aussi que les enfants qui sont dépourvus d'hémisphère gauche soient inférieurs, dans les tâches de production de discours et de compréhension du vocabulaire, à ceux à qui il manque l'hémisphère droit, et qu'ils apprennent globalement plus lentement le langage.

Comme je l'ai observé dans le chapitre 2, la canalisation qui gouverne le processus de l'acquisition du langage se confirme à l'examen d'autres populations anormales. Les enfants sourds nés de parents bien entendants développent d'eux-mêmes des langages gestuels simples qui présentent les traits les plus fondamentaux de la langue maternelle. Dans ces langages gestuels spontanément développés, on trouve des marques des propriétés syntaxiques et sémantiques fondamentales manifestées dans les premières émissions orales des enfants bien entendants. Sur un terrain plus pénible, nous trouvons ici le cas récemment établi de Genie, une fillette qui a été maltraitée durant les dix premières années de sa vie, à telle enseigne qu'elle n'a jamais appris à parler[31]. Enfin libérée de son cruel emprisonnement, Genie a commencé à parler par la suite. Elle a très rapidement acquis du vocabulaire et était en mesure de classer correctement des objets, mais elle montrait une difficulté marquée et permanente à utiliser la syntaxe et était réduite à communiquer essentiellement à travers des mots isolés. Plus révélateur est le fait que le traitement linguistique semblait chez elle médiatisé par l'hémisphère cérébral droit. Un seul cas étudié ne permet jamais d'être certain des raisons d'un modèle particulier de latéralisation cérébrale. Mais il semble raisonnable de présumer que la tendance à latéraliser le langage dans l'hémisphère gauche peut faiblir avec l'âge, peut-être après le passage d'une période critique pour l'acquisition du langage. Par conséquent, il se peut qu'un individu devant apprendre le langage après sa puberté soit limité aux mécanismes médiatisés par l'hémisphère droit.

Avec de jeunes enfants, nous sommes en présence d'un système toujours en cours de développement et, par conséquent, qui fait preuve d'une grande flexibilité (quoique non totale) quant à la localisation neurale et au mode de réalisation[32]. Avec l'âge pourtant, un degré beaucoup plus important de localisation de la fonction du langage devient la règle. Cette tendance signifie, d'abord, que chez des individus droitiers normaux, des formes spécifiques d'inaptitude se révéleront importantes dans le cas de lésions spécifiques des aires critiques de l'hémisphère gauche ; et, en second lieu, que les possibilités de récupération complète (ou de rachat) de ces fonctions par d'autres régions du cerveau deviennent beaucoup plus minces.

Après un siècle d'étude des conséquences linguistiques d'une lésion unilatérale du cerveau, nous disposons d'arguments plaidant en faveur de l'analyse des fonctions du langage que j'ai mise ici en avant. En particulier, on peut préciser les lésions qui entraînent des difficultés particulières de discrimination et de production phonologiques, des fonctions pragmatiques du discours et, ce qui est plus grave, des aspects sémantiques et syntaxiques du langage. De plus, chacun de ces aspects du langage peut être détruit de façon relativement isolée : on peut trouver des individus dont la syntaxe est altérée, mais dont les systèmes pragmatiques et sémantiques sont assez préservés ; et l'on peut rencontrer des individus dont la communication ordinaire dysfonctionne, mais qui ont une syntaxe préservée.

Pourquoi cette spécificité et cette localisation étonnantes ? Une partie de la réponse réside, sans aucun doute, dans l'histoire (et dans le mystère) de l'évolution du langage — question qui a fasciné les scientifiques durant des siècles, mais dont les réponses restent obscures, ensevelies dans des fossiles ou dans la préhistoire, voire dans la tour de Babel. Les hommes partagent certains mécanismes avec d'autres organismes — par exemple, la détection des limites des phonèmes se rencontre d'une façon semblable chez d'autres mammifères comme le chinchilla. Il semble cependant que d'autres processus, telle la syntaxe, soient réservés aux êtres humains. Certains mécanismes linguistiques sont localisés dans des régions très précises du cerveau — par exemple, les processus syntaxiques médiatisés par l'aire de Broca. D'autres sont plus largement dispersés dans l'hémisphère gauche du cerveau — par exemple, le système sémantique. Il semble que d'autres encore dépendent fondamentalement des structures de l'hémisphère droit, comme les fonctions pragmatiques du langage. Pourtant, avec l'âge, ces fonctions se focalisent peu à peu chez les individus droitiers normaux[33] : les interactions plus complexes qui caractérisent nos rapports linguistiques quotidiens dépendent de la circulation ininterrompue et régulière de l'information à l'intérieur de ces régions linguistiques fondamentales.

Ces interactions ne sont nulle part plus révélatrices que dans le décodage du langage écrit. Il a été établi de façon convaincante que le langage écrit « chevauche » le langage oral, au sens où il n'est pas possible de continuer à lire normalement si les aires orales-auditives ont été détruites. (Cette perte de la lecture se rencontre même chez des individus qui lisent couramment sans subvocalisation, ou mouvement des lèvres[34].) Pourtant, si l'aphasie entraîne presque toujours des difficultés de lecture, l'étendue de la difficulté dépend du degré d'instruction présent. Ce qui est significatif, ce sont les différentes manières dont la lecture peut être représentée dans le système nerveux, selon le code mis en valeur par telle ou telle culture. Dans les systèmes occidentaux fondés sur la phonologie, la lecture est surtout liée aux aires cérébrales qui traitent les sons linguistiques. Mais dans les systèmes (en Orient) où l'on préfère la lecture idéographique, celle-ci dépend, de manière plus fondamentale, des centres cérébraux qui interprètent les matériaux picturaux (cette dépendance peut aussi se trouver chez les individus sourds qui ont appris à lire). Enfin, dans le cas des Japonais, qui ont à la fois un système de lecture syllabique *(kana)* et un système idéographique *(kanji)*, le même individu abrite deux mécanismes de lecture[35]. Ainsi un type de lésion atteindra le décodage des symboles *kana*, tandis qu'un autre type de lésion perturbera le décodage des symboles *kanji*.

Ces mécanismes étant mieux compris, certaines conséquences pédagogiques s'en sont suivies. Nous avons désormais des idées quant à la manière dont on peut réussir à apprendre la lecture de différents codes à des enfants par ailleurs normaux qui, pour une raison ou une autre, ont des difficultés à maîtriser le code prédominant dans leur culture. Puisqu'il est possible d'apprendre à lire selon au moins deux voies, il faut que les enfants qui ont une inaptitude spécifique à apprendre soient à même d'exploiter « l'autre itinéraire » et donc de maîtriser le principe des textes écrits, sinon celui de l'écriture elle-même, que leur culture se trouve préférer. De fait, les systèmes fondés sur les idéogrammes se sont révélés efficaces dans le cas d'enfants manifestant des problèmes particuliers à maîtriser le système d'écriture fondé sur la phonologie.

Alors que les arguments tirés des lésions cérébrales valident l'analyse des composantes de la faculté du langage que j'ai proposée, nous devons encore nous attaquer aux conséquences qu'elle a pour l'existence du langage comme faculté distincte — selon mon expression, comme intelligence distincte. Les arguments sont moins tranchés. Il semble clair qu'il peut exister, à côté d'une aphasie significative, une certaine altération des capacités intellectuelles en général, et surtout de l'aptitude à former des concepts, à classer correctement et à résoudre des problèmes d'abstraction, tels ceux qui figurent dans de nombreux tests d'intelligence non verbale. En ce sens, du moins, il est difficile de parvenir à un compromis satisfaisant en faveur d'une aire du langage, alors que la compréhension et les talents à raisonner n'ont par ailleurs subi aucune altération.

Néanmoins, de mon point de vue, il semble bien que l'intelligence linguistique soit à part. En fait, elle pourrait même être celle qui satisfait le mieux à tout l'éventail de critères énumérés au chapitre 3. Tout d'abord, il est clair qu'il existe des individus hautement, voire gravement aphasiques, qui peuvent très bien réussir des tâches cognitives qui ne sont pas particulièrement liées au langage [36]. Des patients aphasiques ont perdu leur aptitude à être écrivains. (Hélas, des talents très développés ne sont pas une garantie contre les ravages d'une maladie cérébrale.) Et pourtant, des patients gravement aphasiques ont conservé leur aptitude à être musiciens, artistes visuels ou ingénieurs. Il est clair que cette conservation sélective des tâches professionnelles serait impossible si le langage était indissolublement fondu aux autres formes de l'intellect.

Ainsi donc, dans le sens le plus strict, quand on se penche sur les propriétés phonologiques, syntaxiques et sur certaines propriétés sémantiques, le langage apparaît comme une intelligence relativement autonome. Mais dès lors que l'on envisage des aspects plus larges, comme les fonctions pragmatiques, il faut nuancer cette idée. En effet, il apparaît que des individus gravement aphasiques ont souvent préservé leur aptitude à apprécier et à mener à bien différents types d'actes de communication, alors que des individus qui ont des capacités syntaxiques et sémantiques intactes peuvent, à la suite d'une lésion de leur hémisphère non dominant, manifester de graves anomalies à communiquer leurs intentions et à comprendre les intentions et les motivations des autres. En même temps qu'ils suggèrent de mettre la pragmatique à part comme un aspect distinct du langage, des travaux de recherche confirment qu'elle est neurologiquement dissociée du « noyau dur » de l'aptitude au langage. Peut-être en sommes-nous là parce que deux aspects du langage, « l'acte de discours » et « l'acte de communiquer », sont clairement partagés par d'autres primates et, par conséquent, moins liés à l'évolution d'une faculté séparée du langage abritée dans certaines régions de l'hémisphère gauche des êtres humains. Donc, et peut-être conjointement, la sensibilité à la narration, y compris l'aptitude à communiquer dans une série d'épisodes ce qui est arrivé, semble plus étroitement liée aux fonctions pragmatiques du langage (et se révèle ainsi plus fragile dans le cas de maladie de l'hémisphère droit) qu'aux fonctions clés syntaxiques, phonologiques et sémantiques que j'ai décrites.

Comme je l'ai déjà souligné, même une aphasie légère se révèle suffisante pour détruire le talent à lire et à écrire d'un individu. Néanmoins, l'étude de la manière dont le langage s'effondre en cas de lésion cérébrale est significative pour qui étudie l'imagination littéraire. Il se trouve que le signal linguistique peut être appauvri de manière caractéristique, en fonction de la nature particulière de l'atteinte au cerveau. S'il s'agit d'une aphasie en association avec une lésion de l'aire de Broca, le signal du langage est riche en substantifs et en propositions simples, mais il comporte peu de flexions ou de modifications. C'est une caricature du style d'Ernest Hemingway. Dans le cas d'une aphasie en association avec une lésion de l'aire de Wernicke, le signal du langage est rempli de formes syntaxiques complexes et d'une grande variété de flexions, mais souvent le message du substantif est difficile à extraire : cela donne une caricature du style de William Faulkner. (D'autres aberrations linguistiques, comme l'*idioglossie*, quand on invente son propre dialecte, et le langage schizophrénique donnent également une syntaxe extravagante[37].) Enfin, dans l'aphasie anomique, à la suite d'une lésion dans le gyrus angulaire, le signal du discours est dépourvu de noms, mais rempli de circonlocutions comme « choses », « matière », « sorte de » et autres types de discours circonstancié fréquent chez un personnage sorti de l'œuvre de Damon Runyan, mais très éloigné des poètes qui chérissent *le mot juste*[38]. Il serait grotesque de suivre à la trace les origines de ces styles et de les chercher dans des régions particulières du cerveau. Pourtant, le fait que l'atteinte du cerveau puisse confiner un individu dans certains traits linguistiques que l'écrivain créateur choisit *délibérément* confirme la réalité neurologique des différents modes d'expression.

Très récemment encore, on croyait en général que les deux moitiés du cerveau ne pouvaient se distinguer l'une de l'autre du point de vue anatomique. Cela semblait justifier l'idée de non-localisation et, en corollaire, la thèse selon laquelle le cerveau humain serait équipotentiel pour ce qui est du langage. De récentes découvertes ont infirmé ce point de vue. Nous savons désormais que les deux hémisphères ne sont pas identiques du point de vue anatomique et que, chez une large majorité de personnes, les aires du langage dans les lobes temporaux gauches sont plus grosses que les aires homologues dans les lobes temporaux droits. D'autres asymétries importantes entre les hémisphères se sont révélées à l'observation. Armés de cette information inattendue, les spécialistes à orientation évolutionniste ont commencé à mener leurs investigations dans des moulages crâniens et ils ont prouvé que cette asymétrie, qui n'est pas évidente chez les singes, remonterait à l'homme de Neandertal (il y a trente mille à cent mille ans). Elle peut être présente également chez les grands primates. Il semble donc raisonnable de déduire que les capacités intellectuelles du langage remontent très haut dans le temps, avant que l'histoire ne commence à être objet de souvenir. On a trouvé des traces d'écriture datant d'il y a trente mille ans, quoique l'invention réelle de l'écriture phonétique remonte seulement à quelques milliers d'années[39].

Au mépris de l'idée d'« *évolution progressive* », certains éminents spécialistes, comme le linguiste Noam Chomsky et l'anthropologue Claude Lévi-Strauss, croient que l'ensemble du langage a été acquis en une seule fois[40]. À mon avis, il semble plus probable que la compétence linguistique de l'homme résulte de la réunion de bon nombre de systèmes distincts, dont l'histoire évolutionniste remonte à plusieurs milliers d'années. Il est possible que différents aspects pragmatiques du langage humain résultent d'expressions émotionnelles et de capacités gestuelles (montrer du doigt, faire un signe de la main) que nous partageons avec les primates[41]. Il est aussi possible que certains aspects formels ou structurels reflètent des capacités musicales du genre de celles dont témoignent des espèces beaucoup plus éloignées comme les oiseaux (ou s'appuient sur elles). Des aptitudes cognitives comme la classification d'objets et la capacité à associer un nom ou un signe à un objet semblent également avoir une origine ancienne : elles peuvent faciliter la maîtrise des systèmes semblables au langage récemment découverte chez un grand nombre de chimpanzés[42].

Là où les humains semblent uniques, c'est dans la présence d'un appareil vocal supra-laryngal capable d'une articulation distincte, et dans l'évolution de mécanismes neuraux qui font usage des propriétés préadaptées de l'appareil vocal pour un discours prononcé rapidement[43]. Une fois que l'on peut distinguer et comprendre assez vite les sons, il se révèle possible d'écraser ensemble des sons individuels dans des unités de la taille de syllabes : il s'ensuit l'emploi du discours pour la communication rapide. Selon Philip Lieberman, le principal défenseur de ce point de vue sur l'évolution du langage, toutes les composantes du langage auraient été présentes chez l'homme de Neandertal, et peut-être même chez l'australopithèque, à l'exception de l'appareil vocal approprié. C'est cette toute dernière évolution qui a rendu possible l'apparition de la communication linguistique rapide, qui a eu d'importantes implications culturelles.

Variations linguistiques transculturelles

Une fois que le langage a décollé, il a rempli d'innombrables fonctions. On peut avoir une idée de cette variété en considérant seulement comment les représentants des différentes cultures ont utilisé le langage, et comment ces cultures ont récompensé ceux qui excellaient dans de telles utilisations. L'exemple peut-être le plus renversant se trouve dans les aptitudes dont témoignent certains bardes à chanter d'immenses sommes de vers, souvent toutes les nuits, pour des auditoires capables d'apprécier[44]. Comme l'ont démontré le folkloriste Millman Parry et son disciple A. B. Lord, ces chanteurs de récits, ces Homères contemporains peuvent créer des milliers de vers, notamment parce qu'ils maîtrisent certains cadres ou schémas à l'intérieur desquels ils peuvent disposer de contenus spécifiques variés qu'ils ont appris à combiner de différentes manières pour composer des épopées toujours nouvelles.

Le fait que, comme toutes les créations humaines complexes, la poésie orale puisse s'analyser en différentes composantes ne permet aucunement de minimiser sa réussite. Avant tout, les exigences mnémoniques pour apprendre ces formules et les lois de leur enchaînement sont formidables à elles seules : elles ne sont en rien inférieures aux prouesses d'un maître aux échecs, qui connaît cinq mille modèles de base ou davantage, ou du mathématicien, qui peut avoir en tête des centaines, voire des milliers de démonstrations[45]. Dans chaque cas, ces modèles ou schémas sont doués de signification, et cette richesse aide certainement le travail de mémoire. Pourtant, l'aptitude à savoir sur le bout des doigts cérébraux une grande quantité d'entre eux ne doit pas être méprisée. De plus, ces aptitudes peuvent être particulièrement élaborées chez des individus qui ne maîtrisent pas l'écriture. À cet égard, on peut souligner les découvertes récentes de E. F. Dube : les Africains qui n'ont pas l'écriture réussissent mieux à se rappeler les histoires que les Africains ou les New-Yorkais scolarisés[46].

L'aptitude à retenir une information comme de longues listes de mots, de loin le test favori des psychologues occidentaux, est une autre forme d'intelligence linguistique à laquelle les sociétés traditionnelles sans écriture ont accordé une valeur toute particulière. Dans son livre *Naven*, Gregory Bateson rapporte qu'un érudit Iatmul peut connaître entre mille et vingt mille noms de clans[47]. Quoiqu'il utilise des techniques pour se souvenir de ces noms (par exemple, la disposition en paires ayant des sons analogues) et que chaque nom ait au moins un « grain de signification », sa réussite effective reste quelque chose de stupéfiant. Nous trouvons des traces de cette aptitude dans les premières époques de notre propre civilisation : pendant l'Antiquité et le Moyen Âge, on a imaginé des systèmes d'aide-mémoire élaborés, comprenant des listes de nombres, des images compliquées, des codes spatiaux, le système zodiacal et des schémas astrologiques.

Alors qu'une personne dotée d'une bonne mémoire était jadis bien considérée, le progrès de l'écriture et de la lecture, et la possibilité de mettre par écrit une information dans des livres accessibles à une consultation facile rendent le fait de posséder une mémoire verbale puissante moins vitale. Plus tard, l'imprimerie a encore ôté de la valeur à cet aspect de l'intelligence linguistique. Pourtant, ces aptitudes continuent à être cultivées dans certains milieux. K. Anders Ericcson et William Chase ont récemment prouvé que la mémorisation d'une série de chiffres peut aller, au-delà des sept canoniques, jusqu'à quatre-vingts ou même plus, dans un type d'exercice où l'on augmente progressivement la taille des tronçons dont on doit se souvenir[48]. Après tout, nous savons tous qu'il est plus facile de se rappeler la série

19141515178919361981187O

une fois qu'on y voit une accumulation de dates historiques mémorables. Les livres de technique de la mémoire et les manuels de mnémotechnique restent populaires. Enfin, dans certains domaines, une mémoire verbale aiguë peut distinguer un individu. La philosophe Suzanne Langer médite sur ce point[49] :

Ma mémoire verbale ressemble à du papier tue-mouches. C'est à la fois une bonne et une mauvaise chose, parce que l'esprit se remplit de choses sans intérêt aussi bien que de choses utiles. Par exemple, je me rappelle toujours un certain nombre de vers des annonces publicitaires que j'ai vues dans mon enfance, et elles retentissent dans ma tête aux moments les plus inattendus et les plus ridicules. En même temps, pourtant, je me rappelle des vers de bonne poésie que j'ai lue il y a des années, et c'est pour moi un délice que de me les rappeler. Quoique ma mémoire verbale puisse être exceptionnelle, ma mémoire visuelle est malheureusement loin d'être bonne [...]. Une mémoire visuelle pauvre est un handicap particulier pour le maniement des sources dans des travaux de recherche. C'est pourquoi je dois avoir un système de fiches avec des index élaborés.

Pour les cultures sans écriture, se souvenir de longues sommes d'information est un don formidablement important. Des individus sont souvent distingués parce qu'ils ont cette aptitude, et on a parfois imaginé des *rites de passage*[50] censés identifier les individus qui ont ce pouvoir très prisé. Naturellement, on peut développer et cultiver ces capacités, mais il est manifestement très utile de se rappeler de longues listes sans grand effort, comme c'était le cas du mnémoniste étudié par Alexander Luria[51] et, dans une moindre mesure, d'une spécialiste des humanités comme Suzanne Langer.

Il arrive parfois que l'on accorde une valeur en soi à cette aptitude à se rappeler, mais elle est souvent couplée avec la faculté de mettre en rapport des mots avec d'autres types de symboles, comme les nombres ou les tableaux. Nous reconnaissons ici la naissance de certains codes secrets, verbaux en premier lieu, que les individus peuvent utiliser dans des jeux qui requièrent de hauts talents. Les aptitudes qui permettent à un Occidental de résoudre des mots croisés ou un acrostiche peuvent s'apparenter aux aptitudes, dans d'autres cultures, à faire facilement des calembours ou à inventer et maîtriser des langages absurdes ou mystérieux. Le duel verbal est souvent prisé. Par exemple, chez les Chamula du Chiapas, au Mexique, un joueur commencera une phrase qui a à la fois une signification apparente et une signification cachée (d'habitude sexuelle). Son adversaire doit répondre avec une phrase qui marque un changement minimal de son par rapport à la première et qui a aussi une signification cachée. S'il ne peut pas trouver une réponse convenable, il perd. Par exemple[52] :

Garçon n° 1 (lançant le défi) : ak'bun avis
                    Donne-moi ta sœur
Garçon n° 2 (réponse) : ak'bo avis
                    Donne-le à ta sœur

On a décrit, pour un grand nombre de sociétés, des concours oratoires où des personnes rivalisent dans le choix de détails au sein d'un répertoire traditionnel de dictons ou de chansons. D'une manière qui aurait enchanté William James (qui a toujours été à la recherche d'un « équivalent moral » à la guerre), les joutes oratoires ont remplacé la guerre chez les Maori comme moyen pour démontrer la supériorité d'un groupe sur l'autre. Et comme pour souligner l'importance de la manière dont on parle, le tzeltal (une langue maya) présente plus de quatre cents termes se référant à l'utilisation du langage[53].

En plus et au-dessus de ces usages relativement occasionnels du langage, on a souvent réservé le pouvoir politique aux individus qui font preuve de talents rhétoriques exceptionnels. Ce n'est certainement pas un hasard si les dirigeants les plus marquants de l'Afrique et de l'Asie contemporaines ont été, pour la plupart d'entre eux, des rhéteurs acclamés et des poètes récités. Poèmes et proverbes ont souvent été utilisés comme moyens mnémoniques pour diffuser des informations capitales. La finesse rhétorique fait partie de l'éducation des aristocrates dans un système traditionnel de castes et peut aussi être utile à des échelons plus bas de la société. Traditionnellement, le prestige vient aux aînés masculins de leur connaissance de la signification des proverbes et des expressions traditionnelles qui peuvent rester opaques à des membres moins vénérables de la société. En effet, chez les Kpelle du Liberia, il existe un dialecte, le « kpelle profond », qui est un langage complexe rempli de proverbes et opaque pour les jeunes[54]. Du reste, dans un grand nombre de sociétés traditionnelles, l'aptitude à faire preuve d'éloquence pour défendre la cause de quelqu'un procure souvent un avantage décisif dans les « plaidoiries ».

Chez les Tshidi du Botswana, le pouvoir effectif du chef est déterminé par ses performances dans les débats publics, qui sont ensuite examinées avec soin par les membres du groupe[55]. On note des manifestations de ces valeurs dans certaines poches de notre civilisation — par exemple chez les licenciés des *public schools* en Angleterre ou chez des habitants du sud des États-Unis, où l'on accorde toujours beaucoup de valeur à l'entraînement à la rhétorique politique durant l'enfance et où on se prévaut de tels talents jusqu'à un âge avancé. De fait, on peut faire remonter les racines du prestige dont ils jouissent dans notre société à l'époque grecque, où le pouvoir politique était aux mains des individus qui avaient des talents linguistiques supérieurs. Selon Eric Havelock, qui a étudié la culture orale de cette époque[56] :

> Dans certaines limites, la conduite de la communauté revenait à celui qui avait une oreille supérieure et des dispositions rythmiques, qui pouvaient se démontrer dans l'hexamètre de l'épopée. Elles pouvaient aussi se montrer dans l'aptitude à composer des *rhemata* — des dictons efficaces qui utilisent d'autres dispositifs que la métrique, comme l'assonance et le parallélisme. Une fois encore, celui qui accomplit une bonne performance lors d'un banquet est estimé non seulement comme un artiste, mais encore comme un chef naturel pour les hommes [...]. Le juge (ou même le général) efficace tendait à être un homme doué d'une

mémoire orale supérieure [...]. En conséquence, les Grecs valorisaient l'intelligence dans les transactions sociales et identifiaient intelligence et pouvoir. Par le terme d'intelligence, nous voulons parler précisément d'une mémoire supérieure et d'un sens supérieur du rythme verbal.

Il serait erroné de croire que dans notre société les pouvoirs du langage ont été progressivement affaiblis (témoin, l'efficacité politique d'orateurs talentueux comme Franklin Roosevelt, John Kennedy et, plus récemment, Ronald Reagan). Pourtant, si on compare au passé, il semble que notre société accorde moins de valeur au langage. Les formes logico-mathématiques de l'intelligence, qui sont ailleurs de relativement peu de poids, sont sans doute aussi estimées que le langage. Tandis que les cultures traditionnelles mettent beaucoup plus l'accent sur la maîtrise du langage oral, de la rhétorique et du jeu sur les mots, notre culture met un accent *relativement* plus grand sur les mots écrits — en assurant l'information par la lecture et en s'exprimant soi-même comme il convient à travers l'écriture.

Si les formes orales et écrites du langage mettent sans aucun doute en œuvre certaines capacités identiques, on a besoin de talents spécifiques supplémentaires pour s'exprimer soi-même de façon appropriée par écrit. L'individu doit apprendre à poser un contexte qui, dans une communication parlée, provient de sources non linguistiques (comme les gestes, le ton de la voix et les situations environnantes). On doit pouvoir indiquer, seulement par les mots, l'argument précis que l'on désire faire ressortir. Ces défis échappent souvent aux individus qui tentent pour la première fois d'écrire. Quand un individu, homme ou femme, devient plus talentueux dans un des moyens d'expression, il est possible qu'il lui soit aussi plus difficile d'exceller dans un autre, bien qu'il y ait toujours des exceptions impressionnantes, comme Winston Churchill et Charles de Gaulle.

La construction d'une œuvre longue — un roman, un récit, un manuel — est un défi différent de ceux que posent des entités linguistiques plus courtes, comme une lettre ou un poème, et des performances parlées, que ce soit des discours brefs, de longues allocutions ou bien des récitations de vers. Dans un poème, l'accent est mis sur le choix de chaque mot et sur l'émission, au sein d'un ensemble relativement concis de vers, d'un message ou d'un petit nombre de messages. Dans un roman, l'accent est nécessairement mis sur la transmission d'une importante collection d'idées et de thèmes, qui peuvent entretenir les uns avec les autres des relations complexes. Le choix des mots reste important, bien sûr, mais il se révèle moins capital que la communication réussie d'un ensemble d'idées, de thèmes, d'ambiances ou de scènes. Évidemment, certains romanciers (comme Joyce, Nabokov ou Updike) manifestent la même obsession que le poète pour le choix lexical, tandis que d'autres (comme Balzac ou Dostoïevski) sont plus attentifs aux thèmes et aux idées.

Le langage comme outil

Je me suis attaché pour l'essentiel aux domaines d'expertise pour lesquels le langage occupe la première place. Que ce soit la composition d'un poème ou la victoire lors d'une joute verbale, le choix précis des mots se révèle important, sinon le plus important. Mais dans la plupart des sociétés, la plupart du temps et de la façon la plus frappante dans une société complexe comme la nôtre, le langage est souvent avant tout un outil — un moyen pour faire quelque chose — plutôt que le foyer central de l'attention.

Quelques exemples : les scientifiques comptent sur le langage pour communiquer leurs découvertes aux autres. De plus, comme je l'ai souligné, les percées dans les sciences se présentent souvent en termes de figures du discours révélatrices ou sous forme d'essais bien organisés. Pour autant, l'accent n'est pas mis sur le langage *per se*, mais plutôt sur la communication des idées qui auraient certainement pu être transmises à travers d'autres mots (il n'est pas besoin de subir les mêmes supplices que Spender) et qui peuvent finalement trouver leur expression adéquate sous la forme de tableaux, diagrammes, équations ou autres symboles. Il se peut que Freud ait initialement eu recours à la métaphore du cavalier volontaire montant un cheval à ses ordres pour exprimer la relation entre le moi et le ça. Il se peut que Darwin ait été aidé par la métaphore d'« une lutte pour la survie ». Mais finalement leurs conceptions peuvent être appréciées par des individus qui n'ont jamais lu un mot d'eux et qui n'ont même jamais été confrontés à la formulation verbale originale de leurs concepts.

À première vue, d'autres scientifiques, comme les historiens ou les critiques littéraires, peuvent sembler dépendre beaucoup plus du langage, non seulement parce qu'il est à l'origine de ce qu'ils étudient, mais aussi comme moyen de transmettre leurs conclusions. Et, d'un point de vue pratique, les littéraires surveillent de beaucoup plus près les mots des textes qu'ils étudient, des écrits de leurs collègues et de leurs propres manuscrits. Pourtant, même dans ce cas, il vaut mieux considérer l'emploi du langage comme un moyen certes vital, et peut-être même irremplaçable au service du travail qu'ils accomplissent, mais cependant pas comme l'essentiel. Le but du scientifique est de décrire avec exactitude un problème ou une situation qu'il a choisi d'étudier, et de convaincre les autres que sa façon de voir, son interprétation est appropriée et exacte. Le littéraire doit tenir compte de ce qu'ont établi ses prédécesseurs. Si son étude s'égare trop loin de ce que d'autres ont proposé, il se peut très bien qu'il ne soit pas pris au sérieux. Mais le format particulier de son produit final n'est pas fixé, et une fois que son point de vue ou sa conclusion ont été rendus publics, les choix lexicaux perdent de l'importance, laissant le message parler pour lui-même. Nous ne pouvons rien substituer aux vers de T. S. Eliot, mais nous pouvons sans trop de mal assimiler les principaux points de sa méthode critique sans lire ses essais (quoique dans le cas d'Eliot, une grande part du pouvoir de ce qu'il dit est inhérente à ses formulations remarquablement heureuses).

Enfin, passons à l'écrivain expressif — au romancier, à l'essayiste. Il est sûr qu'ici le choix particulier des mots a une importance cruciale, et nous aurions du mal à accepter un « digest » des écrits de Tolstoï ou de Flaubert, d'Emerson ou de Montaigne. Pourtant, le dessein semble différent, ou du moins différent en terme d'accent, de celui du poète. Car ce que l'écrivain de fiction recherche de la façon la plus décisive, comme Henry James l'a un jour exprimé, c'est arracher l'essence, la pure vérité, « la fatale futilité du fait » à la « vie grossière »[57]. L'écrivain de narration témoigne ou envisage une expérience ou un ensemble d'expériences, une émotion ou un ensemble d'émotions. Son but est de les transmettre à son lecteur aussi complètement et aussi efficacement que possible. Une fois cela fait, les mots réels employés deviennent moins importants — quoique sans doute ils restent une proportion importante du message, « du langage attirant l'attention sur lui-même[58] ». Si la signification du poème continue à être inhérente aux mots, la signification d'un roman est beaucoup moins liée à ses mots : une traduction fidèle, pratiquement impossible à mener à bien pour les poèmes, se fait sans difficulté excessive pour la plupart des romans — quoique ce ne soit pas vrai pour tous et que ce soit particulièrement difficile pour les romans écrits par des poètes.

Conclusion

Bien que le langage puisse être transmis par le geste et par l'écrit, il reste fondamentalement un produit de l'appareil vocal et un message destiné à l'oreille humaine. On ne pourra comprendre l'évolution du langage humain et ses représentations courantes dans le cerveau humain si on minimise le lien structurel entre le langage humain et l'appareil oro-acoustique. En même temps si, pour étudier le langage, on se penche exclusivement sur l'organisation anatomique, on peut manquer l'extraordinaire flexibilité du langage, la variété des solutions utilisées par les humains — talentueux ou bien diminués — pour exploiter leur héritage linguistique à des fins de communication ou d'expression.

Profondément convaincu que les éléments auditifs — et oraux — du langage ont un caractère central, j'ai mis l'accent sur le poète en tant qu'utilisateur du langage *par excellence*[59] et je me suis beaucoup appuyé sur l'aphasie pour justifier l'autonomie du langage. Si le langage devait être considéré comme un médium visuel, il devrait circuler beaucoup plus directement dans les formes spatiales de l'intelligence. Mais ce n'est pas le cas, comme le prouve de toute évidence le fait que la lecture est invariablement perturbée par une atteinte portée au système du langage, tandis que, de façon étonnante, la capacité de décodage linguistique résiste à une atteinte massive subie par les centres spatiaux et visuels du cerveau.

Pourtant, j'ai pris soin de ne pas définir cette capacité comme une forme oro-*acoustique* de l'intelligence. Il y a deux raisons à cela. Avant tout, le fait que des individus sourds peuvent acquérir une langue maternelle — et peuvent aussi imaginer ou maîtriser des systèmes gestuels — prouve que l'intelligence linguistique n'est pas seulement une forme de l'intelligence auditive. En second lieu, il existe une autre forme d'intelligence, qui a une histoire tout aussi longue et une autonomie tout aussi convaincante, qui est également liée à l'appareil oro-acoustique. Je veux parler, bien sûr, de l'intelligence musicale, des aptitudes des individus à discerner la *signification* et l'*importance* dans des ensembles de hauteurs rythmiquement arrangées, et également de produire de semblables séries de hauteurs avec un arrangement métrique de manière à communiquer avec d'autres individus. Ces capacités reposent aussi fortement sur les aptitudes oro-acoustiques. En effet, elles se révèlent même moins susceptibles de traduction visuelle que ne l'est le langage. Pourtant, contre toute intuition, les aptitudes sont médiatisées par des parties séparées du système nerveux et sont constituées d'ensembles séparés de compétence.

Il se peut qu'enfouis loin dans l'évolution, la musique et le langage aient surgi à partir d'un médium commun d'expression. Mais quel que soit le mérite de cette spéculation, il semble clair qu'ils ont suivi des chemins séparés au fil de nombreux millénaires et qu'ils sont désormais au service de desseins différents. Ce qu'ils partagent, c'est une existence qui n'est pas étroitement liée au monde des objets physiques (à la différence des formes spatiale et logico-mathématique de l'intelligence) et une essence qui est tout autant éloignée du monde des personnes (à l'inverse des différentes formes de l'intelligence personnelle). Et maintenant, prenant la mesure d'une autre compétence intellectuelle autonome, passons à la nature et au fonctionnement de l'intelligence musicale.

CHAPITRE 5

L'intelligence musicale

« [La musique] est la corporalisation de l'intelligence dans le son. »

HOENE WRONSKY [1]

De tous les dons décelés chez les individus, aucun n'apparaît plus tôt que le talent musical. Quoiqu'en la matière la spéculation ait beaucoup cours, une seule incertitude demeure : pourquoi apparaît-il si tôt, et quelle est sa nature ? Étudier l'intelligence musicale peut nous aider à comprendre la saveur particulière de la musique et en même temps éclairer ses relations avec les autres formes de l'intellect humain.

Nous pouvons avoir une idée de l'éventail et des origines des dons musicaux précoces en imaginant à un concert musical hypothétique dans lequel les exécutants seraient trois enfants d'âge préscolaire. Le premier enfant joue une suite de Bach pour violon solo avec précision et émotion. Le deuxième enfant exécute en entier une aria d'un opéra de Mozart après l'avoir entendue jouer une seule fois. Le troisième enfant est assis au piano et joue un simple menuet qu'il a lui-même composé. Ces trois exécutions sont le fait de trois prodiges en musique.

Mais sont-ils arrivés à ces sommets en suivant tous le même chemin ? Pas nécessairement. La première enfant peut être une jeune Japonaise qui a pris part depuis l'âge de deux ans au Programme Suzuki d'éducation et a, comme des milliers de ses pairs, maîtrisé l'essentiel du maniement d'un instrument à corde au moment d'entrer à l'école. Le deuxième enfant peut être une victime de l'autisme, qui peut à peine communiquer et est gravement perturbé dans plusieurs sphères affectives et cognitives. Pourtant, il est manifeste que son intelligence musicale a été épargnée, de sorte qu'il peut jouer en retour à la perfection tous les morceaux qu'il entend. Le troisième peut être un jeune garçon qui a grandi dans une famille de musiciens et a commencé à composer des mélodies. Il rappelle des talents précoces, comme Mozart, Mendelssohn ou Saint-Saens...

On a observé assez d'enfants dont le cas illustre chacun de ces modèles pour pouvoir dire avec certitude que ces trois exécutants sont d'authentiques phénomènes. On peut faire preuve d'une précocité musicale parce qu'on a reçu une formation bien conçue, parce qu'on a la chance de vivre dans un foyer rempli de musique ou bien en dépit (ou par suite) d'une maladie handicapante. Sous-jacent à chacune de ces exécutions, il peut y avoir un talent fondamental, un talent dont on a hérité. Mais il est clair que d'autres facteurs sont aussi à l'œuvre. Au bout du compte, l'expression de ce talent dépend du milieu dans lequel on vit.

Mais ces exécutions, quoique charmantes, ne sont qu'un début. Chacun de ces enfants peut finir par acquérir un haut degré de compétence musicale, mais il est tout aussi possible que l'un ou l'autre n'arrive pas à de tels sommets. Par conséquent, exactement comme j'ai d'abord présenté l'intelligence linguistique à travers la perspective du poète, je commencerai par examiner des cas de réussite musicale sans ambiguïté à l'âge adulte — talents qu'on observe à profusion chez des individus qui gagnent leur vie comme compositeurs. Après avoir présenté un « état terminal » de l'intelligence musicale, je décrirai certaines des aptitudes fondamentales qui sous-tendent la compétence musicale chez les individus ordinaires — aptitudes relativement microscopiques, de même que celles qui impliquent de plus larges connaissances musicales. Afin de mieux expliciter les dons manifestés par notre trio d'enfants du début, je considérerai des aspects du développement normal ainsi que la formation des talents musicaux. En complément, j'examinerai aussi l'effondrement musical et, au cours de la discussion, j'évoquerai l'organisation cérébrale qui rend possible la performance musicale. Enfin, après avoir passé en revue ce qui justifie l'autonomie de l'intelligence musicale, dans notre culture et dans d'autres cultures, je considérerai, pour conclure, la façon dont l'intelligence peut interagir avec d'autres compétences intellectuelles de l'homme.

La composition

Roger Sessions, un compositeur américain du XXᵉ siècle, a raconté ce que c'est que de composer un morceau de musique[2]. Comme il l'explique, on peut facilement reconnaître un compositeur au fait qu'il a constamment des « sons dans le tête » — c'est-à-dire qu'il est toujours, à la frange de sa conscience, en train d'entendre des sons, des rythmes et des thèmes musicaux plus développés. Comme bon nombre de ces thèmes ont une faible valeur musicale et peuvent en fait être entièrement empruntés, c'est le lot du compositeur que de les contrôler et de les retravailler.

Le travail de composition commence au moment où ces idées se cristallisent et prennent une forme significative. L'image musicale féconde peut être n'importe quel bout de fragment mélodique, rythmique ou harmonique tout simple ou beaucoup plus élaboré. Quoi qu'il arrive, l'idée capte l'attention du compositeur, et c'est à partir de là que son imagination musicale commence à travailler.

Dans quelle direction l'idée sera-t-elle menée ? Comme Sessions l'explique, l'idée initiale a de nombreuses implications. Elle suggère souvent une idée opposée ou complémentaire, quoique les deux motifs soient destinés à faire partie de la même structure globale. Toutes les idées qui succèdent à l'idée initiale entretiendront une certaine relation avec elle, au moins jusqu'à ce que l'idée première ait été complétée ou abandonnée. En même temps, le compositeur a presque toujours conscience des éléments qui viennent de l'idée originale, et de ceux qui n'en viennent pas :

> Supposant, comme je le fais, que la conception de départ est vive et ferme, elle gouvernera tous les mouvements que le compositeur fait depuis ce point de départ [...]. Les choix ont lieu à l'intérieur d'une charpente spécifique, qui, en grandissant, exerce de plus en plus d'influence sur ce qui vient ensuite.

Pour le monde extérieur, ce processus peut sembler mystérieux, mais pour le compositeur, il a en soi sa logique irrésistible[3] :

> Ce que j'ai appelé pensée musicale logique est le travail rigoureux que l'on accomplit sur une impulsion musicale pour en découvrir le contenu implicite. Ce n'est nullement un calcul sagace de ce qui doit [...] arriver ensuite. L'imagination auditive est simplement le travail de l'oreille du compositeur, totalement fiable et sûre de la direction qu'il doit prendre, au service d'une conception claire.

Dans ses efforts, le compositeur compte sur la technique précédemment mentionnée du contraste, mais aussi sur d'autres exigences de son oreille — certains passages sont associés à l'idée originale, d'autres réarticulent ou placent les éléments de l'idée initiale. Travaillant avec les sons, les rythmes et, avant tout, avec un sens global de la forme et du mouvement, le compositeur doit décider du nombre de répétitions pures et des variations harmoniques, mélodiques, rythmiques ou contrapunctiques nécessaires pour réaliser sa conception.

D'autres compositeurs font écho à cette description des processus dans lesquels ils sont engagés. Aaron Copland explique ainsi que composer est aussi naturel que manger ou dormir : « C'est une chose pour laquelle il se trouve que le compositeur est né. C'est pourquoi elle perd son caractère de vertu aux yeux du compositeur[4]. » Wagner disait qu'il composait comme une vache produit du lait, tandis que Saint-Saens comparait le processus à un pommier produisant des pommes. L'unique élément mystérieux, du point de vue de Copland, est l'origine d'une idée musicale initiale : selon lui, les thèmes viennent initialement au compositeur comme un don du ciel, un peu comme l'écriture automatique. C'est la raison pour laquelle de nombreux compositeurs ont toujours avec eux un cahier pour noter. Une fois que l'idée est venue, le processus de développement et d'élaboration suit avec un naturel étonnant, en fin de compte de façon inévitable, grâce en partie aux nombreuses techniques disponibles, ainsi qu'aux structures ou « schémas » qui se sont développés au cours des années. Comme Arnold Schönberg l'explique : « Ce qui arrive dans un morceau de musique n'est rien d'autre que la reformation sans fin d'une forme de base. Ou bien, en d'autres termes, il n'y a dans un morceau de musique que ce qui vient du thème, ce qui en jaillit et que l'on peut faire remonter à lui[5]. »

Quelle est l'origine de ce dépôt musical dont viennent les idées musicales ? Un autre compositeur américain du XXe siècle, Harold Shapero, explique la notion de lexique musical :

> L'esprit musical s'intéresse de façon prédominante aux mécanismes de la mémoire tonale. Il ne peut commencer à fonctionner d'une manière créative avant d'avoir absorbé une grande variété d'expériences tonales [...]. La mémoire musicale, où les fonctions physiologiques sont intactes, fonctionne sans discrimination ; un pourcentage important de ce qui est entendu est submergé dans le subconscient et sujet à un rappel littéral[6].

Mais les matériaux exploités par le compositeur sont différemment traités :

> La fraction créative de l'esprit musical [...] opère de façon sélective, et le matériau tonal qu'elle offre est métamorphosé et devient identifiable indépendamment du matériau originalement absorbé. Dans la métamorphose [...] la mémoire tonale originale se compose des expériences émotionnelles que l'on a retenues, et c'est cet acte d'un inconscient créatif qui donne plus qu'une série acoustique de sons.

De même que différents compositeurs s'accordent à penser que l'acte de composition est naturel, de même il règne entre eux une remarquable entente sur ce que la musique n'est pas. Sessions prend la peine d'indiquer que le langage ne joue aucun rôle dans l'acte de composition. En pleine composition, il est parvenu à décrire verbalement l'origine de ses difficultés à un jeune ami. Mais il utilisait alors un médium complètement différent de celui avec lequel le compositeur doit travailler :

> Je voudrais insister sur le fait qu'à aucun moment au cours du processus réel de composition des mots ne sont impliqués [...]. Pourtant, il n'y a aucune apparence que ces mots [ceux dits à son ami] ne m'aident — pas plus qu'ils ne m'ont aidé — à trouver précisément le modèle que je cherche [...]. J'essayais péniblement de trouver les mots justes pour exprimer la suite de pensées que j'ai poursuivie dans le médium musical lui-même — par lesquels je pense les sons et les rythmes, sans aucun doute entendus dans mon imagination, mais néanmoins avec précision et éclat[7].

Igor Stravinsky va plus loin : comme il le soulignait dans ses conversations avec Robert Craft, composer c'est faire, et non pas penser. Cela ne vient pas au cours d'actes de pensée ni de volonté : cela s'accomplit naturellement[8]. Il reprend à cet égard une idée de Schopenhauer : « Le compositeur révèle l'essence la plus intime du monde et émet la plus profonde façon de voir dans un langage que sa raison ne comprend pas, de même qu'une somnambule sous hypnose divulgue des choses dont elle n'a plus idée quand elle se réveille. » Cependant, il critique ce philosophe de la musique, « quand il essaye de transmettre des détails de ce langage que *la raison ne comprend pas* dans nos termes[9] » (les italiques sont de Schönberg). Selon Schopenhauer, c'est au matériau musical qu'il faut avoir affaire : « Je ne crois pas qu'un compositeur puisse composer si on lui donne des nombres à la place de sons. » Tels sont les propos de celui qui a été accusé de chasser la mélodie et de faire de l'ensemble de la musique un système de manipulation numérique.

Tous ceux d'entre nous qui ne composent pas facilement de la musique — qui ne font pas partie de la petite minorité de l'humanité « dont l'esprit sécrète de la musique[10] » — trouveront bien évidemment que ces processus leur sont un peu étrangers. Il nous est peut-être plus facile de nous identifier avec un homme qui exécute des œuvres composées par d'autres individus — un instrumentiste ou un chanteur — ou avec un homme chargé de leur interprétation, comme un chef d'orchestre. Pourtant, selon Aaron Copland, il est clair que les talents impliqués dans le fait d'écouter de la musique ont un lien avec ceux qu'implique la création musicale[11]. Comme le dit Copland, « l'auditeur intelligent doit être préparé à accroître ses notions du matériau musical et de ce qui lui arrive. Il doit entendre les mélodies, les rythmes et les couleurs des sons d'une façon plus consciente. Mais il doit par-dessus tout, afin de suivre la ligne de la pensée du compositeur, avoir quelques connaissances des principes de la forme musicale ». Le musicologue Edward T. Cone suggère que « l'écoute active est, après tout, une sorte d'exécution de seconde main, effectuée, comme Sessions le pose, par une "reproduction intérieure de la musique"[12] ». Selon Cone, la tâche de l'exécutant suit le précepte suivant : le meilleur moyen pour être un bon exécutant consiste à découvrir et à mesurer nettement la vie rythmique de la composition[13]. Composition et audition vont de pair selon Stravinsky :

> Quand je compose quelque chose, je ne puis concevoir que cela puisse échouer à être reconnu pour ce que c'est et compris. J'utilise le langage de la musique, et mes propositions grammaticales seront claires pour le musicien qui a suivi la musique jusqu'à l'endroit où mes contemporains et moi l'avons menée[14].

Des personnes douées en musique peuvent être tant des compositeurs d'avant-garde qui s'efforcent de créer un nouveau style que des auditeurs novices qui essaient de donner un sens aux comptines (ou à d'autres musiques pour débutants). Il est possible qu'il existe une hiérarchie dans le niveau des difficultés correspondantes : une performance de haut niveau demande plus qu'une simple écoute et composer exige des ressources plus profondes (ou du moins différentes) qu'exécuter. Il est aussi probable que certains types de musique — comme les formes classiques dont il est question ici — soient moins accessibles que les formes folkloriques. Pourtant, il existe un ensemble fondamental d'aptitudes essentielles à toutes les formes d'expérience musicale communes à une culture. On peut trouver ces aptitudes fondamentales chez tout individu normal mis régulièrement en contact avec n'importe quel type de musique. Je vais m'efforcer d'identifier ces aptitudes musicales fondamentales.

Les composantes de l'intelligence musicale

On débat relativement peu des éléments principaux qui constituent la musique, quoique les experts ne s'accordent pas sur une définition précise de chaque aspect. Les éléments les plus centraux sont la *hauteur* (ou mélodie) et le *rythme* : les sons émis à certaines fréquences auditives et groupés selon un système fixé. La hauteur est plus centrale dans certaines cultures — par exemple, les sociétés orientales qui font usage d'intervalles d'un minuscule quart de ton, tandis qu'en Afrique subsaharienne, l'accent est mis sur le rythme, les rapports rythmiques pouvant atteindre une complexité métrique qui donne le vertige[15]. L'organisation de la musique est pour partie horizontale — les relations entre les hauteurs au fur et à mesure qu'elles se déroulent dans le temps — et pour partie verticale — les effets produits quand deux sons ou plus sont émis en même temps, donnant un son harmonique ou dissonant. Second en importance après la hauteur et le rythme est le *timbre* — les qualités caractéristiques du ton.

Ces éléments centraux — ces « clés » de la musique — posent la question du rôle de l'écoute dans la définition de la musique. Il est indiscutable que le sens auditif est essentiel à toute expérience musicale : il serait absurde de prétendre le contraire. Pourtant, il est clair également qu'au moins un aspect central de la musique — l'organisation rythmique — peut exister en dehors de toute réalisation auditive. De fait, dans le cas d'individus sourds, on cite les aspects rythmiques comme voie d'accès aux expériences musicales. Certains compositeurs, comme Scriabine, ont mis en évidence l'importance de cet aspect de la musique, en « traduisant » leurs œuvres en séries rythmiques de formes colorées. D'autres compositeurs, comme Stravinsky, ont mis l'accent sur l'intérêt qu'il y a à assister à une exécution musicale, que ce soit par un orchestre ou une troupe de danse. Ainsi est-il probablement juste de dire que certains aspects de l'expérience musicale sont accessibles même aux individus qui (pour une raison quelconque) ne peuvent en apprécier les aspects auditifs.

De nombreux experts en sont venus à considérer les aspects affectifs de la musique comme très fondamentaux. D'après le récit de Roger Sessions, « la musique est le mouvement contrôlé du son dans le temps [...]. Elle se fait chez les humains qui veulent d'elle, qui en jouissent, voire qui l'aiment [16] ». Arnold Schönberg, qui n'est pas connu pour sa sentimentalité, s'en explique :

> La musique est une succession de sons et de combinaisons de sons organisés de manière à produire une impression agréable aux oreilles, et cette impression sur l'intelligence est compréhensible [...]. Ces impressions ont le pouvoir d'influencer des parties secrètes de notre âme et de nos sphères sentimentales, et cette influence nous fait vivre dans un pays de rêves où les désirs sont assouvis, ou dans un enfer de rêve [17].

Faisant allusion à l'affect et au plaisir, nous rencontrons ce qui peut être le casse-tête central de la musique. Du point de vue de la science positiviste « dure », il semblerait préférable de décrire la musique en termes purement objectifs, en termes physiques, de mettre l'accent sur la hauteur et les aspects rythmiques de la musique, peut-être en reconnaissant le timbre et les formes de composition permises, mais en veillant bien à éviter de concéder un pouvoir explicatif à un objet à cause des effets qu'il peut provoquer sur quelqu'un d'autre. En effet, les tentatives qui ont eu cours au fil des siècles pour associer la musique aux mathématiques semblent toutes souligner la rationalité de la musique (sinon pour lui dénier tout pouvoir émotionnel). Pourtant, on aurait du mal à trouver quelqu'un qui, après avoir été mis en contact intime avec la musique, pourrait s'abstenir de mentionner ses implications émotionnelles : les effets qu'elle a sur les individus ; les tentatives parfois délibérées des compositeurs (ou des exécutants) pour imiter ou communiquer certaines émotions ; ou bien, pour le dire en termes plus sophistiqués, l'affirmation que, si la musique ne transmet pas par elle-même des émotions et des affects, du moins capte-t-elle les *formes* de ces sentiments [18]. On peut en trouver des preuves partout où l'on se tourne. Socrate a très tôt reconnu les liens entre des modes musicaux spécifiques et différents traits de caractère de l'homme, associant les modes ioniens et lydiens à l'indolence et à la mollesse, les modes doriens et phrygiens au courage et à la détermination. Sessions semble être favorable à cette opinion :

> La musique ne peut exprimer la peur, qui est certainement une émotion authentique. Mais son mouvement, dans les sons, les accents et la structure rythmique peut être nerveux, brusquement agité, violent et même ménager le suspense [...]. La musique ne peut exprimer le désespoir, mais elle peut avoir un mouvement lent, et dans une direction à dominante descendante. Sa texture peut devenir lourde et sombre, comme nous avons coutume de dire — ou bien disparaître complètement [19].

Même Stravinsky, qui a un jour remis en cause cette façon de penser dans une remarque célèbre (« La musique n'a pas le pouvoir d'exprimer quoi que ce soit »), en est venu ultérieurement à se rétracter : « Aujourd'hui je voudrais dire l'autre côté des choses. La musique s'exprime elle-même... Un compositeur travaille à l'incarnation de ses sentiments, et l'on peut bien évidemment parler d'expression ou de symbolisation [20]. » Passons au laboratoire expérimental : le psychologue Paul Vitz a démontré dans bon nombre d'études que les sons les plus aigus suscitent chez les auditeurs des affects plus positifs [21]. Et même des exécutants « au cœur froid » ont confirmé ce lien : on rapporte communément que les exécutants sont si profondément affectés par telle ou telle composition qu'ils demandent qu'on la leur joue pour leurs funérailles. La quasi-unanimité de ces témoignages suggère que quand les scientifiques finiront par démêler les bases neurologiques de la musique — les raisons de ses effets, de son attrait, de sa longue vie — ils fourniront alors une explication sur la manière dont les facteurs de l'émotion et de la motivation se combinent avec des facteurs qui sont strictement de l'ordre de la perception.

Gardant ces aptitudes essentielles à l'esprit, les psychologues ont tenté d'examiner le mécanisme grâce auquel les modèles musicaux sont perçus. Pour quelque temps encore, on peut discerner, dans le champ de la psychologie, deux approches radicalement différentes en matière d'investigation de la musique. L'école la plus influente a choisi ce que l'on peut appeler une approche « de bas en haut » et examiné la manière dont les individus traitent les blocs qui constituent la musique : les sons isolés, les modèles rythmiques élémentaires et autres unités que l'on peut facilement présenter à des sujets d'expérimentation dépourvus de l'information contextuelle qui se trouve dans l'exécution d'œuvres musicales. On demande aux sujets d'indiquer lequel de deux sons est le plus aigu, si deux modèles rythmiques sont semblables, si c'est le même instrument qui joue deux sons. La précision avec laquelle ces études peuvent être menées à bien les rend attrayantes aux yeux des expérimentateurs. Pourtant les musiciens ont souvent mis en doute la pertinence de découvertes obtenues sur de tels modèles artificiels au regard des entités musicales plus larges qu'on rencontre réellement chez les êtres humains.

Le scepticisme sur la possibilité de reconstituer la musique à partir de ses composantes explique l'attrait qu'exerce l'approche « de haut en bas » de la perception musicale : elle consiste à présenter à des sujets des morceaux de musique ou, du moins, de bons segments de musique. Dans de telles études, il est courant d'examiner les réactions réservées aux propriétés plus globales de la musique (va-t-elle plus vite ou plus lentement, est-elle plus forte ou plus douce ?) et aussi ses caractérisations métaphoriques (est-elle lourde ou légère, triomphante ou tragique, chargée ou clairsemée ?). Cette approche gagne en termes de validité ce qu'elle perd en termes de contrôle expérimental et de possibilité d'analyse.

Il est peut-être inévitable et, à mon avis, souhaitable qu'une approche moyenne prédomine. Le but est ici d'échantillonner des entités musicales qui soient assez importantes pour présenter plus qu'une ressemblance superficielle avec d'authentiques entités musicales (par opposition à de simples sons) et comporter pourtant assez de possibilités d'analyse pour permettre des manipulations expérimentales systématiques. Les travaux de recherche menés dans cet esprit ont généralement consisté à présenter à des sujets de courts morceaux ou des fragments de morceaux incomplets ayant un ton ou un timbre évident. On leur demande de comparer ces états complets les uns avec les autres, de grouper les morceaux qui ont le même ton ou le même modèle rythmique ou de fabriquer leurs propres états complets.

De telles recherches révèlent que tous les sujets, à l'exception des plus naïfs (ou des plus handicapés) apprécient un tant soit peu la structure de la musique. C'est-à-dire, étant donné un morceau d'une certaine clé, ils peuvent juger quelle sorte de fin sera plus appropriée, laquelle le sera moins. Entendant un morceau d'un certain rythme, ils peuvent le grouper avec d'autres morceaux qui ont un rythme analogue ou bien, une fois encore, compléter le rythme de façon appropriée. Les individus qui ont une formation ou une sensibilité à la musique plutôt modestes sont en mesure d'apprécier les relations internes à une clé — de savoir que la dominante ou la sous-dominante entretiennent une relation privilégiée avec la tonique — et quelle clé est musicalement assez proche d'une autre pour qu'une modulation entre elles soit correcte. De tels individus sont également sensibles aux propriétés du contour musical : ils se rendent compte, par exemple, qu'une phrase développe un contour qui est la réciproque de la phrase prévue. Ils reconnaissent les gammes comme étant une série de tons avec une structure définie, et ils formulent des attentes sur les premiers et les derniers tons, les cadences et autres outils des compositions musicales. À un niveau plus général, il semble que les individus aient des « schémas » ou des « cadres » pour écouter la musique — des attentes sur ce que doit être une phrase ou une section d'un morceau bien structuré — ainsi qu'une aptitude au moins embryonnaire à compléter un segment d'une manière qui fasse sens du point de vue musical.

On peut faire ici une analogie avec le langage. De même que l'on peut distinguer une série de niveaux de langage — depuis le niveau phonologique de base, à travers la sensibilité à l'ordre des mots et à la signification des mots, jusqu'à l'aptitude à apprécier des entités plus larges, comme des histoires — de même, dans le domaine musical, il est possible d'examiner la sensibilité à des sons ou à des phrases individuelles, mais aussi de considérer la manière dont ils se marient à l'intérieur de structures musicales plus importantes, manifestant leurs propres règles d'organisation. Et de même qu'on peut — et qu'on doit — multiplier les niveaux d'analyse pour parvenir à percevoir une œuvre littéraire comme un poème ou un roman, de même la perception d'œuvres musicales exige l'aptitude à procéder à une analyse locale conforme à l'approche « de bas en haut », ainsi que les schématisations « de haut en bas » venues de l'école de la Gestalt. Par conséquent, les chercheurs en matière musicale évitent de tomber de Charybde en Scylla, c'est-à-dire ou bien de se laisser complètement obnubiler par l'étude du détail et de l'ornement, ou bien de porter attention seulement aux formes globales : ils se montrent favorables à des analyses qui prennent en compte chacun de ces niveaux et s'efforcent de les intégrer dans leur analyse finale. Peut-être, à l'avenir, les individus chargés d'évaluer les promesses dans le domaine musical seront-ils en mesure de s'inspirer des découvertes dues à cette approche éclectique des compétences musicales[22].

Le développement de la compétence musicale

En Europe, dans les premières années du siècle, on s'est vivement intéressé au développement des aptitudes artistiques chez les enfants, notamment au développement des compétences musicales. Ma vignette d'ouverture aurait pleinement trouvé sa place à Vienne il y a soixante-quinze ans. Pour des raisons sur lesquelles on peut s'interroger, il est rare que cet intérêt ait atteint l'Amérique. On ne connaît donc pas bien le développement normal des compétences musicales dans notre société et, partant, leur développement dans une autre culture quelle qu'elle soit.

On peut néanmoins proposer au moins un tableau sommaire de l'émergence de ces compétences. Au berceau, les enfants normaux chantent autant qu'ils babillent : ils peuvent émettre des sons individuels, produire des modèles ondulants et même imiter des modèles prosodiques et des sons chantés par d'autres. Leur précision n'est pas fortuite. De fait, Metchild Papousek et Hanus Papousek ont récemment affirmé que les nourrissons de deux mois étaient en mesure de reproduire la hauteur, la sonorité et le contour mélodique des chansons de leur mère et qu'ils pouvaient à quatre mois en reproduire aussi la structure rythmique[23]. Ces autorités prétendent que les nourrissons sont spécialement prédisposés à retenir ces aspects de la musique — bien plus qu'ils ne sont sensibles aux propriétés fondamentales du discours — et qu'ils peuvent aussi se lancer dans l'émission de sons qui révèlent clairement des propriétés créatrices ou génératrices.

Au milieu de la deuxième année de leur vie, la vie musicale des enfants change profondément[24]. Pour la première fois, ils commencent d'eux-mêmes à émettre des séries de tons ponctués qui explorent différents petits intervalles : des secondes, des tierces mineures, des tierces majeures et des quartes. Ils inventent spontanément des chansons difficiles à noter. Peu de temps après, ils commencent à produire de petites sections de chansons familières entendues autour d'eux. Pendant une année environ, on constate une sorte de tension entre les chansons spontanées et la production de ces extraits d'airs familiers. Mais, à l'âge de trois ou quatre ans, les mélodies de la culture dominante l'emportent, et en général la production de chansons spontanées et de sons d'exploration disparaît.

Bien plus que dans le cas du langage, on rencontre des différences individuelles frappantes entre les jeunes enfants qui apprennent à chanter. Certains peuvent reproduire de longs fragments de chanson à l'âge de deux ou trois ans. (En cela, ils font penser à notre enfant autiste.) D'autres, à cet âge, ne peuvent qu'émettre les plus vagues approximations de la hauteur (les rythmes et les mots passent généralement pour être des défis moins difficiles) et peuvent toujours avoir des difficultés à produire des contours mélodiques exacts à l'âge de cinq ou six ans. Pourtant, il semble juste de dire qu'arrivés à l'âge scolaire, la plupart des enfants de notre culture possèdent le schéma de ce que doit être une chanson, et ils peuvent produire un fac-similé relativement exact des airs qu'ils entendent couramment autour d'eux.

À l'exception des enfants qui ont un don musical exceptionnel ou des possibilités rares, le développement musical progresse peu après le début des années d'école. Assurément, le répertoire musical augmente, et certains peuvent chanter des chansons avec une exactitude et une expressivité accrues. On constate aussi un accroissement de leurs connaissances en musique et beaucoup deviennent capables de lire les notes, de faire des observations critiques sur des interprétations ou d'employer des catégories relevant de la critique musicale, comme « forme de sonate » ou « mesure à deux temps ». Mais, attendu qu'on met à l'école énormément l'accent sur la nécessité de faire des progrès en matière linguistique, la musique a en général une place restreinte dans notre culture et on accepte très bien que des individus soient illettrés en matière musicale.

Qui compare les différentes cultures rencontre une bien plus grande variété de trajectoires musicales. À l'un des extrêmes se situent les Anang du Nigeria[25]. Les mères présentent de la musique et de la danse aux nouveau-nés d'à peine une semaine. Les pères fabriquent de petits tambours pour leurs enfants. Quand ils atteignent l'âge de deux ans, les enfants intègrent des groupes où ils apprennent les talents musicaux de base, dont le chant, la danse et la pratique d'instruments. À cinq ans, le jeune Anang peut chanter des centaines de chansons, jouer de plusieurs instruments à percussion et exécuter des douzaines de mouvements de danse compliqués. Chez les Vanda du nord du Transvaal, les jeunes enfants commencent par fournir des réponses motrices à la musique et n'essaient même pas de chanter[26]. Les griots, les musiciens traditionnels de Sénégambie, ont besoin d'un apprentissage de plusieurs années. Dans certaines cultures, on reconnaît d'importantes différences individuelles : par exemple, chez les Ewe du Ghana, les personnes moins talentueuses se couchent sur le sol, et un professeur de musique s'assied sur eux à califourchon et scande les rythmes dans leur corps et dans leur âme. Au contraire, pour les Anang, tous les individus sont habiles et les anthropologues qui ont étudié ce groupe affirment n'avoir jamais rencontré en son sein de membre « non musical ». En Chine, au Japon et en Hongrie, par exemple, on attend des enfants qu'ils deviennent de bons chanteurs et, si possible, sachent jouer d'un instrument.

Jeanne Bamberger, musicienne et psychologue du développement au MIT, a fait avancer notre compréhension des niveaux de compétence musicale[27]. Bamberger a imaginé d'analyser le développement musical selon les directions dessinées par les études de Piaget pour la pensée logique, mais elle a soutenu que la pensée musicale déploie ses propres règles et ses propres contraintes, lesquelles ne peuvent être assimilées à la pensée linguistique ou logico-mathématique. Elle a ainsi mis en évidence des formes de conservation qui valent pour la musique, mais pas pour la conservation physique : par exemple, un jeune enfant confond un son avec la cloche particulière qui l'émet et il ne distingue pas que de nombreuses cloches peuvent produire le même son ni qu'une cloche que l'on heurte conserve ce son. D'un autre côté, le jeune enfant peut aussi reconnaître que deux exécutions d'une même chanson ne sont jamais exactement identiques. Cela montre que le concept de « même » revêt une signification différente en musique de celle qu'il prend dans la sphère mathématique.

Bamberger a attiré l'attention sur deux modes opposés de traitement musical, correspondant approximativement au « savoir-comment » et au « savoir-que ». Dans l'approche *figurale*, l'enfant prête attention avant tout aux traits d'un fragment mélodique dans sa totalité — s'il est plus dur ou plus doux, s'il va plus vite ou plus doucement — et aux traits « ressentis » de groupements — si un ensemble de sons semble relever d'une même appartenance et être un moment séparé de ses voisins. L'approche est intuitive, uniquement fondée sur ce que signifie entendre sans tenir compte d'aucune connaissance théorique sur la musique. À l'opposé, un individu qui a un *mode formel* de pensée peut conceptualiser son expérience musicale d'une manière dictée par des principes. Muni d'une connaissance propositionnelle sur la musique vue comme système, il comprend ce qui se passe, mesure par mesure, et il peut analyser les passages en fonction de leur armature temporelle. Ainsi peut-il apprécier (et noter) un passage en fonction du nombre de battements par mesure et de la présence de modèles rythmiques particuliers qui se dégagent de l'arrière-plan métrique.

Enfin, un individu de notre culture qui désirerait acquérir une compétence musicale devrait maîtriser l'analyse et la représentation musicale formelle. Mais, du moins au début, cela peut avoir son coût. Certains aspects importants de la musique, « naturellement » perçus selon le premier mode de traitement, ou mode « figural », peuvent être, du moins temporairement, obscurcis (« amortis ») si l'individu tente de tout évaluer et de tout classer selon un mode formel d'analyse — de superposer une connaissance propositionnelle à des intuitions figurales.

En effet, le conflit entre les deux modes de traitement, figural et formel, peut même provoquer une crise dans la vie des jeunes musiciens. Selon Bamberger, les enfants que leur communauté considère comme des prodiges avancent très loin dans la perception figurale de la musique. À un certain moment, il devient toutefois important pour eux d'ajouter à leur compréhension intuitive une connaissance plus systématique du savoir et des lois de la musique. La prise de conscience de ce qui a été auparavant supposé (ou ignoré) peut être troublante pour de jeunes gens, en particulier pour ceux qui dépendaient seulement de leur intuition. Ils résisteront peut-être à la caractérisation propositionnelle (linguistique ou mathématique) des événements musicaux. Ce que l'on appelle la crise de la quarantaine a lieu dans la vie des prodiges pendant leur adolescence, quelque part entre l'âge de quatorze et dix-huit ans. Si cette crise n'est pas négociée avec succès, elle peut, en fin de compte, pousser l'enfant à abandonner toute vie musicale.

On peut proposer un modèle de croissance pour le jeune exécutant en musique. Jusqu'à l'âge de huit ou neuf ans, d'une manière qui rappelle Sartre jeune écrivain, l'enfant progresse purement sur la base de son talent et de son énergie : il apprend facilement des morceaux parce qu'il a une oreille musicale sensible et une bonne mémoire ; il se fait applaudir pour son talent technique, sans produire trop d'effort. Une période plus soutenue de construction de son talent commence à environ neuf ans, quand l'enfant doit se mettre à pratiquer sérieusement, et même si cela doit contrarier les exigences de l'école et de ses amitiés. Ce peut être, de fait, l'occasion de la première « crise », l'enfant commençant à se rendre compte que s'il veut continuer sa carrière musicale, il devra renoncer à ses autres valeurs. La seconde crise, plus décisive, intervient au début de son adolescence. Outre le conflit auquel le jeune doit faire face entre les approches figurale et formelle de connaissance musicale, il lui faut encore se demander s'il désire réellement consacrer sa vie à la musique. Avant, il a été (souvent de son plein gré) un instrument entre les mains de ses parents et professeurs ambitieux. Il doit désormais peser s'il veut lui-même poursuivre cette vocation, s'il veut utiliser la musique pour transmettre aux autres ce qui compte le plus dans son existence, s'il a envie de sacrifier ses autres plaisirs et possibilités pour un avenir incertain où la chance et des facteurs étrangers à la musique (comme ses talents interpersonnels) peuvent se révéler décisifs.

Pour parler d'enfants musicalement talentueux, je me suis intéressé à un groupe de tout jeunes enfants qui ont été isolés par leurs familles et leur communauté. On ne sait pas dans quelle mesure on pourrait augmenter significativement leur nombre en changeant de valeurs et de méthodes d'entraînement. Pourtant, ma vignette d'ouverture offre des indications suggestives.

Au Japon, le grand maître Suzuki a montré qu'un grand nombre d'individus peuvent apprendre à jouer d'un instrument de musique extrêmement bien (selon les normes occidentales), même à un âge très précoce [28]. Assurément, la plupart ne deviendront pas concertistes — mais cela ne dérange pas Suzuki, qui a pour but de former le caractère, et non de développer la virtuosité. Il se peut que la population des élèves de Suzuki se soit, dans une certaine mesure, auto-sélectionnée. Pourtant, les performances étonnantes accomplies par un grand nombre d'enfants japonais — et chez les « enfants de style Suzuki » dans d'autres cadres culturels — indiquent que parvenir à cette aisance est un objectif raisonnable pour une plus large proportion de la population que cela n'est généralement le cas aux États-Unis. Les performances chantées dans certains groupes culturels (les Hongrois sous l'influence de la méthode Kodaly, ou les membres de la tribu Anang au Nigeria) et les performances instrumentales d'une tout aussi haute qualité chez les violonistes juifs de Russie ou les joueurs de gamelan à Bali suggèrent que la réussite musicale n'est pas strictement le reflet d'une aptitude innée, mais qu'elle dépend de la stimulation culturelle et de l'entraînement.

D'un autre côté, s'il existe un secteur de la réussite humaine dans lequel il est payant d'avoir un fonds génétique adapté ou riche, la musique serait un bon exemple. On peut le démontrer, d'une part, en considérant combien elle se répand dans certaines familles — comme chez les Bach, les Mozart ou les Haydn. Mais des facteurs non génétiques (comme les systèmes de valeurs ou les opérations d'entraînement) peuvent tout aussi bien être responsables dans de pareils cas. L'exemple des enfants qui, en l'absence d'environnement familial favorable, sont d'eux-mêmes capables de bien chanter, de reconnaître et se rappeler d'innombrables airs, de reproduire des mélodies sur un piano ou un autre instrument est plus probant. Toute stimulation musicale, même la plus faible, devient pour eux une expérience cristallisatrice. De plus, il apparaît qu'une fois exposés à un entraînement formel, ces mêmes enfants acquièrent les talents requis avec une grande rapidité — pour parler comme Vygotsky, ils manifestent une large zone de développement potentiel (ou proximal) [29]. Il semble raisonnable de considérer cette aptitude comme la manifestation d'une forte tendance génétique à entendre, à se rappeler, à maîtriser (et en fin de compte à produire) des séries musicales avec exactitude. Et il semblerait que les deux types d'enfants, l'autiste et le compositeur, déploient un fort potentiel génétique dans le domaine de la musique.

On peut trouver un exemple spectaculaire d'un talent qui s'annonce lui-même au monde dans la saga du célèbre pianiste du XXe siècle Arthur Rubinstein [30]. Rubinstein est né dans une famille où personne, selon ses propres termes, « n'avait le moindre don musical ». Tout jeune enfant en Pologne, il aimait toutes sortes de sons, y compris les sirènes des usines, le chant des vieux colporteurs juifs et celui des vendeurs de glaces. S'il refusait de parler, il avait toujours envie de chanter et faisait par là même sensation chez lui. De fait, ses aptitudes ont bientôt dégénéré en sport, et il s'est mis à reconnaître lui-même les gens par les sons qu'ils émettaient.

Ensuite, quand il a atteint l'âge avancé de trois ans, ses parents ont acheté un piano pour que les aînés des enfants puissent prendre des leçons. Quoiqu'il n'étudiât pas lui-même le piano, Rubinstein rapporte :

> Le salon devint mon paradis [...]. À moitié pour jouer, à moitié le plus sérieusement du monde, j'ai appris à connaître les tons par leur nom et, dos au piano, je nommais les notes de tous les accords, même les plus dissonants. À partir de là, maîtriser les complexités du clavier devint un pur « jeu d'enfant », et je fus bientôt en mesure de jouer d'abord avec une main, puis avec les deux, tous les sons qui attrapaient mon oreille [...]. Tout cela, bien sûr, ne put manquer d'impressionner ma famille — personne chez moi, je dois maintenant l'admettre, y compris mes grands-parents, mes oncles, mes tantes, n'avait le moindre don musical [...]. À l'âge de trois ans et demi, mon obsession était si manifeste que ma famille décida de faire quelque chose de mes talents.

Les Rubinstein ont donc poussé leur jeune prodige à rencontrer Joseph Joachim, le plus célèbre violoniste du XIXe siècle, qui s'exclama que le jeune Arthur pourrait bien devenir un jour un grand musicien, parce que son talent était extraordinaire[31].

Même une profusion de talents ne conduit pas nécessairement à la réussite musicale. Sur dix prodiges musicaux (au talent inné présumé), on trouve plusieurs prodiges ratés, dont certains cessent complètement la musique, tandis que d'autres, qui essaient d'atteindre les sommets, échouent. (Même Rubinstein dut affronter plusieurs crises mettant en cause son talent et son désir de faire de la musique.) La motivation, la personnalité et le caractère sont en général décisifs — quoique la chance joue aussi. Un musicien de notre société doit avoir plus qu'une simple habileté technique. Pour être un exécutant convaincant, on doit être en mesure d'interpréter la musique, de percevoir les intentions du compositeur, de se rendre compte de ses propres interprétations et de les projeter. Comme dit Rudolf Serkin, un des plus grands pianistes contemporains[32] :

> Ivan Galamian [le principal professeur de violon du milieu du XXe siècle] croit qu'il faut prendre les jeunes gens à dix ou douze ans. Ainsi ai-je fait. À cet âge, vous pouvez déjà voir le talent, mais non pas... le caractère ni la personnalité. S'ils ont de la personnalité, ils la développeront et en feront vraiment quelque chose. Sinon, ils joueront au moins bien.

Presque tous les compositeurs commencent par être des exécutants, quoique certains exécutants commencent à composer durant les dix premières années de leur vie (pour composer au niveau d'un artiste de classe mondiale, il semble qu'il faille au moins dix ans avant de s'épanouir — quels que soient les dons de la personne). Peu d'études cherchent à déterminer pourquoi les exécutants ne deviennent compositeurs qu'en faible proportion, quoiqu'on puisse supposer l'existence de facteurs positifs (inclination et talent) ainsi que négatifs (timidité, gaucherie) qui poussent à prendre une décision plutôt qu'une autre. Dans l'étude rapide que j'ai moi-même menée de la question, j'ai découvert un thème commun. Les individus qui sont ensuite devenus des compositeurs (plutôt que des exécutants, ou qui sont les deux en même temps) se retrouvent à l'âge de dix ou onze ans en train de faire des expériences avec des morceaux qu'ils ont exécutés, de les réécrire, de les changer, de les transformer en autre chose que ce qu'ils étaient — en un mot, de les *dé*composer. En effet, cette découverte se produit parfois même plus tôt. Igor Stravinsky évoque des souvenirs où il se voit en train d'essayer de reproduire au piano des intervalles qu'il a entendus « dès que j'ai pu atteindre le piano — je trouvai d'autres intervalles dans le processus que je préférais, qui firent déjà de moi un compositeur[33] ». Pour les futurs compositeurs, comme Stravinsky, le plaisir vient progressivement des transformations qu'ils peuvent effectuer plus que de la simple exécution littérale d'un morceau.

Il est probable que les questions de personnalité jouent ici un rôle crucial. Le plaisir de composer n'a pas les mêmes origines que le plaisir propre à l'exécution — le besoin de créer et de disséquer, de composer et de décomposer naît de motivations autres que le désir d'exécuter ou d'interpréter seulement. Il se peut que les compositeurs ressemblent aux poètes dans leur perception soudaine des idées germinales premières, dans leur besoin de les explorer et de les réaliser et dans leur jumelage d'aspects émotionnels et conceptuels.

J'ai eu tendance à centrer ma discussion sur la civilisation occidentale dans la période suivant la Renaissance. Le culte des exécutants et des compositeurs était beaucoup moins dominant à l'époque médiévale. En effet, de nombreuses cultures ne font pas le départ entre composition et exécution. Les exécutants *sont* à la fois interprètes et compositeurs ; ils imposent constamment de petites transformations aux œuvres qu'ils exécutent, de sorte qu'en fin de compte ils bâtissent une *œuvre*[34] ; mais ils ne se singularisent pas consciemment en tant que « compositeurs ». En effet, certaines études transculturelles montrent combien les attitudes à l'égard de la création musicale sont variées[35] : le sentiment des Basongye, au Congo, qui n'encourage aucune forme de rôle personnel dans la création de musiques nouvelles ; le désir des Indiens des plaines de s'accorder le mérite d'une composition pourvu de l'avoir conçue au cours d'une quête visionnaire ; et les Esquimaux du Groenland jugeant les résultats d'un combat entre hommes en décidant lequel des deux adversaires peut composer les chansons qui défendent le mieux son parti dans la dispute. Nous ignorons tout bonnement si des individus d'autres cultures sentent la même chose que John Lennon au cours de sa première enfance[36] :

> Les gens comme moi sont conscients de leur prétendu génie à l'âge de dix, huit, neuf ans... Je me suis toujours étonné : « Pourquoi nul ne m'a-t-il découvert ? À l'école, ne voyaient-ils pas que j'étais plus malin que n'importe qui dans cette école ? Que les professeurs étaient idiots, aussi ? Qu'ils ne possédaient que des informations dont je n'avais que faire ? » C'était pour moi une évidence. Pourquoi ne m'ont-ils pas mis dans une école d'art ? Pourquoi ne m'ont-ils pas formé ? J'étais différent, j'étais toujours différent, pourquoi nul ne me remarquait-il ?

Aspects évolutionnistes et neurologiques de la musique

Les origines de la musique en termes évolutionnistes sont enveloppées de mystère[37]. De nombreux spécialistes soupçonnent que l'expression et les communications linguistiques et musicales ont des origines communes et se sont en fait détachées l'une de l'autre il y a plusieurs centaines de milliers d'années, voire un million. Nous avons la preuve de l'existence d'instruments de musique datant de l'âge de pierre et des preuves indirectes du rôle de la musique dans l'organisation des groupes de travail, des parties de chasse et des rites religieux. Mais, dans ce domaine, il est trop facile de forger des théories et trop difficile de les discréditer.

Pourtant, pour étudier l'ontogenèse de la musique, nous possédons au moins un atout dont nous ne disposons pas pour les questions concernant le langage. S'il semble que les liens entre le langage humain et d'autres formes de communication animale soient limités et sujets à controverse, on trouve au moins un exemple dans le règne animal dont les similitudes avec la musique humaine sont difficiles à ignorer : je veux parler du chant des oiseaux [38].

Comme je l'ai souligné dans le débat sur les bases biologiques de l'intelligence, de grandes découvertes ont été récemment faites à propos du développement du chant chez les oiseaux. Pour le présent propos, je souhaite insister sur les aspects suivants. Avant tout, on observe un large éventail de modèles développementaux du chant des oiseaux : certaines espèces sont restreintes à un unique chant appris par tous les oiseaux de l'espèce, même ceux qui sont sourds ; d'autres présentent un éventail de chants et de dialectes, en claire liaison avec la stimulation d'environnements spécifiables. Nous trouvons chez ces oiseaux un remarquable mélange de facteurs innés et environnementaux. Et on peut les soumettre à une expérimentation systématique inadmissible dans le cas des capacités humaines.

On constate pour ces différentes trajectoires un développement balisé conduisant au chant final, à commencer par le *sous-chant*, en continuant par le *chant plastique*, jusqu'à la réalisation finale du ou des chant(s) des espèces. Ce processus comporte des similitudes peu banales et peut-être frappantes avec les étapes par lesquelles passent les jeunes enfants quand ils font leurs premiers babillages et explorent ensuite des fragments de chansons de leur environnement. Assurément, le rendu final des chanteurs humains est beaucoup plus grand et varié que le répertoire des oiseaux même le plus impressionnant. Et cette discontinuité entre les deux espèces qui vocalisent mérite d'être retenue. Néanmoins, l'existence d'analogies suggestives dans le développement du chant devrait stimuler le montage d'expériences qui puissent éclairer des aspects plus généraux de la perception et de l'exécution musicales.

Mais il ne fait aucun doute que l'aspect le plus étonnant du chant des oiseaux, du point de vue de l'étude de l'intelligence humaine, est sa représentation dans le système nerveux. Le chant des oiseaux est un des rares exemples de talent régulièrement latéralisé dans le règne animal — en l'occurrence, dans la partie gauche du système nerveux des oiseaux. Une lésion à cet endroit-là détruira le chant des oiseaux, tandis que des lésions comparables dans la moitié droite du cerveau provoquent moins d'effets débilitants. De plus, il est possible d'examiner le cerveau des oiseaux et de trouver des signes clairs de la nature et de la richesse de leurs chants. Même au sein d'une espèce, les oiseaux diffèrent les uns des autres en ce qu'ils ont une « bibliothèque de chants » bien ou mal garnie, et cette information est « lisible » dans leur cerveau. Les réserves de chant se modifient selon les saisons, et on peut bien observer cette transformation en examinant au fil des saisons l'expansion ou le rétrécissement des noyaux qui s'y rapportent. Ainsi, quoique les objectifs du chant des oiseaux soient très différents de ceux du chant humain (« les chants des oiseaux sont une promesse de musique, mais il faut un être humain pour les réaliser[39] »), il se peut que le mécanisme qui régit certaines composantes musicales clés se révèle analogue à celui des êtres humains.

Quoi qu'il en soit, il paraît difficile de déterminer des lignes phylogénétiques directes entre la musique des hommes et celle des oiseaux. Les oiseaux sont suffisamment éloignés des êtres humains pour que l'hypothèse selon laquelle l'activité oro-acoustique est apparue de façon distincte chez les oiseaux et chez les hommes soit plus qu'une simple possibilité. Il est peut-être surprenant que les primates ne manifestent rien de semblable au chant des oiseaux. Mais des membres de nombreuses espèces émettent des sons expressifs et compréhensibles pour leurs congénères. Il semble plus probable que dans le chant humain, nous conjoignions un grand nombre d'aptitudes — dont certaines (par exemple, l'imitation d'objets vocaliques) peuvent exister sous d'autres formes chez d'autres espèces. Il est d'autres aptitudes (par exemple, la sensibilité à la hauteur relative ainsi qu'à la hauteur absolue, ou l'aptitude à apprécier différents types de transformation musicale) qui sont exclusivement réservées à l'homme.

On est fortement tenté de poser des analogies entre la musique humaine et le langage. Même dans un travail destiné à établir l'autonomie de ces domaines, je n'ai pas manqué d'évoquer ces ressemblances afin d'attirer l'attention sur un point. Il est donc important d'envisager les données expérimentales. Les études sur les cerveaux humains, qu'ils soient normaux ou lésés, ont montré sans aucun doute que les processus et les mécanismes au service de la musique et du langage de l'homme sont distincts les uns des autres.

Diana Deutsch, qui a étudié la perception de la musique dans un sens qui relève largement de la démarche « de bas en haut », a résumé une catégorie de preuves en faveur de la dissociation[40]. Elle a montré qu'à l'inverse de ce qu'ont cru de nombreux psychologues de la perception, ce ne sont pas les mêmes mécanismes qui perçoivent et emmagasinent la hauteur et ceux qui traitent d'autres sons, en particulier ceux du langage. Certaines études menées sur les réactions de sujets à qui l'on demande de se rappeler un ensemble de sons et à qui on présente divers matériaux perturbateurs sont convaincantes. Si le matériau qui perturbe est fait d'autres sons que l'ensemble initial, ce dernier est fondamentalement perturbé (40 % d'erreurs dans une étude). Si, au contraire, le matériau interposé est verbal — des listes de nombres, par exemple — les sujets peuvent traiter même de grandes quantités de perturbations sans conséquences importantes sur la mémoire de la hauteur (2 % d'erreurs dans la même étude). Ce qui rend cette découverte particulièrement irrésistible, c'est qu'elle a surpris en premier les sujets. Apparemment, les individus s'attendent à ce que le matériau verbal perturbe le matériau mélodique et sont franchement incrédules de le voir si peu affecté.

Cette spécificité de la perception musicale trouve une confirmation à grande échelle dans des études menées sur des individus dont le cerveau a été endommagé à la suite d'un accident vasculaire cérébral ou d'un autre type de trauma[41]. Assurément, il y a des cas où des individus devenus aphasiques ont aussi vu leur aptitude musicale diminuer. Mais la découverte clé de cette recherche est que l'on peut souffrir d'une aphasie significative sans aucune altération musicale discernable, de même que l'on peut devenir musicalement handicapé, mais conserver toujours ses compétences linguistiques fondamentales.

Les faits sont les suivants : alors que les aptitudes linguistiques sont presque exclusivement latéralisées dans l'hémisphère gauche chez les droitiers normaux, la majorité des aptitudes musicales, dont la sensibilité à la hauteur, est localisée dans l'hémisphère droit chez les personnes les plus normales. Ainsi une lésion des lobes frontaux et temporaux droits entraîne-t-elle des difficultés prononcées pour distinguer les tons et les reproduire correctement, alors que des atteintes dans les aires homologues de l'hémisphère gauche (qui causent des difficultés dévastatrices à la langue maternelle) laissent généralement indemnes les aptitudes musicales. L'appréciation de la musique semble donc être compromise par une maladie de l'hémisphère droit (comme son nom l'indique, l'amusie est un désordre distinct de l'aphasie).

À bien y regarder, les choses sont plus compliquées et plus diversifiées que dans le cas du langage. Tandis que les syndromes du langage semblent uniformes, même d'une culture à l'autre, on peut trouver une grande variété de syndromes musicaux, même au sein de la même population. Par conséquent, tandis que certains compositeurs (comme Maurice Ravel) ont été frappés d'amusie après une attaque d'aphasie, d'autres ont réussi à continuer à composer en dépit d'une aphasie importante. Le compositeur russe Chebaline a pu continuer en dépit d'une grave aphasie de Wernicke, et plusieurs autres, dont ceux que j'ai étudiés avec mes collaborateurs, ont fait de même[42]. Quoique l'aptitude à percevoir et à critiquer les exécutions musicales semble reposer sur les structures de l'hémisphère droit, certains musiciens ont éprouvé des difficultés après que leur lobe temporal gauche eut été atteint.

On a récemment fait une découverte fascinante. La plupart des tests menés sur des personnes normales montrent que les aptitudes musicales sont latéralisées dans l'hémisphère droit. Par exemple, dans les tests d'écoute des deux côtés, il s'avère que les sujets savent mieux traiter les mots et les consonnes présentés à leur oreille droite (hémisphère gauche), mais ils ont plus de succès dans le traitement des sons musicaux (et souvent aussi des autres bruits de l'environnement) quand on les leur a présentés du côté de l'hémisphère droit. Mais on constate un facteur de complication : quand ces tâches, ou de plus lourds défis, sont imposés à des individus qui ont une formation musicale, on voit augmenter les effets de l'hémisphère gauche et diminuer ceux du droit. En particulier, plus l'individu a de formation musicale, et plus il est probable qu'il utilisera au moins partiellement les mécanismes de l'hémisphère gauche pour résoudre une tâche que le débutant attaque essentiellement par l'emploi des mécanismes de son hémisphère droit.

Il ne faut pas surestimer l'idée selon laquelle la compétence musicale traverserait le corps calleux au fur et à mesure que le niveau de formation augmente. D'une part, cela n'a pas été prouvé pour tous les talents musicaux : par exemple, Harold Gordon a démontré que même des musiciens exécutaient l'analyse des accords avec l'hémisphère droit plutôt qu'avec le gauche[43]. D'autre part, *la raison* pour laquelle on observe une augmentation des effets de l'hémisphère gauche en liaison avec la formation n'est pas claire. Tandis que le traitement réel de la musique peut changer de localisation, il est possible que seule l'apposition d'étiquettes verbales sur des fragments de musique cause une dominance *apparente* de l'hémisphère gauche pour ce qui est de l'analyse musicale. Des individus qui ont reçu une formation musicale pourraient être en mesure d'utiliser des classifications linguistiques « formelles » pour s'aider, là où des sujets sans formation doivent se reposer sur leurs capacités de traitement purement figurales.

Je voudrais pourtant insister sur un point, l'étonnante variété des représentations neurales de l'aptitude musicale chez les êtres humains. Elle repose sur au moins deux facteurs. Le premier tient à la variété des genres et des degrés de talent musical qu'on trouve dans la population humaine. Compte tenu des différences individuelles, on peut penser que le système nerveux est conçu pour offrir une pluralité de mécanismes permettant ces performances. Le second facteur, apparenté au premier, c'est que les individus peuvent rencontrer pour la première fois la musique à travers des médiums et des modalités de divers types, et continuer tout de même à la fréquenter d'une façon personnelle. Ainsi, alors qu'un individu normal est exposé à sa langue maternelle essentiellement à travers ce qu'il entend d'autres personnes dire, les humains peuvent rencontrer la musique par de nombreux canaux : en chantant, en manipulant des instruments, en se mettant des instruments dans la bouche, en lisant des partitions de musique, en écoutant des disques, en regardant de la danse, etc. De même que la représentation neurale du langage écrit reflète le type d'écriture utilisée dans telle ou telle culture, il est probable que les différentes manières dont la musique peut être traitée au niveau cortical reflètent la profusion des modes de contact des humains avec la musique.

Si la musique présente apparemment une plus grande variabilité de représentation dans le cerveau, s'ensuit-il que la musique est une compétence intellectuelle autonome ? À mon sens, la diversité de représentation ne compromet pas mon argument. Pourvu que la musique soit localisée à un endroit ou à un autre chez un individu donné, le fait que cette localisation diffère d'un individu à un autre n'est pas pertinent. (Après tout, si l'on inclut les gauchers, la variété de la localisation linguistique se révèle beaucoup plus grande que si on les ignore.) En second lieu, le point vraiment essentiel est de savoir si d'autres aptitudes se produisent de façon prévisible en même temps que la musique, de sorte que la destruction de l'aptitude musicale entraînerait celle des autres. Pour autant que je le sache, aucune des affirmations concernant l'effondrement du sens musical ne montre qu'elle est connectée systématiquement avec d'autres facultés (comme le traitement linguistique, numérique ou spatial) : la musique semble, à cet égard, *sui generis*, exactement comme la langue maternelle.

Enfin, je crois qu'en dernière analyse, il peut exister une grande régularité sous-jacente de la représentation musicale chez les individus. Il est possible que l'équation expliquant cette uniformité soit compliquée, puisqu'il faut prendre en compte les moyens qu'a la personne de rencontrer et d'apprendre la musique au départ, le degré et le genre de formation dont elle jouit, le type de tâches musicales qu'elle est appelée à exécuter. Au vu de cette variété, il serait nécessaire d'examiner un grand nombre d'individus avant de trouver des uniformités authentiques évidentes. Peut-être, si nous commencions par nous doter d'outils d'analyse assez fins pour étudier les différents formes de compétence musicale, pourrions-nous découvrir qu'elle est encore plus latéralisée et localisée que le langage humain. En effet, de récentes études semblent indiquer que les parties antérieures droites du cerveau jouent pour la musique le même rôle central que le lobe temporal gauche en ce qui concerne le langage.

Des talents musicaux exceptionnels

Les modèles d'effondrement unique de l'aptitude musicale semblent démontrer que l'intelligence musicale est autonome. La préservation sélective ou son apparition précoce chez des individus par ailleurs peu remarquables constituent un autre type de preuves. J'ai déjà suggéré qu'une habileté musicale exceptionnelle peut parfois aller de pair avec certaines anomalies comme l'autisme. On connaît de nombreuses descriptions cliniques évoquant les exploits musicaux ou acoustiques étonnants accomplis par de jeunes autistes ou par certains *idiots savants*[44]. Telle une fillette appelée Harriet, qui était en mesure de jouer *Happy birthday* dans le style de différents compositeurs, dont Mozart, Beethoven, Verdi et Schubert. Elle n'avait pas acquis cette familiarité en apprenant par cœur, comme le prouve le fait qu'elle pouvait reconnaître une version que son médecin avait conçue dans le style de Haydn. Harriet exerçait autrement ses passions musicales — par exemple, elle connaissait l'histoire personnelle de chaque membre de l'orchestre symphonique de Boston. Quand elle avait trois ans, sa mère l'appelait en jouant des mélodies incomplètes, que la fillette devait compléter avec le son qui convenait dans le bon octave. D'autres enfants décrits dans la bibliographie ont pu se souvenir de centaines d'airs ou reproduire des mélodies familières sur différents instruments.

L'enfant arriéré ou autiste peut se raccrocher à la musique parce qu'elle représente un îlot préservé dans l'océan de ses altérations, mais on trouve aussi des signes plus positifs d'isolement, quand un enfant par ailleurs normal déploie simplement une aptitude précoce dans la sphère musicale. Beaucoup de légendes circulent sur les jeunes artistes. Un compositeur rappelle[45] : « Je ne parviens pas à comprendre comment quelqu'un peut avoir du mal à reconnaître des tons et à déchiffrer des modèles musicaux. » Igor Stravinsky était apparemment en mesure de se rappeler la première musique qu'il a entendue de sa vie[46] :

> Des militaires avaient leur caserne à côté de chez nous [...]. Cette musique et la musique de l'orchestre entier qui accompagnait la garde à cheval entraient chaque jour dans ma chambre, et le son qu'elle faisait, surtout celui du tuba, de la flûte piccolo et des tambours, fut le plaisir de mon enfance [...]. Les bruits de roues et des chevaux, et les coups de feu et les claquements des fouets des cochers doivent être entrés dans mes tout premiers rêves : ils sont, pour mon enfance, mes premiers souvenirs de rue.

Stravinsky rappelle que, quand il avait deux ans, des fermières du voisinage ont chanté une chanson attirante et tranquille, un soir sur la route entre les champs et leur maison. Quand ses parents lui ont demandé ce qu'il avait entendu, « je leur ai dit que j'avais vu les paysannes et que je les avais entendues chanter, et j'ai chanté ce qu'elles avaient chanté. Tout le monde était stupéfait et impressionné par mon récital, et j'ai entendu mon père remarquer que j'avais une oreille merveilleuse ». Pourtant, comme nous l'avons vu, l'enfant même le plus doué aura besoin d'environ dix ans pour exécuter et composer comme un maître.

D'autres aptitudes sont très prisées dans un contexte culturel différent. Les cultures traditionnelles mettent en général beaucoup moins l'accent sur la performance individuelle ou sur l'innovation par rapport

aux normes culturelles, mais elles ont plus de respect pour les individus qui maîtrisent les genres de leur culture et peuvent en tirer des
variations attirantes. On trouve dans les cultures sans écriture des personnes qui ont une prodigieuse mémoire des mélodies, une mémoire
qui rivalise avec celle dont on fait preuve ailleurs pour les histoires.
(En effet, on assimile souvent les dons musicaux à la mémoire des
paroles.) Forts de leurs schémas de base, ils peuvent combiner des
morceaux d'innombrables manières et en tirer du plaisir en fonction
des circonstances pour lesquelles ils ont été inventés[47].

Les caractéristiques valorisées dans les différentes cultures déter-
mineront aussi les jeunes qui seront choisis pour participer activement
à la vie musicale de la communauté. Ainsi, là où la rythmique, la danse
ou la participation à des groupes de musique sont très cotées, les individus qui ont des dons dans ces domaines seront tenus en particulière
estime. Et il arrive que des facteurs que nous jugerions définitivement
non musicaux, comme une exécution visuellement séduisante, soient
très cotés.

Il arrive aussi qu'on s'adapte à des ressources limitées. Par
exemple, dans *Naven*, Gregory Bateson rapporte l'anecdote suivante[48] :
deux individus avaient chacun une flûte, toutes deux dépourvues de
clé. Il n'était pas possible de jouer l'ensemble d'une mélodie sur un seul
instrument. Ainsi les exécutants ont-ils imaginé d'alterner les hauteurs,
de sorte que tous les sons de la mélodie puissent être émis au bon
moment.

Relations avec les autres compétences intellectuelles

Les différents types de démonstration que j'ai énumérés dans ce
chapitre suggèrent que, comme le langage, la musique est une compétence intellectuelle distincte, qui ne dépend pas non plus des objets
physiques du monde. Comme dans le cas du langage, les facilités musicales peuvent s'élever par simple exploration et exploitation des canaux
oraux-auditifs. De fait, on peut difficilement imputer au hasard le fait
que les deux compétences intellectuelles qui, depuis le début de leur
développement, peuvent procéder sans aucune relation avec les objets
physiques, reposent toutes les deux sur le système oro-acoustique.
Pourtant, il est avéré qu'elles le font de façon neurologiquement
distincte.

Pour conclure, il est important de souligner les liens importants et
structurels qui existent entre la musique et les autres sphères intellectuelles. Richard Wagner donnait à la musique une position centrale
dans son *Gesamtkunstwerk* (« œuvre panartistique »), et ce n'était pas
entièrement de l'arrogance : de fait, la musique entretient différents

rapports avec l'éventail des systèmes symboliques et des compétences intellectuelles de l'homme. De plus, c'est précisément parce qu'elle n'est pas utilisée pour la communication explicite ou pour d'autres objectifs de survie évidents que la position centrale qu'elle occupe continuellement dans l'expérience humaine constitue un casse-tête en forme de défi. Claude Lévi-Strauss n'est pas le seul à affirmer que si nous pouvions expliquer la musique, nous pourrions trouver la clé de toute la pensée humaine — de sorte que notre échec à rendre compte de la musique doit rendre plus modeste toute réflexion sur la condition humaine [49].

De nombreux compositeurs, dont Sessions, ont souligné les liens étroits qui existent entre la musique et le langage corporel ou gestuel. Dans certaines analyses, la musique est elle-même une sorte de geste étendu — un type de mouvement ou de direction effectué, du moins implicitement, par le corps. De même, Stravinsky a souligné que la musique doit être *vue* pour être correctement assimilée [50] : ainsi avait-il un faible pour ce mode d'exécution qu'est le ballet et a-t-il toujours demandé que l'on observe les instrumentistes en train d'exécuter un morceau. Il est sûr que de jeunes enfants apparentent naturellement la musique et le mouvement du corps, et trouvent pratiquement impossible de chanter sans s'engager dans une activité physique pour accompagner leur chant. La plupart des explications de son évolution lient étroitement la musique à une danse primordiale. La plupart des méthodes efficaces pour l'enseigner tentent d'intégrer la voix, la main et le corps. En effet, le fait que l'exécution et l'appréciation de la musique, tout à fait indépendantes du mouvement du corps, sont seulement devenues l'occupation d'une toute petite minorité « bruyante », est sans doute un phénomène récent et propre à la civilisation occidentale.

Il est tout à fait possible que, quoique moins immédiatement évidents, les liens entre la musique et l'intelligence spatiale n'en soient pas moins authentiques. La localisation des capacités musicales dans l'hémisphère droit suggère que certaines aptitudes musicales pouvaient être étroitement liées aux capacités spatiales. En effet, le psychologue Lauren Harris a montré que les compositeurs comptent sur leurs aptitudes spatiales puissantes, indispensables pour poser, apprécier et corriger l'architecture complexe d'une composition [51]. Selon lui, la pénurie de compositeurs femmes pourrait être due non à une difficulté dans le traitement musical *per se* (il en veut pour preuve le nombre relativement important de chanteuses et d'exécutantes), mais plutôt aux modestes performances des femmes en matière de tâches spatiales.

On a récemment mis au jour une analogie possible et intrigante entre les aptitudes musicale et spatiale. Arthur Lintgen, un médecin de Philadelphie, a étonné les spectateurs par son aptitude à reconnaître des morceaux de musique en se contentant d'étudier le modèle des sillons sur un disque[52]. Aucune magie ici. Selon Lintgen, les sillons phonographiques varient en espacement et en contours selon la dynamique et la fréquence de la musique. Par exemple, des sillons contenant des passages doux ont l'air noir ou gris foncé, tandis qu'ils deviennent argentés comme la musique devient plus forte ou plus compliquée. Lintgen exécute son tour de force en mettant en corrélation une large connaissance des propriétés du son en musique classique avec le modèle formel des sillons sur le disque, y compris pour des morceaux dont il n'a auparavant jamais vu l'enregistrement. Selon la démonstration de Lintgen, la musique a des analogies dans d'autres systèmes sensoriels. Peut-être une personne sourde pourrat-elle donc réussir à apprécier au moins certains aspects de la musique en étudiant ces modèles (quoiqu'on puisse supposer qu'elle n'y parviendra pas dans la même mesure qu'une personne aveugle qui peut « sentir » un morceau de sculpture). Et dans les cultures où les aspects non auditifs de la musique contribuent à son effet, des individus qui, pour une raison ou une autre, sont sourds au son peuvent apprécier au moins ces traits.

J'ai déjà souligné la connexion, universellement reconnue, entre l'exécution musicale et la vie sentimentale des personnes. Puisque les sentiments occupent une place centrale dans l'intelligence personnelle, certaines remarques supplémentaires peuvent prendre place ici. La musique peut servir de moyen pour capter des sentiments, pour connaître des sentiments ou des formes de sentiments, en ce qu'elle les communique de l'exécutant ou du créateur à l'auditeur attentif. On n'a pas étudié les mécanismes neurologiques permettant ou facilitant cette association. Pourtant, on peut se demander si la compétence musicale ne dépend pas seulement des mécanismes analytiques corticaux, mais aussi des structures subcorticales considérées comme centrales pour le sentiment et la motivation. Des individus qui ont une lésion au niveau des aires subcorticales ou une déconnexion entre les aires corticales et subcorticales, sont souvent décrits comme plats et dépourvus d'affect. Quoique cela soit peu traité dans la littérature neurologique, j'ai observé qu'il était rare que de tels individus manifestent un intérêt ou une attirance quelconque pour la musique. Il est très instructif qu'un individu qui a une lésion importante de l'hémisphère droit reste en mesure d'enseigner la musique et même d'écrire des livres à son sujet, mais perd l'aptitude et le désir de composer[53]. Selon ses propres introspections, il ne retient plus le sentiment d'un morceau dans son entier, ni le sens de ce qui marchait et ne marchait pas. Un autre musicien, atteint d'une maladie de l'hémisphère droit, a perdu les sentiments esthétiques associés à ses performances. Peut-être ces aspects sentimentaux de la musique se révèlent-ils spécialement fragiles en cas de lésion des structures de l'hémisphère droit, que ce soit dans l'aire corticale ou dans l'aire subcorticale.

J'ai centré une bonne part du débat de ce chapitre autour d'une comparaison implicite entre la musique et le langage [54]. Il a été important pour ma thèse sur l'autonomie des compétences intellectuelles de montrer que l'intelligence musicale possède sa propre trajectoire développementale, de même que sa propre représentation neurologique, pour éviter qu'elle ne soit confondue avec le langage. Toutefois les musicologues et certains musiciens comme Léonard Bernstein se sont efforcés de rechercher des ressemblances entre la musique et le langage [55]. Récemment, on a tenté d'appliquer certaines parties de l'analyse que Noam Chomsky donne de la structure générative du langage aux aspects générateurs de la perception et de la production musicales. Le langage n'est pas entièrement analogue à la musique : par exemple, l'aspect sémantique du langage dans son ensemble est radicalement sous-développé en musique, et la notion de règles strictes de « grammaticalité » est une fois encore étrangère à la musique, où les violations sont souvent prisées. Pourtant, si l'on garde ces avertissements à l'esprit, il semble qu'il y ait des ressemblances peu banales entre les modes d'analyse adaptés à la langue maternelle, d'un côté, et ceux qui le sont pour la musique classique occidentale (1700-1900), de l'autre. Mais nul n'a encore résolu la question de savoir si ces ressemblances ont lieu principalement (voire exclusivement) au niveau de l'analyse formelle, ou si elles se produisent également eu égard aux modes fondamentaux de traitement de l'information présents dans ces deux sphères intellectuelles.

J'ai gardé pour la fin le domaine de la compétence intellectuelle qui, dans le savoir populaire, est le plus étroitement lié à la musique — la sphère mathématique. Depuis les découvertes antiques de Pythagore, les liens entre la musique et les mathématiques ont fasciné les érudits. Au Moyen Âge (et dans de nombreuses cultures non occidentales), l'étude soigneuse de la musique partage de nombreux traits communs avec la pratique des mathématiques, dont l'intérêt porté aux proportions, les rapports privilégiés, les modèles récurrents et autres séries détectables. Jusqu'à l'époque de Palestrina et Roland de Lassus, au XVIᵉ siècle, les aspects mathématiques de la musique sont restés centraux, quoique le débat fût moins ouvert qu'auparavant sur les substrats numériques et mathématiques de la musique. Comme l'intérêt pour l'harmonie gagnait, les aspects mathématiques de la musique devinrent moins apparents. Une fois encore, pourtant, au XXᵉ siècle — d'abord dans le sillage de la musique dodécaphonique et, plus récemment, du fait de l'utilisation largement répandue des ordinateurs — on a multiplié les interrogations sur la relation qui existe entre les compétences musicales et les compétences mathématiques.

De mon point de vue, il existe dans la musique des éléments clairement mathématiques, sinon « franchement matheux » : il ne faut pas les minimiser. Afin d'apprécier le fonctionnement des rythmes dans une œuvre musicale, un individu doit avoir une certaine compétence numérique de base. L'exécution exige une sensibilité à la régularité et à des rapports qui peuvent être parfois très complexes. Mais cela reste de la pensée mathématique relativement basique.

Quand on en vient à apprécier les structures musicales de base et la manière dont on peut les répéter, les transformer, les intégrer les unes aux autres ou bien les faire jouer l'une contre l'autre, on rencontre de la pensée mathématique à un échelon un peu plus élevé. Les ressemblances ont impressionné au moins certains musiciens. Stravinsky s'en explique [56] :

> [La forme musicale] est à un certain degré beaucoup plus proche des mathématiques que de la littérature [...]. Certainement de quelque chose comme la pensée mathématique et les relations mathématiques [...]. La forme musicale est mathématique parce qu'elle est idéale, et que la forme est toujours idéale [...]. Quoiqu'elle puisse être mathématique, le compositeur ne doit pas rechercher la formule mathématique.
> Je sais [...] que ces découvertes sont abstraites [57].

La sensibilité à des modèles et à des régularités mathématiques a caractérisé de nombreux compositeurs qui, de Bach à Schumann, ont donné libre cours à leur intérêt, que ce soit ouvertement ou par jeu. (Mozart a même composé de la musique en fonction d'un coup de dés.)

Le problème n'est pas de découvrir les liens entre certains aspects de la musique et les propriétés des autres systèmes intellectuels. On doit pouvoir établir de telles analogies entre deux intelligences quelles qu'elles soient. Du reste, l'un des grands plaisirs liés à tout domaine intellectuel réside dans l'exploration de ses relations avec les autres sphères de l'intelligence. Comme forme esthétique, la musique se prête particulièrement bien à une étude avec d'autres modes d'intelligence et de symbolisation, en particulier entre les mains (ou entre les oreilles) d'individus hautement créatifs. Pourtant, selon ma propre analyse, les opérations fondamentales de la musique ne comportent pas de connexions intimes avec les opérations fondamentales des autres secteurs. Elle mérite donc d'être considérée comme un domaine intellectuel autonome. De fait, comme nous le verrons de plus près, cette autonomie devrait apparaître clairement dans le chapitre suivant, consacré aux formes de l'intelligence dont la connexion avec la musique a été le plus souvent alléguée — les formes logiques et mathématiques de la pensée.

À mon avis, la tâche dans laquelle les musiciens s'engagent diffère fondamentalement de celle qui préoccupe le mathématicien pur. Le mathématicien s'intéresse aux formes pour elles-mêmes, pour leurs conséquences directes, indépendamment de toute réalisation dans un médium particulier ou de tout objectif particulier de communication. Il peut choisir d'analyser la musique et même avoir des dons pour ce faire. Mais d'un point de vue mathématique, la musique n'est qu'un modèle parmi d'autres. Pour le musicien toutefois, les éléments modélisés doivent apparaître sous forme de sons. Ils sont finalement et solidement mis ensemble d'une certaine manière non en vertu de considérations formelles, mais parce qu'ils ont un pouvoir et des effets expressifs. En dépit de sa première remarque, Stravinsky prétend que « la musique et les mathématiques ne sont pas semblables [58] ». Le mathématicien G. H. Hardy pensait de même lorsqu'il faisait remarquer que la musique peut stimuler les émotions, accélérer le pouls, soigner le cours de l'asthme ou calmer un nouveau-né [59]. Les modèles formels qui sont la *raison d'être* [60] des mathématiciens sont pour les musiciens un ingrédient utile. Ils ne sont pas essentiels pour l'expression, laquelle requiert des aptitudes musicales spécifiques.

CHAPITRE 6

L'intelligence logico-mathématique

> « Le premier homme qui nota l'analogie entre un groupe de sept poissons et un groupe de sept jours fit des progrès notables dans l'histoire de la pensée. Il fut le premier homme à concevoir un concept appartenant à la science des mathématiques pures. »
>
> ALFRED NORTH WHITEHEAD [1]

La pensée logico-mathématique selon Piaget

Piaget aimait raconter une anecdote à propos d'un enfant qui devint avec l'âge un mathématicien accompli [2]. Un jour, le futur mathématicien fut confronté à un ensemble d'objets placés devant lui : il décida de les compter et détermina qu'il y en avait dix. Il posa ensuite son doigt sur chacun, mais dans un ordre différent. Ne voilà-t-il pas qu'il découvrit (c'est ainsi) qu'ils étaient toujours dix ; l'enfant répéta l'opération plusieurs fois, de plus en plus excité, car il venait de comprendre, une fois pour toutes, que le nombre 10 n'était pas un résultat arbitraire de son exercice répétitif, loin s'en faut ! Ce nombre renvoyait à la somme des éléments, la place que chacun occupait dans la série important peu, pourvu qu'il soit pris en compte une fois et une seule. En jouant à nommer son groupe d'objets, le jeune garçon (comme cela doit nous arriver à tous à un moment ou à un autre) est parvenu à se former une idée des nombres.

À la différence des aptitudes linguistiques ou musicales, la compétence que je définis comme l'« intelligence logico-mathématique » n'a pas son origine dans la sphère oro-acoustique. Au contraire, on peut faire remonter cette forme de pensée à une confrontation avec le monde des objets : c'est en se confrontant aux objets, en les ordonnant et en les réordonnant, en évaluant leur quantité, que le jeune enfant, garçon ou fille, acquiert sa connaissance première et la plus fondamentale du royaume logico-mathématique. Au terme de cette première étape, l'intelligence logico-mathématique ne tarde pas à s'éloigner du monde matériel des objets. Selon des stades successifs décrits dans le présent chapitre, l'individu devient de plus en plus capable de comprendre les actions que l'on peut réaliser sur les objets, les relations qui résultent de ces actions, les thèses (ou bien les propositions) que l'on peut élaborer sur des actions réelles ou potentielles et le type de relations qui en résultent. Au fil du développement, on progresse des objets à des thèses, des actions aux relations entre les actions, du domaine sensori-moteur à celui de l'abstraction pure — pour accéder enfin aux sommets de la logique et de la science. C'est une chaîne longue et complexe, mais elle n'est pas nécessairement mystérieuse : on peut découvrir les racines des régions les plus hautes de la pensée logique, mathématique et scientifique dans les actions les plus simples auxquelles les jeunes enfants soumettent les objets physiques de leur monde.

Je me suis inspiré des travaux de nombreux scientifiques pour décrire le début du développement et l'acquisition du langage. Passons à l'ontogenèse et au développement de la pensée logico-mathématique : dans ce domaine, les travaux du psychologue suisse Jean Piaget occupent la première place. Les réflexions suivantes s'appuieront donc sur les recherches que le psychologue du développement a menées hors des sentiers battus[3].

Selon Piaget, toute connaissance (et en particulier la compréhension logico-mathématique qui a été son premier centre d'intérêt) dérive en premier lieu des actions que l'on réalise sur le monde. Ainsi l'étude de la pensée doit-elle (c'est même une nécessité) commencer au berceau. C'est là que l'on surprend le bébé en train d'explorer toutes sortes d'objets (tétines, hochets, mobiles, tasses) et d'avoir des attentes sur la façon dont ces objets se comporteront selon telle ou telle circonstance. Pendant des mois, la connaissance que l'enfant a des objets et de leurs connexions causales simples est entièrement liée à son expérience de l'instant : il suffit donc qu'ils disparaissent de son champ de vision pour qu'ils cessent aussitôt d'occuper sa conscience. Ce n'est qu'à l'âge de dix-huit mois que l'enfant commence à comprendre pleinement que les objets continueront à exister même quand ils auront disparu de son cadre spatio-temporel. L'apparition du sentiment de la *permanence de l'objet* — les objets ont une existence, indépendamment des actions particulières auxquelles on les soumet à un moment donné — est le point crucial, la pierre angulaire du développement mental ultérieur.

Une fois que l'enfant apprécie la permanence des objets, il peut penser à eux ou se référer à eux, même en leur absence. Il devient également capable d'apprécier la similitude entre des objets — par exemple, le fait que toutes les tasses, en dépit de leur différence de taille et de couleur, appartiennent à la même classe. De fait, en l'espace de quelques mois, il devient capable d'effectuer des groupements sur cette base : il sait rassembler tous les camions, toutes les voitures jaunes, tous ses jouets de bébé, quoiqu'il soit encore petit. Il le fait par à-coups, et seulement s'il est d'humeur coopérative.

L'aptitude à regrouper des objets est un signe extérieur que l'enfant accède à la connaissance que certains objets ont en commun des propriétés qu'on peut définir. Cela indique, si l'on veut, qu'il reconnaît une « classe » ou un « ensemble ». Il faudra cependant plusieurs années avant que cette reconnaissance ne revête un aspect quantitatif. L'enfant se rend compte qu'il y a des piles plus ou moins grandes, plus ou moins de pièces de monnaie ou de barres en chocolat, mais il ne le comprend, tout au plus, que de manière approximative. Certes, l'enfant peut maîtriser les *très petites quantités* (deux ou trois objets) qu'il peut identifier par simple examen (comme quelques oiseaux et certains primates). Mais il ne parvient pas encore, ce qui est capital, à comprendre qu'il existe un système numérique régulier, où chaque nombre signifie un de plus (+1) par rapport au précédent et que chaque ensemble d'objets a une quantité et une seule, sans ambiguïté possible[4]. Son incapacité à *conserver le nombre* est confirmée par la fragilité de son « dénombrement » en présence de signaux concurrents. Par exemple, il est probable qu'un enfant qui considère deux rangées de barres en chocolat, l'une occupant plus de place que l'autre, conclut que l'ensemble le plus dispersé contient plus de sucreries, même si c'est en réalité l'autre qui en contient un plus grand nombre, la densité étant supérieure. Exception faite de très faibles quantités, les indices perceptibles, comme la densité ou l'étendue, séduisent l'enfant et excluent une estimation purement quantitative.

À cet âge, l'enfant sait souvent compter, c'est-à-dire réciter par cœur des séries de nombres. Mais jusqu'à quatre ou cinq ans, les performances de sa mémoire — qui sont pour l'essentiel une manifestation de son intelligence linguistique — sont très loin de l'estimation simple qu'il peut faire sur de petits ensembles d'objets et de son aptitude à évaluer le nombre d'éléments contenus dans des rangées plus importantes. Mais un tournant se produit ensuite. L'enfant apprend que la série de nombres peut être inscrite dans des rangées d'objets. S'il prononce un seul nombre après avoir posé le doigt sur un seul objet et qu'il répète cette opération à chaque « numéro » qui se succède dans la série, il peut évaluer avec exactitude le nombre d'objets dans une rangée donnée. L'objet qu'il a touché en premier est le nombre 1, le deuxième le nombre 2, le troisième le nombre 3, et ainsi de suite. L'enfant de quatre ou cinq ans est ainsi parvenu à comprendre que le nombre qu'il a prononcé en dernier représente donc la totalité (ou la quantité cardinale) des objets de l'ensemble.

Enfin, à l'âge de six ou sept ans, l'enfant a atteint le niveau de jeune mathématicien en herbe dont parle Piaget. Confronté à deux ensembles d'objets, il peut compter le nombre d'entités (chocolats ou balles) de chaque ensemble, comparer les totaux et déterminer, s'il y a lieu, lequel des deux en contient le plus. Il ne semble plus devoir se tromper, en confondant par exemple l'extension spatiale et la quantité, ou bien parvenir à un total inexact parce qu'il aurait échoué à coordonner le pointage avec son doigt et l'énumération des nombres. En effet, en même temps qu'il a réussi à imaginer une méthode relativement sûre pour évaluer la quantité, il a acquis une connaissance acceptable de ce que le mot signifie.

Les processus qu'implique la maîtrise de telles équivalences jouent un rôle important dans les théories de Piaget sur l'intelligence. En posant l'égalité de deux groupes sur une base numérique, l'enfant a effectivement créé deux ensembles mentaux ou images mentales — deux groupes. Il est alors à même d'agir sur elles ou de les comparer : il oppose le nombre du premier ensemble à celui du second, même si apparemment les deux ensembles ne sont pas identiques et même si, à cet égard, ils ne sont pas disponibles pour l'inspection.

Une fois qu'il maîtrise le mécanisme de la comparaison, l'enfant peut entreprendre des opérations d'addition. Il peut ajouter le même nombre d'éléments à chaque ensemble. Le résultat de ces deux additions donnera des sommes identiques. Il peut soustraire des quantités égales et confirmer encore l'équivalence. Il peut alors procéder à des opérations plus complexes. Partant de sommes non équivalentes, il peut ajouter à chacune la même quantité, avec l'assurance de préserver leur non-équivalence. Seul (ou avec l'aide de quelqu'un), l'enfant peut en déduire les connaissances nécessaires à toute la gamme des opérations numériques de base : l'addition, la soustraction, la multiplication et la division. Et de même, il *doit* être capable de mobiliser ces opérations pour négocier ses tâches de la vie quotidienne — acheter des produits au magasin, faire du troc avec ses amis, suivre des recettes de cuisine, jouer aux billes, à la balle, aux cartes ou à des jeux vidéo.

Les actions que je viens de décrire peuvent être (et elles le sont généralement au début) accomplies physiquement au sein du monde matériel, c'est-à-dire que l'enfant manipule les sucreries ou les billes comme s'il était engagé dans des opérations numériques. De même, les autres formes élémentaires de l'intelligence logico-mathématique (par exemple, les premières appréciations que l'enfant fait des relations causales et ses efforts initiaux pour classer logiquement les objets) se manifestent d'abord dans l'observation et la manipulation d'objets physiques. En somme, cette analyse montre que toutes les formes logico-mathématiques de l'intelligence ont leur fondement initial dans le maniement d'objets.

Pourtant, l'enfant peut effectuer de telles actions mentalement aussi, dans sa tête. Et de fait, au bout d'un certain temps, les actions sont *intériorisées*. L'enfant n'a plus besoin de toucher vraiment les objets, mais il peut faire simplement « de tête » les comparaisons, additions et suppressions requises et donner tout de même la bonne réponse. (« Si je devais ajouter deux objets à ce tas, j'obtiendrais... », raisonne-t-il en lui-même.) En outre, ces opérations mentales deviennent de plus en plus sûres : l'enfant ne se contente plus de soupçonner qu'il trouvera dix objets, quel que soit l'ordre adopté pour compter — il est maintenant certain que ce sera le cas. La nécessité logique accompagne ces opérations, l'enfant ayant désormais affaire à des vérités nécessaires, et non plus seulement à des découvertes empiriques. Si les déductions, tautologies, syllogismes et autres modes sont vrais, ce n'est pas seulement que leur présence confirme l'état des choses dans le monde, mais c'est que des règles logiques doivent s'appliquer : si deux tas restent pareils, ce n'est pas que le dénombrement révèle leur identité, mais bien plutôt que « tu n'as rien ajouté ni retranché, ils doivent donc rester pareils ». Malgré tout, pour la période dont il s'agit ici (en gros, entre sept et dix ans), ces actions, qu'elles soient physiques ou mentales, restent dans les limites des objets physiques, qui peuvent être manipulés, fût-ce potentiellement. De là le nom d'opérations « concrètes » que Piaget leur donne.

De plus, la puissance cognitive de l'enfant doit absolument s'accroître pour que l'enfant atteigne le stade suivant (le dernier stade, selon Piaget) du développement mental. C'est au cours des premières années de son adolescence, du moins dans les sociétés occidentales étudiées par les piagétiens, qu'un enfant normal devient capable d'effectuer des opérations mentales formelles. Ce n'est plus seulement sur les objets eux-mêmes, plus seulement sur les images mentales ou modèles de ces objets qu'il sait opérer à présent, mais également sur des mots, des symboles ou bien des chaînes de symboles (comme les équations) qui représentent des objets ou des actions sur les objets. Il est à même de poser un ensemble d'hypothèses et de déduire les conséquences de chacune. Alors qu'auparavant ses actions physiques transformaient des objets, ses opérations mentales transforment maintenant des ensembles de symboles. Alors qu'auparavant l'enfant ajoutait des balles à chaque tas et déclarait avec confiance que les deux restaient pareils, maintenant l'enfant ajoute des symboles aux deux côtés d'une équation algébrique, avec l'assurance de préserver l'équivalence. Les capacités à manipuler des symboles touchent « l'essence » des plus hautes branches des mathématiques, là où les symboles représentent des objets, des relations, des fonctions et toutes les autres opérations. Les symboles à manipuler peuvent aussi être des mots, comme c'est le cas pour le raisonnement par syllogismes, la conception d'hypothèses scientifiques et toute autre opération formelle.

Si exécuter des opérations par équations est chose courante pour qui se souvient des cours de mathématiques qu'il a suivis à l'école, il faut bien distinguer l'utilisation du raisonnement logique dans la sphère verbale et l'usage rhétorique du langage que nous avons analysé plus haut. Il se peut évidemment qu'un individu fasse des déductions logiques qui s'accordent avec le sens commun. Néanmoins, les mêmes règles de raisonnement peuvent tout aussi bien s'appliquer à des propositions qui n'ont apparemment aucun rapport. Prenons l'assertion « Si c'est l'hiver, alors je m'appelle Frédéric » et le fait « C'est l'hiver ». On peut en déduire que l'on s'appelle effectivement Frédéric. Mais la procédure ne fonctionne pas en sens inverse : la déduction ne pourrait être valide que si l'on avait posé l'assertion « Si je m'appelle Frédéric, alors c'est l'hiver ». Un tel ensemble de phrases, qui réjouit les logiciens presque autant qu'il met en rage le reste des humains, a le mérite de souligner que les opérations de la logique peuvent (et elles le font routinièrement) être menées à bien pratiquement sans référence aux applications que le sens commun donne au langage ordinaire. En effet, c'est seulement quand les propositions sont traitées comme des éléments — ou des objets — à manipuler (plutôt que des propos chargés de signification sujette à méditer) que l'on peut en tirer des déductions correctes.

Notons qu'en l'occurrence le type d'opérations précédemment effectué avec les objets eux-mêmes a maintenant refait surface en référence aux symboles — nombres ou mots — qui peuvent remplacer les objets ou événements rencontrés dans la vie réelle. Même un enfant de trois ans peut comprendre que si l'on tire sur le levier A, il s'ensuivra l'événement B. Mais il faut attendre plusieurs années avant qu'il n'en déduise une inférence parallèle sur le plan strictement symbolique. Les opérations du niveau « second » ou « supérieur » ne deviennent possibles qu'avec l'adolescence (et seulement si la chance et les cellules du cerveau tiennent le coup, par la suite). Et elles atteignent parfois une telle complexité que même des individus par ailleurs hautement qualifiés ne peuvent suivre toute la chaîne des processus du raisonnement.

Le développement par stades successifs évoqué ici (la description que Piaget propose du passage des actions sensori-motrices aux opérations concrètes, puis formelles) constitue, pour la croissance, la trajectoire la plus pertinente de toute la psychologie du développement. Quoique l'on puisse critiquer de nombreux aspects de cette théorie, c'est encore à son aune que l'on continue à juger toutes les autres conceptions du développement[5]. Je l'ai suivi par rapport à un seul thème — la compréhension des nombres et des opérations numériques. Mais ce serait une grave erreur que de suggérer que le modèle des stades se limite à l'acquisition des nombres. En effet, la situation est inverse : selon Piaget, les stades du développement valent pour *tous* les domaines du développement, y compris les catégories kantiennes du temps, de l'espace et de la causalité auxquelles il s'est tout particulièrement intéressé. Les stades fondamentaux du développement sont, pour Piaget, comme des ondes cognitives géantes, qui diffusent d'elles-mêmes leurs principaux moyens de connaissance dans tous les domaines importants de la cognition. Piaget pense que la pensée logico-mathématique est la colle qui agglomère toute la cognition.

J'ai déjà indiqué dans les chapitres précédents ma principale pomme de discorde avec Piaget. Selon moi, Piaget a donné un portrait brillant du développement en ce qui concerne la pensée logico-mathé-matique, mais il a commis l'erreur d'étendre ce modèle aux autres secteurs, de l'intelligence musicale au domaine interpersonnel. Cet ouvrage est en grande partie un effort en vue d'attirer l'attention sur des facteurs divergents, pertinents pour comprendre l'évolution du développement dans les domaines de l'intellect les plus éloignés. Pour-tant je crois bon de mettre provisoirement un terme à ma querelle avec Piaget : car nous allons aborder le développement, domaine où les travaux de Piaget demeurent suprêmement convaincants.

Notons néanmoins que, même en cette matière, la perspective de Piaget pose certains problèmes. Il est aujourd'hui bien établi que le développement dans le domaine logico-mathématique est moins régu-lier, que ses étapes sont moins bien verrouillées et ses stades moins bien marqués qu'il ne l'aurait souhaité. Les stades se révèlent beaucoup plus progressifs et hétérogènes ; de plus, les enfants montrent des signes d'intelligence opératoire bien plus tôt que Piaget ne le pensait, et même une fois arrivés au sommet de leur pouvoir intellectuel, ils ne parviennent pas à effectuer des opérations de pensée appartenant au stade des opérations formelles. Le tableau que dresse Piaget de la pensée opératoire supérieure concerne surtout les grands courants du développement de la classe moyenne occidentale : il a moins de valeur pour ce qui est des individus provenant de cultures traditionnelles ou ne maîtrisant pas l'écriture, et éclaire assez mal la nature d'une recherche originale ou de travaux scientifiques sortant des sentiers battus.

Je voudrais insister ici sur un point : Piaget a bel et bien posé les vraies questions et est parvenu à avoir des idées décisives sur les principaux facteurs qu'implique le développement logico-mathéma-tique. C'est avec perspicacité qu'il a posé à l'origine de l'intelligence logico-mathématique les actions que l'enfant effectue sur le monde physique ; l'importance décisive de la découverte du nombre, le passage progressif de la manipulation physique des objets aux trans-formations intériorisées des actions ; la portée des relations entre les actions elles-mêmes ; et la nature spécifique des étages supérieurs du développement, quand l'individu commence à travailler avec des pro-positions hypothétiques et à explorer les relations et les implications qui en résultent. À n'en point douter, les domaines du nombre et des mathématiques, celui de la logique et celui de la science ne sont pas coextensifs les uns aux autres : ce chapitre reflétera le point de vue de nombreux scientifiques et examinera les différentes nuances de l'intellect logico-mathématique. Mais il me semble exact qu'ils forment une famille de compétences reliées entre elles : une des plus durables contributions de Piaget est d'avoir suggéré certaines structures intégratives.

D'autres chercheurs dans le secteur des mathématiques, de la logique et de la science ont également reconnu l'existence de liens entre ces domaines de connaissance, et ils ont insisté sur ce point. Le mathématicien Brian Rotman a souligné que « la totalité des mathématiques contemporaines repose sur la notion de dénombrement... sur l'interprétation contenue dans le message 1, 2, 3, qu'elle considère comme admise[6] ». Léonard Euler, le grand mathématicien du XVIIIe siècle, met en évidence l'importance du nombre comme base du développement mathématique[7] :

> Les propriétés des nombres aujourd'hui connues ont été pour la plupart découvertes par l'observation, et bien avant que leur vérité n'ait été confirmée par de strictes démonstrations [...]. Nous devrions utiliser ce genre de découvertes comme autant d'occasions pour étudier le plus exactement possible les propriétés découvertes, pour les affirmer ou pour les infirmer ; dans les deux cas nous pourrions en tirer des enseignements utiles.

Williard Quine, qui est peut-être le logicien le plus important de ce dernier demi-siècle, a souligné que la logique procède par propositions face aux mathématiques qui ont affaire à des entités abstraites, non linguistiques, mais que, dans sa « plus haute extension », la logique conduit aux mathématiques par étapes naturelles[8]. À n'en point douter, les nombres ne constituent qu'une petite part des mathématiques à leur niveau le plus élevé : les mathématiciens s'occupent plus de concepts généraux que de calculs spécifiques et cherchent en fait à formuler des règles applicables au plus large éventail de problèmes possible. Mais, comme Whitehead et Russell ont cherché à le montrer, on peut trouver, sous-jacentes aux propositions mathématiques même les plus complexes, des propriétés logiques simples — les sortes d'intuition que l'enfant commence à manifester au fur et à mesure que sa pensée opératoire se déploie[9].

Comme Russell l'a lui-même observé, la logique et les mathématiques n'ont pas la même histoire, mais elles se sont rapprochées dans les temps modernes. « En conséquence de quoi, il est aujourd'hui totalement impossible de tracer une ligne entre les deux ; de fait, les deux ne font qu'un. Elles diffèrent comme un jeune garçon diffère de l'homme adulte : la logique est la jeunesse des mathématiques, et les mathématiques sont l'âge viril de la logique[10]. »

Quel que soit le point de vue des experts de ces disciplines particulières, il paraît légitime, sous l'angle de la psychologie, de parler d'une famille d'aptitudes emboîtées. Partant d'observations et d'objets du monde matériel, l'individu évolue vers des systèmes formels de plus en plus abstraits, dont les interconnexions deviennent des matières de la logique plutôt que de l'observation empirique. Whitehead l'exprime succinctement : « Tant que l'on a affaire aux mathématiques pures, on est dans le domaine de l'abstraction complète et absolue. » Et de fait, les mathématiciens finissent par travailler au sein d'un monde d'objets et de concepts inventés qui peuvent n'avoir aucun rapport direct avec la réalité quotidienne, l'intérêt premier des logiciens portant sur les types de relations entre les propositions plutôt que sur la relation entre ces propositions et le monde des faits empiriques. C'est avant tout le scientifique qui maintient un rapport direct avec le monde de la pratique [11] :

> Il doit parvenir à imaginer des propositions, des modèles et des théories qui ont, d'une part, une cohérence logique et sont susceptibles d'un traitement mathématique et doivent, d'autre part, comporter aussi des relations justifiables et continues avec les faits relatifs au monde qui ont été découverts (et qui le seront). Néanmoins, il faut nuancer même ces caractéristiques. On conservera souvent une théorie scientifique quoique incompatible avec certains faits empiriques ; et on peut remanier les vérités mathématiques elles-mêmes sur la base de nouvelles découvertes, eu égard aux nouvelles demandes assignées aux caractéristiques des systèmes mathématiques.

Le travail du mathématicien

Alors que les produits confectionnés par des individus doués pour le langage ou la musique sont facilement accessibles à un large public, la situation des mathématiques est diamétralement opposée. En dehors de quelques initiés, la plupart d'entre nous ne peut qu'admirer de loin les idées et les travaux des mathématiciens. Andrew Gleason, un mathématicien contemporain important, utilise une figure de rhétorique révélatrice pour faire le portrait de sa malheureuse condition [12] :

> Il est notoirement difficile de donner à des non-spécialistes un sentiment exact des frontières des mathématiques. La topologie, étude de l'organisation de l'espace, ressemble aux grands temples de certaines religions. C'est-à-dire que les non-initiés ne peuvent voir ces mystères que de l'extérieur.

Michael Polanyi, homme de science et philosophe éminent, a confessé qu'il n'avait pas le bagage intellectuel nécessaire pour maîtriser un grand nombre d'aspects contemporains des mathématiques que les membres de la tribu considéreraient volontiers comme relativement insignifiants (les mathématiciens aiment à le dire). On peut entrevoir les types d'exigence propres à la pensée mathématique en constatant les difficultés qu'il y a à décoder la phrase suivante [13] :

> Nous ne pouvons pas prouver la proposition que l'on a obtenue en substituant à la variable dans sa forme propositionnelle « Nous ne pouvons pas prouver la proposition qui est obtenue en substituant dans la forme propositionnelle le nom de la forme propositionnelle en question » le nom de la forme propositionnelle en question.

Comme Polanyi le suggère, pour comprendre cette phrase, il faut nécessairement composer une chaîne de symboles et mettre en œuvre un ensemble d'opérations sur ces symboles. Pour comprendre certaines chaînes de symboles linguistiques, il est clair qu'il faut plus qu'une simple compétence en matière de syntaxe et de sémantique (quoique, et cela mérite d'être signalé, de telles compétences soient un préalable nécessaire pour « résoudre » une phrase de ce genre).

Dans mon effort pour pénétrer plus avant dans les processus de pensée des mathématiciens, j'ai (comme beaucoup d'autres) trouvé une aide particulièrement utile dans les réflexions d'Henri Poincaré, l'un des principaux mathématiciens du monde au tournant du siècle dernier. Poincaré a soulevé une question embarrassante [14] : pourquoi, si les mathématiques n'impliquent que les règles de la logique, dont on présume qu'elles sont partagées par tous les esprits normaux, certains individus ont-ils des difficultés à les comprendre ? En guise de réponse, il nous demande d'imaginer une longue série de syllogismes, la conclusion de chacun servant de prémisse au suivant. Comme il s'écoule un certain laps de temps entre le moment où nous rencontrons la proposition qui conclut un syllogisme et la minute où nous la retrouvons comme prémisse du syllogisme suivant, il est possible que plusieurs maillons de la chaîne se soient déroulés — ou bien que nous ayons oublié la proposition ou que nous l'ayons modifiée sans nous en apercevoir.

Si l'aptitude à se rappeler et à utiliser une proposition était la condition *sine qua non* de l'intelligence mathématique, alors (suivant le raisonnement de Poincaré) le mathématicien aurait besoin d'une mémoire très sûre ou de prodigieux pouvoirs d'attention. Mais de nombreux individus habiles en mathématiques n'ont ni une mémoire ni une attention remarquablement puissantes, alors qu'un groupe plus important de personnes douées d'une mémoire magistrale ou d'une capacité d'attention intense sont peu douées pour les mathématiques. Si la mémoire du mathématicien ne lui fait pas défaut aux moments cruciaux de son raisonnement, c'est qu'elle est guidée par le raisonnement, selon le témoignage de Poincaré :

> Une démonstration mathématique n'est pas seulement une simple juxtaposition de syllogismes, mais elle se compose de syllogismes placés dans

un certain ordre, et l'ordre dans lequel ces éléments sont placés est bien plus important que les éléments eux-mêmes. Si j'ai un sentiment, une intuition, pour ainsi dire, de cet ordre, de manière à percevoir d'un seul coup d'œil le raisonnement dans son ensemble, je n'ai plus peur d'oublier l'un des éléments : car chacun d'eux prendra la place qui lui est allouée dans la série, et cela sans aucun effort de mémoire de ma part.

Poincaré distingue ensuite deux aptitudes. L'une est la pure mémoire des étapes constituant une chaîne de raisonnement, qui peut très bien suffire pour se rappeler certaines démonstrations. L'autre — et, selon Poincaré, c'est de loin la plus importante — est l'évaluation de la nature des liens entre les propositions. Si ces liens ont été bien évalués, l'identité exacte des étapes dans l'établissement de la démonstration perd beaucoup de son importance, parce qu'elles peuvent être reconstruites, voire réinventées, si nécessaire. Pour observer cette aptitude à l'œuvre, il suffit de considérer notre tentative pour re-créer le raisonnement de Poincaré tel qu'il vient d'être présenté. Pour qui a saisi la portée de l'argument, sa re-création se révèle une affaire relativement simple. Toutefois, celui qui n'a pas saisi le raisonnement est obligé de recourir à sa mémoire verbale littérale, cette dernière n'étant pas destinée à résister aux effets du temps, même si elle peut venir à l'occasion à la rescousse de l'individu.

S'il est vrai que les pouvoirs mentaux centraux de tout champ, quel qu'il soit, sont répandus de façon inégale au sein de la population, il y a peu de champs où les extrêmes soient si grands et où l'importance des dons généreux dont l'individu est initialement doté soit si manifeste. Comme Poincaré le souligne, la capacité à suivre une chaîne de raisonnement n'est pas si insaisissable, mais l'aptitude à faire en mathématiques des travaux nouveaux et importants est rare.

> Tout homme serait à même de faire de nouvelles combinaisons d'entités mathématiques [...]. Créer cela consiste précisément à ne pas faire de combinaisons inutiles, mais à faire celles qui sont utiles et qui ne sont qu'une petite minorité ; l'invention est discernement, choix [...]. Parmi les combinaisons choisies, les plus fécondes seront souvent celles qui sont formées d'éléments tirés de domaines très éloignés.

Selon le mathématicien Alfred Adler, qui a médité de façon révélatrice sur les limites et les réussites de son domaine[15] :

> Personne ou presque n'est capable de faire des mathématiques qui comptent. Il n'existe pas de mathématiciens qui soient bons de façon acceptable. Chaque génération a eu une poignée de grands mathématiciens, et les mathématiques ne s'apercevraient même pas de l'absence des autres. En mathématiques, ceux qui ont un vrai génie sont presque immédiatement découverts, et (à la différence d'autres disciplines) on dépense peu d'énergie en jalousie, en amertume ou en restrictions, parce

que les caractéristiques des êtres bénis en mathématiques sont très évidentes.

Quelles sont les caractéristiques des hommes qui ont des dons mathématiques ? Selon Adler, les pouvoirs des mathématiciens s'étendent rarement au-delà des limites de leur discipline[16]. Il est rare que les mathématiciens aient des talents de financier ou de juriste. Ce qui caractérise un tel individu, c'est son amour du commerce avec l'abstraction, avec « l'exploration, sous la pression de puissantes forces implosives, de problèmes difficiles, l'explorateur étant tenu par la réalité pour responsable de leur valeur et de leur importance ». Le mathématicien doit avoir une attitude de rigueur absolue et de scepticisme perpétuel : il ne doit accepter aucun fait sans l'avoir rigoureusement démontré au cours d'étapes dérivées de principes fondamentaux universellement admis. Les mathématiques permettent une grande liberté spéculative — on peut créer le système que l'on veut. Mais à la fin, toute théorie mathématique doit être une explication pertinente de la réalité physique, que ce soit sans détours ou bien dans un rapport pertinent avec le corpus principal des mathématiques, qui aura à son tour des implications physiques directes. Ce qui soutient et motive le mathématicien, c'est la conviction qu'il peut être en mesure de créer un résultat entièrement nouveau, qui change pour toujours la manière dont les autres envisagent l'ordre mathématique : « Un grand édifice mathématique est un triomphe qui annonce l'immortalité. » En écho à la formule d'Adler, voici le sentiment d'un mathématicien de la dernière génération, G. H. Hardy[17] :

> Il est indéniable qu'un don en mathématiques est l'un des talents les plus spécialisés qui soient et que les mathématiciens sont une classe d'individus qui ne se distinguent pas particulièrement par leurs aptitudes générales ou leur universalité [...]. Si un homme est dans tous les sens du terme un vrai mathématicien, il y a alors cent chances contre une pour que ses travaux en mathématiques soient de loin meilleurs à tout ce qu'il pourrait faire... il serait fou de se prêter à toute occasion honnête d'exercer son unique talent pour faire des travaux banals dans d'autres champs.

Comme le peintre ou le poète, un mathématicien est un auteur de modèles. Mais il est probable que les caractéristiques spécifiques des modèles mathématiques soient permanentes parce qu'ils sont faits d'idées : « Un mathématicien n'a pas de matériaux de travail, de sorte qu'il est probable que ses modèles dureront plus longtemps, les idées s'effaçant moins vite que les mots », comme l'observe Hardy.

Il est très possible que la particularité la plus centrale et la moins facilement remplaçable du don des mathématiciens soit leur habileté à manier de longues chaînes de raisonnements. Imaginons qu'un biologiste se mette à étudier les processus de locomotion de l'amibe et essaie ensuite d'appliquer ses conclusions à tous les degrés du monde animal, pour finir par une théorie de la marche de l'homme, nous le prendrions pour un excentrique. En réalité, comme Andrew Gleason l'a souligné, il est de règle que le mathématicien agisse ainsi [18]. Il applique dans des contextes très compliqués des théories venues de contextes très simples. Et il s'attend généralement à obtenir des résultats valables, non seulement dans leurs grandes lignes, mais aussi dans le détail. Au départ, la poursuite d'une longue ligne de raisonnement peut être intuitive. De nombreux mathématiciens rapportent qu'ils pressentent une solution, ou une orientation, très longtemps avant d'avoir élaboré chaque étape dans le détail. Un mathématicien contemporain, Stanislaw Ulam, s'en explique [19] : « Si l'on veut faire quelque chose d'original, il ne s'agit pas de construire des chaînes de syllogismes. Il arrive qu'on perçoive quelque chose dans le cerveau qui fonctionne comme une instance récapitulant ou totalisant le processus en cours et qui est vraisemblablement constitué de différentes parties dont l'action est simultanée. » Poincaré parle de mathématiciens « guidés par leur intuition, qui font du premier coup des conquêtes rapides, mais parfois précaires, de même que des cavaliers hardis de l'avant-garde [20] ». Mais en fin de compte, si les mathématiques doivent convaincre, il faut les élaborer en détail, sans aucune erreur de définition ni de raisonnement. Cet aspect apollinien est essentiel dans le travail du mathématicien. De fait, il suffit d'une erreur par omission (oublier une étape) ou par excès (poser une hypothèse qui n'est pas nécessaire) pour détruire la valeur d'une contribution mathématique [21].

Chaque génération construisait naguère ses résultats sur ceux de la précédente. Autrefois il était possible pour un individu instruit de suivre assez bien les travaux mathématiques dans leur actualité. Mais depuis au moins un siècle, ce n'est plus possible. (Il est notable que, si les domaines de la culture qui mettent en œuvre différentes intelligences continuent de se développer, peu de domaines, s'il en est, se sont autant enfoncés dans les arcanes que la pensée logico-mathématique.) De fait, en parallèle avec les modèles du développement individuel que j'ai esquissés, les mathématiques deviennent avec les années de plus en plus abstraites.

Alfred Adler décrit cette évolution [22]. La première abstraction est l'idée de nombre elle-même, et l'idée que différentes quantités peuvent se distinguer les unes des autres sur cette base. Toutes les civilisations humaines ont franchi cette étape. Vient ensuite la création de l'*algèbre* : on voit alors les nombres comme un système, et on peut introduire des variables à la place de certains nombres. Les variables, à leur tour, sont seulement des cas spéciaux de la dimension plus généralisée des fonctions mathématiques où une variable a une relation systématique avec une autre variable. Ces fonctions n'ont pas besoin d'être réduites à des valeurs réelles, comme des longueurs ou des largeurs, mais

peuvent donner un sens à d'autres fonctions, à des fonctions de fonctions et même aussi bien à des chaînes de référence encore plus
longues.

En un mot, comme Adler l'indique, l'abstraction et la généralisa-
tion d'abord du concept de nombre, puis du concept de variable et
enfin de celui de fonction permettent d'accéder à un niveau de pensée
extrêmement abstrait et général. Évidemment, à chaque degré vers le
haut dans l'échelle de l'abstraction, certains individus jugeront la progression trop difficile, trop pénible ou bien trop peu gratifiante, et donc
ils « laisseront tomber ». Il faut souligner qu'il existe en mathématiques
une puissante force qui pousse à découvrir des expressions plus
simples et à revenir aux notions fondamentales des nombres. Par
conséquent, il devrait y avoir place dans la discipline mathématique
pour les individus qui ne sont pas particulièrement doués pour suivre
d'un bout à l'autre les longues chaînes de raisonnement ou les échelons
de plus en plus abstraits de l'analyse.

C'est donc apparemment une démarche difficile que de choisir la
vie de mathématicien. Il n'est guère surprenant que les mathématiciens
semblent (aux yeux du profane) avoir été choisis pour leur dextérité
précoce dans les royaumes numériques et pour leur remarquable
passion de l'abstraction. Le monde du mathématicien est un monde à
part, et il faut être un ascète pour en tirer sa subsistance. Il est impératif de concentrer toute son énergie, des heures durant, à des
problèmes apparemment insurmontables. Les contacts occasionnels
avec d'autres individus ne peuvent prétendre à avoir beaucoup d'importance. Le langage n'aide guère le mathématicien : il est seul avec
lui-même, avec son papier et son crayon, avec son propre esprit. Il doit
penser très dur et être donc souvent en proie à de terribles tensions,
sinon à la dépression. Mais les mathématiques peuvent aussi protéger
contre l'anxiété. Stanislaw Ulam le suggère : « Un mathématicien
trouve sa niche et son bonheur de moine dans la poursuite de biens
déconnectés des affaires extérieures. Malheureux partout dans le
monde, les mathématiciens trouvent leur propre satisfaction dans les
mathématiques[23]. »

Si l'isolement est terrible, la concentration exigeante et pénible, la
gratification semble en fait être de premier ordre. Les mathématiciens
qui ont médité sur les sentiments qu'ils éprouvent après la résolution
d'un problème difficile insistent sur l'ivresse qui accompagne l'instant
de la percée décisive. Il arrive parfois que l'intuition y parvienne la
première, et l'on doit faire de réels efforts pour concevoir la solution
dans ses moindres détails. D'autres fois, c'est l'exécution scrupuleuse
des étapes successives qui suggère la solution. Moins souvent, intuition
et discipline réussissent en même temps et de conserve. Mais quoi qu'il
en soit, la résolution d'un problème difficile et important — et ce sont
les seuls problèmes que les mathématiciens jugent dignes de leur

énergie (à moins qu'il ne faille démontrer que tel problème ne peut être résolu, par définition) — donne des frissons très particuliers.

Mais qu'est-ce qui stimule les mathématiciens ? Une des sources évidentes de leur plaisir est de trouver la solution à un problème qui est longtemps passé pour insoluble. Inventer un nouveau champ, découvrir un élément qui fonde les mathématiques ou imaginer des liens entre des champs des mathématiques naguère étrangers constituent sans aucun doute un autre type de gratifications.

De fait, on a défini comme un plaisir propre aux mathématiques l'aptitude non seulement à découvrir une analogie, mais aussi à en imaginer entre plusieurs sortes d'analogies[24]. Et il semble que le commerce avec des éléments qui sont contraires à l'intuition donne encore aux mathématiciens une sorte de satisfaction particulière. Vagabonder dans le royaume des nombres imaginaires, des nombres irrationnels, des paradoxes, des mondes possible et impossible, ayant chacun ses propriétés propres, donne encore d'autres mets délicats. Peut-être n'est-ce pas un hasard si Lewis Carrol, un des inventeurs exceptionnels d'un monde contraire aux faits, était aussi un logicien et un mathématicien de première classe.

La tribu des mathématiciens est assez particulière (et marginale) pour qu'il soit tentant de considérer en bloc tous ses membres. Pourtant, au sein de leur discipline, les individus se classent et s'opposent volontiers. Rapidité et pouvoir d'abstraction sont des critères immédiats de classement, et il est bien possible que ce soit la seule chose qui ait par-dessus tout de l'importance. Il est paradoxal qu'il n'y ait toujours pas de prix Nobel de mathématiques, parce que c'est la seule activité intellectuelle humaine où le consensus sur la distribution du talent est si grand chez ceux qui les pratiquent. Mais les discussions sur la nature du talent mathématique invoquent souvent d'autres dimensions encore. Par exemple, certains mathématiciens sont beaucoup plus enclins à utiliser leur intuition et à la privilégier, d'autres prônant les seules démonstrations systématiques.

De nos jours, les mathématiciens aiment à se pencher sur le cas du plus grand mathématicien de la génération précédente, John von Neumann. Ce genre d'évaluation prend en compte plusieurs critères pertinents, l'aptitude à dimensionner un secteur et à décider s'il comporte des problèmes intéressants, le courage à s'emparer de problèmes difficiles et apparemment insurmontables, l'aptitude à penser extrêmement vite. Dans le débat sur von Neumann, qu'il a bien connu, Ulam s'explique[25] :

> Comme mathématicien, von Neumann était rapide, brillant, efficace, et ses intérêts scientifiques se diversifiaient énormément, au-delà des mathématiques. Il connaissait ses propres aptitudes techniques ; sa virtuosité à tenir des raisonnements compliqués et sa pénétration étaient suprêmes ; mais il manquait totalement de confiance en lui. Peut-être

sentait-il qu'il n'avait ni le pouvoir de deviner intuitivement de nouvelles vérités au degré le plus élevé ni le don d'une perception apparemment irrationnelle pour démontrer ou formuler de nouveaux théorèmes [...]. Peut-être cela venait-il d'un couple de circonstances où il avait été doublé, précédé, ou même surpassé par d'autres.

En d'autres termes, von Neumann était le maître, mais aussi l'esclave, de son propre talent technique. Les souvenirs de Jacob Bronowski, qui a lui-même eu une formation de mathématicien, contiennent d'autres fines considérations sur les pouvoirs de von Neumann[26]. Von Neumann était en train d'essayer d'expliquer une de ses découvertes à Bronowski, qui comprenait mal.

Oh ! non [disait von Neumann], vous ne voyez pas ! La manière dont votre esprit visualise ne sert à rien pour voir cela. Pensez-y abstraitement. Ce qui se passe sur cette photographie d'explosion, c'est que le premier coefficient différentiel disparaît identiquement, et c'est la raison pour laquelle ce qui est visible est la trace du second coefficient différentiel.

L'ingénieur Julien Bigellow se rappelle[27] :

Von Neumann était un fantastique fabricant de théories... Il pouvait mettre par écrit un problème la première fois qu'il en entendait parler et l'exprimer avec une très bonne numération [...]. Il attachait une attention très scrupuleuse à ce qu'il disait, et ce qu'il mettait par écrit était fort exactement ce qu'il pensait.

Selon l'historien des mathématiques Steve Heims, l'aptitude de von Neumann à mettre un problème par écrit avec sa propre numération indique que, sans égard pour le contenu d'un problème, il s'occupait immédiatement de questions de forme. Ainsi manifestait-il une puissance d'intuition refusée à ses collègues, dont l'un a dit : « Plus que quiconque, il pouvait comprendre presque instantanément toutes les implications et il donnait le moyen de démontrer le théorème en question ou de lui substituer ce qui était le vrai théorème[28]. »
Ulam se compare lui-même à d'autres mathématiciens, y compris, semble-t-il, à von Neumann, quand il dit[29] :

Quant à moi, je ne peux prétendre connaître grand-chose au matériau technique des mathématiques. Ce que je peux avoir, c'est le sens de l'essentiel de la question, et peut-être seulement l'essentiel de l'essentiel, dans un certain nombre de champs mathématiques. Il est possible d'avoir le chic pour deviner ou pressentir ce qui s'avérera probablement nouveau ou déjà connu, ou sinon inconnu dans une certaine branche des mathématiques dont on ne connaît pas les détails. Je pense que j'en suis capable à un certain degré et je peux souvent dire si un théorème est connu, c'est-à-dire déjà démontré, ou si c'est une nouvelle conjecture.

Ulam ajoute un aparté intéressant sur la relation qui existe entre ce talent et la faculté musicale.

> Je peux me souvenir d'airs de musique et je suis capable de siffler assez correctement différentes mélodies. Mais quand j'essaie d'inventer ou de composer une nouvelle « rengaine », je trouve plutôt, impuissant, que je ne fais que des combinaisons banales de ce que j'ai entendu. C'est en opposition totale avec les mathématiques où je suis à mon sens toujours en mesure de proposer quelque chose de nouveau, d'une seule touche.

Il semble évident que le talent mathématique exige l'aptitude à découvrir une idée prometteuse et à en déduire ensuite les implications. Ulam peut accomplir cet exploit en mathématiques presque facilement, mais il manque à peu près de toute aptitude dans la sphère musicale. De l'autre côté, Arthur Rubinstein, un de nos guides dans le domaine de la musique, se plaint inversement : pour lui, les mathématiques sont « impossibles [30] ».

Au cœur de la prouesse mathématique, on trouve l'aptitude à reconnaître les problèmes significatifs et à les résoudre ensuite. Mais les mathématiciens sont bien en peine d'expliquer ce qui leur permet d'identifier les problèmes d'avenir. Le contexte de la découverte demeure un mystère, quoique (comme pour la musique) il soit clair que certains individus techniquement doués sont immédiatement enclins à découvrir et à avoir du flair. Mais cette disposition particulière manque à d'autres, quoiqu'ils aient une compétence technique égale (voire supérieure). Quoi qu'il en soit, les méthodes de résolution de problème ont suscité une bibliographie considérable. Les mathématiciens ont conçu différents modèles heuristiques pour aider les individus à résoudre des problèmes, et toute formation informelle en mathématiques implique souvent l'assimilation de ces techniques et leur transmission à la génération suivante. On peut trouver de bons renseignements chez les étudiants qui ont étudié la résolution de problèmes mathématiques, comme George Polya, Herbert Simon et Allen Newell [31]. On suggère aux mathématiciens de généraliser — de passer d'un ensemble d'objets donné dans un problème à un ensemble plus vaste contenant le premier. Inversement, on leur suggère aussi de se spécialiser, d'aller d'un ensemble donné d'objets à un ensemble plus restreint, lui-même contenu dans le premier, de dénicher des analogies, et partant, de découvrir un problème ou une situation qui comporte des similitudes avec le problème considéré.

On cite fréquemment d'autres procédures. Mis en demeure de résoudre un problème trop complexe ou trop difficile à manier, on conseille au mathématicien de déterminer un problème plus simple au sein du premier, plus large, de chercher la solution de cette composante et de repartir de son résultat. On suggère aussi à l'étudiant de proposer une solution possible et de reprendre à l'envers son problème, ou bien de décrire les caractéristiques que la solution devrait avoir et d'essayer alors de les atteindre chacune tour à tour. La preuve indirecte constitue une autre méthode courante : on prend comme prémisse le contraire de ce que l'on essaie de démontrer, et on s'assure des conséquences de cette prémisse. Il existe des modèles heuristiques spécifiques à des secteurs particuliers des mathématiques — élaborés à partir d'eux. Les problèmes les plus intéressants étant difficiles à résoudre, il est clair que le mathématicien qui peut élaborer ces modèles de façon appropriée et perspicace bénéficie d'un avantage décisif. Peut-être l'aptitude à apprendre et à déployer de tels modèles heuristiques — à enrichir les considérations purement logiques avec le sens de ce qu'il faudrait faire — aide-t-elle à définir la « zone de développement proximal » dans la personne de l'individu qui aspire à être mathématicien.

Quoique bien des mathématiciens accordent une grande valeur à leur intuition, ces méthodes explicites de résolution de problème sont leurs ressources privilégiées quand l'inspiration et l'intuition viennent à leur manquer. Mais ces modèles n'appartiennent pas exclusivement au mathématicien. En effet, ils sont tout aussi utiles à des individus mis en demeure de résoudre des problèmes dans d'autres secteurs de la vie : ils servent à raccorder les activités de cet oiseau rare — le mathématicien pur — aux préoccupations des autres. En particulier, ils aident à donner un éclairage aux scientifiques en exercice qui doivent donc poser et résoudre ensuite des problèmes de la façon la plus efficace et la plus effective.

La pratique scientifique

À n'en point douter, science et mathématiques sont étroitement liées. Il n'est pas d'époque historique particulière où l'on puisse séparer le progrès de la science — voire son invention — du statut des mathématiques, et presque toute invention mathématique significative s'est révélée en fin de compte utile pour l'ensemble de la communauté scientifique. Pour ne citer que quelques exemples, les études que les Grecs ont faites des sections coniques au IIe siècle avant J.-C. ont rendu possibles les lois que Johann Kepler a formulées sur le mouvement des planètes, en 1609. Plus récemment, la théorie que David Hilbert a conçue pour les intégrales a été nécessaire à la mécanique quantique, et la géométrie différentielle de Georg Friedrich Riemann a servi de base à la théorie de la relativité. En effet, on peut faire remonter les nets progrès accomplis par la science occidentale depuis le XVIIe siècle à une expansion significative de l'invention du calcul différentiel et intégral. La chimie et la physique s'inquiètent d'expliquer les changements — l'évolution des systèmes physiques — et non pas de décrire des états stables. Il serait probablement très difficile, sans l'aide du calcul différentiel et intégral, de répartir de tels changements, parce que l'on devrait calculer les unes après les autres toutes les minuscules étapes du processus. Mais le calcul différentiel et intégral permet de déterminer les rapports entre le changement d'une quantité et d'autres quantités qui lui sont connectées. Aussi convient-il que Newton, l'un des inventeurs du calcul différentiel et intégral, ait eu l'occasion de calculer le mouvement des planètes [32].

Le scientifique a besoin des mathématiques parce que le corpus des faits bruts est difficile à manier : l'arrangement méthodique des relations abstraites qu'il peut tirer des mathématiques est son principal outil pour faire de l'ordre dans tout ce chaos. Néanmoins, il faut nettement distinguer le noyau du champ de la science (par exemple, la physique) et celui des mathématiques. Tandis que le mathématicien se consacre à l'exploration de systèmes abstraits pour eux-mêmes, la motivation du scientifique réside dans son désir d'expliquer la réalité physique. Pour lui, les mathématiques sont un outil — tout indispensable soit-il — pour construire des modèles et des théories qui puissent décrire et, en fin de compte, expliquer la marche du monde — que ce soit le monde des objets matériels (physique et chimie), celui des êtres vivants (la biologie), des êtres humains (les sciences humaines et les sciences du comportement), ou bien celui de l'esprit humain (la science cognitive).

Dans l'Antiquité, la science était étroitement liée à la philosophie (elle en a tiré ses questions) et aux mathématiques (on en a souvent imaginé les méthodes pour tenter de résoudre des questions particulières). Avec le temps, cependant, l'entreprise scientifique a progressivement gagné son indépendance, tout en perpétuant son mécanisme d'osmose avec la philosophie et les mathématiques. Il faut citer différents facteurs qui ont joué un rôle important dans la montée en puissance de la science et dans sa constitution comme une entreprise à part (et, aujourd'hui, de plus en plus morcelée) : sa dissociation de la politique et de la théologie ; la confiance de plus en plus grande accordée à l'observation empirique, aux mesures et à des expériences décisives censées mettre des modèles ou des théories à l'épreuve les uns des autres ; et l'augmentation du nombre d'exposés scientifiques publics (soumis à publication) où les demandes sont mises par écrit, et les protocoles détaillés, de manière à ce que d'autres individus aient la possibilité de réitérer les études, de les critiquer et de poursuivre vers l'avant leur propre ligne de recherche, dans le sens d'un effort pour renforcer, reformuler ou saper les dogmes scientifiques du temps.

Comme Piaget l'a noté il y a des années, l'évolution de la science présente certaines ressemblances avec le développement chez l'enfant de la pensée logico-mathématique. Cela a de quoi intriguer [33]. Dans les deux cas, il apparaît que la première opération (et la plus fondamentale) consiste simplement à faire l'expérience des objets et à remarquer leurs modèles d'interaction et de comportement. L'habitude qu'a l'enfant de prendre des mesures minutieuses et d'inventer des thèses sur la marche de l'univers qu'il soumet ensuite systématiquement à confirmation n'intervient que relativement tard dans son évolution, et ce moment tardif mérite d'être comparé à l'évolution de la pensée scientifique.

Nous pouvons encore observer une série d'étapes dans l'avènement de la science moderne. D'abord, tout au début du XVIIe siècle, Francis Bacon a souligné combien il est important d'accumuler systématiquement les faits. Pourtant, comme il ignorait les mathématiques et n'a pas réussi à poser des questions fécondes, sa contribution est restée plus programmatique que substantielle. Peu de temps après, Galilée s'est fait le champion de l'introduction des mathématiques dans le travail scientifique. Critiquant le simple enregistrement des couleurs, des goûts, des sons et des odeurs, il a mis en évidence le fait que ces éléments ne pourraient même pas exister s'il n'y avait pas pour chaque sens des organes dont les individus se trouvent être dotés. Cependant, le seul fait que Galilée ait introduit dans l'arsenal scientifique des techniques de mesures structurées n'a pas suffi à le propulser dans l'ère moderne. Ce fut la tâche d'Isaac Newton, penseur incomparable qui, grâce à des procédures explicites, a mis en examen l'ensemble des découvertes physiques : appliquant conjointement les méthodes d'analyse et de synthèse, il a assemblé les différentes pièces en un modèle cohérent. Herbert Butterfield, l'historien des sciences, l'explique : « Seul un jeune homme ayant procédé à une inspection d'ensemble du champ et possédant une grande flexibilité d'esprit pouvait placer les pièces dans le bon modèle, à l'aide de quelques intuitions[34]. » En un sens qui ne peut pas manquer de plaire aux piagétiens, Newton a postulé l'existence d'une charpente temporelle et spatiale, au sein de laquelle les événements physiques se déploient selon un ensemble de lois immuables.

Il est possible que le même individu possède les deux talents, scientifique et mathématique (c'est le cas de Newton), mais les mobiles qui se trouvent derrière les passions de l'homme de science ne ressemblent guère à ceux que nous avons rencontrés dans la vie des mathématiciens. Ce qui a, semble-t-il, animé plus que tout Newton homme de science était son désir de découvrir les secrets, ou le secret de la nature. Newton savait bien qu'il était trop difficile d'expliquer l'ensemble de la nature, mais il était convaincu d'être un explorateur[35] :

> Je ne sais pas pour qui je passe aux yeux du monde ; mais pour moi-même je crois n'avoir été qu'un garçonnet qui joue au bord de la mer : comme il s'amuse, il trouve un galet bien lisse ou une coquille plus jolie qu'à l'ordinaire, tandis que le plus grand océan de la vérité s'étend devant moi, l'inconnu.

Bronowski s'explique sur le plaisir consécutif à la découverte d'un scientifique :

> Quand les figures s'avèrent aussi exactes que cela, vous savez (comme Pythagore le sut) qu'un secret de la Nature est à découvert sur la paume de votre main. C'est une loi universelle qui gouverne le majestueux mécanisme d'horlogerie des cieux, dans lequel le mouvement de la lune est un incident harmonieux. C'est une clef que vous avez mise dans la serrure puis tournée : la nature a produit sous forme de nombres la confirmation de sa structure [36].

Le désir d'expliquer la nature, plutôt que de créer un monde abstrait dans toute sa cohérence, engendre une tension instructive entre les purs scientifiques et les purs mathématiciens. Le mathématicien peut regarder de haut les scientifiques, en jugeant qu'ils sont tournés vers la pratique, l'application, et insuffisamment passionnés par la poursuite des idées pour elles-mêmes. Le scientifique, à son tour, peut juger que le mathématicien n'a pas de contact avec la réalité et tend à poursuivre à jamais des idées, quoiqu'elles ne mènent nulle part (et peut-être même surtout si c'est le cas) et n'aient aucune conséquence pratique. Sans compter cette opposition entre l'idéal et le réel, les talents récompensés par les deux champs semblent également différents. Pour le mathématicien, il est plus important de reconnaître les modèles, où qu'ils puissent exister, et d'être en mesure de mener à bonne fin les implications de son train de pensée où qu'elles puissent conduire. Pour les scientifiques, avoir les pieds robustement plantés sur la terre ferme et marquer un intérêt constant pour l'implication de ses idées dans l'univers physique, voilà des particularités indispensables et utiles qu'ils placent au-dessus des devoirs du mathématicien. Ainsi Einstein, considérant les deux carrières, disait-il : « La vérité en physique ne se fondera bien entendu jamais uniquement sur des considérations mathématiques et logiques [37]. » Et il a évoqué de façon lumineuse comment il a fait le choix de sa carrière.

> Si j'ai négligé les mathématiques dans une certaine mesure, ce n'est pas seulement que je m'intéressais plus à la science qu'aux mathématiques, mais c'est à cause d'une étrange expérience que j'ai faite : je voyais les mathématiques fractionnées en spécialités nombreuses, dont chacune pouvait facilement absorber le court espace de vie qui nous est octroyé. Il faut manifestement l'imputer au fait que mon intuition n'était pas assez forte dans le champ des mathématiques [...]. En [physique], pourtant, j'ai très vite appris à flairer ce qui était à même de me conduire aux principes fondamentaux et de m'écarter de tout le reste, de la foule des choses qui encombrent l'esprit et le détournent de l'essentiel.

Quelle est donc la nature des intuitions qui caractérisent les scientifiques exceptionnels, du calibre d'un Newton ou d'un Einstein ?

D'abord absorbés par leur intérêt pour les objets du monde et leur fonctionnement, ces individus concentrent en fin de compte la recherche qu'ils entreprennent sur un ensemble limité de règles ou de principes qui peuvent leur permettre d'expliquer le comportement des objets. On fait le plus grand progrès quand on relie des éléments disparates et qu'on trouve une poignée de règles simples pour expliquer les interactions observées. Accordant que cette aptitude diffère des pouvoirs de raisonnement par analogie propre au mathématicien pur, Ulam reconnaît qu'il est difficile pour ce dernier de comprendre de quoi il s'agit quand on parle d'intuition du comportement des phénomènes physiques : il suggère, de fait, que peu de mathématiciens partagent réellement cette intuition [38]. Werner Heisenberg, qui a lui-même reçu le prix Nobel de physique à trente-deux ans, évoque les intuitions en physique qu'a eues son mentor, Niels Bohr, et qui dépassaient souvent ce qu'il pouvait démontrer ensuite [39] :

> Bohr doit sûrement savoir qu'il part de propositions contradictoires qui ne peuvent être exactes sous cette forme. Mais il a un instinct infaillible pour employer ces propositions-là et construire à partir d'elles des modèles à peu près convaincants des processus atomiques. Bohr utilise la mécanique classique ou la théorie quantique comme un peintre utilise le pinceau et les couleurs. Les pinceaux ne déterminent pas le tableau, et la couleur n'est jamais la pleine réalité, mais s'il garde le tableau devant les yeux de l'esprit, l'artiste peut utiliser le pinceau pour transmettre aux autres, fût-ce de façon insuffisante, son propre tableau mental. Bohr sait précisément comment les atomes se comportent au cours de l'émission de la lumière, dans les processus chimiques et pour bien d'autres phénomènes, et ce savoir l'a aidé à former un tableau intuitif de la structure des différents atomes : il n'est pas du tout certain que Bohr croie lui-même que des électrons tournent à l'intérieur de l'atome, mais il est persuadé de la justesse de son tableau. Il ne peut pas encore l'exprimer dans des techniques linguistiques ou mathématiques adéquates, mais ce n'est pas désastreux ; au contraire, c'est un grand défi.

Une telle foi dans le pouvoir de leurs propres intuitions, s'agissant de la nature ultime de la réalité physique, revient encore et toujours dans les méditations des physiciens. Dans une conversation avec Einstein, Heisenberg dit un jour [40] :

> Je crois tout comme vous que la simplicité des lois naturelles a un caractère objectif, qu'elle n'est pas seulement le résultat d'une économie de la pensée. Si la nature nous conduit vers des formes mathématiques d'une grande simplicité et d'une grande beauté — par formes, je veux parler de systèmes cohérents d'hypothèses, d'actions, etc. — vers des formes que personne n'a rencontrées auparavant, nous ne pouvons pas nous empêcher de penser qu'elles sont « vraies », qu'elles révèlent une authentique particularité de la nature [...]. Mais le seul fait que nous ne serions

jamais arrivés à ces formes par nous-mêmes, qu'elles nous ont été révélées par la nature, suggère fortement qu'elles doivent être une partie de la réalité elle-même, et non pas seulement ce que nous pensons de la réalité [...]. Je suis fortement attiré par la simplicité et la beauté des arrangements mathématiques sous lesquels la nature se présente à nous. Vous devez l'avoir senti vous aussi : la simplicité presque effrayante, l'intégrité des relations que la nature étend soudain devant nous et à quoi aucun de nous n'était le moins du monde préparé.

C'est le propre des plus grands scientifiques que de poser des questions que personne n'a posées avant eux et d'arriver ensuite à une réponse qui change pour toujours la manière dont les scientifiques (et ultérieurement les profanes) construisent l'univers. Le génie d'Einstein résidait dans le questionnement permanent auquel il soumettait les deux absolus du temps et de l'espace. Adolescent, Einstein réfléchissait déjà à ce que serait notre expérience si nous agissions nous-mêmes du point de vue de la lumière, ou bien, pour parler plus concrètement, si nous chevauchions sur un rayon de lumière. Supposons, demandait-il, que nous regardions une montre, mais que notre vol nous en éloigne à la vitesse de la lumière. Le temps de la montre se figerait alors parce qu'une nouvelle heure ne peut se déplacer assez vite pour nous rattraper ; sur le rayon de lumière, le temps de cette montre resterait toujours le même.

Einstein en vint à penser que, plus on approchait de la vitesse de la lumière, plus l'on s'isolait dans sa propre boîte de temps et d'espace et plus l'on s'écartait des normes environnantes. Il n'y avait plus rien qui ressemblât à un temps universel : en effet, l'expérience du temps serait maintenant différente pour l'homme qui se déplace sur son rayon et pour l'individu qui serait resté chez lui. Pourtant, les expériences de l'individu sur le rayon de lumière *sont* cohérentes entre elles : les relations entre le temps, la distance, la vitesse, la masse et la force que Newton a décrites continuent à être valables pour ce rayon. Et elles continuent à avoir une cohérence pour qui reste dans la région de la montre. C'est seulement que les valeurs actuelles produites pour le temps, la distance, etc. ne sont plus identiques pour les deux individus, celui qui se déplace sur son rayon et celui qui est resté au voisinage de la montre.

Pour suivre cette ligne de pensée, pour en concilier les résultats avec les découvertes du passé (comme l'expérience de Michelson et Morley mettant en doute l'existence de l'éther) et avec des expériences hypothétiques futures, et pour mettre ensuite par écrit les formules mathématiques indispensables à la création de la théorie de la relativité, il a fallu à Einstein des années de travail : mais c'est en partie l'histoire de notre temps. Il faut noter ici que l'originalité scientifique d'Einstein tient à l'audace qu'il a mise à concevoir le problème, à son acharnement à le développer dans toutes ses implications, même si elles rendent perplexes et dérangent, et à la subtilité dont il a fait preuve pour évaluer les rapports entre ce problème et les questions les plus fondamentales de la nature et de la structure de l'univers. Il a fallu beaucoup de courage à Einstein pour suivre de lui-même cette ligne de pensée des années durant, quoiqu'il semblât, ce faisant, narguer la sagesse populaire, et pour croire que la description qui en résulterait pourrait être vraiment plus simple, plus édifiante et plus globale (et partant plus « vraie ») que la synthèse universellement admise que Newton avait effectuée deux siècles avant lui.

Comme le physicien Gerald Holton l'a dit de façon convaincante, un tel programme exige plus que de la facilité technique, de l'acuité mathématique ou des pouvoirs d'observation pénétrants — quoique chacune de ces qualités soit probablement une condition préalable[41]. Les scientifiques sont également guidés par des thèmes sous-jacents de paradigmes — des convictions sur la manière dont l'univers doit fonctionner et des certitudes fondamentales sur le moyen de repérer au mieux ces principes. Dans le cas d'Einstein, la conviction même qu'il existe des lois simples, lesquelles unifieraient les différents phé-nomènes et ne comporteraient aucun élément de hasard ou d'indétermination, est une partie essentielle de son code de recherche ; on dit qu'Einstein faisait la remarque suivante : « Dieu n'aurait pas laissé passer l'occasion de faire la Nature si simple[42]. » Des paradigmes comme ceux-là peuvent être parfois plus essentiels à la discussion que les figures et faits objectifs qui sont, pour les scientifiques, les réserves normales en magasin. Comme Holton l'affirme, « la prise de conscience de paradigmes que l'on suit avec une loyauté obstinée aide bien mieux à expliquer le caractère de la discussion entre adversaires que le contenu scientifique et l'environnement social à eux seuls[43] ».

La discussion des thèmes situés au cœur du système d'un scienti-fique propulse au premier plan un aspect déconcertant, mais central, de la pratique scientifique. Même si le scientifique propose de nos jours une image de lui qui met en vedette sa rigueur, le caractère systé-matique et l'objectivité de sa démarche, il semble, au terme de l'analyse, que la science soit pratiquement une religion, un ensemble de convictions que les scientifiques embrassent avec l'assurance du zélote. Non contents de croire au plus profond d'eux-mêmes en leurs méthodes et en leurs thèmes, beaucoup de scientifiques sont encore persuadés qu'ils ont pour mission d'employer ces outils pour expliquer tout ce qu'il tombera de réalité en leur pouvoir. Cette certitude est peut-être l'une des raisons pour lesquelles les grands scientifiques se passionnent d'ordinaire pour les questions les plus cosmiques : ils sont souvent amenés, et surtout dans les dernières années de leur vie, à faire des déclarations sur des sujets philosophiques, la nature de la réalité ou le sens de la vie. Même Newton, on en a récemment apporté la preuve, s'est adonné tout au long de sa vie à l'étude de différents aspects de la mystique, de la métaphysique et de la cosmologie ; et il a avancé de nombreuses opinions dont le caractère médiéval, sinon bizarre, nous frappe aujourd'hui. Cet intérêt sous-jacent relève plus, me semble-t-il, de ce désir d'expliquer le monde qui apparaît en physique de façon stricte et disciplinée. Le commentateur Frank Manuel développe ce point [44] :

> Les principes religieux fondamentaux que Newton a mis en place, ses commentaires sur les prophéties, sa critique textuelle des passages historiques des Écritures, son système chronologique du monde, ses théories cosmologiques et son interprétation évhémériste de la mythologie païenne, tout cela annonce la même mentalité et le même style de pensée. Comme la Nature est conforme avec elle-même, de même l'esprit de Newton. Au sommet de ses pouvoirs, il avait en lui le désir impératif de trouver un ordre et une intention dans ce qui paraissait être un chaos, de distiller à partir d'une vaste masse chaotique de matériaux un petit nombre de principes fondamentaux qui embrasseraient le tout et définiraient les relations entre ses composantes... Où qu'il se tournât, il était à la recherche d'une structure unifiante.

Nous voyons ici sans doute les centres d'intérêt de Newton diverger de ceux de la plupart des mathématiciens, qui préféreraient tourner le dos à la réalité plutôt que d'essayer d'encadrer tant de complexité et de désordre dans leurs équations et leurs théorèmes. La passion pour une explication simple et unifiante permet également de tracer une ligne entre les sciences physiques et les autres disciplines. Dans les autres sciences, les savants sont certainement conduits à formuler des explications tirées de leur réalité — qu'elle soit biologique, sociale ou cognitive. Mais il est moins probable qu'ils recherchent une explication générale de ce qu'est l'essence de la vie. Et pour ceux qui ont de fortes aptitudes logico-mathématiques — par exemple les joueurs d'échecs — il est peu probable qu'ils consacrent beaucoup d'énergie à rechercher le secret des pouvoirs du monde. Peut-être — mais seulement peut-être — le désir de résoudre les principales énigmes philosophiques de l'existence est-il propre aux jeunes physiciens.

À l'âge de quatre ou cinq ans, Albert Einstein a reçu une boussole magnétique [45]. Il était intimidé par l'aiguille, isolée et inaccessible, mais apparemment entraînée par la force d'une invisible pulsion qui l'attirait vers le nord. L'aiguille lui fit l'effet d'une révélation, car elle mit en doute la conviction enfantine qu'il existe un ordre physique bien ordonné : « Je peux encore me rappeler — ou du moins crois-je que je me le rappelle — que cette expérience a produit sur moi une impression profonde et durable. » Il est risqué de tirer trop de conclusions d'un unique souvenir d'enfance. Et Einstein, qui surveille toujours ses pensées et ses mots, encadre sa propre incertitude dans une phrase révélatrice : « Je crois que je me rappelle. » Il est pourtant instructif de comparer les souvenirs qu'a Einstein d'une expérience clé précoce avec ceux d'autres savants du champ logico-mathématique.

Par exemple, notre guide en mathématiques, Stanislaw Ulam, se remémore[46] qu'encore tout jeune enfant, il était fasciné par les entrelacs de motifs d'un tapis d'Orient. Il avait l'impression que l'image visuelle qui en résultait produisait une « mélodie » avec des relations entre les différentes parties entrant en résonance l'une avec l'autre. Ulam suppose que de tels motifs comportent la régularité et le pouvoir inhérents aux mathématiques auxquels certains jeunes gens sont particulièrement sensibles. Et on peut, dans une large mesure, mettre en rapport une telle sensibilité avec une sorte de mémoire pénétrante qui met l'enfant à même de comparer un modèle précédemment perçu — qu'il soit originairement visuel ou simplement ordonné — avec d'autres « conditionnés » par le passé. En aparté, je mentionnerai qu'en observant des jeunes enfants, mes collaborateurs et moi-même avons identifié un groupe de jeunes spécialement attirés, sinon obsédés, par les modèles répétitifs. Comme nous ignorions alors le souvenir d'Ulam, nous avons surnommé ces enfants les « modélistes » et leur avons opposé un autre groupe d'enfants, dont nous présumions qu'ils avaient une orientation plus linguistique et que nous avons nommés les « dramaturges »[47]. Bien sûr, nous ne savons toujours pas si les enfants que nous avons qualifiés de « modélistes » dans leurs jeunes années ont plus « de risque » de devenir des mathématiciens.

A-t-on d'autres exemples de l'attirance infantile pour les questions d'ordre logico-mathématique ? Jeune garçon, Pascal était avide de s'instruire en mathématiques, mais il en a été empêché par son père qui, de fait, lui interdisait même d'en parler[48].

> Cependant Pascal commença à en rêver et [...] il avait l'habitude de faire des marques au fusain sur le mur de sa chambre de jeux, cherchant le moyen de tracer un cercle parfaitement rond et un triangle dont les côtés et les angles seraient tous égaux. Il découvrit ces figures par lui-même et commença alors à rechercher leurs relations. Comme il ne connaissait aucun terme mathématique, il forgea les siens propres [...]. Il constitua des axiomes à partir de ces noms et développa finalement des démonstrations parfaites [...]. Pour parvenir finalement à la trente-deuxième proposition d'Euclide.

Bertrand Russell se rappelle[49] :

> Avec mon frère pour percepteur, j'ai commencé Euclide à l'âge de onze ans. Ce fut un des grands événements de ma vie, aussi aveuglant qu'un premier amour. Je n'aurais pas imaginé qu'il existât au monde quelque chose d'aussi délicieux [...]. À partir de ce moment jusqu'à mes trente-huit ans, ce fut mon principal intérêt et ma principale source de bonheur [...] [les mathématiques] ne sont pas humaines et n'ont rien de spécial à faire avec cette planète ou avec l'univers accidentel dans son ensemble

— parce que, comme le Dieu de Spinoza, elles ne nous aimeront pas en retour.

Ulam donne une interprétation possible de la manière dont de telles passions évoluent[50]. D'abord, le jeune enfant a avec les nombres des expériences heureuses. Il poursuit alors ses expérimentations et construit ses réserves (et sa mémoire) d'expériences dans les domaines numérique et symbolique. Enfin, l'enfant dépasse son mode personnel d'exploration (fût-il parfois universellement partagé) — sa curiosité mathématique naturelle — pour faire connaissance avec les problèmes qui ont été par le passé des défis pour les mathématiciens. S'il veut avancer davantage, il doit alors passer des heures chaque jour à réfléchir à ces sujets. Le fait nu est qu'en mathématiques plus que dans tout autre domaine intellectuel, c'est entre trente et quarante ans que se situent les années décisives. Emmagasiner et manipuler, pendant un laps de temps limité, à l'intérieur de son propre esprit toutes les variables nécessaires pour faire des progrès dans les problèmes mathématiques importants est une aptitude qui, pour une raison sans doute neurologique, se révèle spécialement vulnérable au vieillissement, même pour un jeune homme de trente ou quarante ans. C'est une tâche difficile et souvent cause de tourment.

Encore un autre souvenir d'enfance, celui du philosophe et logicien contemporain Saul Kripke, qui a la réputation d'être le plus brillant de sa génération[51]. À trois ans, le jeune Saul alla voir sa mère dans la cuisine et lui demanda si Dieu était vraiment partout. Recevant une réponse affirmative, il lui demanda alors s'il avait chassé de la cuisine une partie de Dieu en y entrant et en occupant une partie de l'espace. Comme il sied à un prodige mathématique, Kripke fit de rapides progrès par lui-même et atteignit le niveau d'algèbre de la classe de troisième. Par exemple, il découvrit qu'en multipliant la somme de deux nombres par leur différence, il obtenait la même réponse que s'il soustrayait le carré du plus petit nombre au carré du plus grand. Une fois assuré que ce modèle s'appliquait à tout ensemble de nombres, il arriva au cœur de l'algèbre. Kripke indiqua un jour à sa mère qu'il aurait lui-même inventé l'algèbre s'il ne l'avait pas déjà été, parce qu'il y pénétrait naturellement. Il se peut que l'aptitude à imaginer des domaines d'études soit un point commun à tous les jeunes prodiges en mathématiques. Le grand Descartes dit : « Jeune homme, quand j'entendais parler d'inventions de génie, j'essayais de les inventer par moi-même, sans même lire les écrits de leur auteur[52]. »

De tels récits biographiques confirment que le talent dans la sphère logico-mathématique s'annonce très tôt. Au départ, l'individu peut avancer rapidement par lui-même, presque en dehors de l'expérience. Peut-être des individus dotés de ce talent général peuvent-ils, par une chance de l'histoire, se diriger par hasard vers les mathématiques, la logique ou la physique. Mais je suppose qu'une étude

minutieuse pourrait mettre en évidence différentes expériences précoces « révélatrices » chez les individus : il se peut que les physiciens
soient tout particulièrement intrigués par les objets physiques et leur
fonctionnement ; que le mathématicien soit plongé dans les modèles
per se ; le philosophe sera intrigué par les paradoxes, les questions sur
la réalité ultime et les relations entre les propositions. Mais cette affinité est-elle en soi accidentelle, ou chaque individu gravite-t-il vers les
objets ou les éléments pour lesquels il a de l'inclination ? Voilà une
devinette qu'il vaut mieux laisser à quelqu'un qui aurait des dispositions logico-mathématiques plus incontestables.

Quelle que soit la précocité du jeune logicien-mathématicien, il est
déterminant qu'il fasse de rapides progrès dans son domaine. Comme
nous l'avons vu, en termes de productivité, les meilleures années dans
ces champs se situent avant l'âge de quarante ans, peut-être même
avant l'âge de trente. S'il est possible de poursuivre un travail solide
après cet âge, cela semble relativement rare. G. H. Hardy dit : « J'écris
sur les mathématiques parce que, comme tout autre mathématicien
qui a dépassé les soixante ans, je n'ai plus la fraîcheur d'esprit, l'énergie
ou bien la patience pour assurer efficacement mon propre travail[53]. »
I. I. Rabi, prix Nobel de physique, constate que de jeunes personnes
labourent ce champ parce qu'elles ont une grande énergie physique.
Interrogé sur l'âge auquel les physiciens commencent à décliner, il dit :

> Cela dépend beaucoup de l'individu [...]. J'ai vu des gens décliner à
> trente, à quarante, à cinquante ans. Je pense que ce doit être fondamen-
> talement neurologique ou physiologique. L'esprit cesse de fonctionner
> avec la même richesse et la même association d'idées. La recherche d'in-
> formations part en même temps que les interconnexions. Je sais que
> quand j'avais autour de vingt ans le monde n'était qu'une chandelle
> romaine — des fusées tout le temps [...]. On perd ce genre de chose au
> fur et à mesure que le temps avance [...]. La physique est un autre
> monde, elle exige le goût de ce qui ne se voit pas, voire de ce qui ne
> s'entend pas — un haut degré d'abstraction... Ces facultés meurent d'une
> façon ou d'une autre quand on grandit [...]. C'est quand les enfants sont
> jeunes que leur curiosité est profonde. Je pense que les physiciens sont
> les Peter Pan de la race humaine [...]. Une fois que l'on est blasé, on en
> sait trop — vraiment trop. [Wolfgang] Pauli me dit un jour « Je sais
> beaucoup de choses. J'en sais trop. Je suis un ancien des quanta[54]. »

Il se peut qu'en mathématiques la situation soit plus terrible
encore. Alfred Adler dit que l'essentiel du travail de la plupart des
mathématiciens est achevé à l'âge de vingt-cinq ou trente ans[55]. Si l'on
a peu produit à ce moment, il est probable que l'on produira tout aussi
peu dans le futur. La productivité diminue à chaque décennie, et ce
que le professeur a du mal à assimiler, les étudiants l'apprennent facilement, parfois même sans effort. Cela conduit à une sorte de chômage
technologique poignant, au cours duquel même les plus grands mathé-

maticiens, comme les jeunes nageurs et les jeunes coureurs, sont condamnés à passer la plus grande partie de leur vie consciente alourdis par la connaissance d'avoir passé le meilleur. Cette situation contraste de façon tranchée avec ce qui se passe dans de nombreux secteurs plus littéraires du savoir, où les chercheurs produisent normalement leurs travaux majeurs passé cinquante, soixante ou même soixante-dix ans [56].

Le talent mathématique pris isolément

Comme nous l'avons vu, l'aptitude à calculer rapidement est, pour les mathématiciens, au mieux un avantage accidentel. Il est sûr que l'essentiel de leur talent est ailleurs et doit consister en une diversité plus générale et plus abstraite. Il existe pourtant des individus qui sont très doués pour calculer bien. Une part de l'aptitude logico-mathématique s'incarne en eux sous une forme relativement autonome.

Les exemples de ce profil sont probablement les *idiots savants* qui manifestent depuis leur plus tendre enfance une aptitude à calculer très rapidement et très exactement, alors qu'ils ont des aptitudes modestes, voire du retard, dans la plupart des autres secteurs. Le calculateur humain a appris un ensemble de trucs : il peut additionner de tête de très grands nombres, confier à sa mémoire de longues séries de nombres, parfois dire quel jour de la semaine correspond à telle date choisie au hasard au cours des trois derniers siècles. Il faut insister sur le fait typique que ces individus ne se préoccupent pas de découvrir de nouveaux problèmes, ni d'en résoudre de vieux et vénérables, ni même d'observer comment d'autres gens les ont résolus. Les *idiots savants* ne cherchent pas à découvrir dans les mathématiques une aide pour les autres secteurs de la vie quotidienne ni une façon de résoudre des énigmes scientifiques. Au contraire, ils maîtrisent une série de manœuvres qui les rendent exceptionnels — comme des monstres de foire. Il y a des exceptions — le mathématicien Karl Friedrich Gauss et l'astronome Truman Safford étaient des calculateurs exceptionnels [57]. Mais ce talent est généralement plus saillant chez des personnes qui n'ont, par ailleurs, rien de remarquable.

Dans la plupart des cas, l'*idiot savant* semble avoir une authentique aptitude à calculer, qui le singularise dès son plus jeune âge. Par exemple, un enfant placé en institution, qui s'appelait Obadiah, a appris tout seul à l'âge de six ans à additionner, soustraire, multiplier et diviser. On a surpris George, un calculateur de calendrier, plongé dans le calendrier perpétuel d'un almanach à l'âge de six ans et, presque dès le début, il a fait preuve en la matière de sa capacité à faire des calculs exacts [58]. L., un enfant de onze ans étudié par le neurologue Kurt Goldstein, était capable de se souvenir de séries pratiquement infinies, comme les tableaux horaires de chemins de fer et les colonnes financières des journaux[59]. Dès son plus jeune âge, cet enfant était ravi de compter des objets et il montrait un intérêt remarquable pour tous les aspects des nombres et des sons musicaux. Dans d'autres cas, cependant, on ne note pas au début de grande adresse ni de grandes promesses, mais il semble plutôt qu'un individu relativement plus adroit dans le calcul que dans d'autres activités, mais par ailleurs peu gâté par la fortune, investisse énormément d'énergie pour être supérieur aux autres. Mettons que cette conjecture soit valable, il serait possible de prendre en charge des individus pourvus de défaillances par ailleurs paralysantes et de les pousser à développer leurs facilités en mathématiques. À mon sens, cette précocité prodigieuse en arithmétique ou en calcul chronologique se fonde sur un manque relatif ou une prolifération de certaines aires cérébrales ; comme l'hyperlexie, elle correspond à un processus automatique, impossible à stopper, plutôt qu'elle ne provient d'une assiduité excessive dans un domaine d'expertise potentiel fortuitement choisi.

Si certains individus semblent bénéficier d'au moins une composante clé de la disposition logico-mathématique, ceux qui ont par ailleurs des aptitudes normales sont plus faibles dans le domaine des nombres. Il se peut que certains d'entre eux aient des troubles numériques sélectifs, apparentés aux troubles dont témoignent de nombreux enfants eu égard au langage écrit (dyslexie) et aussi d'autres enfants, bien moins nombreux, eu égard au langage parlé (dysphasie).

La manifestation la plus surprenante de ce handicap se trouve chez les individus pour lesquels on pose un diagnostic de syndrome de Gerstmann développemental, ainsi nommé d'après un syndrome de l'adulte du même nom[60]. Les jeunes gens atteints de cette affection ont une gêne isolée à apprendre l'arithmétique, associée à des difficultés à reconnaître et identifier leurs doigts, et à distinguer leur droite de leur gauche. Bien que ces enfants puissent avoir des difficultés sélectives pour écrire ou épeler, leur langage est normal. Nous savons ainsi qu'ils n'ont pas de retard intellectuel. Les neurologues ont supposé que ces individus ont un déficit dans les régions du cerveau impliquées dans la reconnaissance des séries et schémas ordonnés dans la sphère visuelle — le cortex associatif, situé à la partie postérieure de l'hémisphère dominant. Selon l'analyse actuellement reconnue, une telle difficulté sélective avec l'ordre (en particulier visuo-spatial) peut d'un seul coup susciter des difficultés dans la reconnaissance des doigts, l'orientation droite gauche et le calcul numérique. Le fait que la plupart des enfants commencent à calculer en utilisant leurs doigts confère une saveur particulièrement surprenante à ce syndrome exotique.

On peut trouver d'autres enfants qui éprouvent des difficultés sélectives dans la pensée logico-mathématique. Dans tous les cas où le problème n'est pas simplement (ou de manière complexe) de l'ordre de la motivation, la difficulté peut consister à comprendre les principes de la causalité ou les chaînes de l'implication logique, qui sont vitales en mathématiques, une fois dépassé le stade du simple dénombrement et du calcul élémentaire. Ainsi l'éducateur John Holt s'est-il demandé sur un ton un peu plaintif[61] : « Qu'est-ce que cela doit être, d'avoir une si mince idée sur la façon dont fonctionne le monde, un si mince sentiment de la régularité, de l'ordonnancement, du caractère sensible des choses ? » Abandonnés à l'extrémité opposée du continuum des futurs physiciens, de tels enfants ne se contentent pas de n'avoir pas le désir de découvrir les secrets de l'ordonnancement du monde : ils ne peuvent même pas détecter un ordre tel qu'il doit manifestement exister (pour les autres).

Par comparaison avec le langage, et même avec la musique, nous savons peu de choses sur les antécédents évolutionnistes de l'aptitude numérique et nous avons des connaissances tout aussi minimales sur son organisation cérébrale chez un adulte normal d'aujourd'hui. On peut observer chez d'autres animaux des précurseurs de l'aptitude numérique : citons l'aptitude des oiseaux à reconnaître de façon fiable des ensembles comprenant jusqu'à six ou sept objets ; l'aptitude instinctive des abeilles à calculer les distances et les directions en observant la danse de leurs congénères ; la capacité des primates à maîtriser de petits nombres et aussi à faire des estimations de probabilités faciles[62]. Les calendriers et autres systèmes de notation nous renvoient au moins trente mille ans en arrière, bien avant l'existence d'un langage écrit : les hommes de la fin de l'âge de pierre disposaient sans doute de ce moyen pour mettre de l'ordre dans leur vie. Nos ancêtres doivent avoir possédé la notion essentielle du nombre, celle d'une série infinie où l'on peut sans cesse ajouter un élément pour former une unité plus grande. Ainsi n'étaient-ils pas limités à de petits ensembles de nombres accessibles à la perception, qui semblent constituer la limite des organismes infra-humains.

Pour l'organisation cérébrale des aptitudes numériques, il est clair qu'il existe des individus qui perdent leur aptitude à calculer tout en restant actifs sur le plan linguistique, de même qu'un ensemble encore plus grand d'individus qui, quoique atteints d'aphasie, peuvent tout de même faire de la monnaie, jouer à des jeux exigeant le calcul et s'occuper de leurs affaires financières. Comme c'était le cas du langage et de la musique, il semble que langage et calcul soient tout à fait séparés, même au niveau le plus élémentaire. Qui plus est, comme les preuves s'accumulent, nous trouvons (des ombres de la musique une fois encore !) que d'importants aspects de l'aptitude numérique sont normalement représentés dans l'hémisphère droit[63]. La plupart des observateurs s'accordent sur le fait qu'il peut exister des aptitudes arithmétiques séparées : comprendre les symboles numériques ; saisir la signification des signes qui se rapportent à des opérations numériques, comprendre les quantités représentées et les opérations elles-mêmes (indépendamment des symboles qui les désignent). L'aptitude à lire et à produire les signes mathématiques se situe plus souvent dans l'hémisphère gauche, alors que la compréhension des relations numériques et des concepts semble impliquer l'hémisphère droit. Les difficultés élémentaires du langage peuvent gêner la compréhension des termes numériques, comme un déficit d'orientation spatiale peut rendre incapable d'utiliser un papier et un crayon pour réaliser des sommes ou des démonstrations géométriques. Des déficits de programmation secondaires à des lésions du lobe frontal empêchent de se débrouiller dans des problèmes qui comportent plusieurs étapes.

Malgré cette variété, on s'accorde pour dire qu'une zone du cerveau — le lobe pariétal gauche et les aires d'association temporales et occipitales qui lui sont contiguës — pourrait avoir une importance particulière dans les domaines de la logique et des mathématiques[64]. C'est des lésions de cette partie du gyrus angulaire que vient la version adulte du syndrome de Gerstmann — une affection où le calcul, le dessin, la distinction droite gauche et la reconnaissance des doigts sont supposés s'effondrer avec un respect relatif des autres facultés. Luria ajoute que des lésions de cette région peuvent aussi diminuer l'aptitude à s'orienter dans l'espace et à comprendre certaines structures grammaticales comme des phrases prépositionnelles et des constructions passives[65].

Il reste cependant à prouver que cette région du cerveau joue le rôle crucial dans la pensée logico-mathématique. Les régions pariétales peuvent être importantes chez la plupart des individus, mais on peut aussi démontrer que, chez d'autres individus ou pour d'autres opérations, des structures des lobes frontaux, ou d'autres régions de l'hémisphère droit, peuvent compromettre des fonctions clés logico-mathématiques.

J'aimerais donner une idée différente de l'organisation neurologique qui sous-tend les opérations logico-mathématiques. Selon moi, certains centres neuraux peuvent être importants pour des opérations logico-mathématiques spécifiques, en particulier ceux que j'ai cités. Mais ces centres ne semblent pas aussi indispensables pour la logique et les mathématiques que certaines régions temporales ou frontales pour le langage ou la musique. Il y a, en d'autres termes, beaucoup plus de flexibilité dans le cerveau humain, pour la mise en œuvre de telles opérations et déductions logiques.

Je pense qu'une solution se trouve dans les travaux de Piaget. L'aptitude à mener des opérations logico-mathématiques commence dans les actions les plus générales chez le nourrisson, se développe de façon graduelle tout au long de la première ou deuxième décennie de la vie et implique un certain nombre de centres neuraux qui travaillent de conserve. Malgré des lésions cérébrales focales, ces opérations peuvent en général être tout de même effectuées, car elles n'impliquent pas un centre lésé, mais une organisation neurale généralisée et hautement redondante. Les aptitudes logico-mathématiques ne s'altèrent pas principalement après une maladie focale du cerveau, mais plutôt lors de maladies plus générales comme les démences où de grandes parties du système nerveux se décomposent plus ou moins rapidement. Je pense que les opérations étudiées par Piaget n'ont pas le même degré de localisation neurale que celles que nous avons examinées dans d'autres chapitres et qu'elles deviennent donc relativement plus fragiles dans le cas de maladies générales du système nerveux. De fait, deux études électro-physiologiques récentes semblent montrer que les deux hémisphères sont impliqués dans la résolution de problèmes mathématiques[66]. Comme le dit un auteur : « Chaque tâche produit une activité électrique complexe, qui se modifie rapidement dans de nombreuses régions antérieures et postérieures des deux côtés du cerveau. » Au contraire, des fonctions comme le langage et la musique restent relativement résistantes dans le cas de lésions générales, à condition que certaines zones focales n'aient pas été spécifiquement détruites.

En résumé, les aptitudes logico-mathématiques ont une organisation neurale, mais la représentation est plus générale que celles que nous avons rencontrées jusque-là. Maniant le rasoir d'Ockham, on pourrait conclure que l'aptitude logico-mathématique n'est pas un système pur et autonome comme les autres étudiés ici et ne devrait peut-être pas être considérée comme une seule intelligence, mais comme une sorte de supra-intelligence ou d'intelligence plus générale. J'ai de temps à autre un penchant pour cette théorie, mais je ne veux pas être plus définitif dans ces pages que je ne le crois en fait nécessaire. Cependant, à mon point de vue, le fait que l'on puisse découvrir des anomalies spécifiques et particulières dans les aptitudes logico-mathématiques et de nombreux types de précocités extrêmes n'autorise pas le scientifique à conclure que l'intelligence logico-mathématique n'existe pas. Après tout, la plupart des signes d'une intelligence autonome se trouvent dans le cadre de la pensée logico-mathématique. De plus, il est également possible que la compétence logico-mathématique implique tout simplement la concaténation d'un certain nombre de systèmes essentiels mais quelque peu redondants. Si ceux-ci étaient détruits sélectivement et simultanément (ce qui ne pourrait avoir lieu qu'au cours d'une intervention expérimentale inenvisageable), on obtiendrait alors des syndromes concentrés au même degré que dans les domaines linguistiques et musicaux.

Logique et mathématiques à travers les cultures

Il est bien établi que les préoccupations de ce chapitre ne sont pas le seul fait de l'Occident : de nombreux systèmes de nombres et de calcul se sont développés dans différentes régions du monde. Depuis le dénombrement en termes de parties du corps pratiqué chez les Papous de Nouvelle-Guinée jusqu'à l'utilisation de coquilles en porcelaine pour les transactions du marché en Afrique, l'agilité de l'esprit humain à marier sa tendance naturelle à l'ordre et au compte pour mener à bien des fonctions jugées importantes dans divers cadres culturels est prouvée.

Tout au long de l'histoire de l'anthropologie occidentale, un débat a couru entre les scientifiques qui penchent pour la continuité essentielle entre l'Occident et les autres formes de la pensée et ceux qui surlignent le caractère « primitif » ou « sauvage » de l'esprit non occidental. La controverse n'est pas près de s'arrêter, quoiqu'il soit aujourd'hui moins facile qu'il y a quelques décennies de déclarer que l'esprit du « sauvage » est radicalement différent du nôtre.

Les mathématiques et la science comptant parmi les réalisations les plus superbes de la société occidentale, il n'est guère étonnant que les déclarations de « supériorité » s'appuient par priorité sur ce domaine. On a investi énormément d'énergie pour déterminer si les primitifs ont (ou n'ont pas) la même logique que nous ; s'ils peuvent (ou ne peuvent pas) calculer exactement ; s'ils ont un système d'explication qui leur permette d'expérimenter et de réfuter (ou s'il leur manque), et d'autres devinettes du même acabit. En général, quand les sociologues occidentaux importaient dans les pays lointains leurs méthodes de test et cherchaient leurs propres modes de pensée, ils n'en trouvaient guère de marques. Ainsi, par exemple, la première exportation des tâches piagétiennes dans les sociétés exotiques a révélé que peu d'individus réussissaient les opérations concrètes. Parfois, les sujets observés ne sont même pas parvenus à prouver leur aptitude à apprécier la conservation. Inversement, quand on a accumulé des témoignages sur les modes de pensée d'une culture elle-même, en particulier pour effectuer des tâches importantes pour les indigènes, on a vu s'atténuer les différences présumées entre les esprits primitifs et les esprits « éduqués », et les « primitifs » se montrer en fait parfois supérieurs à ceux qui menaient l'enquête[67].

Pour prendre position (sans se laisser écraser par cette conjoncture), on peut penser les sociétés non occidentales dans les termes que j'ai proposés. Quand on recherche dans d'autres cultures des formes explicites de mathématicien ou de scientifique, comme nous les connaissons ici, il en apparaît peu de signes. Il semble que le désir de construire dans le détail un système abstrait de relations mathématiques pour lui-même, ou bien de parvenir à tester, au terme d'expériences, un ensemble de propositions sur la manière dont le monde marche soit une préoccupation du monde occidental. Née à l'époque des Grecs, elle a pris son essor à la Renaissance (et elle se développe maintenant dans toutes les régions du globe). De façon analogue, il semble que la publication de rapports et de controverses multiples soit une invention occidentale vieille de quelques siècles seulement.

Cependant, quand on change d'optique et qu'on examine les opérations fondamentales de l'esprit sur lesquelles les sciences s'appuient, on trouve peu de raison de douter de l'universalité fondamentale de la pensée logico-mathématique. Pour être précis, là où il y a économie de marché, les individus sont parfaitement capables de marchander au mieux de leur intérêt, en retirant les articles de la vente quand ils n'en obtiendraient pas un bon prix et en faisant des opérations de troc équitables ou avantageuses. Quand il est important d'être capable de classer les objets — que ce soit pour des raisons botaniques ou sociales — les individus sont capables de développer des systèmes détaillés et hiérarchiquement organisés et de les utiliser de façon appropriée[68]. Là où il est souhaitable d'avoir un calendrier qui permette à chacun d'accomplir ses actions avec régularité ou de disposer d'un mode de calcul rapide et fiable (l'abaque), les sociétés ont conçu des solutions qui sont au moins aussi adéquates que les nôtres[69]. Et s'ils n'exposent pas leurs théories scientifiques dans le dialecte occidental, les bushmen du Kalahari emploient le même genre de méthodes que nous pour faire les découvertes indispensables. Par exemple, quand ils chassent, ils distinguent le moment où ils ont vu leur proie de leurs propres yeux ; où ils ont vu les traces, mais pas encore les animaux eux-mêmes ; où ils ont entendu d'autres parler des animaux ; et où l'on doit rester dans l'incertitude parce qu'on ne les a pas vus soi-même et que l'on n'a pas directement parlé avec des individus qui les aient vus. Aussi Nicholas Blurton-Jones et Melvin Konner concluent-ils dans leur étude sur la chasse des bushmen[70] :

> Le corpus de connaissances qui en résulte est détaillé, étendu et exact [...]. Suivre les bêtes à la piste est une opération qui implique en particulier des modèles d'inférence, de test des hypothèses et de découverte mettant à l'épreuve les meilleures capacités d'inférence et d'analyse de l'esprit humain. Déterminant, d'après les traces, les déplacements des animaux, leur allure s'ils ont été blessés et, si oui, comment, et prédire s'ils iront encore loin, jusqu'où, dans quelle direction et à quelle vitesse, tout cela implique que les bushmen pratiquent l'activation répétée d'hypothèses, en les confrontant à de nouvelles données, en les intégrant aux faits déjà connus sur les déplacements des animaux et en rejetant celles qui ne tiennent pas pour obtenir finalement un ajustement raisonnable.

Pour découvrir les moyens qui ont permis de développer la culture de l'intelligence logico-mathématique, il peut être utile de caractériser certains des systèmes arithmétiques des groupes qui ne maîtrisent pas l'écriture. Dans de nombreuses sociétés, les individus sont en mesure de donner une évaluation valable du nombre d'objets, d'individus ou d'organismes dans un champ donné — de fait, leur aptitude à évaluer peut avoir une puissance étonnante. Gay et Cole ont trouvé que les Kpelle adultes du Liberia réussissaient bien mieux que des Américains du même âge à évaluer le nombre de pierres rangées en piles comportant de dix à cent unités[71]. Comparés aux algorithmes utilisés en Occident, les systèmes fondés sur l'évaluation ont l'avantage qu'un individu ne propose presque jamais un résultat extravagant. Quand nous utilisons nos algorithmes, il est probable que nous obtenions un résultat exact, mais il l'est encore plus que nous parvenions à un total très éloigné de la vérité — par exemple, si nous alignons mal les colonnes de l'addition ou si nous nous trompons de touche sur notre machine à calculer.

De fait, si l'on cherche des exemples en faveur du haut développement de l'aptitude numérique en Afrique, le mieux est d'observer un jeu comme le *kala* (il s'appelle également *malang* ou *awélé*), un jeu de noyaux et de cailloux qui passe pour « le jeu le plus arithmétique du monde avec une foule de spectateurs[72] ». Le principe de base de ce jeu compliqué est qu'il faut déposer les graines *seriatim* dans des trous autour d'une planche et capturer les graines de l'adversaire en plaçant la dernière graine que l'on a dans la main dans un trou de l'adversaire qui contient une ou deux graines. Observant des individus en train de jouer, Cole et ses collaborateurs ont mis en évidence que les gagnants utilisaient des ensembles de stratégies clairs et cohérents[73].

> Le vainqueur s'assure qu'il a des défenses solides, qu'il catalogue les possibilités de chaque déplacement, qu'il se garde du temps ; qu'il entraîne son adversaire à faire des captures prématurées, qu'il déplace ses graines pour obtenir des victoires définitives plutôt que fragmentaires et qu'il montre de la flexibilité dans la redistribution de ses forces au moment de préparer de nouveaux assauts.

Attendu que les jeux peuvent se prolonger sur trois cents coups et plus, le joueur kpelle de talent doit manier ces stratégies avec beaucoup de finesse. Et en effet, les joueurs excellents font honneur à leur famille et peuvent même être célébrés dans des chants.

Il arrive que l'on fasse un emploi direct des aptitudes numériques, comme, par exemple, pour le commerce ou pour garder la trace de ce que l'on possède. On peut encore trouver, pourtant, de la pensée mathématique combinée à des préoccupations religieuses et mystiques[74]. Chez le peuple juif, les considérations sur les propriétés des nombres étaient étroitement liées à l'interprétation des textes sacrés et, de temps en temps, aux prophéties. Durant l'Inquisition espagnole, posséder des manuscrits arabes ayant trait aux mathématiques pouvait être synonyme de prison à vie, voire de condamnation à mort : « Les mathématiciens étaient dénoncés comme les pires hérétiques[75]. » Les savants musulmans ou chrétiens du Moyen Âge croyaient que les carrés magiques (des ensembles dont la somme de toutes les lignes vaut la somme de toutes les colonnes) pouvaient écarter la peste ou bien guérir de la stérilité ; et dans bien des régions de l'Afrique, il est tabou de compter les êtres humains, les animaux domestiques ou les biens de valeur. Différentes sectes ont encore placé au centre de leur activité la corrélation entre le système numérique et les autres systèmes. Au Moyen Âge, les Indiens remplaçaient les nombres par des mots évocateurs (lune pour l'unité, yeux ou bras pour le chiffre deux) et rédigeaient en vers leurs traités de mathématiques ou d'astronomie[76]. Encore aujourd'hui, les savants de l'islam cultivent la manipulation de systèmes élaborés où les mots et les nombres se représentent mutuellement et où ils peuvent transmettre des messages secrets à travers des chaînes de nombres[77].

Pour en venir ensuite à la sensibilité aux propriétés numériques, les sociétés, celles ne possédant pas l'écriture et les traditionnelles sachant lire et écrire, accordent de l'importance à ce talent. Il semble que la base numérique de l'intelligence mathématique soit universellement à l'honneur. Pourtant, il est évident que les individus adoptent des positions incohérentes du point de vue de la logique : ils recourent au surnaturel, à l'occulte, et cela remet en cause l'idée que l'esprit primitif serait rationnel[78]. Comment des individus qui se proposent d'être rationnels peuvent-ils croire qu'ils peuvent être en même temps un chat et un être humain, que la naissance des enfants est due au déplacement des étoiles, et ainsi de suite ? Les commentateurs peuvent avoir été autrefois tentés de se jeter sur cette apparente irrationalité (ou bien tenter de la nier), mais certains anthropologues proposent aujourd'hui une analyse un peu différente. De leur point de vue, tous les peuples — sans exclure ceux de notre société — s'accrochent à de nombreuses croyances qui sont non rationnelles, sinon purement irrationnelles. En effet, il est impossible d'être un être humain pensant sans souscrire à des croyances nombreuses dont au moins certaines seront contradictoires. Il suffit de penser aux croyances propres à nos religions, et même les croyances de la science sont souvent contradictoires. (Considérons par exemple la croyance à des paradigmes scientifiques qui ne se fondent sur aucune raison logique, ou bien le fait qu'une partie des physiciens croient aussi bien à la prédictibilité qu'à l'indétermination.)

Ce qu'il est important de souligner ici, c'est qu'aussi fort qu'on puisse tenir à elles, ces croyances n'empiètent pas du tout sur les décisions que l'on prend dans la pratique tous les jours. (De fait, chaque fois qu'elles le font, on passe pour un fou, irrespectueux de la société dans laquelle on vit.) Au contraire, on les considère comme des théories cosmologiques ou métaphysiques portant sur la nature ultime de la réalité et non pas sur la manière dont on fait griller une tranche de viande, dont on va d'un endroit à l'autre ou dont on conclut un marché avec un partenaire. C'est dans ces occasions quotidiennes de raisonner — et non pas dans les cosmologies, qu'elles soient mythologiques ou scientifiques — que les êtres humains s'acquittent de leurs actes quotidiens.

Si l'on n'a pas de mal à retrouver la pensée numérique dans les cultures traditionnelles, on peut également y reconnaître les niveaux supérieurs de la pensée logique. Dans une élégante étude sur les contentieux de propriété de la terre dans les îles Trobriand, Edwin Hutchins a démontré que les parties en conflit sont capables de chaînes de raisonnement longues et complexes[79]. Selon l'exposé de Hutchins, tout plaideur qui veut démontrer qu'il est le propriétaire d'un jardin doit produire un exposé culturellement signifiant de l'histoire du jardin, qui se termine sur l'affirmation qu'il a lui-même des droits de posséder le jardin. Il lui est donc recommandé de montrer qu'il n'existe pas d'histoire du jardin raisonnable qui se termine sur l'affirmation que son adversaire peut avoir des droits sur le jardin.

> À certains égards [comme le souligne Hutchins], la tâche de résolution de problèmes du plaideur s'apparente à la démonstration de théorèmes de logique dans les mathématiques. Le code culturel fournit les axiomes ou les prémisses implicites du système. Les origines historiques du cas, et surtout le dernier état de propriété du jardin sur lequel les plaideurs tombent d'accord, fournissent les prémisses explicites du problème. Le théorème à démontrer est la proposition qui présente les droits propres du plaideur sur le terrain.

Selon l'avis de Hutchins, le modèle de la logique populaire développé à partir de sources purement occidentales se révèle adéquat pour l'exposé de la chaîne spontanée de raisonnements que les plaideurs des Trobriand mettent en œuvre. Assurément, ce n'est pas pure logique aristotélicienne, parce qu'elle contient des inférences plausibles à égalité avec des inférences nécessaires. Mais, comme Hutchins le montre, « ainsi en est-il de notre propre raisonnement ».

Si la conclusion de cette étude est qu'il faut minimiser les différences de rationalité entre « nous » et « eux », on a aussi récemment reconnu que la scolarisation en général et l'acquisition de l'écriture en particulier peuvent apporter des changements majeurs dans la manière dont les individus s'envisagent eux-mêmes et dont ils communiquent avec d'autres peuples. Comme je le reprendrai en détail au chapitre 12, on apprend à l'école à traiter l'information en dehors du contexte dans lequel on la rencontre généralement ; à accueillir des propositions abstraites et à explorer leurs relations sur la base d'hypothèses ; à donner sens à un ensemble d'idées, indépendamment de celui qui les prononce ou du ton de la voix sur lequel elles sont prononcées ; à critiquer, à détecter les contradictions et à essayer de les résoudre. On apprend encore à respecter l'accumulation de la connaissance, les moyens de tester les propositions qui ne passionnent pas immédiatement et les relations entre des corpus de connaissance qui pourraient sans cela paraître éloignés les uns des autres. Cette mise en valeur de préoccupations abstraites, qui ne sont en rapport avec la réalité que par une longue chaîne d'inférences, et la familiarité croissante avec l'écriture, la lecture et l'expérience « objective » donnent finalement naissance à une personne qui sera à l'aise avec les principes de la science et des mathématiques et inquiète de savoir dans quelle mesure ses vues et comportements sont en accord avec ces normes un peu ésotériques.

Dans de nombreuses sociétés primitives, l'individu est peu encouragé à poser des questions, à défier la sagesse populaire, à questionner les explications magiques ou mystiques. En revanche, dans de nombreux milieux « scolarisés », on subit de fortes pressions pour remettre en cause des affirmations faites sans preuve, tenter de reformuler des arguments erronés, et même forger soi-même de nouvelles synthèses [80]. Il en résulte finalement une société qui se soucie profondément des préoccupations logiques, scientifiques et mathématiques que j'ai énumérées ici, quitte à ce que ce soit, semblerait-il, aux dépens de certaines formes esthétiques ou personnelles de l'intelligence que j'ai énumérées ailleurs dans ce volume.

Les mathématiques, la science et le passage du temps

En examinant les effets de la scolarisation et de l'acquisition de l'écriture sur les attitudes de la population, j'ai mis le doigt sur un aspect important de la pensée logico-mathématique que j'ai minimisé jusqu'à présent. Quoique les scientifiques et les mathématiciens aiment à se représenter comme passionnés par les vérités éternelles, leurs préoccupations évoluent en fait rapidement et ont déjà connu des transformations profondes. Ce que l'on pense de ces domaines a également changé au cours des siècles. Comme le souligne Brian Rotman, les Babyloniens concevaient les mathématiques en termes de calcul astronomique. Pour les pythagoriciens, elles étaient la pensée d'une incarnation des harmonies de l'univers. Pour les hommes de science de la Renaissance, elles devinrent un moyen de percer les secrets de la nature. Kant reconnut en elles la science parfaite, dont les propositions étaient construites sur la couche la plus profonde de nos facultés rationnelles, tandis que pour Frege et Russell, elles devinrent le paradigme de la clarté à l'aune de laquelle on peut juger les ambiguïtés du langage ordinaire[81]. Il ne fait pas de doute que ces points de vue sont voués à changer. De fait, les principaux mathématiciens expriment des opinions profondément différentes sur la nature de leur entreprise dans son ensemble, sur ses buts suprêmes et sur les méthodes de découverte, lesquelles sont admissibles et lesquelles ne le sont pas.

La science, bien sûr, change elle aussi. Le changement passe souvent pour un progrès. Mais depuis les écrits provocants de Thomas Kuhn, les commentateurs sont plus réticents à considérer la science comme une marche en avant d'une seule traite sur un sentier unique jusqu'à la vérité définitive[82]. Ils sont peu nombreux à aller aussi loin que certains épigones de Kuhn et à déclarer que la science n'est que la substitution d'une conception du monde à une autre, ou bien à nier, avec Paul Feyerabend, toute distinction entre science et non-science[83]. Mais on reconnaît clairement que, si chaque conception du monde élucide certaines questions, elle en néglige ou en obscurcit d'autres, et que l'objectif d'une science unique — une science unifiant tous les domaines — est une chimère qu'il faudrait exorciser. Quand on examine un travail scientifique particulier, il est important de savoir qui écrit contre quoi, et qui écrit dans quel but. Il est vrai qu'au sein de l'exercice de la « science normale » où l'on peut assurer le paradigme de base, il y a peut-être moins de raison de se fâcher contre les racines du travail de quelqu'un. Et on peut faire de nets progrès et aller jusqu'à définir les réponses aux problèmes qui se posent à l'intérieur d'un champ bien circonscrit. Mais une fois que l'on a reconnu que tout consensus scientifique peut être anéanti du jour au lendemain, la nature changeante de la science devient une simple réalité.

L'individu est le bénéficiaire, mais aussi la victime des changements de notre époque. Une personne qui a un ensemble de talents peut être un mathématicien ou un scientifique formidable à une certaine période, parce que ses talents sont précisément ceux dont on a besoin, tandis qu'ils se révèlent relativement inutiles à l'époque historique suivante (ou précédente). Par exemple, l'aptitude à se souvenir de longues chaînes de nombres ou à envisager les relations complexes entre les formes peut avoir une importance formidable à certaines périodes des mathématiques, mais être de faible utilité de nos jours, les livres et les ordinateurs assumant la fonction de mémorisation et la notion de concept spatial n'ayant pas été admise comme partie intégrante des mathématiques.

Pour ce qui est d'un tel accident de chronologie, nous disposons de l'histoire hautement poignante de l'Indien Srinivasa Ramanujan, que l'on considère généralement comme l'un des mathématiciens naturels les plus talentueux de ces derniers siècles. Par malchance, Ramanujan venait de la campagne où l'on n'avait pas idée des mathématiques modernes. Il a inventé de lui-même des années de mathématiques, très en avance sur ce qui se pratiquait chez lui. Finalement, Ramanujan s'est installé en Angleterre, mais il était trop tard pour qu'il contribue au domaine pratiqué dans notre siècle. G. H. Hardy a trouvé fascinant d'enseigner les mathématiques contemporaines à un homme qui avait les plus profonds instincts et les plus profondes intuitions, mais qui n'avait littéralement jamais entendu parler de ces questions[84]. Comme il était sur son lit de mort, Ramanujan raconta à son maître, Hardy, qui venait juste d'arriver en taxi, que le nombre 1,729 — le numéro du taxi — n'était pas, contrairement à ce que Hardy avait supposé, un nombre sans gloire, mais bien plutôt le plus petit nombre que l'on puisse exprimer, de deux manières différentes, comme la somme de deux cubes. Quoique réalisée à une rapidité absolument prodigieuse, cette vision mathématique ne comptait pas au nombre des contributions cotées (ni même spécialement appréciées) dans les cercles mathématiques de l'Angleterre du XXe siècle. En plus de leurs dons naturels, ceux qui aspirent à devenir mathématiciens doivent se trouver au bon endroit au bon moment.

Mathématiques et science peuvent accumuler du savoir et changer, mais n'y a-t-il pas, dans ces domaines, au moins quelques lois fondamentales qui resteraient immuables ? Le célèbre philosophe américain W. V. Quine a écrit des ouvrages convaincants sur cette question. Comme il le montre, il nous est plus facile de changer de conception de l'histoire et de l'économie que de conception en physique, et de celle-là encore plus volontiers que de lois en mathématiques et en logique[85] :

> Les mathématiques et la logique, essentielles à notre schéma conceptuel, tendent à obtenir l'immunité, en considération de notre préférence conservatrice qui va aux révisions qui troublent le moins possible le système ; et c'est peut-être ce qui rend nécessaire que les lois des mathématiques soient ressenties comme devant réjouir.

Pourtant, Quine souligne que dans chaque secteur, y compris en logique et en mathématiques, il y a des poussées et glissements constants vers la simplicité. Aussi les mathématiques et la logique seront-elles également révisées chaque fois qu'il sera probable qu'une simplification essentielle doive en résulter pour l'entreprise conceptuelle de la science dans son ensemble.

Si l'on se fie à notre siècle, le changement sera de plus en plus rapide. Il y a eu bien plus de science dans les dernières décennies que dans toute l'histoire humaine. Qui plus est, la prolifération de champs nouveaux ou hybrides et l'explosion de nouvelles technologies, dont la plus éminente est l'informatique, rendent difficile fût-ce d'envisager l'envergure que prendra l'entreprise scientifique dans l'avenir ou les questions auxquelles s'appliquera le talent logique et mathématique. Sans aucun doute, les scientifiques feront un emploi de plus en plus important des nouvelles innovations techniques. En effet, seule une personne irréfléchie douterait de ce que les ordinateurs doivent contribuer avant longtemps au processus, non seulement pour résoudre des problèmes que les énergies humaines ne seront pas en mesure de « prendre en main », mais aussi pour aider à définir ce que seront les nouveaux problèmes et comment les approcher (de plus, les formes de vie créées par le génie génétique et les nouveaux robots munis de qualités semblables à celles des personnes peuvent compliquer le tableau). Et peut-être plus que par le passé, les individus ignorants de ces avancées (et de leurs implications) seront dans une position défavorable pour participer de façon productive à la société.

Relation avec les autres intelligences

Le glissement de notre propre société, et peut-être tout autant celui des autres, soulève avec acuité la question de savoir si l'intelligence logico-mathématique est d'une certaine manière plus fondamentale que les autres intelligences : plus fondamentale, dans un sens conceptuel, comme étant au centre de tout l'intellect humain ; ou plus fondamentale, dans un sens pratique, comme guidant la marche de l'histoire humaine, ses préoccupations, ses problèmes, ses possibilités et — peut-être — son destin ultime, construction ou destruction. On le dit souvent : il n'y a, après tout, qu'une seule logique, et seuls ceux qui ont une intelligence logico-mathématique développée peuvent la mettre en œuvre.

Je ne suis pas d'accord. Ce chapitre devrait mettre en évidence que l'intelligence logico-mathématique a eu une importance singulière dans l'histoire occidentale, et que cette importance ne va pas en diminuant. Elle a été moindre ailleurs, et il n'est pas du tout certain que les « tendances unifiantes » actuelles continueront. De mon point de vue, il est de loin plus plausible de considérer le talent logico-mathématique comme une intelligence dans un ensemble d'intelligences — un talent puissamment équipé pour manier un certain type de problèmes, mais aucunement un talent supérieur aux autres, ni en danger de les faire disparaître. (En effet, il existe même différentes logiques avec des points forts et des limites qui s'opposent.) Comme nous l'avons vu dans les chapitres précédents, il y a en effet une logique propre au langage et une logique propre à la musique. Mais ces logiques ont leurs lois propres, et même le plus fort dosage de logique mathématique dans ces secteurs ne changera pas le mode de fonctionnement de ces « logiques » endogènes. Assurément, il y a eu, et cela continuera, des interactions fructueuses entre l'intelligence mathématique et l'intelligence spatiale dans des secteurs comme le jeu d'échecs, l'ingénierie et l'architecture. Et certaines de ces réalisations synergiques seront abordées dans le traitement de la connaissance spatiale, dans le chapitre suivant.

Il est donc hors de doute qu'il peut exister différents rapports entre l'intelligence logico-mathématique et les autres formes d'intelligence que j'examine ici. Et comme la science et les mathématiques continuent leur expansion, on peut penser que des liens encore plus forts et encore plus approfondis seront établis avec d'autres domaines intellectuels. Mais comme la définition de ces champs change, on peut se poser la question suivante : quel sens cela a-t-il de continuer à grouper ensemble tout ce qui concerne la logique et les mathématiques, comme si les deux domaines constituaient une seule forme d'intelligence, et de les distinguer radicalement des autres formes ? Seul le temps peut dire si le groupement que j'ai proposé ici sera valable à long terme. Pour le moment, je reste persuadé que la ligne de développement décrite par Piaget, qui commence par une intuition du nombre et par une évaluation de la simple cause et du simple effet, peut être menée jusqu'aux sommets les plus élevés de la logique, des mathématiques et de la science contemporaine.

Quel est le lien entre mathématiques et musique, puisque cette question constituait la conclusion du précédent chapitre ? Est-ce seulement l'effet du hasard si la musique attire tant de mathématiciens et d'hommes de science ? Et que dire des parentés frappantes entre certaines idées qui innervent des secteurs comme la musique, les arts visuels et les mathématiques, dont parle Douglas Hofstadter dans son livre justement acclamé, *Gödel, Escher et Bach* [86] ?

Nous disposons d'une clé pour cette devinette s'il est vrai que des individus doués en mathématiques sont souvent intrigués par l'ordre ou les modèles découverts dans des secteurs apparemment éloignés — de la fascination de G. H. Hardy pour le cricket jusqu'à l'intérêt de Herbert Simon pour la conception architecturale — la réciproque n'est pas nécessairement vraie. Il est possible d'être sculpteur, poète ou musicien de talent sans avoir aucun intérêt particulier (ou aucune connaissance particulière) pour l'ordonnancement et le système qui forment la pièce centrale de la pensée logico-mathématique. Il apparaît que ces coïncidences apparentes de champs sont seulement, ou proprement, des exemples de la manière dont l'intelligence du logicien, du scientifique ou du mathématicien s'applique aux autres domaines de l'expérience. Où que l'on regarde, il y aura, bien sûr, des modèles ou des ordres — certains banals, d'autres non. Et c'est le génie particulier (ou la malédiction) des logiciens et des mathématiciens de discerner ces modèles partout où il s'en trouve.

Il est même possible — comme certains, Platon ou Leibniz, l'ont pensé, et comme Einstein a continué à l'espérer — que ces modèles qui se font écho portent quelque chose du secret de l'univers. Mais nous voyons dans le fait de percevoir ces modèles et d'en faire quelque chose un exemple de l'intelligence logico-mathématique, qu'elle fonctionne bien ou mal, en train d'exposer ses propres marchandises. Cela ne reflète pas les opérations de base des autres formes d'intelligence. Cela ne nous dit pas ce qui constitue le centre de l'intellect musical, linguistique ou corporel. Pour voir ces autres compétences à l'œuvre, nous avons besoin de regarder le genre de roman qu'un Saul Bellow pourrait écrire (peut-être à propos d'un mathématicien) ou bien le genre de ballet dont une Martha Graham pourrait proposer la chorégraphie (peut-être à propos d'un ensemble d'équations ou d'une démonstration !). Chaque intelligence a ses propres mécanismes d'ordonnancement, et le moyen par lequel une intelligence les réalise reflète ses propres principes et ses médiums préférés. Il se peut qu'à Bali, on donne à l'une ou l'autre faculté esthétique les privilèges d'ordonnancement apparemment supérieur que nous, en Occident, nous attribuons, presque par réflexe, aux aptitudes témoignées par un mathématicien ou par un logicien.

L'intelligence spatiale

« Jouer aux échecs ne requiert pas du tout d'intelligence. »

JOSÉ RAUL CAPABLANCA,
ancien champion du monde d'échecs[1]

Les dimensions de l'intelligence spatiale

Il est une bonne manière de se faire une idée du cœur de l'intelligence spatiale : il suffit de s'essayer aux tâches inventées par ceux qui
enquêtent sur cette intelligence[2]. Dans la figure 1, nous commencerons
par la tâche la plus simple, qui exige seulement que l'on choisisse,
parmi quatre formes, celle qui est identique à la forme cible :

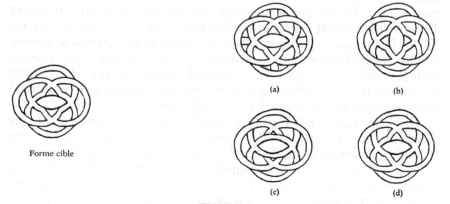

FIGURE 1
Instruction : Dans un ensemble de quatre formes,
choisissez celle qui est identique à la forme cible.

Un exercice légèrement plus difficile consiste à demander à quelqu'un de reconnaître une forme cible particulière, vue sous un angle différent. Dans la figure 2, la forme cible (ou l'observateur) est censée s'être déplacée dans l'espace :

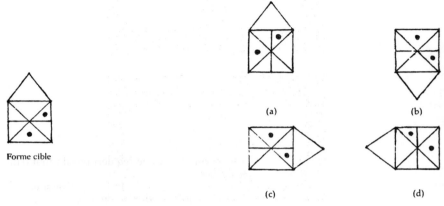

Forme cible

(a)   (b)

(c)   (d)

FIGURE 2
Instruction : Dans un ensemble de quatre formes,
choisissez celle qui correspond à la rotation de la forme cible.

Un test de l'aptitude spatiale peut constituer un défi plus difficile[3]. Par exemple, dans un test extrait des travaux de recherche de Roger Shepard et Jacqueline Metzler, la cible est une représentation d'une forme asymétrique tridimensionnelle. La tâche consiste pour le sujet à indiquer si la forme qui l'accompagne représente une simple rotation de la forme cible ou bien si elle correspond, au contraire, à une nouvelle forme. Dans la figure 3, j'ai reproduit trois exercices de cette catégorie : dans le premier *(a)*, les formes sont les mêmes, mais elles diffèrent par une rotation de 80 degrés dans le plan ; dans le deuxième exercice *(b)*, les formes sont encore les mêmes, mais elles diffèrent d'une rotation de 80 degrés en profondeur ; dans le troisième exercice *(c)*, les formes sont différentes l'une de l'autre et ne peuvent se correspondre l'une à l'autre au terme d'*aucune* rotation. Notons que, comme pour les tests des figures 1 et 2, on doit demander au sujet de dessiner les formes requises, plutôt que de sélectionner seulement un unique élément parmi un ensemble à choix multiples.

On peut également formuler sous forme uniquement verbale les problèmes qui nécessitent de recourir aux aptitudes spatiales. Par exemple, prenez un carré de feuille de papier, pliez la feuille en deux, puis pliez-la une deuxième fois en deux. Combien de carrés obtient-on au terme de ces deux pliages ? Ou considérez un autre test : un homme et une fillette marchent ensemble et commencent par avancer le pied gauche. La fillette fait trois pas quand l'homme n'en fait que deux. À quel moment lèveront-ils le pied droit du sol tous les deux en même

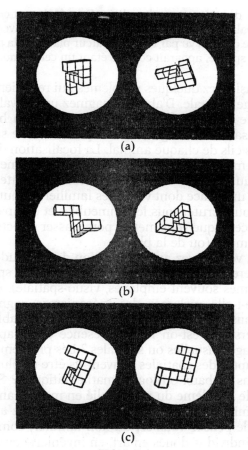

(a)

(b)

(c)

FIGURE 3

Instruction : (Pour *a, b, c*), indiquez si la seconde forme de chaque paire est une rotation de la première ou constitue une forme différente.

temps ? Ensuite, pour mettre bien plus à l'épreuve les pouvoirs de votre pensée, essayez de suivre la description linguistique suivante, sur laquelle on peut construire une explication de la théorie de la relativité d'Einstein[4] :

> Imaginez une grande masse, A, se déplaçant en ligne droite à travers l'espace. La direction du déplacement va du nord au sud. La masse est entourée d'une énorme sphère de verre sur laquelle sont gravés des cercles parallèles l'un par rapport à l'autre et perpendiculaires à la ligne du déplacement, comme une boule de Noël géante. Il y a une seconde masse, B, en contact avec la boule de verre au niveau de l'un des cercles gravés. Le point de contact de B avec la sphère se situe au-dessous du plus grand cercle qui est le cercle du milieu. Les deux masses A et B se déplacent dans la même direction. Comme A et B continuent leur mouvement, B se déplacera continuellement le long du cercle gravé qui

est le point de contact avec la sphère. B se déplaçant continuellement, il trace en réalité un chemin en forme de spirale à travers l'espace-temps. Pourtant ce chemin vu par un observateur placé sur la masse A, de l'intérieur de la sphère, apparaît comme étant un cercle, non pas une spirale.

Enfin, considérez quelques problèmes qui renvoient au pouvoir de créer une image mentale. D'abord, imaginez un cheval. Quel point est le plus haut, le sommet de la queue du cheval, ou bien la partie la plus basse de sa tête ? Imaginez un éléphant et une souris. Imaginez maintenant les cils de chaque animal. La focalisation duquel demande le plus de temps ? Imaginez l'évier de la cuisine. Quel robinet commande l'eau chaude ? Ou bien, pour conclure cette série, imaginez un campus ou une place dont vous êtes familier. Minutez le temps que vous mettez pour scruter tous les immeubles et comparez maintenant ce temps avec celui que vous mettez pour passer directement d'un côté à l'autre du campus (ou de la place).

À présent, vous devez avoir l'intuition des aptitudes que les chercheurs considèrent comme centrales dans la pensée spatiale (ou bien, suivant les termes souvent employés, visuo-spatiale). Cette famille de tâches semble-t-elle réclamer des mécanismes cognitifs spéciaux ? Vous pouvez aussi vous être fait une opinion préalable sur des questions controversées : est-on ici en présence d'une aptitude distincte comme les images visuelles ou spatiales ? Les problèmes qui semblent renvoyer aux aptitudes spatiales peuvent-ils être résolus exclusivement par des moyens verbaux ou logico-mathématiques ? Si, par exemple, vous résolvez le problème du papier plié en multipliant $2 \times 2 \times 2$, vous suivez un chemin logico-mathématique. Vous devez aussi savoir si le mode spatial de pensée vous est ou non familier, comme il l'est pour de nombreux individus doués en art, en ingénierie ou en sciences ; ou s'il vous pose trop de problèmes, comme c'est parfois le cas pour des personnes douées dans d'autres domaines, comme la musique ou le langage.

On trouve au centre de l'intelligence spatiale les capacités à percevoir correctement le monde visuel, à exécuter des transformations et des modifications sur ses perceptions initiales et à être en mesure de re-créer des aspects d'une expérience visuelle, même en l'absence de stimuli physiques pertinents. On peut vous demander de produire des formes ou simplement de manipuler des formes qu'on vous a fournies. Il est clair que ces aptitudes ne sont pas identiques : un individu peut être perspicace, disons, en matière de perception visuelle, mais n'avoir que peu d'aptitude à dessiner, ou à transformer un monde imaginaire. De même que l'intelligence musicale consiste en aptitudes en matière de rythme et de hauteur qui sont parfois dissociées l'une de l'autre et que l'intelligence linguistique consiste en capacités syntaxiques et pragmatiques qui peuvent également se révéler non couplées, de même l'intelligence spatiale semble-t-elle être un amalgame d'aptitudes. Quoi qu'il en soit, il est plus que probable que l'individu qui a des talents dans plusieurs des secteurs précités ait du succès dans le domaine spatial. Le fait que la pratique dans l'un de ces secteurs stimule le développement des talents avec qui il est en rapport conduit à penser que les talents spatiaux forment un tout.

Que signifie l'expression « intelligence spatiale » ? En un sens, il vaudrait mieux dire *visuelle* parce que, chez les êtres humains normaux, l'intelligence spatiale est étroitement liée à la vision et naît directement de l'observation du monde visuel. Par commodité, de nombreux exemples de ce chapitre sont en fait de type *visuo*-spatial. Mais tout comme l'intelligence linguistique ne dépend pas entièrement des canaux oro-acoustiques et peut se développer chez un individu privé de ces modes de communication, de même l'intelligence spatiale peut-elle se développer (comme nous allons le voir) chez un individu qui est aveugle ou qui n'a pas directement accès au monde visuel. Par conséquent, de même que j'ai renoncé à appeler *auditive* l'intelligence musicale et linguistique, il semble préférable de parler d'intelligence spatiale sans la lier à une modalité sensorielle particulière.

Afin de décrire l'intelligence spatiale, nous pouvons revenir à mes exemples du début. L'opération la plus élémentaire, sur laquelle reposent tous les autres aspects de l'intelligence spatiale est l'aptitude à percevoir une forme ou un objet. On peut tester cette aptitude par des questions naïves à choix multiples ou en demandant à un individu de copier une forme : le fait de copier est plus astreignant et il arrive souvent que des difficultés dans le domaine spatial puissent être détectées au travers d'erreurs commises quand il s'agit de copier. Des tâches analogues peuvent être incidemment posées dans la modalité tactile, pour des individus aveugles comme pour des voyants.

Dès que l'on a demandé à quelqu'un de manipuler la forme ou l'objet, appréciant la manière dont il la percevra d'un autre angle de vue ou comment il la verra (ou la sentira) s'il la tourne, on entre pleinement dans le domaine spatial, une manipulation dans l'espace étant requise. De telles tâches de transformation peuvent être astreignantes, quand on demande à quelqu'un d'« opérer mentalement une rotation » sur des formes complexes par un certain nombre de torsions et de tours. Roger Shepard, un des principaux chercheurs en matière d'intelligence spatiale, a montré que la somme de temps requise pour juger si deux formes sont en réalité identiques (comme dans la figure 3) est directement liée au nombre de degrés dont il faut déplacer une forme afin qu'elle coïncide avec une autre[5]. Étant donné qu'il est difficile de donner un nom aux formes qui ont subi une torsion, on a grand-peine à rendre compte de ce résultat, à moins de poser une certaine forme d'intelligence spatiale. De fait, les sujets semblent accomplir cette tâche en s'efforçant de faire bouger la forme à travers le nombre requis de degrés, comme si elle existait dans l'espace réel.

On peut poser des problèmes plus difficiles dans le domaine de

« l'objet » ou de « l'image ». En effet, certains problèmes qui relèvent de la topologie mathématique font précisément intervenir l'aptitude à manipuler des formes complexes dans plusieurs dimensions. Mais quand un problème est exprimé verbalement, on a clairement la possibilité de résoudre le problème de façon strictement verbale, sans créer une image mentale, une « image dans la tête ». En effet, la résolution de chacun des problèmes précités peut avoir lieu d'une manière strictement propositionnelle. Pourtant, la démonstration introspective et la démonstration expérimentale suggèrent toutes deux que le mode préféré pour résoudre des « problèmes d'imagerie » passe par une image mentale interne qui peut ensuite être manipulée d'une manière analogue aux opérations du monde quotidien.

Pendant de longues années, les chercheurs spécialisés dans l'intelligence ont cru dur comme fer que l'aptitude à résoudre efficacement ces problèmes était distincte de l'aptitude directement logique ou linguistique. L'un de ceux qui ont le plus défendu cette thèse a été le psychométricien pionnier L. L. Thurstone, qui a décrit l'aptitude spatiale comme un des sept facteurs essentiels de l'intellect[6]. La plupart des spécialistes qui ont depuis mené des tests ont conforté ses vues, quoique les auteurs ne soient pas d'accord sur ce qui différencie l'aptitude spatiale. Thurstone lui-même la divisait en trois composantes : l'aptitude à reconnaître l'identité d'un objet vu sous différents angles ; l'aptitude à imaginer le mouvement ou le déplacement interne des différents éléments d'une configuration ; et l'aptitude à penser les relations spatiales où l'orientation du corps de l'observateur est une partie essentielle du problème. Un autre chercheur, Truman Kelly, distinguait entre l'aptitude à sentir et retenir des formes géométriques et la capacité à manipuler spatialement les relations spatiales. A. A. H. El-Koussy distinguait entre l'aptitude spatiale bidimensionnelle et l'aptitude spatiale tridimensionnelle, chacune ayant des aspects à la fois statiques et dynamiques[7]. Il existe encore d'autres typologies.

Pour le présent propos, nous pouvons négliger les débats qui opposent les psychométriciens s'occupant d'imagerie spatiale. Le nombre exact de composantes et leur définition idéale exige un niveau de précision qui n'a pas lieu d'être ici. On peut également laisser aux experts le soin de déterminer dans quelle mesure les capacités spatiales peuvent être supplantées par les capacités verbales, s'il existe des différences entre les opérations selon qu'elles sont accomplies dans l'espace physique ou dans l'espace mental et le soin de résoudre l'ambiguïté philosophique qui entoure le concept d'imagerie « mentale[8] ». Il me reste à présenter les aspects de l'intelligence spatiale qui paraissent les plus centraux pour les compétences que j'examine ici et à indiquer ce qui me conduit à penser qu'elle est bel et bien distincte.

Nous avons vu, dans le précédent débat, que l'intelligence spatiale comporte un grand nombre de capacités plus ou moins reliées les unes aux autres : l'aptitude à reconnaître le même élément sous différents angles ; l'aptitude à transformer ou à reconnaître une transformation d'un élément dans un autre ; la capacité à évoquer une imagerie mentale et à la transformer ensuite ; la capacité à produire une repré- sentation graphique ressemblante d'une information spatiale ; et ainsi de suite. Il est concevable que ces opérations soient indépendantes les unes des autres et qu'elles puissent se développer ou s'effondrer séparé- ment ; et pourtant, comme le rythme et la hauteur travaillent ensemble dans le domaine de la musique, de même les capacités précitées se trouvent-elles normalement ensemble dans le royaume spatial. En effet, elles opèrent comme une famille, et il se peut que l'utilisation de chaque opération renforce l'utilisation des autres.

Ces capacités spatiales peuvent être mises en œuvre dans un grand nombre de sphères différentes. Elles sont importantes pour s'orienter. Elles sont invoquées pour reconnaître des objets et des scènes, qu'on les rencontre dans leur environnement original ou qu'une certaine cir- constance de la présentation originelle ait été modifiée. Et elles sont encore utilisées quand on travaille avec des représentations graphiques — les versions bidimensionnelles ou tridimensionnelles de scènes du monde réel — ainsi qu'avec d'autres symboles, comme les cartes, les diagrammes ou les formes géométriques.

Deux autres utilisations des capacités spatiales se révèlent plus abstraites et plus intangibles. L'une implique la sensibilité à différentes lignes de force qui entrent dans un dispositif spatial et visuel. Je fais ici allusion aux sentiments de tension, d'équilibre et de composition qui caractérisent une peinture, une statue et aussi de nombreux élé- ments naturels (comme un feu ou une cascade). Ces facettes, qui contribuent au pouvoir d'un dispositif, retiennent l'attention des artistes et des amateurs d'arts.

Une dernière facette de l'intelligence spatiale naît des ressem- blances qui peuvent exister entre deux formes apparemment disparates ou, en fait, entre deux domaines de l'expérience apparemment éloignés. De mon point de vue, l'aptitude métaphorique à discerner des similitudes entre différents domaines est dans de nombreux cas le produit d'une manifestation de l'intelligence spatiale. Par exemple, quand l'essayiste de talent Lewis Thomas construit des analogies entre les micro-organismes et une société humaine organisée, dépeint le ciel comme une membrane ou décrit l'humanité comme un amas de terre, il exprime à travers des mots un type de ressemblance qui a pu lui venir à l'esprit initialement sous une forme spatiale [9]. En effet, de nom- breuses théories scientifiques reposent en fait sur des « images » de grande portée : la façon dont Darwin a vu l'« arbre de la vie », la notion qu'a conçue Freud de l'inconscient submergé comme un iceberg, la manière dont John Dalton a vu l'atome comme un système solaire miniature, voilà autant de figures productives qui donnent de l'essor à des conceptions scientifiques clés et aident à les figurer. Il est possible que de tels modèles ou images mentales jouent aussi un rôle dans des formes plus banales de résolution de problème[10]. Dans chaque cas, il est probable que ces images sont apparues sous une forme visuelle, mais chacune peut avoir été créée — ou appréciée — par un individu aveugle.

Ces images étant considérées d'ordinaire comme utiles pour la pensée, certains commentateurs sont allés beaucoup plus loin et ont estimé que l'imagerie visuelle et spatiale constituait l'origine essentielle de la pensée. C'est le cas du psychologue de l'art Rudolf Arnheim[11]. Dans *Visual Thinking*, Arnheim soutient que les opérations majeures de la pensée viennent directement de notre perception du monde, la vision servant de système sensoriel *par excellence*[12] sous-tendant et constituant nos processus cognitifs. « Les mécanismes remarquables par lesquels les sens comprennent l'environnement sont tous presque identiques aux opérations décrites par la psychologie de la pensée [...]. Une pensée véritablement productive, quel que soit le secteur de la cognition, prend naissance dans l'imagerie. » Arnheim a tendance à minimiser le rôle du langage dans la pensée productive : il suggère qu'à moins de pouvoir invoquer une image pour un processus ou un concept, nous ne sommes pas en mesure d'avoir une pensée claire à son sujet. À l'inverse, on peut penser que l'intelligence visuelle ou spatiale contribue à la pensée scientifique et artistique, mais n'occupe pas la première place qu'Arnheim choisit de lui attribuer.

Sur la base du présent débat et à la lumière de nombreuses analyses des facteurs dans les résultats des tests d'intelligence, il semble raisonnable de voir dans l'intelligence spatiale une forme intellectuelle distincte, un ensemble de talents en rapport les uns avec les autres. On s'accorde à penser que l'intelligence spatiale est l'« autre intelligence » — qu'il faut opposer à l'« intelligence linguistique » et qui a autant d'importance que cette dernière. Les dualistes parlent de deux systèmes de représentation — un code verbal et un code imagiste : les localisateurs placent le code linguistique dans l'hémisphère gauche, le code spatial dans l'hémisphère droit.

Ceux qui ont lu les précédents chapitres sauront que je ne souscris pas à cette conception dichotomique de l'intellect. Pourtant, j'admets que, pour la plupart des tâches utilisées par les psychologues expérimentaux, les intelligences linguistique et spatiale fournissent les principales sources d'emmagasinage et de résolution. Confrontés à un exercice de test standardisé, les sujets montrent qu'ils utilisent des mots ou des images spatiales pour s'attaquer au problème et pour l'encoder, et ils peuvent aussi — quoique cette supposition soit beaucoup plus controversée — exploiter les ressources du langage et/ou de l'imagerie pour résoudre le problème. Certaines des démonstrations les plus convaincantes nous viennent de Lee R. Brooks[13]. Ce chercheur a combiné deux modes de présentation des matériaux (linguistique et pictural) et deux modes de réponse (verbal ou spatial — par exemple montrer du doigt un bout de papier). Grâce à des manipulations habiles, les différentes tâches exigeaient l'utilisation du langage ou d'un traitement spatial de manières un peu différentes — par exemple, former une image mentale *et* montrer du doigt une marque écrite sur une feuille de papier, dans le cas du domaine spatial ; ou mémoriser une phrase et classer chaque mot selon les catégories du discours, dans le cas du domaine linguistique. Brooks a découvert que certaines personnes réussissaient moins bien quand elles devaient, pour produire leur réponse, prendre de l'information uniquement dans le domaine linguistique ou uniquement dans le domaine spatial. Mais quand elles avaient le choix de prendre l'information selon une certaine modalité et de répondre ensuite selon une modalité non concurrente, on ne constatait pas la même perturbation. De même que les traitements musical et linguistique sont menés à bien par différents centres de traitement et ne risquent pas de se perturber l'un l'autre, de même les facultés spatiales et linguistiques semblent pouvoir procéder de façon relativement indépendante ou bien complémentaire.

Le développement de l'intelligence spatiale

Quoique le caractère central de l'intelligence spatiale ait été depuis longtemps reconnu par les chercheurs qui travaillent avec des adultes, on dispose de peu d'éléments définitifs sur le développement de cet ensemble de capacités chez les enfants. Mais la raison n'en est pas claire. Il est possible que les talents spatiaux soient plus difficiles à tester que les talents linguistiques ou logiques ; il est également possible que les chercheurs en matière de développement infantile aient moins d'intuitions sur le sujet, fassent preuve de moins de talent ou bien témoignent moins d'intérêt pour les capacités spatiales.

Jean Piaget fait exception : il a mené plusieurs études sur le développement de la compréhension spatiale chez les enfants [14]. Il n'est pas surprenant que Piaget voie l'intelligence spatiale comme une partie essentielle du tableau général du développement logique qu'il s'efforçait de construire dans ses différentes études. Il parle d'une compréhension sensori-motrice de l'espace qui apparaît durant la petite enfance. Deux aptitudes sont centrales : l'appréciation initiale des trajectoires observées des objets et la capacité ultérieure à trouver sa route entre différents théâtres d'activité. À la fin du stade sensorimoteur de la prime enfance, les jeunes deviennent capables de produire une imagerie mentale. Ils peuvent imaginer une scène ou un événement sans devoir être eux-mêmes présents. Piaget a fait remonter une telle imagerie mentale aux premières expériences menées par l'enfant qui voit l'objet de l'événement lui-même et l'explore à ce moment d'une manière sensori-motrice. L'imagerie mentale est donc considérée comme une sorte d'*action intériorisée* ou d'*imitation différée*, l'esquisse ou le schéma brut d'actions qui ont été auparavant menées à bien dans le monde (ou qui pourraient encore l'être, théoriquement). Une telle imagerie reste statique dans les premiers temps de l'enfance, pourtant ; et les enfants ne peuvent pas les soumettre à des opérations mentales.

Attendu que les deux intelligences, logico-mathématique et spatiale, proviennent de l'action que l'enfant a sur le monde, on peut se demander si elles se traduisent en fait par des formes d'intelligence différentes. Même Piaget semble avoir pensé que oui. Il a posé une distinction entre la connaissance « figurative », dans laquelle un individu retient la configuration d'un objet (comme dans une image mentale) et la connaissance « opératoire », où l'accent est mis sur la transformation de la configuration (comme dans la manipulation d'une telle image). Comme Piaget l'a vu, il y a donc une ligne de partage entre la configuration statique et l'opération active. Pour le présent propos, on peut substituer à la distinction de Piaget une autre distinction, entre les formes relativement statiques et les formes relativement actives de la connaissance spatiale, les unes et les autres relevant de l'intelligence spatiale.

Pour continuer à suivre les réflexions de Piaget, l'arrivée des opérations concrètes au début de la scolarisation marque un tournant important dans le développement mental de l'enfant. L'enfant est maintenant devenu capable de manipuler beaucoup plus activement les images et les objets dans le domaine spatial. Par des opérations mentales réversibles, il peut maintenant comprendre comment quelqu'un placé ailleurs voit les objets ; nous rencontrons ici le phénomène bien connu de *décentration* où l'enfant peut indiquer comment quelqu'un assis dans une autre partie de la pièce verrait la scène, ou à quoi ressemblerait un objet s'il subissait une rotation dans l'espace. Pourtant, cette variété de l'intelligence spatiale se limite toujours à des situations et à des événements concrets. C'est seulement à la période des opérations formelles, au moment de l'adolescence, que l'enfant peut aborder l'idée d'espaces abstraits ou les règles formelles gouvernant l'espace. C'est ainsi que l'adolescent (ou l'enfant précoce dans le domaine des mathématiques) qui est depuis peu en mesure de mettre le monde des images figurales en rapport avec des affirmations propositionnelles et de raisonner sur les conséquences des différents types de transformation, commence à comprendre la géométrie.

La progression est donc régulière dans le domaine spatial de l'aptitude du nouveau-né à se déplacer dans l'espace à celle du tout-petit à former des images mentales statiques, à celle de l'enfant scolarisé à manipuler de telles images statiques et enfin à celle de l'adolescent à mettre des relations spatiales en rapport avec des exposés propositionnels. L'adolescent, qui est capable d'apprécier tous les arrangements spatiaux possibles, est en posture favorable pour rassembler les formes logico-mathématiques et spatiales de l'intelligence au sein d'un même système géométrique ou scientifique.

Comme dans d'autres domaines d'études, Piaget a imaginé le premier tableau d'ensemble du développement spatial, et nombre de ses informations et caractéristiques ont triomphé de l'épreuve du temps. Il s'est pourtant limité lui-même pour l'essentiel à des questionnaires ou à des mesures de l'aptitude spatiale et a ainsi ignoré la manière dont l'enfant comprend un environnement spatial plus large. Des études ont été récemment menées sur la compréhension spatiale plus large de l'enfant, et leur apport est étonnant. Il en ressort que les enfants de trois ans, voire moins, peuvent reproduire une route qu'ils ont parcourue de façon motrice, mais qu'ils ont des difficultés à prévoir quel genre d'objets ils rencontreront dans des endroits qu'ils n'ont pas eux-mêmes visités, mais au sujet desquels ils ont accumulé une connaissance indépendante (par exemple, à partir de descriptions ou à partir d'une visite dans un endroit voisin). Quand les enfants ont à trouver leur chemin, les points de repère jouent un rôle central.

La représentation de cette connaissance pose toute une série de questions. Même des enfants plus âgés ont du mal à capter, dans un autre format, leur connaissance intuitive d'un agencement. Ainsi un enfant de cinq ou six ans peut-il trouver son chemin de façon satisfaisante dans un agencement quelconque, même s'il ne lui est pas familier. Mais quand on lui demande de le décrire avec des mots ou de faire un dessin ou une carte, il échoue ou bien il propose un compte rendu trop simplifié et donc inutile. (Par exemple il décrit le chemin comme une ligne droite, quoiqu'il soit en réalité plein de tournants.) Ce qui est le plus difficile pour des enfants en âge d'aller à l'école, c'est de coordonner leur connaissance à l'intérieur d'une même forme d'ensemble organisée. En d'autres termes, les enfants peuvent reconnaître leur chemin dans de nombreux secteurs de leur voisinage et de la ville et, de fait, ne jamais échouer à trouver ce qu'ils cherchent. Cependant, ils ne parviennent souvent pas à produire une carte, une esquisse ou un compte rendu verbal d'ensemble de la relation qui existe entre plusieurs endroits. La représentation d'une connaissance morcelée dans un autre format ou dans un autre système symbolique relève spécifiquement de l'intelligence spatiale. Ou bien il faut peut-être dire que, quoique la compréhension spatiale des enfants se développe rapidement, il reste difficile d'exprimer cette compréhension par le truchement d'une autre intelligence ou d'un code symbolique.

Considérations neuropsychologiques

Si l'intelligence spatiale a été négligée dans les études portant sur les enfants, elle a été beaucoup examinée par les neuropsychologues. De fait, à l'exception du langage peut-être, on a probablement établi plus de choses sur les aptitudes spatiales dans le cerveau que sur n'importe quelle autre faculté humaine.

Cette voie de recherche a donné des résultats probants. De même que l'hémisphère gauche du cerveau a, au cours de l'évolution, été sélectionné comme site dominant pour le traitement linguistique, l'hémisphère droit du cerveau, et surtout ses parties postérieures, est le site fondamental pour le traitement spatial (et visuo-spatial). Assurément, l'hémisphère droit ne joue pas un rôle aussi décisif dans le traitement spatial que le gauche pour le langage : par exemple, des troubles assez importants dans l'aptitude spatiale peuvent aussi être la conséquence d'une lésion dans les régions postérieures gauches. Mais pour ce qui est de trouver son chemin dans un endroit, de reconnaître les objets, les visages et les scènes, de remarquer des détails fins et bien d'autres fonctions, il est probable qu'une lésion au niveau des régions postérieures droites a des conséquences plus graves qu'une lésion de n'importe quelle autre région comparable du cerveau[15]. De plus, une atteinte de l'hémisphère droit produit ce phénomène singulier qu'est la négligence : on fait peu attention (ou on ignore même complètement) la moitié gauche de l'espace environnant. Aussi l'exécution de tâches (ou d'activités quotidiennes) où l'on doit surveiller les deux moitiés de l'espace pose-t-elle alors des problèmes.

Les preuves proviennent de trois types d'études. Les études cliniques portant sur des individus qui ont le cerveau atteint après un accident vasculaire cérébral ou un autre type de trauma sont décisives à cet égard. Il a été établi que des lésions des régions pariétales droites provoquent des troubles d'attention visuelle, de représentation et d'orientation spatiales, de production de l'imagerie et de mémorisation[16]. Plus la lésion est importante, plus le trouble est prononcé. Même un petit désordre dans l'hémisphère gauche, en plus d'une lésion à l'hémisphère droit, suffit à ruiner le fonctionnement spatial d'un individu.

Une seconde catégorie de preuves étroitement liée à la première vient de la manière dont des individus qui ont une lésion cérébrale unilatérale répondent aux tests standard de fonctionnement spatial. Depuis les travaux de Nelson Butters et de ses collaborateurs du Centre médical de l'Administration des anciens combattants de Boston, nous disposons de démonstrations convaincantes touchant les difficultés particulières que des patients souffrant de l'hémisphère droit rencontrent pour transformer des ensembles visuels ; pour prévoir comment ces derniers apparaîtraient vus d'une autre perspective ; pour lire une carte ou trouver leur chemin dans un espace qui ne leur est pas familier ; pour encoder et se rappeler une information visuelle et spatiale [17]. Cette lésion altère rarement l'aptitude linguistique (comme la lecture de symboles) dans une mesure significative ; la dominance de l'hémisphère gauche pour le langage est assez marquée pour permettre la perception de formes linguistiques en dépit d'une lésion massive de l'hémisphère droit.

Des études menées par d'autres laboratoires ont révélé d'autres troubles. Brenda Milner et Doreen Kimura ont montré que des patients ayant subi des excisions temporales droites reconnaissent mal des modèles faits de points et des figures absurdes qui se chevauchent [18]. Elizabeth Warrington a montré que les patients qui ont l'hémisphère droit atteint ont des difficultés à reconnaître des objets familiers présentés sous des perspectives inhabituelles ; et un grand nombre de chercheurs ont remarqué que les patients souffrant de l'hémisphère droit éprouvent des difficultés pour dessiner [19]. Les dessins de ces patients ont tendance à accumuler des détails dans des endroits disparates, à manquer de contour d'ensemble. La moitié gauche de l'espace est négligée, séquelle caractéristique des maladies cérébrales de l'hémisphère droit. Ces dessins révèlent que les individus dépendent de leur connaissance propositionnelle des objets (les noms des caractéristiques de tel objet) plus que de leur sensibilité aux contours réellement perçus des entités ou des parties à dépeindre.

On peut se demander si les effets d'une lésion cérébrale peuvent être palliés par des stratégies linguistiques. Les patients souffrant de l'hémisphère droit essaient effectivement d'utiliser le langage pour s'aider ; ils veulent s'attaquer à la tâche, essaient de raisonner à haute voix pour chercher une solution, voire inventent des réponses. Mais seuls les plus chanceux y parviennent. Moira Williams raconte une anecdote poignante à propos d'un mathématicien mondialement célèbre qui a perdu la plus grande partie de son cerveau droit au cours d'un accident de la circulation [20]. On lui a demandé d'assembler des objets conformément aux tests d'intelligence standard. Il a recouru à sa connaissance linguistique préservée sur les principes des relations spatiales et a répondu avec esprit : « On peut toujours utiliser la géométrie. »

Récemment, Eduardo Bisiach et ses collaborateurs, à Milan, ont révélé les troubles de l'imagerie que connaissent des patients souffrant de l'hémisphère droit [21]. Il en ressort que ceux qui font preuve d'une négligence de la moitié gauche de l'espace dans leur vie quotidienne déploient pour une bonne part les mêmes symptômes quand ils ont affaire à l'imagerie mentale (héminégligence visuelle). C'est-à-dire que des patients se révèlent en mesure d'imaginer la moitié droite d'objets et de scènes, mais pas la moitié gauche. Cette découverte a été confirmée : on a demandé à des personnes qui avaient le cerveau atteint d'imaginer le célèbre parvis de la cathédrale de Milan. On leur a dit d'imaginer le parvis selon une certaine perspective : ils ont pu décrire tous les objets dans la moitié droite de leur champ, mais pas dans la moitié gauche. On leur a alors demandé d'imaginer le parvis vu du côté opposé : ils ont pu nommer les objets vus du côté droit (omis la première fois), mais pas ceux du côté gauche (listés la première fois). Il est difficile d'imaginer un meilleur exemple de la « réalité psychologique » de l'imagerie visuelle.

Une dernière source d'information sur le rôle de l'hémisphère droit pour le traitement de l'information spatiale vient des études menées sur des individus normaux. On expose des sujets à des stimuli, que ce soit dans le champ visuel droit (en connexion avec l'hémisphère gauche du cerveau) ou dans le champ visuel gauche (en connexion avec l'hémisphère droit du cerveau), et on leur demande d'exécuter différentes tâches. Dans chacun de ces domaines, l'hémisphère droit se révèle plus important pour résoudre les problèmes que ne l'est le gauche, même les résultats sont moins nets chez les individus normaux que chez ceux qui ont le cerveau atteint.

L'implication de l'hémisphère droit dans les tâches spatiales, et surtout du lobe pariétal, semble être fermement établie. Je suis convaincu que la base neurale de l'intelligence spatiale sera plus aisée à élucider dans un avenir proche que toutes celles qui sous-tendent les autres intelligences. Nous sommes en présence d'une fonction qui, dans sa forme la plus simple, dépend de récepteurs sensoriels relativement élémentaires et que nous partageons toujours, même sous ses formes plus sophistiquées, avec d'autres organismes à un plus haut degré que dans le cas, disons, de l'intelligence logique ou linguistique.

Résumons l'ensemble des découvertes à cet égard. Grâce aux études menées au niveau cellulaire par des chercheurs comme David Hubel et Torsten Wiesel, on connaît bien la perception des lignes, des angles, des bords et des autres morceaux constituants des objets[22]. Grâce aux études menées par Charles Gross, Mortimer Mishkin et d'autres chercheurs qui ont enregistré des régions temporales inférieures du cerveau des primates, nous possédons également quantité d'informations sur la perception et la reconnaissance d'objets entiers. Il apparaît que les neurones temporaux inférieurs participent au travail de codage des attributs physiques des stimuli visuels, en servant peut-être d'intégrateurs de l'information sur la profondeur, la couleur, la taille et la forme, enregistrés dans les cortex pré-striés[23]. La différence est importante entre la reconnaissance élémentaire des objets et l'aptitude à suivre la relation entre des objets, laquelle est centrale dans l'intelligence spatiale. D'autres régions du cerveau sont certainement impliquées — par exemple les lobes frontaux semblent essentiels pour ce qui est de la remémoration d'un emplacement spatial ; mais les connexions pertinentes peuvent être également suivies à la trace[24]. Sur ces bases, nous pouvions expliquer le fonctionnement de l'intelligence spatiale en termes neuronaux. Nous pourrions alors poser une question encore plus controversée : comment cette forme se combine-t-elle avec les intelligences qui sont plus exclusivement la prérogative de l'*homo sapiens* ?

L'évolution de l'intelligence spatiale semble également plus en continuité avec les processus découverts chez les espèces infra-humaines que ce n'est le cas, semble-t-il, pour les autres intelligences. La vie sociale de nombreux primates — aujourd'hui et il y a des millions d'années — semble liée à des *talents spatiaux*. L'intelligence spatiale est fondamentale pour une troupe errante, qu'il s'agisse de cueillette ou de chasse. Quand les individus ont besoin de traverser d'immenses espaces et de revenir sains et saufs chez eux, il est important pour eux d'avoir un intellect spatial développé — sans quoi les probabilités de se perdre sont trop grandes. Un tel talent se rencontre en Arctique de nos jours : face à la quasi-uniformité du paysage, tout détail visuel doit être important, et les « Blancs qui ont voyagé avec les Esquimaux soulignent souvent leur aptitude extraordinaire à trouver leur chemin à travers ce qui apparaît comme un terrain uniforme, par la remémoration d'une configuration visuelle[25] ». L'importance des aptitudes spatiales peut aussi expliquer pourquoi les différences sexuelles sont plus évidentes dans les tests d'intelligence spatiale que pour la plupart des autres formes d'intelligence. Dans la mesure où la chasse et le nomadisme étaient de façon dominante la préoccupation des mâles, développer des aptitudes visuo-spatiales remarquables était un avantage sélectif, et il est probable qu'une mort plus précoce frappait les moins doués à cet égard[26].

L'utilisation des aptitudes spatiales pour résoudre des problèmes a vivement intéressé les psychologues comparatistes. Wolfgang Köhler a ainsi mené des études pionnières sur les grands singes du Tenerife pendant la Première Guerre mondiale[27]. Il a montré que certains grands singes, en particulier le dénommé Sultan, pouvaient concevoir des outils en combinant au moins deux objets dont ils pouvaient prévoir l'intégration visuo-spatiale potentielle. L'interprétation des arguments de Köhler est sujette à caution, mais la plupart de ses analyses confirment l'idée que les chimpanzés sont capables d'envisager le résultat obtenu par un geste — de se créer une image comme relier deux bâtons. C'est là un précurseur nécessaire et souvent suffisant pour résoudre des problèmes et fabriquer des objets souhaités. On voit donc que les primates non humains ont une première forme d'intelligence spatiale que de nombreux humains ont portée à un niveau de réussite extrêmement élevé. Nous nous intéresserons dans le prochain chapitre à la question de savoir comment les aptitudes spatiales se combinent avec l'habileté à utiliser des objets.

Formes exceptionnelles de l'aptitude
et de l'inaptitude spatiales

J'ai traité jusqu'à présent du développement des capacités spatiales chez les enfants normaux et de leur représentation dans le système nerveux d'adultes normaux ou qui ont le cerveau atteint. Quoique l'intelligence spatiale soit assez homogène, il existe des anomalies, lesquelles peuvent être riches d'enseignements nouveaux.

Que se passe-t-il chez les aveugles[28] ? Certaines expériences — comme la couleur — sont interdites pour toujours à un aveugle de naissance, tandis que bien d'autres — comme la perception de la perspective — peuvent être menées à bien, quoique avec les plus grandes difficultés. Néanmoins, les recherches entreprises sur des aveugles ont montré que la connaissance spatiale ne dépend pas entièrement du système visuel et que des aveugles peuvent même apprécier certains aspects de tableaux.

Les travaux de John Kennedy, de l'université de Toronto, sont à cet égard remarquables. Kennedy et ses collaborateurs ont démontré que des aveugles (ainsi que des personnes normales dont on a bandé les yeux) peuvent facilement reconnaître les formes géométriques qui leur sont présentées en relief. L'aveugle tend à convertir ses expériences spatiales en un nombre de pas (ou de mouvements des doigts) à effectuer dans une certaine direction, et il les traduit en une sorte de mouvement nécessaire. Il doit évaluer la grandeur par des méthodes indirectes, par exemple en faisant courir sa main le long de l'objet. Plus un temps donné comporte de mouvements, et plus l'objet apparaît grand. Pour reconnaître des figures plus complexes (les mesures des ombres de l'imagerie visuelle), l'aveugle peut exploiter des indices comme la rectitude, la courbure et le relief des particularités. Selon Kennedy, il existe un système perceptif commun aux modalités tactiles et visuelles : c'est exclusivement à partir du toucher que l'aveugle accède aux impressions sensibles ouvertes à des individus normaux, qui se font à partir d'une combinaison des modalités tactiles et visuelles.

Les études que Susanna Millar de l'université d'Oxford a menées sur les dessins confirment ces points[29]. Les dessins d'enfants aveugles possèdent bon nombre de caractéristiques qu'on retrouve dans les dessins d'enfants voyants. Par exemple, les enfants aveugles ne savent pas avec certitude où et comment placer les objets sur une toile. Au début, ils ne savent pas représenter un corps en deux dimensions, ni assembler des figures au bas d'une page lisse ; mais une fois qu'ils se sont rendu compte qu'il est possible de dessiner avec une ligne en relief, permettant d'effectuer certaines expériences faites par le toucher, leurs dessins se mettent à ressembler à ceux des sujets voyants. Millar en conclut que dessiner dépend de l'acquisition de règles, ce pour quoi une expérience visuelle première est une condition facilitante mais non nécessaire ; l'absence de rétrocontrôle durant le dessin a des effets principalement au niveau de l'articulation et de la précision du dessin.

Gloria Marmor montre également que les enfants aveugles sont aussi capables de faire tourner des figures et de comprendre les images en miroir[30]. Elle conclut :

> Sans utiliser d'imagerie mentale, il apparaît qu'un individu devenu très tôt aveugle organise les attributs des formes tactiles en représentations spatiales qui, comme des images visuelles, permettent de concevoir en même temps tous les attributs et sont assez spécifiques pour rendre possible la discrimination d'une image en miroir.

L'étude la plus importante sur les aptitudes spatiales chez l'aveugle est sans doute due à Barbara Landau et ses collaborateurs, à l'université de Pennsylvanie[31]. Une enfant aveugle de naissance, âgée de deux ans et demi, s'est révélée capable de déterminer la bonne trajectoire entre deux objets seulement après s'être déplacée à partir d'un troisième endroit jusqu'à chacun de ces deux objets. Afin de régler sa course entre les objets le long d'un trajet qu'elle n'avait jamais suivi, l'enfant a dû pouvoir détecter les distances et la relation angulaire des trajets qui lui étaient familiers et en déduire l'angle du nouveau trajet. Ce succès montre bien que les propriétés métriques de l'espace peuvent être déduites en l'absence d'information visuelle. De plus, la même enfant revue à l'âge de quatre ans était capable d'utiliser une carte tactile afin de trouver un objet placé dans la pièce. Quoiqu'elle n'ait auparavant jamais été exposée à une carte, elle est parvenue à en comprendre le principe, y compris ses symboles arbitraires, et à l'utiliser pour se guider jusqu'à l'endroit souhaité. Landau et ses collaborateurs en déduisent que les systèmes de représentation spatiaux sont pareillement accessibles à l'expérience visuelle ou tactile et qu'il n'y a pas nécessairement de relation privilégiée entre les données visuelles et l'intelligence spatiale.

Des personnes sujettes à d'autres types de pathologies ont également une perception spatiale affaiblie. Il s'agit des femmes qui ont le syndrome de Turner, affection due à l'absence du second chromosome X[32]. Quoique normales en matière linguistique, ces patientes connaissent des problèmes spatiaux généraux qui ne sont pas simplement réductibles à des problèmes de perception visuelle. Les personnes qui ont une infirmité motrice cérébrale ont des mouvements des yeux désordonnés, ce qui rend difficile leur perception de la profondeur et leurs mesures visuo-spatiales. D'innombrables enfants qui ont une lésion cérébrale souffrent aussi de troubles visuo-spatiaux — par exemple, pour percevoir et comprendre la diagonale : certains souffriraient d'une forme juvénile de « syndrome de l'hémisphère droit [33] ».

Comme pour l'imagerie visuelle, on a noté d'importantes différences individuelles. En effet, Stephen Kosslyn a montré que les personnes auxquelles il peut faire appel pour ses études ne sont pas nombreuses, car leur imagerie visuelle est très pauvre, voire inexistante [34]. Dans son étude pionnière sur la capacité à produire une imagerie, Francis Galton a montré que, quand on leur demande de se rappeler une scène de leur petit déjeuner du matin, les scientifiques restituent pour la plupart peu ou pas d'images visuelles, tandis que les personnes qui ont un niveau intellectuel apparemment modeste rapportent souvent des images concrètes détaillées [35]. Cette découverte a alarmé Galton, qui possédait lui-même une imagerie très vive, et qui pouvait se représenter clairement tous les nombres de 0 à 200. Cela aurait également consterné E. Titchener, psychologue du tournant du siècle dernier, qui croyait fermement au pouvoir de l'imagerie [36]. Titchener a écrit :

> L'esprit, dans ses opérations ordinaires, est une galerie de tableaux assez complète [...]. Que je voie ou que j'apprenne que quelqu'un a fait quelque chose avec modestie, gravité, fierté, humilité ou courtoisie, je vois une allusion visuelle de la modestie, de la gravité, de la fierté, de l'humilité ou de la courtoisie. L'héroïne majestueuse me donne en un éclair l'idée d'une figure de grande taille, le seul détail clair étant une main qui retient une jupe gris d'acier ; l'humble serviteur me donne en un éclair l'idée d'une figure inclinée, le seul détail clair étant son dos courbé, bien qu'il y ait de temps en temps des mains tenues avec désapprobation devant un visage caché [...]. Toutes ces descriptions doivent être aussi irréelles et aller autant de soi qu'un conte de fées.

Le romancier Aldous Huxley, quant à lui, confessait être peu visuel. Les mots n'évoquaient pas d'image dans son esprit [37]. C'est seulement avec des efforts de volonté qu'il pouvait évoquer une image même trouble. Peut-être est-ce la raison pour laquelle Huxley avait un penchant pour les drogues. Cette expérience permettait à ce « visionnaire doué » de percevoir une réalité « non moins formidable, belle et significative que le monde *possédé* par Blake ».

Chez certains individus par ailleurs normaux, les aptitudes visuelles et spatiales sont remarquablement développées. Par exemple, l'inventeur Nikola Tesla « pouvait projeter devant ses yeux une image complète et dans ses moindres détails de toutes les parties d'une machine [38] ». Ces images étaient plus précises et vives qu'une épure. L'imagerie interne de Tesla était assez intense pour lui permettre de construire ses inventions complexes sans les dessiner. Qui plus est, il affirmait être à même de tester ses dispositifs dans les yeux de son esprit « en les faisant fonctionner pendant des semaines — après quoi il les examinait parfaitement à la recherche de signes d'usure ». Les artistes se distinguent souvent par leurs pouvoirs spatiaux. Ainsi Rodin était-il en mesure de représenter différentes parties du corps comme autant de projections de volumes intérieurs : « Je me forçais à exprimer, dans chaque gonflement des muscles du torse ou des jambes, l'efflorescence d'un muscle ou d'un os loin sous la peau [39]. » Henry Moore parvient à se représenter la sculpture tout entière comme si elle était dans sa main [40] :

> Il y pense, quelle que soit sa taille, comme s'il la tenait complètement enfermée dans le creux de sa main ; il visualise mentalement une forme complexe *à partir de tout ce qui* l'entoure ; il sait ce à quoi ressemble une face tandis qu'il est en train d'en regarder une autre ; il s'identifie lui-même avec le sens de gravité de la sculpture, avec sa masse, avec son poids ; il se représente son volume comme l'espace que la forme déplace dans l'air.

On rencontre parfois aussi ces aptitudes spatiales exceptionnelles chez des individus par ailleurs arriérés. Citons le peintre anglais, Bryan Pearce, qui, en dépit d'un QI en dessous de la normale, vend très cher ses peintures, mais aussi les *idiots savants* par intervalles, comme les Japonais Yamashita et Yamamura, dont les talents artistiques étaient étonnants, et en complet décalage avec leurs autres talents plutôt médiocres [41]. Citons enfin le cas plus mystérieux de Nadia, une adolescente anglaise, qui, bien qu'autiste, était à même, très petite, de dessiner avec une finesse et une précision des plus remarquables (voir un de ses dessins, fait à l'âge de cinq ans, figure 4) [42].

Ces *idiots savants* et ces autistes possèdent une certaine forme d'intelligence unique parmi un ensemble d'aptitudes par ailleurs médiocres. Peut-être ces dispositions visuelles ou spatiales peuvent-elles être considérées dans certains cas comme une compensation, l'enfant et sa famille ayant développé l'aptitude relativement préservée. Dans les cas les plus extrêmes, comme celui de la jeune Nadia, une telle explication ne suffit pas. À l'âge de quatre ou cinq ans, Nadia dessinait comme une adolescente douée, mais ses parents ne semblaient pas avoir conscience de son talent (remarqué pour la première fois par son thérapeute). Nadia avait une aptitude à regarder les objets, à se rappeler leur taille, leur forme et leur contour et à les traduire dans les modèles moteurs qui convenaient, très supérieure à celle d'un enfant normal, même doué. Il est probable qu'elle s'appuyait sur l'imagerie eidétique — cette aptitude photographique à retenir dans les yeux de l'esprit l'apparence d'objets que l'on n'a vus directement qu'une seule fois. (La comparaison de certains des dessins de Nadia avec les modèles qu'elle avait eus auparavant à sa disposition confirme qu'elle était capable d'imagerie eidétique.) Mais il est clair que sa capacité à traduire ces modèles en séries motrices appropriées et à combiner les images de manières diverses et inattendues allait bien au-delà d'un

FIGURE 4
Un dessin de cheval fait par Nadia, une enfant autiste, à l'âge de cinq ans.

talent eidétique pur. De fait, son aptitude graphique était si grande qu'elle n'avait pas besoin de dessiner les éléments dans le même ordre : au contraire, elle pouvait procéder, presque à volonté, d'un coin du dessin à l'autre, comme si elle était certaine de rendre en fin de compte la forme souhaitée de manière correcte.

En même temps, il semble clair que le don de Nadia avait sa contrepartie. Elle était dépourvue de la connaissance conceptuelle que ses dons pour le dessin eussent requis. Elle ne pouvait pas exécuter de tri consistant à mettre ensemble des unités de la même catégorie. De plus, dans ses propres dessins, elle ne prêtait pas grande attention à l'objet particulier qu'elle dépeignait. Il arrivait qu'elle cessât tout net de dessiner un objet au milieu de son contour ou qu'elle continuât de dessiner tout droit en sortant des limites de la page, comme si elle transcrivait servilement une forme qu'elle avait en mémoire. De plus, elle était incapable de dessiner des versions simplifiées d'un objet, mais semblait contrainte à inclure tous les détails dans tous ses dessins.

Il est peu probable que la science soit en mesure de répondre à la question de savoir si le profil d'aptitudes de Nadia ne concerne que son cas. On ne peut mener les expériences requises. Mais ses dessins prouvent sans conteste que l'intelligence spatiale est distincte des autres forces intellectuelles et qu'elle peut être développée à un degré singulièrement élevé.

Les usages de l'intelligence spatiale

Une intelligence spatiale fine est un avantage inestimable dans notre société. C'est même l'essence de certaines activités — par exemple, pour un sculpteur ou un spécialiste en topologie, dans le domaine mathématique. Sans une intelligence spatiale développée, il est difficile d'envisager un progrès en ces matières. Il existe bien d'autres activités où l'intelligence spatiale ne suffit pas à procurer la maîtrise mais donne l'élan intellectuel nécessaire pour y parvenir.

Dans les sciences, il est aisé de comprendre l'apport de l'intelligence spatiale. Einstein avait des dons particulièrement développés[43]. Comme Russell, il a été fasciné par sa découverte d'Euclide. Il a été attiré par les formes visuelles et spatiales, et leurs correspondances : « Ses intuitions étaient profondément enracinées dans la géométrie classique. Il pensait en termes d'images ou d'expériences de pensée. » On peut supposer que ses idées les plus fondamentales dérivaient de modèles spatiaux plutôt que de raisonnements purement mathématiques.

> Les mots du langage, comme ils sont écrits et parlés, ne semblent jouer aucun rôle dans mes mécanismes de pensée. Les entités psychiques qui semblent servir d'éléments dans la pensée sont certains signes et des images plus ou moins claires qui peuvent être reproduites ou combinées à volonté [...]. Les éléments mentionnés ci-dessus sont, dans mon cas, de type visuel ou pour ainsi dire musculaire.

Scientifiques et inventeurs ont souvent décrit le rôle que jouent les images dans la résolution de problèmes. Dans une des descriptions les plus célèbres, le chimiste Friedrich Kekulé explique comment il est tombé sur la structure moléculaire du benzène[44]. Il dormait et...

> les atomes cabriolaient à nouveau devant mes yeux [...]. Mon œil mental [...] ne pouvait distinguer de plus grandes structures [...] tout s'enroulait et se tortillait dans un mouvement de serpent. Mais regarde ! Qu'est-ce ? Un des serpents se mord la queue, et la forme tourbillonnait de façon moqueuse devant mes yeux. Comme par un éclair de lumière je me suis réveillé.

Ces visions ont suggéré à Kekulé que des composés organiques comme le benzène ne sont pas des structures ouvertes, mais des anneaux fermés. Et plus près de nous, la découverte par James Watson et Francis Crick de la structure de la molécule de l'ADN est essentiellement due à leur aptitude à se représenter différents modes de liaison des molécules les unes aux autres. Ces expériences — parfois élaborées dans l'esprit des scientifiques, parfois sur le papier, parfois à l'aide de modèles réels tridimensionnels — ont conduit à la reconstruction correcte de la double hélice.

La pensée spatiale, telle qu'esquissée au début de ce chapitre, peut prendre part au processus scientifique. Tantôt le problème réel est spatial — comme dans le cas de la construction des modèles de l'ADN ; aussi la réponse implique-t-elle une pensée (ou même une modélisation directe) dans ce médium. Tantôt le don spatial peut fournir une métaphore ou un modèle utile, quoique non nécessaire — comme c'est arrivé à Darwin quand il en est venu à penser l'origine de l'espèce comme un arbre qui se subdivise toujours en branches, et la survie des mieux adaptés comme une course que se livrent les membres d'une espèce.

Le progrès en science peut, de fait, être étroitement lié au développement de certains dispositifs spatiaux. Selon E. Ferguson, bien des problèmes dans lesquels sont engagés les scientifiques et les ingénieurs ne peuvent être décrits sous une forme verbale[45]. Il se peut que le progrès scientifique à la Renaissance ait été intimement lié à l'enregistrement et à la transmission d'un vaste corpus de connaissances par le dessin — comme, par exemple, dans les fameuses esquisses de Léonard de Vinci. Au lieu de mémoriser des listes d'objets ou de parties (comme les penseurs médiévaux ont eu souvent à le faire), ceux qui aspiraient à devenir des hommes de science pouvaient dès lors étudier l'organisation réelle de machines et d'organismes qui n'étaient pas matériellement disponibles. L'invention de l'imprimerie s'est avérée importante pour la diffusion de ces dessins comme elle l'avait été pour la circulation des textes. D'une manière générale, la mise à disposition de manuscrits largement diffusés a joué un rôle important dans l'enseignement de la science et dans la promotion des modes de pensée scientifiques.

Il est clair que l'intelligence spatiale peut servir à différents objectifs scientifiques, comme outil utile, aide à la pensée, mode d'accès à l'information, formulation de problèmes ou même comme véritable moyen de résoudre les problèmes. Peut-être McFarlane Smith a-t-il raison de suggérer qu'après que les individus ont atteint une aisance verbale minimale, c'est leur aptitude spatiale qui détermine l'étendue des progrès qu'ils accompliront dans les sciences[46].

Cependant, le raisonnement spatial n'est pas uniformément impliqué dans les différentes sciences, arts et branches des mathématiques. La topologie exploite la pensée spatiale dans une bien plus grande mesure que ne le fait l'algèbre. Les sciences physiques dépendent de l'aptitude spatiale dans une plus grande mesure que ne le font les sciences biologiques ou sociales traditionnelles (où les aptitudes verbales sont relativement plus importantes). Les personnes qui ont des dons exceptionnels dans le domaine spatial, comme Vinci ou des contemporains comme Buckminster Fuller ou Arthur Loeb, peuvent s'exprimer dans l'une de ces sphères, mais aussi dans un grand nombre d'entre elles, et peut-être exceller en sciences, en ingénierie et en art. Finalement, qui souhaite maîtriser ces activités doit apprendre le « langage de l'espace » et à penser au moyen du médium spatial. Une telle pensée implique de comprendre que l'espace permet la coexistence de certains traits structuraux, mais en interdit d'autres. Ainsi, pour bien des gens,

> penser en trois dimensions, c'est comme apprendre une langue étrangère. Le nombre quatre n'est pas seulement un chiffre d'une unité supérieure à trois et inférieure à cinq, c'est le nombre des sommets ainsi que les faces d'un tétraèdre. Six est le nombre des arêtes d'un tétraèdre, le nombre de faces d'un cube ou bien le nombre des sommets d'un octaèdre [47].

Pour illustrer le caractère central de l'intelligence spatiale, le jeu d'échecs est un bon exemple. L'aptitude à anticiper les mouvements et leurs conséquences semble étroitement liée à une imagerie forte. En effet, les champions d'échecs ont en général une mémoire visuelle exceptionnelle — ou une imagination visuelle, comme ils disent. Pourtant, un examen serré de ces individus révèle qu'ils possèdent un type particulier de mémoire.

Dans une étude pionnière qui date d'il y a cent ans environ, Alfred Binet, l'inventeur des tests d'intelligence, a examiné la virtuosité mnémonique à l'œuvre dans une partie d'échecs qui se jouait les yeux bandés [48]. Le joueur livre plusieurs parties en même temps contre un nombre égal d'adversaires. Les adversaires peuvent chacun voir l'échiquier pertinent, mais pas le joueur qui a les yeux bandés. Il connaît seulement le dernier coup joué par son adversaire, et c'est sur cette base qu'il doit décider du coup suivant.

Que disent les joueurs eux-mêmes ? Dans l'exposé de Binet, nous trouvons une première indication d'un certain Docteur Tarrasch qui écrit : « Toute partie d'échecs se joue les yeux bandés en un certain sens. Par exemple, toute combinaison de cinq coups est menée à bien mentalement — la seule différence étant que l'on est assis devant l'échiquier. Pour le joueur d'échecs, voir son adversaire trouble fréquemment ses calculs [49]. » Nous avons ici la preuve que le jeu est représenté normalement à un niveau relativement abstrait : l'identité des pièces, pour ne rien dire de leurs attributs physiques, est extérieure au raisonnement. Ce qui compte, c'est le pouvoir de chaque pièce — ce qu'elle peut ou ne peut pas faire.

Selon Binet, le succès d'un individu lors d'une partie d'échecs les yeux bandés dépend de son endurance physique, de son pouvoir de concentration, de son savoir, de sa mémoire et de son imagination. Pour ceux qui le pratiquent, le jeu d'échecs est une expérience riche de sens. Ainsi s'efforcent-ils de capter l'essence de chaque partie sur l'échiquier. Chacune a son propre caractère, sa forme, qui s'imprime sur la sensibilité du joueur d'échecs. Un certain M. Goetz dit : « Je considère le jeu comme un musicien considère l'harmonie dans son orchestre [...]. Je suis souvent conduit à traduire une position par une épithète générale [...]. Elle vous frappe comme étant simple et familière, ou comme originale, excitante et suggestive[50]. » Binet propose l'explication suivante : « La multitude des suggestions et des idées émanant d'un jeu fait son intérêt et l'inscrit dans la mémoire. » Le joueur aux yeux bandés doit se souvenir essentiellement de raisonnements et de stratégies. Quand il essaie de se rappeler une position donnée, il doit reconstituer son raisonnement à l'étape précédente, et ainsi se place-t-il sur la voie d'un coup particulier. Il ne se représente pas ce coup isolément, mais il se rappelle plutôt qu'il a un plan d'attaque particulier et que le coup était requis pour parfaire son attaque. « Le coup est en lui-même seulement la conclusion d'un acte de pensée ; le joueur doit d'abord faire revivre cet acte. » De fait, une des méthodes qu'utilisent les joueurs aux yeux bandés pour s'aider eux-mêmes consiste à concevoir une stratégie de jeu différente pour chaque partie, procédure qui aide à rendre chaque partie distincte des autres.

Qu'en est-il de la mémoire aux échecs ? Les joueurs d'échecs ont une mémoire légendaire, en particulier des parties importantes qu'ils ont livrées par le passé. Mais, une fois encore, la mémoire ne se réduit pas au pur enregistrement de faits appris par cœur. Pour un bon joueur, une partie a plutôt un caractère aussi distinct et individualisé qu'une pièce, un film ou un voyage. Binet oppose ce type de mémoire à celle d'un *idiot savant*. Ce dernier peut se rappeler servilement quelque chose ; mais une fois qu'il a joué, la mémoire dans son ensemble disparaît faute de sens intrinsèque. Inversement, la mémoire du joueur d'échecs se révèle beaucoup plus durable, car elle encode des plans et des idées, pas des listes apprises par cœur.

Néanmoins, le champion aux yeux bandés doit avoir d'une certaine manière l'échiquier à l'esprit. Voici les méditations d'un champion de premier plan[51] :

Pour envisager une position, je la garde continuellement devant moi dans toute sa plasticité. J'ai à l'esprit un tableau très clair de l'échiquier et, de peur que des sensations visuelles ne perturbent mon image interne, je ferme les yeux. Ensuite je peuple l'échiquier avec les pièces. La première de ces opérations, celle qui consiste à obtenir une image mentale de l'échiquier, est de toute première importance. Une fois que vous pouvez voir clairement l'échiquier devant vos yeux fermés, il n'est pas difficile d'imaginer aussi les pièces, d'abord dans leur ensemble initial et familier. Maintenant le jeu commence... Aussitôt, cela commence à évoluer sur l'échiquier qui se trouve devant les yeux de l'esprit ; l'image originale se modifie un peu, et j'essaie de retenir ses transformations. Mon adversaire répond, et l'image change encore. Je retiens les transformations les unes après les autres.

Mais selon Binet, plus le joueur est fort et plus il multiplie les parties, et plus abstraite est la représentation qu'il en a. Il ne sert à rien ici de se rappeler activement chacune des pièces, pour ne rien dire de leur forme et de leur taille : ce dont a besoin le joueur, c'est d'une représentation plus abstraite, lui donnant l'orientation générale de la partie, d'une « balise interne » qui lui permet de reconstruire la partie autant que de besoin pour la suivre fidèlement — et rien de plus. Formes et couleurs sont sans importance. Le maître Tarrasch a dit[52] :

> Le joueur absorbé dans la stratégie de la partie ne voit pas une pièce de bois avec une tête de cheval, mais une pièce qui suit la course prescrite pour le cavalier, qui vaut approximativement trois pions, qui est peut-être à ce moment mal placée sur le bord de l'échiquier, ou bien sur le point de faire une attaque décisive, ou bien en danger d'être clouée par un adversaire.

Binet conclut que les meilleurs joueurs ont une mémoire visuelle : mais elle diffère profondément de celle du peintre[53]. Elle est dépourvue de la qualité picturale concrète de ce dernier. Quoique visuelle, elle est abstraite ; de fait, c'est une sorte de mémoire géométrique. Nous pouvons comparer la conclusion de Binet avec la manière dont Napoléon se représentait une bataille[54]. Le commandant qui entre dans la bataille avec une image détaillée de son plan découvre que l'image est trop difficile à modifier rapidement s'il faut l'accommoder aux changements soudains et imprévisibles du champ de bataille : il fera donc un mauvais commandant. Napoléon, de fait, estimait que les individus qui pensent seulement en termes d'images mentales concrètes ne sont pas faits pour commander. Peut-être voyons-nous ici la différence entre l'imagerie littérale d'un *idiot savant* ou d'une Nadia à son chevalet, et l'intelligence plus abstraite d'un joueur d'échecs, d'un commandant de bataille ou d'un physicien théoricien. Il semble raisonnable de souligner les dimensions spatiales — plutôt que purement visuelles — de ce talent.

Les découvertes de Binet ont été confirmées par des études plus récentes. Adrian de Groot et ses collaborateurs de La Haye ont montré que les champions d'échecs ont une remarquable aptitude à reconstruire un échiquier qu'ils n'ont vu qu'une poignée de secondes — à la seule condition que les pièces occupent sur l'échiquier une position qui ait du sens[55]. Si au contraire les pièces sont placées au hasard sur l'échiquier, le champion d'échecs ne réussit pas mieux qu'un pur débutant. Cela montre que le champion d'échecs ne diffère pas qualitativement des autres individus en matière de mémoire purement visuelle pour ce qui est de configurations à apprendre par cœur ; il se distingue plutôt par son aptitude à mettre un modèle en rapport avec un autre rencontré auparavant, à l'encoder de façon significative et à reconstruire l'échiquier sur cette base. Herbert Simon, un pionnier en intelligence artificielle qui a collaboré avec le groupe de Groot, croit possible que les champions d'échecs maîtrisent cinquante mille modèles : c'est cette réserve considérable qui leur permet d'être si efficaces quand on leur présente un nouvel échiquier pendant quelques secondes[56]. Mais ces recherches laissent de côté la question de savoir si les personnes qui deviennent en fin de compte des champions d'échecs ont depuis le début une disposition particulière pour comprendre de tels modèles et les dominer.

Selon moi, il est difficile d'expliquer les progrès extrêmement rapides accomplis par les rares personnes qui deviennent des champions d'échecs avant d'avoir dix ans, sans réfléchir en termes d'intelligence précoce dans une (ou plusieurs) sphère s'y rapportant. Malgré la remarque malicieuse de Capablanca, citée en tête de ce chapitre, les intelligences spatiales et logico-mathématiques sont probablement celles qui y contribuent le plus, à des degrés différents suivant les individus. Pourtant, le savoir populaire nous enseigne que la capacité purement visuelle à imaginer ne suffit pas à elle seule à faire un champion : c'est l'aptitude à mettre un modèle perçu en rapport avec des modèles déjà rencontrés et à inscrire la position présente dans un plan d'ensemble de la partie, qui est le vrai signe du talent aux échecs.

Les arts visuo-spatiaux

Si la pensée spatiale joue un rôle mineur dans les sciences, elle est bien sûr centrale dans les arts visuels. La peinture et la sculpture impliquent une sensibilité raffinée au monde visuel et spatial ainsi qu'une aptitude à le recréer en fabriquant une œuvre d'art. Certaines autres compétences intellectuelles, comme la facilité à contrôler un mouvement moteur fin, y contribuent également ; mais la condition *sine qua non* de l'activité artistique graphique tient au domaine spatial.

Il n'est donc pas étonnant que, quand ils parlent métier, les artistes se polarisent sur les qualités du monde perceptuel et la manière dont on peut le capter au mieux sur une toile. Dans ses lettres révélatrices à son frère Théo, Vincent Van Gogh revient à plusieurs reprises sur ses efforts pour maîtriser ces propriétés[57]. Parlant de la couleur, par exemple, Van Gogh explique :

Il y a des effets de couleur que je ne trouve que rarement dans les tableaux hollandais. Hier soir, j'étais occupé à peindre un sol en pente dans le bois, couvert de feuilles. Tu ne peux pas imaginer de tapis aussi splendide que le rouge profond tournant sur le brun, dans la splendeur du soleil du soir, en automne, tempérée par les arbres. La question était — et je l'ai trouvée très difficile — de savoir comment me saisir de la profondeur de la couleur, de la force et de la solidité énormes de ce sol. Et en le peignant, j'ai perçu pour la première fois ce qu'il y avait de lumière dans cette obscurité, comment je pouvais la conserver tout en retenant la splendeur et la profondeur de cette riche couleur.

Il évoque ailleurs les défis plus généraux auxquels il est confronté dans son œuvre :

Il y a des lois de la proportion, de la lumière et de l'ombre, de la perspective, qu'il faut connaître afin d'être en mesure de bien dessiner ; sans cette connaissance, la lutte est condamnée à ne pas porter de fruit, et on ne mène jamais rien à bien. Je vais essayer cet hiver de me mettre de côté un capital d'anatomie : je ne peux pas l'éviter plus longtemps ; et à la fin cela se révélerait trop coûteux, car ce serait une perte de temps.

L'architecte et artiste du XXᵉ siècle Le Corbusier parle de la lutte que mène l'artiste pour capter les objets [58] :

Notre concept de l'objet vient de sa connaissance totale, une connaissance acquise par l'expérience de nos sens, une connaissance tactile, une connaissance de ses matériaux, de son volume, de son profil, de toutes ses propriétés. Et la perspective habituelle agit seulement comme le déclencheur du souvenir de ces expériences.

Les artistes commencent en général par maîtriser les techniques que leurs prédécesseurs ont développées : si une technique n'est plus disponible, ils essaieront d'inventer. Dürer et ses contemporains de la Renaissance étaient déterminés à maîtriser la perspective qui avait échappé aux générations précédentes. Dürer a proposé une solution séduisante dans une célèbre gravure sur bois [59]. L'artiste a représenté dans sa gravure une grille sur une fenêtre et une autre semblable sur une surface à dessiner. Ainsi a-t-il rendu possible de transposer directement sur le papier une image en perspective qui est vue par la fenêtre carré par carré.

Les artistes doivent aussi prêter attention aux facteurs personnels. L'historien de la peinture de la Renaissance Giorgio Vasari disait de Vinci [60] : « Léonard était si content de voir une tête ou une barbe étranges, ou une chevelure d'une apparence inhabituelle qu'il suivait une telle personne tout au long du jour et l'apprenait par cœur, de sorte que, rentré chez lui, il pouvait la dessiner comme si elle était là. »

Dans sa description de Michel-Ange, Vasari nous aide à

comprendre la manière dont le maître, disciple de Vinci, a acquis ses
talents :

> Il avait une mémoire des plus tenaces : il pouvait se souvenir et faire
> usage des œuvres des autres même s'il ne les avait vues qu'une seule fois ;
> il ne répéta jamais rien de son propre travail, parce qu'il se rappelait tout
> ce qu'il avait fait [...]. Dans sa jeunesse, on leur proposa [à ses amis et à
> lui] de s'essayer à faire une figure dépourvue de l'art du dessin, comme
> ces choses que les garçons ignorants dessinent sur les murs [...]. Il s'est
> rappelé avoir vu un de ces dessins rudimentaires sur un mur et il le
> dessina comme s'il l'avait devant lui et dépassa ainsi tous les autres
> peintres — une chose difficile à faire pour un homme qui a une telle
> connaissance du dessin.

En fait, il se peut que Michel-Ange soit né avec une mémoire
visuelle si précise qu'il était en mesure de réaliser et recréer sans effort
tout ce qu'il avait perçu auparavant. L'artiste William Hogarth atteste
toutefois qu'il est possible de développer ses propres pouvoirs de perception et de mémoire[61] :

> J'ai donc cherché à m'habituer moi-même à m'exercer à une sorte de
> mémoire technique ; et en répétant dans mon propre esprit les parties
> dont les objets sont composés, j'ai progressivement appris à les combiner
> et à les mettre sur le papier avec mon crayon [...] la première habitude
> que j'ai acquise fut donc de retenir dans l'œil de mon esprit, sans le
> copier froidement, sur-le-champ, tout ce que j'avais l'intention d'imiter.

Et Léonard lui-même conseillait à ses élèves peintres de contem-
pler, avec un œil réflexif, les lézardes sur un vieux mur afin de voir s'ils
pourraient y découvrir des formes fécondes[62].

Quoi qu'il en soit, un tel témoignage souligne dans quelle mesure
les arts plastiques commencent par une observation assidue du monde
quotidien. Pourtant, la réussite artistique ne se termine pas là, pour la
seule raison que l'essentiel de l'art abstrait est indépendant du monde
de notre expérience personnelle. En réalité, une bonne part de la peinture prend place à un niveau éloigné de la pure duplication. Picasso
affirme[63] : « La peinture est poésie, et elle s'écrit toujours en vers avec
des rythmes plastiques, jamais en prose [...]. Les rythmes plastiques
sont des formes qui riment les unes avec les autres ou qui entrent en
assonance avec d'autres formes ou avec l'espace qui les entoure. »
Selon Rudolf Arnheim, qui a étudié l'art de près, l'artiste figuratif et
l'artiste abstrait s'intéressent l'un et l'autre à la production de formes
dont les interactions ont pour eux des significations riches[64] :

> Comme le chimiste « isole » une substance des combinaisons qui défor-
> ment sa vision de la nature et de ses effets, de même l'œuvre d'art purifie
> l'apparence signifiante. Elle présente des thèmes abstraits dans leur

généralité, mais sans les réduire à des diagrammes. La variété de l'expérience directe se réfléchit dans des formes hautement complexes.

Ben Shahn, un des principaux artistes américains de notre siècle, parle de la lutte entre l'idée et l'image[65] : « L'idée doit naître d'une image [...]. On pense à Turner, car ce grand novateur manipulait les couleurs et supprimait les formes pour créer la lumière. » Et Sir Herbert Read décrit l'exploit qu'il y a à voir des formes — de belles couleurs et de belles formes — plutôt que des objets physiques — telle une chaise, produit d'une intelligence banale[66].

Tous ces témoignages mettent en évidence un aspect de l'intelligence spatiale que j'ai qualifié plus haut de sensibilité à la composition. En effet, une fois que l'on est profondément passionné par la peinture, peut-être les problèmes de dessin, de couleur et de forme deviennent-ils plus importants que tout, le sujet particulier étant un simple point de départ. Le témoignage de Picasso confirme cette hypothèse, car il insiste sur l'élément formel de tout art graphique et déclare[67] : « Le dessin, les motifs et la couleur sont compris et pratiqués dans le cubisme de la même manière et dans le même esprit qu'ils sont compris et pratiqués dans toutes les autres écoles. » En dernière analyse, il y a dans l'activité artistique une logique précise, qui la distingue de l'imitation de la nature et la place tout à côté des autres domaines d'investigation rigoureuse. Il y a environ deux siècles, le peintre anglais John Constable déclarait[68] : « La peinture est une science et doit être menée comme une enquête sur les lois de la nature. Pourquoi ne pas considérer un paysage comme une branche de la philosophie naturelle, dont les tableaux ne seraient que des expériences ? » Cézanne soulignait, quelques années plus tard[69] : « J'avance dans mes recherches. » Et Clive Bell a suggéré[70] :

> Virginia [Woolf] et Picasso appartenaient à un autre ordre d'êtres : ils étaient d'une espèce différente de l'espèce commune : leurs processus mentaux étaient différents des nôtres [...] leurs normes, aussi, étaient le fait de leur propre création ; pourtant, spontanément, nous avons évalué tout ce qu'ils choisissaient de nous offrir, selon leurs normes que nous nous sommes appropriées sur-le-champ, non contents de les accepter. Leurs conclusions étaient aussi satisfaisantes que des conclusions mathématiques, quoique obtenues au terme de chemins tout différents.

Les chefs-d'œuvre des maîtres de la peinture, merveilleux à voir, sont aussi éloignés de la plupart d'entre nous que les processus utilisés par un compositeur ou un danseur exceptionnel. Un peu plus proches de notre monde sont les activités de l'amateur, l'individu qui regarde l'art et y trouve de la joie, qui peut faire de fines discriminations, reconnaître les styles et faire des évaluations. Mes propres recherches ont montré qu'une telle expertise peut être acquise à un niveau modeste même par de jeunes enfants, qui peuvent apprendre à négliger le sujet et à prêter attention aussi (ou au contraire) aux qualités de coup de pinceau et de matière qui définissent souvent le style d'un maître.

Il serait pourtant erroné d'affirmer qu'une telle expertise se développe automatiquement, ou qu'elle ne requiert pas des pouvoirs développés. Picasso déclarait avec son esprit incisif[71] :

> Les gens disent « Je n'ai pas l'oreille musicale », mais ils ne disent jamais « Je n'ai pas l'œil pour la peinture » [...]. Les gens doivent être forcés à voir de la peinture en dépit de la nature. Nous croyons toujours que nous regardons, n'est-ce pas ? Mais ce n'est pas vrai. Nous regardons toujours à travers des lunettes. Les gens n'aiment pas la peinture. Tout ce qu'ils veulent savoir, c'est quelles peintures le siècle prochain jugera bonnes.

Mais certains individus apprennent le langage de l'amateur : et, heureusement pour nous, l'historien de l'art Kenneth Clark a réfléchi sur certaines des aptitudes clés[72]. Déjà tout jeune enfant, il ressentait une attirance spéciale pour les arts. Entrant dans une galerie, il se rappelle :

> J'ai été immédiatement transporté. Des deux côtés il y avait des écrans avec des peintures de fleurs d'une beauté si ravissante que, non content d'être abasourdi de délices, je sentis que j'étais entré dans un monde nouveau. Dans la relation entre les formes et les couleurs, un nouvel ordre s'était révélé à moi, une certitude s'était établie.

Clark a su tirer parti du fait d'avoir été impressionné si jeune. Il parle de sensation esthétique pure :

> Je n'ai pas assez de vanité pour comparer cette sensation à la compréhension immédiate qu'a un nouveau-né musicien d'une fugue, ou à la joie d'un jeune mathématicien quand il rencontre pour la première fois la démonstration que fait Euclide de l'infinité des nombres premiers [...]. Néanmoins, je pense qu'elle doit être considérée comme une aptitude du même genre presque monstrueuse [...] et s'il se trouve un psychologue suffisamment téméraire pour mener des investigations dans cette branche mystérieuse de la psyché humaine, j'en note la suite. Quinze ans plus tard, je visitais un temple à côté de Kyoto [...]. Comme je m'asseyais sur le sol, j'ai fait l'expérience d'une claire réminiscence : j'avais déjà vu ces peintures. J'en fis part à mon compagnon, le guide officiel que m'avaient fourni les Affaires étrangères : « Nooh, nooh, ce n'est pas possible. » [C'est ce qu'il dit à Clark.]

Mais de fait, il avait raison : elles avaient été exposées à New York en 1910, et il s'est souvenu de son expérience.

Clark souligne qu'aussi loin qu'il remonte dans ses souvenirs, un tableau pouvait le bouleverser, et il a également la plus grande confiance dans son jugement[73] : « Il ne m'est jamais venu à l'esprit qu'une autre personne, dont le jugement serait plus mûr, puisse avoir une impression différente. » Pourtant, il a dû se soumettre à une longue formation de manière à bien connaître les peintres et à pouvoir sentir jusque dans les os leurs différences. Regarder intensément un dessin original de Michel-Ange ou de Raphaël, décider de soi-même lequel est authentique et lequel est faux, constituait[74]

> le plus fin entraînement de l'œil qu'aucun jeune homme puisse avoir. On sentait, en toute humilité, que l'on entrait dans l'esprit de l'artiste et que l'on comprenait les conséquences de son geste le plus infime [...]. On pouvait aussi reconnaître le plus inexplicable de tous les attributs d'une œuvre d'art — le sens de la forme.

Clark décrit la tâche de l'amateur[75] :

> Dire si un tableau est ou n'est pas de Bellini ou de Botticelli implique une combinaison de mémoire, d'analyse et de sensibilité, ce qui est une excellente discipline à la fois pour l'œil et pour l'esprit. L'analogie la plus exacte est la critique textuelle qui est considérée comme le terme ultime des études classiques [...]. Pour un connaisseur, la mémoire des faits et des documents est remplacée par la mémoire visuelle [...] des éléments spatiaux et de la composition, du ton et de la couleur... C'est une discipline exigeante. Cela implique aussi le sentiment de la manière presque indescriptible dont une ligne évoque une forme et de la relation tout aussi mystérieuse entre le ton et la couleur. Un jugement sérieux d'authenticité exige la totalité de ces facultés.

Cet usage de l'intelligence spatiale n'est pas moins digne de respect que celui du scientifique, de l'architecte, du sculpteur ou du peintre.

Perspective culturelle

On peut facilement observer la compétence spatiale dans toutes les cultures humaines connues, en tant qu'intelligence qui remonte loin dans le passé. Assurément, des inventions particulières, comme la géométrie ou la physique, la sculpture cinétique ou la peinture impressionniste, sont limitées à certaines sociétés ; mais il semble que l'on puisse rencontrer partout la capacité à trouver son chemin au milieu d'un environnement confus, à s'engager dans des arts ou des métiers complexes et à pratiquer différents sports et jeux.

Ce qui semble le plus étonnant, ce sont les formes d'intelligence spatiale qui ont été développées dans des cultures éloignées de la nôtre. L'aptitude à remarquer de menus détails a été portée à son apogée par les bushmen Gikwe du Kalahari, qui peuvent déduire des traces d'une antilope sa taille, son sexe et son humeur[76]. Dans les centaines de kilomètres carrés où ils se déplacent, ils connaissent « tous les buissons et toutes les pierres, toutes les aspérités du sol, et ils ont communément donné des noms à tous les lieux où pousse un certain type de veldt, même si ce lieu ne mesure que quelques mètres de diamètre ou bien s'il n'est qu'un coin d'herbes hautes ou un nid d'abeilles ». Les Kikuyu du Kenya valorisent tout autant le fait de posséder une mémoire visuelle pénétrante[77]. Jeune garçon, Jomo Kenyatta s'est vu enseigner la manière de reconnaître chaque tête de bétail du troupeau de sa famille d'après sa couleur, ses marques, sa taille et son type de cornes. Il fut ensuite soumis à un test : « On mélangea deux ou trois troupeaux, et on attendit de lui qu'il sépare les animaux appartenant à sa famille. Ou bien on [a] caché plusieurs animaux et [on lui] a demandé d'inspecter le troupeau et d'indiquer les têtes manquantes. »

De même qu'ils exploitent les talents logico-mathématiques, de nombreux jeux de par le monde tirent parti de l'intelligence spatiale. Les enfants de Tanzanie jouent à un jeu qui repose fortement sur cette aptitude. Quarante-cinq haricots sont placés sur neuf rangées de manière à former un triangle. Les haricots sont numérotés dans l'ordre. Sans que l'adversaire regarde, les autres joueurs retirent un haricot à la fois, de la base au sommet du triangle en alternant les côtes sur chaque rangée. L'adversaire doit donner le numéro de chaque haricot retiré, mais il reste silencieux quand c'est le premier haricot d'une rangée qui est pris. Ainsi est-il dans la situation du joueur d'échecs aux yeux bandés qui doit être à même de visualiser un échiquier absent. Le peuple Shongo, au Congo, joue à un jeu dans lequel des ensembles complexes sont tracés sur le sol : le joueur doit reproduire un ensemble d'un seul trait, sans lever le doigt du sable ni repasser sur le même segment de ligne[78]. Comme dans certains jeux de la culture occidentale, l'enjeu est ici l'aptitude à utiliser des images pour planifier des ensembles d'actions en alternance — il est très possible que l'on y parvienne grâce à l'union des talents spatiaux et logico-mathématiques que nous avons vus à l'œuvre aux échecs.

L'exploitation de la compétence spatiale à des fins plus pragmatiques est aussi frappante. Comme je l'ai souligné plus haut, les Esquimaux ont développé un haut degré d'aptitude spatiale, peut-être à cause de la difficulté qu'ils ont à trouver leur chemin dans leur environnement[79]. Ils doivent être en mesure de détecter la moindre craquelure dans la glace, parce qu'un morceau de glace qui se rompt peut être cause qu'un individu part à la dérive dans l'océan. C'est également pour retrouver son chemin et rentrer dans une des rares maisons de la toundra que le chasseur doit faire attention à l'angle et à la forme de petits amas de neige : il doit être capable d'évaluer les conditions climatiques en observant avec soin de subtiles variations de lumière et d'obscurité dans les nuages.

Certains exemples d'acuité spatiale de la part de certains Esquimaux sont légendaires. Par exemple, on dit que les Esquimaux sont capables de lire aussi bien de haut en bas que de bas en haut et de graver des figures complexes sans avoir besoin de les orienter correctement. Les Esquimaux qui n'ont jamais vu auparavant un certain équipement savent parfois le réparer alors qu'aucun de ses utilisateurs habituels ne le peut : on suppose que cette aptitude en appelle aux talents spatiaux mais aussi à d'autres formes de l'intelligence.

On pourrait penser que les Esquimaux mâles exécutent particulièrement bien des tâches spatiales. En fait, les femmes Esquimaux sont tout aussi habiles. Cela montre que les différences sexuelles que l'on invoque régulièrement dans notre culture occidentale pour ce qui est des aptitudes spatiales peuvent être surmontées dans certains environnements (ou, à l'inverse, que les préventions de nos environnements produisent des faiblesses spatiales apparentes chez les femmes). Quand on teste leur aptitude spatiale, au moins 60 % des jeunes Esquimaux obtiennent le résultat maximum, contre 10 % des enfants blancs. Cette performance vaut aussi pour les tests d'aptitude à conceptualiser et pour ceux qui mesurent les détails perceptibles à l'œil.

Des aptitudes spatiales hautement développées se rencontrent aussi dans une population radicalement différente — le peuple Palau des îles Carolines dans le Pacifique Sud[80]. Dans le cas des Palau, c'est dans la navigation que se manifeste ce don, et il concerne la minorité d'individus qui a le droit de conduire les canoës. Au sein de cette population bien entraînée, ce talent a inspiré le respect de navigateurs occidentaux bien formés.

Il se peut que la clé de la navigation pour les Palau se trouve dans la disposition des étoiles dans le ciel. Pour naviguer parmi les nombreuses îles du voisinage, les Palau doivent se souvenir des points ou des directions où certaines étoiles se lèvent et se couchent à l'horizon. Ils apprennent d'abord par cœur et confient cette connaissance à leur mémoire, mais elle est ensuite absorbée par l'intuition du marin qui consacre de nombreux mois à sillonner la région. Il s'agit enfin d'intégrer cette connaissance à une multitude de facteurs, dont la position du soleil ; le sentiment que chacun éprouve en passant au-dessus des vagues ; la manière dont les vagues se modifient avec les changements de trajet, de vent et de temps ; la façon de pousser et de manier la rame ; l'aptitude à détecter des écueils qui se trouvent de nombreuses brasses plus bas par les soudains changements dans la couleur de l'eau ; et l'apparence des vagues à la surface. Thomas Gladwin, qui a étudié le système sous la tutelle d'un maître marin, conclut[81] :

> Il n'est pas d'ensemble de phénomènes observés qui puisse suffire à guider l'esquif quelles que soient les conditions rencontrées en mer. Il s'agit d'intégrer de nombreuses catégories d'information dans un système dont les différents éléments se complètent l'un l'autre pour fournir un niveau satisfaisant d'exactitude et de fiabilité.

Pour parfaire leur connaissance, les Palau choisis doivent acquérir un savoir plus secret encore et venir à bout d'une longue série de tests[82] :

> L'élève n'a fini d'apprendre son métier que quand, à la requête de son instructeur, il peut commencer par n'importe quelle île dans l'océan qu'il connaît bien et réciter rapidement les étoiles à l'aller et au retour entre cette île et toutes les autres [...]. Armé de cette connaissance, le marin peut alors partir dans n'importe quelle direction, tout en sachant qu'il arrivera dans les environs du lieu où il veut se rendre ; qu'il sera à même de maintenir le canoë solidement dans son trajet ; et près du but, qu'il a les techniques pour situer l'île qu'il cherche et se diriger jusqu'à elle. [Le navigateur talentueux] peut aussi utiliser une étoile qui est sur le côté, ajuster sa position assise de telle sorte que, quand il est dans sa course, l'étoile qu'il a choisie vogue à l'alignement d'un bord ou peut-être juste à la ligne de flottaison de la dame de nage. De cette manière, il peut naviguer presque indéfiniment sans prêter attention à sa course réelle.

Quoique cette navigation ait l'air de se faire d'une seule traite, l'itinéraire est en réalité divisé de façon conceptuelle en une série de segments. Le nombre des positions d'étoiles qui se trouvent entre l'orientation de l'île de référence vue depuis l'île d'origine et cette orientation vue de l'île de destination détermine le nombre de segments à négocier[83]. Quand le navigateur voit en pensée l'île de référence se placer sous telle étoile, il note qu'il a parcouru un certain nombre de segments et qu'il a donc accompli une certaine proportion du voyage. Comme l'aveugle, le navigateur ne peut pas voir les îles, mais il a appris où elles sont et comment il peut calculer mentalement leur position et leurs relations. Quand on lui demande où est une île, il peut la montrer du doigt — immédiatement et exactement.

Comment les insulaires Palau jugent-ils leur propre talent ? Apparemment, ils respectent leurs navigateurs, non parce qu'ils sont « intelligents », mais à cause de ce qu'ils savent faire, à cause de leur aptitude à guider sûrement un canoë d'une île à l'autre. Si on leur demande qui ils jugent « intelligents », il est probable que les indigènes mentionneront des hommes d'État ou d'autres individus qui ont un bon jugement. Comme l'explique Gladwin[84] : « Nous autres dans le monde occidental, nous accordons une haute valeur à l'intelligence. C'est pour cette raison que nous respectons le navigateur Palau. Le peuple Palau respecte aussi ses navigateurs, mais ce n'est pas essentiellement parce qu'ils sont intelligents. Ils les respectent parce qu'ils savent naviguer. » Gladwin nous prévient pourtant qu'il ne faut pas rejeter ces aptitudes comme concrètes, primitives ou prérationnelles. De son point de vue, « la pensée abstraite est une caractéristique généralement répandue dans la navigation des Palau ». Pour m'exprimer dans mes propres termes, je dirais que ces navigateurs Palau font preuve d'un haut degré d'intelligence spatiale.

Ce sont les aînés qui détiennent la clé du métier de marin chez les Palau : ils forment les jeunes et possèdent la maîtrise de l'art de la navigation. De même, chez les Esquimaux et d'innombrables autres groupes traditionnels, les aînés sont souvent les dépositaires de la connaissance. Il est frappant que, dans le contexte occidental aussi, ce sont souvent des individus âgés qui réussissent le mieux en matière spatiale. Dans le cas de la peinture, par exemple, Picasso et Titien ont peint jusqu'à quatre-vingt-dix ans ; la plupart des plus grands artistes occidentaux ont peint mieux que jamais durant les dernières années de leur vie. Le sculpteur contemporain Henry Moore, qui a maintenant atteint l'âge de quatre-vingts ans et qui est un bon exemple de cette longévité, déclare [85] :

> On voit que les plus grands artistes réalisent leur plus grande œuvre dans leur vieillesse. Je pense qu'à la différence de la plupart des arts et des sciences, les arts visuels sont davantage en liaison avec l'expérience humaine réelle. Peinture et sculpture ont plus de rapports avec le monde extérieur et ne finissent jamais.

Nous tombons ici sur un paradoxe. Justement, d'après les tests courants de pensée visuo-spatiale, les adultes normaux voient souvent leurs performances diminuer en vieillissant, ce qui suggère l'hypothèse que l'hémisphère droit est plus vulnérable au vieillissement. Pourtant, en même temps, les individus pour qui les aptitudes spatiales sont précieuses gardent souvent le même très bon niveau de performances jusqu'à la fin de leur vie. Mon avis sur la question est que chaque forme d'intelligence a une durée de vie naturelle : la pensée logico-mathématique est de plus en plus fragile au fil de la vie, chez tous les individus, et l'intelligence kinesthésique court aussi « des risques », mais la connaissance visuelle et spatiale, dans certains de ses aspects au moins, est résistante, surtout chez les individus qui l'ont exercée régulièrement tout au long de leur vie. Le sens du tout, la sensibilité à la Gestalt sont centraux dans l'intelligence spatiale et se développent avec l'âge. Peut-être la sagesse vient-elle de cette sensibilité aux modèles, formes et totalité.

Cet examen de l'intelligence spatiale nous conduit à rencontrer maintenant une seconde forme d'intelligence impliquée dans les objets. À l'inverse de la connaissance logico-mathématique, dont le développement va dans le sens d'une abstraction croissante, l'intelligence spatiale reste fondamentalement liée au monde concret, au monde des objets et de leur localisation dans le monde. Peut-être est-ce une raison de plus pour laquelle elle « résiste ». Il faut encore considérer une troisième forme d'intelligence fondée sur l'objet — encore plus proche de l'individu, en ce qu'elle est inhérente à l'utilisation du corps et aux actions menées sur le monde. Passons dans le chapitre suivant à l'intelligence kinesthésique.

CHAPITRE 8

L'intelligence kinesthésique

Notre héros Bip traîne sa valise sur le quai, grimpe dans le train, vise une place assise et, avec grand effort, pousse sa valise dans le casier qui se trouve au-dessus de sa tête. Quand le train démarre, Bip est secoué sur son siège, tandis que sa valise quitte sa position précaire et tombe. Il s'arrange pour la rattraper et la replace ensuite avec soin sur la tablette. Le contrôleur arrive pour poinçonner son billet. Bip fouille dans ses poches et, de plus en plus désappointé, les retourne, tandis que le mouvement du train continue à le secouer. Il ne trouve toujours pas son billet et se met à chercher frénétiquement, inspectant tous les compartiments de sa valise.

Puis, notre héros sort son déjeuner de sa valise. Il dévisse le capuchon de sa bouteille Thermos, ôte le bouchon, verse le café dans la tasse qui a auparavant servi à fermer la bouteille. Mais, à cause du balancement du train, le café n'atteint jamais la tasse. Bien au contraire, le liquide coule en ligne droite là où était la tasse, mais elle n'est plus là. Le malheureux Bip finit par s'endormir. Comme le train ralentit et stoppe d'un coup, Bip se réveille brutalement, dérangé parce que le mouvement du train s'arrête.

Définition de l'intelligence kinesthésique

Cette petite série d'événements peut être une scène aperçue dans un train ou, plus probablement, une satire comique au théâtre ou au cinéma. En réalité, c'est un mime joué par le grand artiste français Marcel Marceau et rapporté par la psychologue Marianne Simmel[1].

Comme l'indique Simmel, Marceau semble à un niveau superficiel simplement faire ce que de « vrais individus » font tout le temps, « mais il est drôle quand il le fait ». Pourtant, la représentation d'acteurs, d'objets, d'événements et d'actions en absence de supports physiques réels s'écarte en fait considérablement des activités quotidiennes. C'est le devoir du mime que de créer l'*apparence* d'un objet, d'une personne ou d'une action. Cette tâche exige une caricature ingénieuse, des mouvements et des réactions exagérés, s'il faut que les composantes soient reconnues sans ambiguïté et cousues ensemble d'une seule pièce. Pour dépeindre un objet, par exemple, le mime doit en délimiter la forme au moyen de gestes et indiquer, grâce aux expressions de son visage et à ses actions corporelles, ce que fait l'objet et quels effets il a sur lui. Un mime particulièrement talentueux comme Marceau parvient à créer non seulement des personnages (une brute) ou des actions (grimper), mais aussi des animaux (des papillons), des phénomènes naturels (le mouvement des vagues) et même des concepts abstraits comme la liberté ou l'esclavage, le bien et le mal, la laideur et la beauté. Toutefois, il est encore plus surprenant qu'il puisse créer simultanément un grand nombre de ces illusions.

Le mime est un exécutant, et un exécutant d'un type extrêmement rare, à vrai dire. Les intelligences dont il s'inspire ne sont pas répandues dans notre culture. Pourtant, et peut-être est-ce précisément pour cette raison, il incarne sous une forme particulièrement frappante l'intelligence kinesthésique (ou, plus simplement, corporelle) à son plus haut degré. Ce qui caractérise cette intelligence, c'est l'aptitude à utiliser son corps de manière hautement différenciée et talentueuse, à des fins d'expression ou bien sans but précis : c'est ce que nous voyons à l'œuvre quand Marceau feint de courir, de grimper ou de traîner une lourde valise. Tout aussi caractéristique est la capacité à manipuler des objets avec talent, à la fois les objets qui impliquent des mouvements moteurs fins des doigts et des mains, et ceux qui requièrent d'importants mouvements moteurs du corps. Une fois encore, on peut l'observer dans le jeu de Marceau, quand il dévisse délicatement le capuchon de la Thermos ou quand il fait une embardée d'un siège à l'autre dans le train qui se précipite. Dans ce chapitre, je traite de ces deux aptitudes — le contrôle des mouvements corporels et la capacité à manier des objets avec talent — en tant que clés de l'intelligence corporelle. Comme je l'ai noté dans le cas des autres intelligences, il est possible que ces deux éléments-cœurs existent séparément ; mais normalement, l'habileté à utiliser son corps à des fins fonctionnelles ou expressives tend à aller de pair avec la manipulation talentueuse d'objets.

Étant donné ces composantes clés, je m'attacherai surtout aux personnes — comme les danseurs et les nageurs — qui sont particulièrement maîtres des mouvements de leur corps, de même qu'à ceux — comme les artisans, les joueurs de base-ball et les instrumentistes —

qui manipulent des objets avec finesse. Mais je considérerai aussi d'autres personnes chez qui l'utilisation du corps est centrale, comme les inventeurs et les acteurs. À cet égard, d'autres intelligences jouent ordinairement un rôle important. Par exemple, dans le cas de l'acteur ou de l'instrumentiste, le talent en manière d'intelligences personnelles — et aussi dans de nombreux cas de l'intelligence musicale ou linguistique — explique en partie leur performance. Presque toutes les fonctions sociales nécessitent plus d'une intelligence ; en même temps, l'exercice d'une seule intelligence ne saurait suffire. De fait, il se peut que même la capacité qu'a Marcel Marceau à utiliser son corps avec une si grande précision implique la contribution de plusieurs domaines intellectuels.

Le talent à utiliser son corps a été important dans l'histoire de notre espèce depuis des milliers, voire des millions d'années. Nous pensons bien sûr aux Grecs et on peut considérer que cette forme d'intelligence a atteint son apogée en Occident pendant l'Antiquité[2]. Les Grecs révéraient la beauté de la forme humaine et, par le moyen d'activités artistiques et athlétiques, ils cherchaient à développer un corps qui ait des proportions parfaites et soit gracieux dans son mouvement, son équilibre et son allure. Plus généralement, ils recherchaient l'harmonie entre l'esprit et le corps, entraînant l'esprit à utiliser convenablement le corps et le corps à répondre aux pouvoirs expressifs de l'esprit. Mais d'autres activités requièrent aussi l'intelligence du corps. Le romancier Norman Mailer s'est intéressé à la lutte. Il explique[3] :

> Il y a des langages autres que de mots, un langage de symboles et des langages de la nature. Il existe des langages du corps. Et le combat de boxe est l'un d'eux. Un boxeur [...] parle avec un contrôle de son corps qui est, dans son intelligence, aussi détaché, subtil et total que tout exercice de l'esprit. [Il s'exprime] lui-même avec de la vivacité, avec du style et du flair esthétique. La boxe est un dialogue entre les corps, [c'est] un débat rapide entre deux ensembles d'intelligences.

On peut être choqué au premier abord que l'utilisation du corps soit considérée comme une forme d'intelligence. Notre tradition culturelle récente a radicalement disjoint les activités de raisonnement, d'un côté, des activités physiques incarnées par notre corps, de l'autre. Ce divorce entre le « mental » et le « physique » n'a pas manqué d'être associé à l'idée que ce que nous accomplissons avec notre corps est d'une certaine manière moins important, moins spécifique que la résolution de problèmes par l'utilisation du langage, de la logique ou d'un autre système symbolique relativement abstrait.

Pourtant, rares sont les cultures, hormis la nôtre, qui distinguent aussi nettement l'aspect « réflexif » et l'aspect « actif », ce qui devrait au moins nous faire hésiter avant de conclure que l'héritage de la pensée cartésienne occidentale a une valeur universelle. On peut également souligner que les psychologues ont, ces derniers temps, discerné un lien étroit entre l'utilisation du corps et le déploiement des autres pouvoirs cognitifs et qu'ils ont attiré l'attention sur lui[4]. Il est facile de discerner une propension à concentrer les recherches sur les facettes cognitives et sur la base neuropsychologique de l'utilisation accomplie du corps, et il est clair que la tendance générale est à l'établissement d'analogies entre les processus de pensée et les talents physiques « purs ». L'éminent psychologue britannique Sir Frederic Bartlett a posé une analogie entre différents types de talents qui lient différentes fonctions de réception et d'exécution[5] :

> La condition essentielle de toute exécution que l'on peut dire talentueuse devient beaucoup plus manifeste si l'on considère un petit nombre d'exemples réels. Le joueur dans une partie de base-ball, l'ouvrier à son établi de travail, dirigeant sa machine et utilisant ses outils ; le chirurgien réalisant une opération ; le médecin prenant une décision clinique — dans tous ces exemples et dans d'autres innombrables que l'on pourrait tout aussi bien prendre, on constate un flux continuel entre les signaux que l'exécutant reçoit de l'extérieur et qu'il interprète, et les actions qu'il mène à bien ; puis il passe aux signaux suivants et aux actions suivantes, tout cela culminant avec l'achèvement de la tâche ou de la partie de la tâche, quelle qu'elle soit, qui constitue l'objectif immédiat [...]. Une exécution talentueuse doit être constamment soumise au contrôle du récepteur et doit être initiée et dirigée par les signaux que l'exécutant doit choisir dans son environnement, en combinaison avec d'autres signaux, internes à son propre corps, qui lui parlent de ses mouvements au fur et à mesure qu'il les fait.

Selon l'analyse de Bartlett, toute performance inclut un sens très aigu de la chronologie, chaque morceau de la série devant s'adapter au mouvement d'ensemble d'une manière élégante et délicate ; des points de repos ou de déplacement, chaque fois qu'une phase du comportement touche à sa fin et qu'un étalonnage est nécessaire avant que ne vienne le tour de la seconde phase ; un sens de la destination, un but clair auquel conduit la série et un point de non-retour, où un apport supplémentaire de signaux ne produit plus d'effets, parce que la phase finale de la série a déjà été activée. Bartlett outrepasse la pure analyse du talent corporel, quand il affirme de façon étonnante que la plus grande part de ce que nous appelons d'ordinaire la pensée — routinière ou inventive — participe des mêmes principes qui ont été mis en évidence dans les manifestations ouvertement physiques du talent.

Des analyses voisines menées par d'autres psychologues nous permettent d'identifier d'autres performances hautement réussies. L'exécutant accompli a développé au cours des années une famille de procédures destinées à traduire son intention en actes. Savoir ce qui vient ensuite permet une exécution régulière, qui est un signe de maîtrise. Les périodes d'hésitation ou d'arrêt, qui appellent une attention aiguë aux facteurs de l'environnement, alternent avec des périodes plus fluides, où d'innombrables composantes se mettent facilement en place. Programmer des actes à un niveau relativement abstrait permet de choisir ces unités particulières d'exécution aboutissant à la série d'activités la plus régulière possible. C'est précisément du fait de sa maîtrise des différentes possibilités et de son aptitude à effectuer la série la plus efficace en fonction de l'objectif présent que l'expert a l'air d'avoir tout son temps pour faire ce qu'il veut.

Comme je l'ai noté, l'utilisation du corps peut prendre différentes formes. Comme Marcel Marceau, on peut utiliser l'ensemble de son corps pour représenter un certain type d'activité — par exemple courir ou tomber — essentiellement à des fins d'expression (dans un sport comme le football ou la boxe, on s'efforce d'utiliser l'ensemble de son corps pour des actions motrices plus importantes). D'égale importance dans l'activité humaine (sinon d'importance supérieure) est l'élaboration de mouvements moteurs fins, l'aptitude à utiliser ses mains et ses doigts, à réaliser des mouvements délicats impliquant un contrôle précis. L'acte de prendre avec précision un petit objet entre les doigts et le pouce qui s'opposent — ce que les prosimiens ne peuvent faire et ce que les primates supérieurs ne peuvent accomplir que maladroitement — a été porté par les êtres humains à un degré beaucoup plus élevé de délicatesse et de qualité[6]. Un bon pianiste peut produire des modèles indépendants de mouvement avec chaque main, maintenir différents rythmes à chaque main, ainsi qu'utiliser ensemble ses deux mains pour qu'elles « parlent l'une avec l'autre » ou bien pour produire un effet de fugue[7]. Celui qui tape à la machine ou tire au pistolet peut bouger son doigt en quelques millisecondes seulement, ou son œil de quelques degrés seulement, afin de permettre des attaques ou des ajustements précis. Et dans la danse, même le plus infime frémissement d'un doigt peut prendre de l'importance. Comme Suzanne Farrel, première ballerine du New York City Ballet, l'a expliqué[8] :

> Dans une exécution, quand je regarde et que je vois sortir mon petit doigt, je me dis à moi-même : « C'est pour Monsieur B. » [le célèbre chorégraphe Georges Balanchine]. Il se peut que, dans le public, personne ne le remarque, mais lui il le voit et il l'apprécie.

Le rôle du cerveau dans le mouvement corporel

Les recherches en neuropsychologie s'étant surtout portées sur la perception et le langage, le rôle du cerveau dans l'activité physique est moins connu que l'aphasie ou la détection des bords, des lignes, des couleurs et des objets. En effet, de nombreux chercheurs tiennent l'intelligence corporelle pour acquise ou minimisent son importance. L'activité motrice est considérée comme une fonction corticale moins « haute » que les fonctions qui desservent la pensée « pure ». Pourtant, comme Roger Sperry, le doyen des neuropsychologues américains, l'a remarqué avec perspicacité, il faut regarder l'activité mentale comme un moyen visant à effectuer des actions[9]. Plutôt que de considérer l'activité motrice comme une forme subsidiaire inventée pour satisfaire les demandes des centres supérieurs, on doit au contraire considérer l'activité cérébrale comme un moyen de donner « au comportement moteur un raffinement supplémentaire, une direction accrue vers des buts futurs et lointains, une adaptivité d'ensemble et une valeur de survie plus grandes ».

Il serait exagéré de dire que la plupart des segments du corps (et du système nerveux) participent d'une manière ou d'une autre à l'exécution d'actions motrices[10]. Les différents muscles, antagonistes ou non, les articulations et les tendons sont impliqués de la façon la plus directe. Notre sens kinesthésique, qui surveille l'activité de ces régions, nous permet de juger la chronologie, la force et l'extension de nos mouvements et de produire les ajustements nécessaires dans le sillage de cette information. Au sein du système nerveux, de vastes portions du cortex cérébral, ainsi que le thalamus, les ganglions de la base et le cervelet, font passer l'information au cordon médullaire, la station *en route*[11] pour l'accomplissement d'une action. Paradoxalement, là où le cortex sert de centre « supérieur » dans la plupart des formes de l'activité humaine, ce sont les ganglions de la base relativement bas et le cervelet qui contiennent les formes les plus abstraites et les plus complexes de la « représentation des mouvements » ; le cortex moteur est plus directement lié au cordon médullaire et à l'accomplissement réel des mouvements musculaires spécifiques.

Il n'est pas besoin pour le présent propos d'énumérer la masse d'informations bien établies sur le fonctionnement physique des systèmes kinesthésiques chez les êtres humains, mais il est pertinent d'appeler l'attention sur certains principes généraux qui ont été dégagés. Pour commencer, le fonctionnement du système des mouvements est formidablement complexe. Il nécessite la coordination d'une variété vertigineuse de composantes neurales et musculaires d'une façon hautement différenciée et intégrée. Par exemple, dans le mouvement de la main pour s'emparer d'un élément ou pour lancer un objet ou le rattraper, on observe une interaction extrêmement étroite entre l'œil et la main, le rétrocontrôle de chaque mouvement particulier permettant de gouverner encore plus précisément le mouvement suivant[12]. Les mécanismes de rétrocontrôle sont hautement articulés de sorte que les mouvements moteurs sont soumis à un raffinement et à une régulation continuels sur la base d'une comparaison entre le but visé et la position réelle des membres ou des parties du corps à un instant particulier.

De fait, les mouvements volontaires exigent une comparaison permanente entre les actions visées et les effets réellement obtenus : il y a rétrocontrôle continu des signaux de l'exécution des mouvements, et ce rétrocontrôle est comparé à l'image visuelle ou linguistique qui dirige l'activité. Pareillement, la perception que l'individu a du monde est elle-même affectée par l'état de ses activités motrices : l'information concernant la position et l'état du corps est elle-même régulatrice de la manière dont la perception du monde suivante prend place. De fait, en l'absence d'un tel rétrocontrôle de l'activité motrice, la perception ne peut se développer normalement [13].

Une bonne part de l'activité motrice volontaire présente donc une interaction subtile entre les systèmes perceptifs et moteurs [14]. Certaines activités au moins procèdent pourtant à une cadence si rapide que le rétrocontrôle des systèmes perceptifs ou kinesthésiques ne peut être utilisé. Surtout dans le cas d'activités archiconnues, automatiques, hautement accomplies ou involontaires, l'ensemble de la série peut être « programmé d'avance » de sorte qu'elle peut se déployer comme une unité fluide, seules les modifications les plus minces étant rendues possibles à la lumière d'une information venue des systèmes sensoriels. Seules ces séries hautement programmées permettront l'activité du pianiste, de la dactylographe ou de l'athlète, chacune de ces activités reposant sur de longues séries de mouvements qui se déploient à une grande vitesse. Manfred Clynes, un spécialiste des neurosciences qui s'intéresse à l'exécution musicale, remarque [15] :

On peut décider de bouger un doigt sur une distance correspondant à un centimètre ou deux, ou de tourner les yeux pour regarder un objet repéré à vingt ou trente degrés sur la gauche. Dans chaque cas, les muscles commencent, accomplissent et terminent leur mouvement en une fraction de seconde [...]. Le mouvement est programmé à l'avance par le cerveau avant de commencer. Une fois qu'un mouvement court comme celui-là a commencé, il y a simple accomplissement de la décision. Dans la fraction de seconde que dure cet accomplissement, il n'y a pas de rétrocontrôle qui puisse permettre de modifier la décision programmée.

De plus, certains de ces programmes moteurs n'ont pas besoin d'être développés [16] :

De nombreux programmes moteurs sont une partie de la dotation génétique des primates. Ni le rétrocontrôle sensoriel ni les boucles réflexes spinales ne sont nécessaires pour apprendre le répertoire des mouvements [...]. Il est hors de doute que les systèmes perceptifs et moteurs sont en partie « posés » par l'effet modelant de certains aspects de l'environnement, mais les systèmes qui apparaissent semblent être hautement spécialisés, intrinsèquement programmés de manière très différente. En bref, ce qui est présumé sans preuve évidente dans le cas de la croissance physique, sur la base d'un argument implicite tiré de la pauvreté du stimulus, se retrouve également dans l'étude du cerveau et du système nerveux.

Si une grande partie du fonctionnement du système moteur est analogue chez les primates, il semble qu'au moins une dimension de l'activité motrice humaine — peut-être la plus importante — soit limitée à notre espèce. Il s'agit de la capacité de dominance — le potentiel qu'a une moitié du corps (et une moitié du cerveau) à prendre l'ascendant dans tout un éventail d'activités motrices et perceptives [17]. On trouve des traces de latéralité cérébrale chez les primates supérieurs : les babouins apprenant à mener à bien leurs activités avec un haut degré de finesse, un membre a tendance à devenir dominant et à jouer un rôle dirigeant à la fois pour les mouvements grossiers et pour les mouvements délicats, l'autre jouant un rôle de soutien. De plus, cette division du travail se révèle à la suite d'une lésion cérébrale, la « main qui joue les seconds rôles » devenant incapable de mener à bien ce qui était auparavant des « rôles d'exécution ». Mais ni les babouins ni les autres primates n'ont apparemment tendance à une dominance générale d'un côté spécifique du cerveau (et au côté opposé du corps qui lui correspond). La tendance à une dominance de l'hémisphère gauche dans l'activité motrice semble être une disposition propre aux êtres humains, sans aucun doute au moins partiellement sous contrôle génétique et, selon toute vraisemblance, en liaison avec le langage. De même que le langage chez les individus normaux est abrité dans l'hémisphère gauche, de même la moitié gauche de leur cerveau est dominante pour l'activité motrice. Et, ce qui justifie l'argument génétique, le fait d'être gaucher (c'est-à-dire que l'hémisphère droit du cerveau travaille pour les activités motrices) semble se répandre par familles.

L'intelligence corporelle est autonome. En effet, des atteintes aux zones de l'hémisphère gauche, dominantes pour l'activité motrice, peuvent produire des altérations sélectives [18]. Les neurologues parlent d'*apraxie*, ensemble de désordres reliés dans lequel un individu qui est physiquement capable d'accomplir un ensemble de séries motrices et cognitivement capable de comprendre ce que l'on attend de lui est néanmoins inapte à les mener à bien dans le bon ordre ou de la bonne manière. Certaines apraxies d'une grande spécificité ont été décrites : par exemple, il existe des cas d'apraxie isolée de l'habillement (difficulté à enfiler un costume). Il est plus courant que des individus manifestent une apraxie *cinétique des membres*, quand ils ne peuvent pas mener à bien un ordre avec les deux mains ; une *apraxie idéomotrice* quand ils font des gestes maladroits et utilisent une partie de leur corps comme un objet (par exemple, quand ils simulent de marteler un clou, ils heurtent la surface avec le poing, plutôt que de représenter l'outil absent entre leur main serrée) ; ou une *apraxie idéa-toire*, où certains ont des difficultés à effectuer une série d'actes en douceur et dans un ordre correct [19]. Ces différentes erreurs — accomplissement inapproprié ou omission d'un acte — se retrouvent aussi chez des individus normaux, surtout quand ils agissent sous pression.

Quoique ces apraxies aillent souvent de pair avec une aphasie, il semble que l'apraxie ne soit pas seulement un désordre linguistique ou symbolique. Des personnes qui ne parviennent pas à mener à bien une commande peuvent comprendre ce qu'on leur commande. D'autres, qui souffrent de graves troubles en matière de compréhension linguistique, peuvent parfaitement exécuter certains types de commandes (par exemple, celles qui impliquent le mouvement de tout le torse) ; de plus, un grand nombre d'études a confirmé que le degré d'altération pour ce qui est de comprendre différents symboles n'est pas étroitement lié à l'aptitude à mener à bien des actions motrices volontaires. Enfin, plusieurs chercheurs ont établi que les individus qui ont complètement perdu leur mémoire verbale restent néanmoins capables d'apprendre et de se rappeler des séries motrices complexes et des modèles de comportement (même s'ils nient avec véhémence avoir jamais rencontré la série en question !) [20]. Ces faits laissent penser que l'intelligence corporelle est distincte des formes linguistiques, logiques et autres prétendument supérieures de l'intellect. On trouve même des patients, par ailleurs normaux, qui par intervalles ne peuvent pratiquement mener à bien aucune action : ce sont des apraxies isolées qui manifestent, dans une forme pure au premier chef, une absence d'intelligence corporelle.

L'intelligence du corps peut-elle également être épargnée sous une forme isolée ? Il est certain qu'il existe des patients neuropsychiques dont les capacités linguistiques et logiques ont été dévastées mais qui éprouvent peu de difficulté, voire aucune, à mener à bien des activités motrices réussies. On a peu étudié de tels patients, peut-être parce que ce tableau de symptômes est — pour un esprit occidental — beaucoup moins surprenant que la capacité inverse de parler et de raisonner en l'absence de talents moteurs. Même si la préservation sélective des activités motrices n'a guère suscité d'observations, on a remarqué une forme de préservation reliée à l'intelligence corporelle. Certains jeunes gens exceptionnels, comme les *idiots savants* ou les enfants autistes, peuvent être totalement isolés de leurs camarades mais avoir pourtant préservé leur intérêt pour les activités corporelles, les appareils mécaniques et les connaissances y afférentes. Afin de développer ces formes de compréhension, il est probablement essentiel d'avoir préservé une connaissance corporelle et spatiale. La bibliographie consacrée à l'*idiot savant* comporte le cas d'Earl, qui a imaginé de lui-même de faire un moulin à vent avec une horloge ; de Monsieur A. qui était à même d'installer chaîne stéréo, éclairages et télévision sur un même commutateur[21] ; et un autre jeune souffrant d'une altération similaire, qui dessina et construisit un manège qui fonctionnait très bien. Le psychologue clinicien Bernard Rimland rapporte l'histoire de Joe, un enfant autiste, qui s'inspire des théories électroniques pour construire des appareils[22] :

> Il a récemment assemblé un électrophone, une lampe fluorescente et un petit poste de radio avec quelques autres composants de sorte que la musique de l'électrophone se changeait en énergie lumineuse pour redevenir ensuite de la musique dans le poste de radio. En passant sa main entre l'enregistreur et la lampe, il pouvait arrêter la musique. Il comprend les concepts de l'électronique, de l'astronomie, de la musique, de la navigation et de la mécanique. Il sait comment les choses fonctionnent et il est familier des termes techniques. À l'âge de douze ans, il pouvait retrouver son chemin à travers toute la ville sur sa bicyclette avec une carte et une boussole. Il lit le livre de Bowditch sur la navigation. On suppose que Joe a un QI de 80. Il fait un travail d'assemblage dans un magasin Godwill.

En l'occurrence, le cas le plus fameux est sans doute Joey, le « Garçon mécanique », qui a été décrit il y a quelques années par le psychanalyste Bruno Bettelheim[23]. Selon le rapport de Bettelheim, Joey était un enfant autiste malheureux en tout, mais qui manifestait un intérêt privilégié pour les machines. Non content d'aimer jouer avec les machines — il les démontait, les assemblait, manipulait toutes sortes de vis, fils électriques, câbles — il aimait à prétendre, ce qui est plus phénoménal, qu'il était une machine. En effet, sa réalité était celle d'une machine. Bettelheim le décrit :

> Pendant les première semaines que Joey a passées avec nous, nous le regardions, de façon absorbée, par exemple entrer dans la salle à manger. Installant un fil électrique imaginaire, il se connectait avec sa source d'énergie électrique. Ensuite il fixait le fil électrique à une prise imaginaire de la table du dîner pour s'isoler et se branchait (il avait essayé d'utiliser un vrai fil électrique, mais nous ne lui avons pas permis).
> Il devait établir ces branchements électriques imaginaires avant de pouvoir manger, parce que seul le courant se transmettait dans son appareil digestif. Il exécutait son rituel avec tant de talent qu'il fallait y regarder à deux fois pour être sûr qu'il n'y avait ni fil électrique ni prise. Sa pantomime était si talentueuse, et sa concentration si contagieuse, que ceux qui le regardaient semblaient suspendre leur propre existence pour devenir les observateurs d'une autre réalité.

Heureusement Joey a fait des progrès ! On voit toutefois que l'aptitude à jouer et mimer peut exister en dépit d'une profonde faiblesse à communiquer et que la capacité à utiliser son corps de manière efficace est lié à la compréhension de ce qu'est une machine. Joey possédait en effet une bonne compréhension de la nature et du fonctionnement d'un grand nombre de machines, surtout celles qui comportaient un mouvement giratoire et une destruction climactérique. Il se peut que dans son cas, des formes spatiales et logico-mathématiques de compréhension aient complété son intelligence corporelle.

L'évolution du talent corporel

Comment une intelligence corporelle et mécanique fine se développe-t-elle ? Nous pouvons tirer un ensemble d'enseignements de l'étude de l'évolution des talents cognitifs. Chez les animaux inférieurs à l'ordre des primates, on ne trouve essentiellement pas d'utilisation flexible des outils : c'est-à-dire que des organismes inférieurs n'utilisent pas différents objets avec flexibilité afin de manipuler leur environnement[24]. On constate plutôt une tendance au sein de chaque espèce à utiliser un ou deux outils, d'une manière hautement stéréotypée, les appendices du corps — griffes, dents, becs — étant utilisés comme instruments.

Même dans les ordres des primates inférieurs, l'utilisation des outils n'est pas fréquente et pas particulièrement génératrice ni innovante. Il arrive souvent que les animaux jettent des objets pendant des périodes de grande excitation, mais ils ne le font pas à des fins utilitaires. Ce sont, de fait, des composantes purement fortuites de manifestations agonistiques violentes et agressives, dont l'objectif est d'intimider les autres.

Pourtant les sources évolutionnistes établissent que les primates supérieurs ont utilisé de simples outils pendant plusieurs millions d'années et que les chimpanzés peuvent parvenir à des résultats impressionnants[25]. La pêche aux termites par les chimpanzés est un exemple abondamment étudié et hautement révélateur de l'utilisation sophistiquée des outils chez les primates. Décrite par Geza Teleki, c'est une activité au cours de laquelle le chimpanzé utilise d'abord un doigt ou son pouce pour gratter la fine couche de terre qui recouvre l'entrée d'un tunnel ; ensuite, il pousse un objet dans l'orifice du tunnel ; il s'arrête en tenant le bout de l'objet dans une main ; il extrait l'objet avec les termites qui se sont accrochées ; et ensuite il choisit les termites qu'il souhaite avec ses lèvres et les dents en tenant dans une main la sonde dont il stabilise l'extrémité libre sur son autre poignet[26].

La pêche aux termites n'est en rien facile. Tout d'abord, le chimpanzé doit trouver un tunnel (ce qui n'est pas facile à faire, comme l'a confirmé Teleki, qui a lui-même passé des semaines à rechercher en vain un tunnel jusqu'à ce qu'il en découvre un par hasard). Puis, il doit choisir un outil pour s'en servir de sonde. Une fois encore, il peut essayer un grand nombre de ramilles, de sarments ou de brins d'herbe avant de sélectionner une sonde appropriée et, si nécessaire, de la modifier. Une variante peut consister à ébarber les feuilles ou quoi que ce soit qui dépasse, ou à casser ou couper la sonde avec les dents jusqu'à ce qu'elle ait la taille adéquate. Teleki a découvert de nouveau qu'en dépit de mois d'observation et d'imitation, il ne pouvait égaler l'adresse d'un jeune chimpanzé. Selon lui,

> l'adresse de la sélection est un talent appris qui nécessite, comme la découverte d'un tunnel, une grande quantité de méthode d'essais et d'erreurs secondée par une mémoire à long terme des résultats. La portée de la mémoire peut couvrir en réalité toute la vie d'un individu.

Dans l'étape de la pêche, le chimpanzé doit insérer la sonde à la bonne profondeur (8 à 16 centimètres) en accomplissant des torsions du poignet appropriées, de façon que la sonde puisse traverser les courbes du tunnel. Ensuite, il doit faire osciller la sonde en douceur avec les doigts, juste assez pour que les termites mordent la sonde, mais pas trop pour éviter qu'elles ne la coupent en la mordant. Une fois qu'elles sont accrochées, le chimpanzé peut extraire la sonde, mais ni trop rapidement ni trop gauchement de peur que les termites ne se décrochent au contact du mur du tunnel.

La pêche aux termites est différente d'un groupe de chimpanzés à l'autre. Ces groupes étant proches d'un point de vue génétique, il est probable que la disparité des pratiques corresponde à des différences de coutumes sociales. Par exemple, une population utilise des sondes pour pêcher à l'intérieur du tertre, de sorte que ses sondes sont relativement courtes et minces ; un second groupe utilise la sonde pour perforer la surface du tertre, elle doit donc être relativement solide et rigide. D'autres « différences culturelles » concernent le type de matériau choisi pour les sondes, selon que les chimpanzés trouvent leurs outils près ou loin du tertre, qu'ils utilisent un seul ou les deux bouts de la sonde, qu'ils recourent à la force ou à la précision pour tenir l'outil.

W. C. McGrew a décrit l'apprentissage de la pêche aux termites dans la population chimpanzée Gombé en Tanzanie[27]. Selon son rapport, les nouveau-nés de moins de deux ans possèdent la technique dans sa forme rudimentaire : ils mangent des termites, fouillent la surface du tertre, modifient des matériaux bruts, et ainsi de suite. Entre deux et quatre ans, les jeunes chimpanzés consacrent beaucoup de temps à grimper autour des tertres de termites, à fouiller à l'intérieur des tertres ou des trous et à arracher ses outils à leur mère. L'intégration séquentielle s'améliore progressivement pendant cette période. À quatre ans, certains individus peuvent avoir une forme de comportement adulte raffinée, mais ils ne s'obstinent pas encore dans de longs combats pour leur subsistance. Cette dernière aptitude se développe vers l'âge de cinq ou six ans.

Comme je l'ai souligné, il est important pour le jeune primate d'entretenir une relation avec un adulte tout au long de ce processus d'apprentissage. Le jeune chimpanzé ou singe observe et acquiert la connaissance du processus en voyant comment d'autres procèdent. En revanche, les primates éduqués avec des parents de substitution sont démunis. Tandis que les singes sauvages considèrent la situation comme un problème comportant une solution possible, les singes qui ont reçu une éducation de substitution se comportent comme si toute stratégie ou tout plan cohérent leur faisait défaut. Seuls les singes élevés dans des conditions naturelles semblent comprendre que leur comportement a un effet sur l'environnement et qu'ils peuvent, dans une certaine mesure, contrôler les événements : le manque de modèles efficaces résulte d'une impuissance apprise. Plus généralement, il est beaucoup plus probable que les primates apprennent à utiliser un outil s'ils sont installés (ou jouent) à proximité d'autres individus qui sont déjà en mesure d'atteindre les buts souhaitables. Il est beaucoup plus probable que les primates développent un comportement s'ils ont observé un de leurs congénères le mener à bien, s'ils en ont tiré une récompense (comme de la nourriture) ou si le primate se contente d'imiter la réaction et trouve qu'elle conduit au résultat souhaité.

On estime qu'au moins trois ensembles de facteurs déterminent si un primate peut apprendre à utiliser un outil[28]. Tout d'abord, il y a la maturation sensori-motrice, nécessaire au talent et à la précision du mouvement du muscle. En deuxième lieu, nous avons le jeu avec les objets de l'environnement dans des cadres accidentels ou de résolution de problème ; par exemple, le chimpanzé apprend dans ses jeux à utiliser un bâton comme une extension fonctionnelle de son bras. Enfin, il y a la stimulation de la réaction contingente qui apprend au jeune organisme que son propre comportement peut, du moins dans une certaine mesure, contrôler l'environnement.

La pêche aux termites compte parmi les formes les plus complexes d'utilisation d'outils que l'on ait découvertes chez les organismes en dehors des hominidés. D'autres formes d'utilisation d'outils que l'on a observées chez les primates comportent les catégories suivantes : extension de la préhension de l'utilisateur (par exemple, utiliser un bâton pour atteindre de la nourriture) ; amplification de la force mécanique que l'utilisateur exerce sur son environnement (marteler avec des pierres pour ouvrir des noix ou des fruits) ; augmentation du maintien extérieur de l'utilisateur (par exemple, brandir un bâton au cours du déploiement d'une agression) ; ou accroissement de l'efficacité avec laquelle les utilisateurs peuvent contrôler les liquides (par exemple, utiliser des feuilles pour éponger de l'eau ou épancher le sang)[29]. Quoique chacune de ces formes ait une valeur adaptative précise, l'organisme peut les acquérir pour la plupart par une méthode d'essais et d'erreurs. De plus, selon l'archéologue Alexander Marshack, ces acti-vités sont largement *le fait d'une seule main* : plutôt qu'une intégration authentique d'une main plus dominante et d'une main qui le serait moins, elles requièrent essentiellement une main dominante, la seconde démarche étant simplement utilisée pour prendre ou agripper. Cette démarche a peu à voir avec l'alternance très organisée dans l'es-pacement, l'action et l'orientation, qui caractérise l'utilisation des deux mains chez les êtres humains. Aussi impressionnante soit-elle, l'utilisa-tion des outils chez les primates a des limites.

L'évolution des êtres humains au long des trois ou quatre derniers millions d'années peut être considérée comme un processus de sophis-tication croissante dans l'utilisation des outils. Il y a deux ou trois millions d'années, l'utilisation des outils par l'*homo habilis* représentait seulement une avancée modeste par rapport à ce que les primates avaient accompli au cours des millions d'années précédents. Les outils de base consistaient à ce moment en pierres arrondies utilisées pour cogner sur des objets et en pierres brutes utilisées pour couper. À ce stade, les hommes préhistoriques ont commencé à utiliser des pierres pour faire sauter des éclats grossiers de caillou. En cognant deux pierres l'une contre l'autre — avec la force transmise par ce contact — ils ont produit des outils de pierre comme les grattoirs dont une arête aiguë pouvait être utilisée pour couper. De tels outils ont représenté une authentique innovation, car les premiers hominiens pouvaient uti-liser ces arêtes aiguës pour couper les peaux et dépecer les carcasses.

Ces couteaux et éclats de pierre ont constitué la base de la fabrica-tion d'outils jusqu'à il y a un million d'années et demi, quand de larges bifaces ou haches manuelles ont commencé à apparaître. L'inventeur en fut l'*homo erectus*, qui a employé ces haches pour couper et fendre de façon plus fine, plus puissante et plus correcte. Au cours du million d'années suivant, peut-être jusqu'à il y a quarante ou cinquante mille ans, les changements dans l'utilisation des outils ont été plus lents et plus progressifs. On peut supposer que les procédures pour fabriquer des outils étaient transmises par observation visuelle et imitation ges-tuelle et que seuls des changements minimes intervenaient d'une génération à l'autre. Il y a peut-être un demi-million d'années, les hommes ont commencé à marteler les pierres pour fabriquer des ustensiles plus fins ; il y a deux cent mille ans, pendant la période acheuléenne, on observe qu'ils se sont mis à marteler des os pour enlever les écailles et retoucher ; et il y a cent mille ans, pendant la période levalloisienne, il y a eu, pour la première fois, production d'éclats à partir d'une pierre préparée, lesquels éclats étaient ensuite travaillés et retouchés. Pendant cette période qui dura un million d'an-nées, d'autres changements se sont mis en place chez les humains, dont l'accroissement régulier de la taille de leur cerveau est le reflet. Les hominidés prennent le contrôle du feu ; on note des chasses collec-tives et brutales à grande échelle, dont le massacre de grands troupeaux de mammouths ; la construction d'installations indivi-duelles, comprenant non seulement des foyers, mais aussi des maisons et des aires de repos et de travail. Pourtant, il est probable que les hommes communiquaient par des gestes et, peut-être, par de simples vocalisations de type émotionnel.

Il y a environ cent mille ans apparut en Europe l'homme de Nean-dertal, entièrement humain pour ce qui est de son physique. Puissant et robuste, il courait et se battait, comme en témoigne un grand nombre d'os brisés et de réductions de fractures, ces blessures étant sans doute dues aux pointes de lance dans des luttes au corps à corps. Mais l'homme de Neandertal avait aussi une certaine douceur. Les crânes étaient placés dans des niches ; les individus étaient enterrés dans des parcelles de famille ; et le plus poignant, c'est que des fleurs étaient placées sur les tombes. Voilà sans doute les premiers signes d'un comportement symbolique orienté vers d'autres individus de la même espèce.

L'explosion majeure de l'évolution humaine s'est produite il y a trente-cinq à quarante mille ans, à l'époque de l'homme de Cro-Magnon. L'utilisation de langages oro-auditifs productifs est sans doute liée à cette explosion, quoiqu'il soit impossible de savoir si c'est une cause ou un effet (ou les deux). On voit apparaître à ce moment des signes clairs d'aptitudes symboliques chez l'homme, comme les images (les splendides animaux et les figures féminines dans les grottes paléolithiques de l'Europe du Sud), les notations (comme dans les sys-tèmes de calendriers découverts en Europe et en Sibérie) et, selon toute vraisemblance, les danses rituelles esquissées sur les murs de nom-breuses grottes. On constate une révolution corrélative dans le degré de précision des outils, la technologie des os et des pierres étant maî-trisée avec plus d'efficacité. En plus d'objectifs utilitaires, les outils étaient alors utilisés pour décorer et, ce qui est le plus important, pour fabriquer d'autres outils. À ce moment, les hommes connaissaient non seulement une grande variété de matériaux, mais aussi différents types et classes d'outils susceptibles d'être fabriqués et utilisés à différentes fins, y compris des lances, des coutelas, des ciseaux, des aiguilles et des outils pour racler, jouer, amenuiser, en faire usage ou cogner. Le cycle productif entre un cerveau de plus grande taille (permettant une utilisation des outils mieux planifiée et plus précise) et l'invention d'ob-jets toujours meilleurs a conféré un avantage adaptatif décisif à des individus qui pouvaient fabriquer des objets physiques et, en fin de compte, ces outils abstraits et polyvalents que l'on appelle symboles[30].

Comment résister à l'envie de comparer l'évolution lente de l'utili-sation des outils chez les primates et les hominiens avec la croissance analogue mais beaucoup plus rapide de la sophistication des jeunes enfants partout dans le monde[31] ? Si elle reste prudente, cette compa-raison peut être riche d'enseignements. Susan Parker suggère que l'ancêtre commun aux grands primates et aux humains présentait apparemment les formes d'intelligence qui se trouvent de toute évidence chez les enfants de quatre ans, permettant l'extraction de la nourriture avec des outils qui fouillent ; les descendants de ces premiers hominiens manifestaient un plus haut niveau d'intelligence, celui que l'on trouve chez les enfants de quatre à six ans, et pouvaient manier des outils plus complexes, comme des projectiles à lancer et des outils de pierre susceptibles d'être manufacturés, et accomplir des tâches comme le dépeçage des animaux, le partage de la nourriture et la construction de refuges. On peut discerner une progression, ensuite, depuis la manipulation d'objets, en association avec les simples réactions en boucle, de la première période sensori-motrice, jusqu'à l'utilisation d'objets pour réaliser des buts, reflétant les sommets de l'intelligence sensori-motrice, jusqu'à des capacités plus sophistiquées, dont l'utilisation d'outils ayant des effets indirects sur les objets ou l'invention de nouveaux outils pour faire face à de nouveaux défis.

Les fossiles témoignent de cette progression, qu'on observe chez les enfants et, dans une certaine mesure, de nos jours chez les primates. Et c'est à la lumière de cette série récurrente que certains auteurs qui font autorité émettent des hypothèses sur le rôle joué par la taille plus importante du cerveau et par l'apparition de régions cérébrales nouvelles dans les avancées qui font de notre espèce ce qu'elle est[32]. Il faut toutefois souligner une différence nette. L'utilisation du langage commence relativement tôt dans la vie du jeune enfant, longtemps avant que l'utilisation des outils n'ait atteint un niveau sophistiqué ; c'est le point de divergence avec l'évolution de l'espèce, la plupart des auteurs considérant que le langage est apparu à la suite d'une période caractérisée par une grande sophistication dans l'utilisation des outils et par l'emploi de gestes et de sons « émotionnels » comme principal moyen de communication.

Le développement de l'intelligence corporelle chez l'individu

Il se peut que nous ne connaissions jamais les origines préhistoriques de l'intelligence corporelle et de sa relation avec le langage et les autres fonctions cognitives ; mais le développement de ces aptitudes chez les êtres humains d'aujourd'hui est un domaine scientifique où des progrès sont possibles. Quoique Piaget n'ait pas mis lui-même ses travaux en relation avec l'intelligence corporelle (il s'intéressait à des questions « plus capitales »), sa description du développement de l'intelligence sensori-motrice éclaire en réalité son origine. La description que propose Piaget de la manière dont les individus progressent depuis les plus simples réflexes — comme ceux qui sont impliqués dans la succion et dans le regard — révèle que certains comportements passent progressivement sous le contrôle de la variation environnementale et des intentions individuelles. On peut voir se coupler des événements auparavant isolés — comme sucer et regarder, ou bien regarder et tendre la main — afin d'obtenir des buts familiers. On peut voir des actes auparavant séparés se combiner différemment afin de réaliser de nouveaux buts — preuve que l'enfant a atteint le stade de la permanence de l'objet. Enfin, quand il commence à opérer sur des représentations mentales comme les symboles, on peut souligner que la même série d'actes et d'opérations est récapitulée dans une sphère moins publique. L'utilisation des outils a maintenant gagné la « pensée pure ».

Bon nombre de chercheurs en matière de développement de l'enfant, parmi lesquels Jérôme Bruner et Kurt Fischer, ont admis l'idée qu'il faut concevoir globalement le développement des aptitudes, non seulement en référence aux activités corporelles de l'enfance, mais aussi en considérant toutes les sortes d'opérations cognitives[33]. Ces chercheurs analysent le développement de la connaissance et l'apparition d'aptitudes plus élaborées et de plus en plus flexibles ; des actes dont la difficulté est aplanie deviennent eux-mêmes les sous-composantes ou les actes constituants d'aptitudes plus élevées et plus complexes. Par exemple, l'enfant combine d'abord au sein du concept de prendre en main le fait de tendre la main et de regarder ; le fait de prendre en main de simples objets évolue vers le fait de passer des objets d'une main dans l'autre ; l'utilisation d'ensembles d'objets pour accomplir des tâches quotidiennes se transforme en la construction de structures simples ; ces structures simples se combinent sous des formes plus élaborées, et ainsi de suite. Les spécialistes qui soutiennent l'idée que la connaissance est un talent reconnaissent qu'une action publique s'intériorise en pensée privée, mais pour eux tout nouveau talent doit néanmoins passer par une série développementale parallèle. En ce sens, ils restent fidèles à l'approche de Frederic Bartlett, qui refusait de distinguer les actions physiques et les aptitudes cognitives ; et ils se rangent parmi les spécialistes qui s'intéressent au développement de talents comme la dactylographie, le jeu d'échecs ou la programmation informatique, et considèrent chacun comme la manifestation d'une maîtrise croissante de différents types et niveaux de talent et d'une coordination plus fluide.

Il se peut aussi que les premières réactions en boucle du nouveau-né soient en continuité avec les formes d'activité beaucoup plus élaborées qui caractérisent le jongleur, la dactylo, le joueur d'échecs, le lecteur ou le programmeur talentueux. Il faut pourtant se demander si l'acquisition d'une compétence symbolique peut, de fait, avoir une influence profonde sur le développement d'un talent corporel. Quand on peut définir un but avec des mots, transmettre verbalement des instructions, critiquer ses propres performances ou bien diriger une autre personne, les méthodes grâce auxquelles les talents sont acquis et combinés peuvent prendre une tout autre physionomie. De même, la maîtrise de fonctions symboliques comme la représentation (signifier une entité, personne ou objet) et l'expression (communiquer une humeur, gaieté ou tragédie) permet aux individus de mobiliser leurs capacités corporelles afin de communiquer différents messages. Peut-être les activités du corps opèrent-elles jusqu'à un certain degré indépendamment de ces fonctions symboliques ; le fait que les capacités symboliques et les activités motrices peuvent être dissociées les unes des autres à la suite d'un désordre neurologique semble bien le montrer. Néanmoins, je suis d'avis qu'une fois que le fonctionnement symbolique humain devient une réalité, le système moteur en est modifié pour toujours : l'épanouissement de la symbolisation crée un fossé majeur entre l'intelligence corporelle pratiquée par les humains et l'intelligence corporelle déployée par les autres animaux.

À cet égard, une anecdote rapportée par la neuropsychologue Edith Kaplan est significative[34]. Dans un test d'apraxie, Kaplan a demandé à un patient apraxique de faire semblant de « scier ». Affligé d'une apraxie idéomotrice, cette personne n'a pu feindre le mouvement de scier en représentant l'outil absent (tenant sa main serrée comme s'il y avait une scie dedans) ; en revanche, ce qui est classique en cas d'apraxie, elle traitait sa main comme si elle était elle-même une scie (déplaçant la tranche de sa main ouverte d'avant en arrière comme si c'était une lame de scie). Kaplan a voulu vérifier que ce patient pouvait vraiment effectuer le mouvement requis et lui a demandé simplement d'imiter un acte non représentatif — c'est-à-dire, dans ce cas, osciller sa main en avant et en arrière tout en tenant un outil, mais sans lui préciser de quel outil il s'agissait. Le patient a convenablement exécuté cette action apparemment arbitraire. Satisfaite de sa démonstration, Kaplan a déclaré : « Vous voyez, vous sciez ! » Mais à l'instant où le morphème « scier » a franchi ses lèvres, le poing du patient s'est ouvert et a repris sa position semblable à celle d'une lame. Cet exemple illustre bien que le code symbolique (« scier ») a triomphé du simple lien corporel perceptif.

Formes d'expression corporelle à maturité

LA DANSE

De toutes les utilisations du corps, aucune n'a atteint de plus hauts sommets et ne s'est exprimée de façon plus variée dans les différentes cultures que la danse[35]. Suivant la discussion utile de Judith Hanna, qui a attentivement étudié ce médium, nous pouvons définir la danse comme des séries culturellement modélisées de mouvements corporels non verbaux, à dessein et intentionnellement rythmiques et ayant une valeur esthétique aux yeux de ceux pour qui le danseur les exécute[36]. La danse remonte à des milliers d'années, sans doute aux temps paléolithiques, car des sorciers et des chasseurs masqués en train de danser sont peints dans les anciennes grottes de l'Europe et dans les habitats des montagnes d'Afrique du Sud. De fait, de toutes les activités humaines peintes dans les grottes, la danse occupe le deuxième rang, après la chasse, avec laquelle il se peut bien qu'elle ait été associée.

Nous ne connaissons pas toutes les utilisations que l'on a pu faire de la danse, mais l'anthropologie suggère au moins les faits suivants : la danse peut refléter l'organisation sociale. Elle peut servir de véhicule à l'expression profane ou religieuse ; de distraction sociale ou d'activité récréative ; d'exutoire et de libération psychologique ; d'expression de valeurs esthétiques ou de valeur esthétique en soi ; de reflet d'un modèle de subsistance économique ou d'activité économique en soi[37]. La danse peut servir un propos éducatif, dans le cadre d'un rite initiatique, en ce qu'elle réprésente la transformation que l'individu subira en fin de compte ; elle peut être utilisée pour incarner le surnaturel, comme quand les guérisseurs dansent pour invoquer les esprits ; elle peut même être utilisée pour la sélection sexuelle, chaque fois que les femmes choisissent les hommes en fonction de leurs performances et de leur endurance à la danse. (Dans la tribu Nuba Tira du Soudan, les jeunes femmes « se jettent elles-mêmes contre les partenaires qu'elles ont choisis[38] »). Et au sein de nombreuses cultures, la danse peut servir à plusieurs de ces fonctions, soit en même temps, soit à des moments différents, soit dans des milieux différents.

On peut se former une idée des différentes utilisations de la danse en comparant les pratiques des indiens Hopi du sud-ouest de l'Amérique et celles des Samoans de Polynésie[39]. Dans ces deux cultures, la danse est importante, l'extension du mouvement limitée, et l'on invoque des puissances surnaturelles. Pourtant les buts et le caractère de la danse diffèrent d'une culture à l'autre. Chez les Hopi, la danse sert à maintenir l'unité tribale, à apaiser les dieux et à préserver les valeurs culturelles. Les hommes sont les principaux exécutants : pour eux, danser est un devoir, une obligation envers la tribu. Un bon exécutant est celui qui se rappelle les pas, qui danse énergiquement, mais il ne convoite pas de louanges personnelles. Au contraire, en Polynésie, les danses sont personnalisées, moins conservatrices, plus ouvertes à l'improvisation. Les Polynésiens dansent pour commémorer des événements, pour entretenir et augmenter leur mana et pour se rendre les dieux propices. Les deux sexes, hommes et femmes, ainsi que les enfants, dansent ; et pour ce qui est de devenir danseur, cela dépend de l'intérêt de chacun, de son talent et de sa tradition familiale. Les bons exécutants sont ceux qui ont un style personnel et savent bien bouger. La danse sert d'espace où, malgré un grand conformisme social, l'individualisme est toléré, voire encouragé. On peut dire que chez les Hopi, la danse sert de principal espace où s'expriment les valeurs de la culture, tandis que chez les Samoans, elle est une sorte de contrepoint à la rigueur coutumière de la culture.

Étant donné la grande variété des buts que la danse peut servir, il est difficile de généraliser quant à sa forme canonique. Il arrive en effet que les caractéristiques formelles comptent moins que l'ambiance environnante ou que le contenu référentiel explicite. Néanmoins, il semble que certains traits caractérisent la danse dans tout un éventail de cadres, et la plupart nous invitent à nous interroger sur la manière dont les talents s'incarnent dans cette forme d'intelligence.

Selon le danseur et chorégraphe américain Paul Taylor, un danseur doit apprendre à accomplir un mouvement de danse avec une grande précision dans la forme et dans le temps[40]. Le danseur se préoccupe de son placement, de l'espace scénique, de la qualité d'un saut, de la légèreté de son pied — que le mouvement s'adresse à un public ou qu'il produise ses spirales pour lui-même. De nombreux mouvements sont possibles, de l'oscillation au mouvement qui ressemble à un piston, d'un mouvement percussif à des mouvements soutenus. Et c'est de la combinaison de ces qualités — variation de vitesse, direction, distance, intensité, relations spatiales et force — que l'on peut découvrir ou constituer un vocabulaire de la danse[41]. En plus de ces traits relativement objectifs, la personnalité du danseur joue inévitablement un rôle dans l'exécution. Traditionnellement, la danse concernait des émotions extrêmes ; comme la joie ou le chagrin : mais dans la danse moderne, on s'efforce désormais de transmettre des émotions plus complexes comme la culpabilité, l'angoisse ou le remords, quoique, comme George Balanchine en a une fois, avec beaucoup d'esprit, fait la remarque, « il soit toujours impossible de peindre sa belle-mère dans la danse[42] ». La musique est le partenaire le plus important de la danse, et la structure d'une composition musicale influence grandement la technique de la danse ; mais comme la danse peut aussi procéder sans musique, la présence de cette dernière ne peut pas définir la danse.

Ainsi décrite, la danse peut sembler une forme de communication et d'expression sèche et relativement abstraite. En effet, il est difficile d'amener les danseurs (ou même les critiques) à caractériser leur activité d'une manière directe et concrète. Isadora Duncan, une danseuse pionnière de notre siècle, le résumait dans sa célèbre remarque[43] : « Si je pouvais vous dire ce que c'est, je ne l'aurais pas dansé. » Martha Graham, peut-être la plus grande danseuse moderne de notre siècle, a fait une observation étonnante[44] :

J'ai souvent remarqué qu'il est extrêmement difficile d'avoir avec la plupart des danseurs une conversation quelconque qui ait une forme quelconque de cohésion logique — leur esprit ne fait que sautiller (peut-être comme mon corps) — la logique — telle qu'elle est — se produit au niveau de leur activité motrice.

Néanmoins, ce qui sert initialement à attirer l'individu vers la danse, ce sont normalement ses aspects concrets et physiques et l'utilisation exceptionnelle du corps. Le danseur et chorégraphe américain José Limon se rappelle [45] :

Quand j'étais enfant à Mexico, j'ai été fasciné — comme tout enfant le serait — par les *jotas* espagnoles, les *jarabes* mexicaines et les *bailes* indiennes. Plus tard, de l'autre côté de la frontière, j'ai vu des danseurs de claquette et des danseurs de ballet. Un simple hasard m'a ensuite conduit à assister à un spectacle chez [le danseur moderne] Harald Kreutzberg. Je regardai la danse comme une vision d'une puissance ineffable. Un homme pouvait danser, avec une dignité et une majesté sans bornes.

Parfois, les propriétés d'un corps suffisent à séduire. Nijinsky, dont on affirme qu'il fut le plus grand danseur du siècle, était déjà exceptionnel lorsqu'il était encore simple étudiant : la virtuosité technique qu'il déployait sortait de l'ordinaire [46]. Amy Greenfield, une danseuse contemporaine, dit qu'enfant, quand elle regardait un ballet, elle avait l'habitude de fermer les yeux et d'imaginer ce qui viendrait ensuite [47]. Si elle ouvrait les yeux et que les danseurs étaient là où elle les avait imaginés, elle avait gagné.

Chez les Occidentaux, l'intérêt pour la danse peut n'apparaître que beaucoup plus tard, sans doute à cause du tabou culturel que constituent des hommes qui dansent. (On tourmentait Nijinsky de ressembler à une fille, de sorte que ce tabou n'était pas non plus absent dans la Russie tsariste !) C'est peut-être du fait de ce tabou qu'Eric Hawkins et Remy Charlip, deux chorégraphes contemporains, n'ont commencé la danse qu'à leur entrée à l'Université.

Des forces ataviques sous-tendent la création de la danse. Le danseur et chorégraphe Alwin Nikolai donne une description séduisante de la manière dont une idée se fait danse [48] :

Je préfère faire tomber une simple et unique idée dans mon cerveau et la laisser fourrager dedans pendant plusieurs mois, sans efforts de conscience particuliers de ma part. Ensuite, deux ou trois semaines avant de commencer ma chorégraphie, je tente de rassembler le résultat de ce processus de Rorschach [49]. J'aime (je peux) alors concevoir ma chorégraphie promptement et à l'intérieur d'un court laps de temps ; je sens que dans cet épanchement je garde ouverts les canaux de mon sujet.

Un autre danseur, Donald McKayle, se rappelle qu'un souvenir d'enfance a déclenché sa première chorégraphie : une rue, un terrain de jeu pour les enfants de l'immeuble, qui résonne de cris et de pleurs, les cris heureux des jeunes ; ensuite une ombre grande et menaçante projetée par un réverbère — le spectre constant de la peur — « Attention, les flics », et le jeu devint une danse sordide de terreur[50].

À un extrême, la danse devient pur modèle. On a dit que, si le maître de ballet Balanchine a rompu le lien entre danse et narration, le chorégraphe contemporain Merce Cunningham a tranché le nœud entre musique et danse. Cunningham s'est effectivement occupé du mouvement pur et simple : il aime à observer des insectes au microscope et des animaux dans les zoos. Il est l'un des premiers formalistes de la danse et explore la manière dont le poids et la force interagissent avec le temps et l'espace. Pour lui, la danse est un art indépendant qui ne requiert le soutien ni de la musique, ni du décor visuel, ni de l'intrigue. Ses ballets donnent donc l'occasion d'observer l'intelligence corporelle dans sa forme la plus pure, sans qu'elle soit contaminée par une couche représentationnelle. Mais la danse revêt de nombreuses formes. Selon la réflexion de Mikhail Baryshnikov : « Danser est comme un bon nombre de nouveaux langages : ils expriment tous la flexibilité et la profondeur de l'individu[51]. » Le danseur et le spécialiste du langage ont besoin du plus d'éléments possibles : ils n'en ont jamais assez.

AUTRES TYPES D'EXÉCUTION

L'acteur. Si en matière de danse, l'utilisation disciplinée du corps constitue l'entraînement majeur, d'autres fonctions qui exploitent aussi la connaissance du corps exigent des talents supplémentaires ou différents. Ron Jenkins décrit les étapes que l'on traverse (et qu'il a lui-même traversées) pour devenir clown à Bali[52]. Il est d'abord nécessaire de parvenir à une haute compétence technique en matière de danse et de port de masque. Ces talents se transmettent d'habitude directement et personnellement d'une génération à l'autre, les vieux exécutants choisissant des apprentis âgés de six ans. Pour leur apprendre à devenir danseurs, ils les attrapent d'abord par-derrière et les font bouger selon les formes qui conviennent ; en fait, ils leur moulent de force les membres dans les postures canoniques. Jenkins observe : « J'étais un élève maladroit, loin d'être aussi souple que les enfants balinais qui connaissent les mouvements avant d'avoir étudié la danse, parce qu'ils ont constamment regardé des exécutions au cours de leur enfance. » On lui disait : « Ne lève pas si haut les jambes... Garde les coudes plus près du buste. » Ensuite, le danseur à peine formé s'astreint à d'autres exigences : il doit développer sa connaissance des textes, des événements courants, des drames, de la fabrication et du port des masques. Outre ces conditions préalables, celui qui aspire à devenir clown doit maîtriser les relations personnelles, bien s'entendre avec les autres individus de la troupe, de manière à pouvoir se voir attribuer un rôle qui lui convienne et qui le flatte. On a finalement donné à Jenkins le rôle d'un vieil homme, dans lequel il pouvait exploiter sa connaissance de la comédie et du rythme dramatique, sans que ses faiblesses techniques soient un handicap. À la fin, après plusieurs mois de pratique, il a eu le droit de fabriquer et de mettre en drame ses propres histoires.

Dans toutes les formes d'exécution, mais surtout dans l'art dramatique, l'aptitude à observer avec soin et ensuite à re-créer les scènes dans le détail est de toute première importance. Une telle aptitude mimétique commence très tôt, peut-être même dans les premiers jours ou semaines de la vie. À l'âge de deux ans, tout enfant normal est en mesure d'observer des scènes ou des exécutions accomplies par d'autres individus et d'en re-créer ensuite au moins certains traits saillants. Il est clair que, pour imiter, certains enfants sont bien meilleurs que d'autres. Pour ces « mimes innés », qui sont peut-être doués d'un haut potentiel dans le domaine de l'intelligence corporelle, il leur suffit de regarder une scène une ou deux fois seulement pour en reproduire les caractéristiques majeures, tandis que d'autres qui voient la même scène à de multiples reprises la re-créent de façon moins précise.

Il se peut que l'inclinaison forte à imiter et à se rappeler des représentations constitue un réservoir précieux, voire nécessaire pour le futur exécutant, mais cela ne suffit pas à produire des performances remarquables. D'autres pouvoirs intellectuels sont aussi importants. Le professeur d'art dramatique Richard Boleslavsky a montré l'importance de la concentration, qui consiste à diriger toute son attention, aussi longtemps que les forces le permettent, pour définir l'objet souhaité[53]. L'acteur doit essayer de re-créer des sentiments à l'aide de sa mémoire inconsciente.

> Pour les sentiments, nous avons une mémoire spéciale qui fonctionne inconsciemment pour elle-même et par elle-même [...]. Elle existe en tout artiste. C'est elle qui fait de l'expérience une part essentielle de notre vie et de notre force. Tout ce que nous devons savoir, c'est la manière de l'utiliser.

Boleslavsky conseille : « Le don d'observation doit être cultivé dans toutes les parties du corps, et pas seulement dans la vue et dans la mémoire [...]. Tout s'enregistre anatomiquement quelque part dans mon cerveau et, grâce à la pratique de la réminiscence et de la répétition, je suis dix fois plus vigilant que je ne l'étais. »

Un autre maître de l'enseignement dramatique, Constantin Stanislavski, témoigne du rôle fondamental des émotions dans la performance de l'acteur[54]. L'acteur doit sentir l'émotion non seulement au moment où il étudie son rôle, mais aussi chaque fois qu'il le joue. Stanislavski voit dans l'entraînement une technique pour projeter l'exécutant dans un état créatif où son subconscient travaillera naturellement. Selon lui, une telle technique a avec notre nature créative subconsciente le même rapport que la grammaire eu égard à la composition poétique. Il s'en explique :

> Certains musiciens ont le pouvoir de reconstituer des sons à l'intérieur d'eux-mêmes. Ils jouent d'un bout à l'autre dans leur esprit une symphonie tout entière qu'ils viennent d'entendre [...]. Certains peintres possèdent le pouvoir de la vision intérieure à un tel degré qu'ils peuvent peindre des portraits de gens qu'ils ont vus, mais qui ne sont plus en vie... Les acteurs ont le même genre de pouvoir de la vue et de l'ouïe.

D'un autre côté, certaines techniques d'acteur ne mettent pas l'accent sur la nécessité de re-créer une humeur ressentie et insistent, au contraire, sur les détails de surface. Selon les termes de mon étude, je peux suggérer qu'une technique de jeu « centrée sur l'émotion » met au premier plan l'intelligence *intra*personnelle, tandis que la seconde forme, « de surface », mobilise l'intelligence *inter*personnelle.

Pour de nombreux analystes, l'aptitude à regarder, à observer de façon perçante, à imiter et à re-créer est centrale dans tous les arts d'exécution. Selon John Martin, qui étudie ce domaine, nous sommes tous équipés d'un sixième sens, *kinesthésique* — la capacité à agir avec grâce et à percevoir directement les actions ou les aptitudes dynamiques des autres personnes ou des objets [55]. Martin affirme que ce processus est automatique. Ainsi, quand nous prenons un objet que nous n'avons jamais soulevé, nous mettons en œuvre la mémoire qu'ont nos muscles d'avoir soulevé des objets de masse et de densité semblables : c'est une façon naturelle de prévoir ce que notre corps doit exécuter. Les expériences passées sont symbolisées dans un langage kinesthésique directement mis en œuvre par le corps, sans qu'il soit besoin d'aucune autre intervention symbolique. De même, quand nous voyons quelqu'un sucer une rondelle de citron, il est probable que nous sentons une activité distincte dans la bouche et dans la gorge comme si nous avions tâté de l'acidité ; ou bien quand quelqu'un crie, il est fréquent que nous sentions une boule grossir dans notre gorge.

Martin croit que c'est notre capacité involontaire à singer, à traverser les expériences et les sentiments des autres qui nous permet de comprendre les formes artistiques et également d'y prendre part. Il déclare [56] :

> C'est toute la fonction du danseur que de nous conduire à imiter ses actes avec notre faculté de singerie interne afin que nous puissions faire l'expérience de ses sentiments. Les faits, il peut nous les dire, mais les sentiments, il ne peut les transmettre qu'en les éveillant chez nous par une action de sympathie.

Il en va de même pour un bâtiment : en le regardant, nous décidons si la proportion est agréable en fonction de ce que nous sentons dans notre corps ; si les colonnes soutiennent bien la masse, ou bien si elle est trop lourde pour elles : « La construction devient, l'espace d'un instant, une sorte de réplique de nous-mêmes, et nous sentons les tensions injustes, comme si elles étaient dans notre corps[57]. »

Si Martin a raison et si l'imitation est bien la composante centrale de la pensée kinesthésique, alors l'enseignement et l'apprentissage de l'imitation doivent permettre d'acquérir du talent dans ce domaine. Comme nous l'avons vu, de telles méthodes sont parfois directement utilisées, comme pour la formation des clowns balinais. L'anthropologue des cultures Ruth Benedict a noté qu'au Japon[58],

> dans l'enseignement traditionnel de l'écriture [...], le professeur prenait la main de l'enfant et traçait les idéogrammes. C'était pour « les lui donner à sentir ». L'enfant apprenait à faire l'expérience des mouvements rythmiques contrôlés, avant de pouvoir reconnaître les caractères, à plus forte raison de les écrire [...]. On peut enseigner à un enfant à tirer à l'arc, manier les baguettes, lancer une flèche ou ficeler dans le dos un oreiller tenant lieu de bébé en lui déplaçant la main et en plaçant physiquement son corps dans la bonne position.

De même, lors des combats de coqs balinais, les mains des spectateurs imitent souvent si fidèlement les mouvements du combat qu'il suffit de les observer pour suivre l'action. Le fait que certains individus soient doués dans ce type d'apprentissage, mais qu'on lui accorde peu de valeur, pourrait expliquer pourquoi de nombreux jeunes exécutants et danseurs prometteurs dans notre culture se détournent de l'école à un jeune âge. Plus que toute autre chose, l'aptitude à singer, à imiter fidèlement, passe souvent pour une sorte d'arrogance ou pour un signe de mauvaise compréhension plus que pour l'exercice d'une autre forme de cognition qui peut être hautement adaptative[59].

Cela ne signifie pas nécessairement que le talent mimétique n'est pas signe d'une mauvaise compréhension. Un grand nombre de comédiens qui ont plus tard obtenu de grands succès ont indiqué que leur envie initiale d'imiter leurs professeurs (et à s'en moquer) venait de leurs difficultés authentiques à comprendre la portée des leçons qu'ils étaient censés maîtriser[60]. Assurément, de tels acteurs et humoristes se mettent en fin de compte à créer des caractères exagérés. Ils y arrivent en remplissant les contours superficiels d'un caractère ; en développant les différentes situations où il se trouve d'ordinaire ; en exploitant les différentes inclinations, aptitudes et faiblesses de cette personne particulière et, arrivés au plus haut point de perfection, de tous les hommes. C'est le processus que les grands clowns muets du passé — Chaplin, Lloyd et Keaton — ont suivi ; et il se peut qu'il caractérise aussi des maîtres de l'humour contemporains pratiquant le comique de caractère comme Lily Tomlin, Johnny Carson ou Woody Allen.

Pour avancer dans ce domaine fascinant et toujours mal connu, il faut rappeler que l'humour et l'esprit sont le propre des êtres humains. Sans doute est-il possible de faire des plaisanteries non verbales et de jouer des scènes humoristiques sans recourir aux mots, mais il n'est pas prouvé que nous partagions cette sensibilité avec d'autres animaux. Il est tentant de mettre l'humour partiellement en rapport avec l'activité mimétique sur laquelle il agit fréquemment (et avec succès), mais cela ne suffit pas, puisque d'autres primates sont certainement en mesure d'imiter des séries de comportement ; et, de fait, les humains trouvent souvent très drôles les imitations du chimpanzé ou d'un autre primate. Peut-être est-ce dans la perception (plutôt que dans la création) de ces séries mimétiques et dans la perception de leur affinité (ou de leur divergence) avec le modèle original que se trouve une composante clé de la réaction humoristique. Si les autres primates sont horrifiés à la vue d'événements ou de scènes qui imitent leur univers familier, mais s'en écartent d'une certaine manière, nos tentatives pour imiter des aspects de leurs expériences ne les amusent pas — pour autant que nous le sachions — et ils ne trouvent pas non plus que de telles singeries faites par leurs congénères soient spécialement drôles. Il est possible que le fait que l'expérience précédente soit *commentée* en isole les animaux autres que l'être humain — parfois nommé, sérieusement, l'animal qui rit.

L'athlète. Le danseur et l'acteur ne sont que deux des rôles importants dans notre culture qui révèlent l'intelligence du corps. La société a aussi accordé une grande valeur à d'autres fonctions. Non contente d'être une source de plaisir pour l'athlète lui-même, son aptitude à exceller en grâce, en puissance, en rapidité, en précision et en esprit d'équipe est aussi, pour d'innombrables spectateurs, un moyen de divertissement, de stimulation et de détente.

Selon B. Lowe, spécialiste du sport, certains traits caractérisent typiquement le lanceur de base-ball talentueux. Il s'agit du contrôle — l'aptitude à lancer la balle exactement où il veut. Il s'agit du métier — la connaissance qui vient avec l'expérience, le pouvoir analytique, l'observation talentueuse et l'ingéniosité. Il s'agit de l'équilibre — l'aptitude à faire preuve de force sous une grande pression et de réussir quand le besoin en est le plus prononcé. Et il s'agit de l'« étoffe[61] » :

> L'étoffe est l'élément physique : quelle est la force du lancé, quelle est la grandeur de la percée dans sa courbe ? L'étoffe qui est le produit de la coordination de la force et d'une vitesse de détente exceptionnelle semble être une qualité innée, peut-être susceptible d'être améliorée par la pratique et la technique, mais non pas d'être acquise.

Manifestement, le don corporel joue un grand rôle dans ces domaines. Au base-ball, par exemple, le lanceur doit être grand, peser environ cent vingt kilos et avoir la rapidité d'un coureur ; un frappeur idéal doit être croisé-dominant, c'est-à-dire avec l'œil dominant situé du côté opposé à celui de la main dominante pour que son nez n'obstrue pas son champ de vue pour le lancé[62]. Dans d'autres sports, les athlètes tirent aussi profit de leur très grande taille et de leurs prouesses physiques. Il semble moins probable qu'un sens du timing développé (le sens de la coordination et du rythme qui les conduit à des mouvements bien exécutés et puissants) fasse partie de leur patrimoine génétique. Le champion de golf Jack Nicklaus décrit son sens kinesthésique[63] :

> Sentir le poids de la tête du club contre la tension du manche m'aide à balancer rythmiquement. Au cours du balancement arrière, j'aime à sentir que le poids de la tête du club entraîne mes mains et mes bras en arrière et en haut. En me baissant, j'aime à sentir le poids de la tête du club traîner en arrière — résister, tandis que mes jambes et mes hanches, en poussant, tirent mes bras et mes mains rythmiquement vers le bas. Lorsque je peux « attendre » ces sensations, je suis presque sûr de faire le balancement dans le bon tempo. Je laisse écouler assez de temps pour faire les différents mouvements dans une séquence rythmique.

Tandis que le sens du timing peut sembler une conséquence directe de l'intelligence corporelle, il se peut que le métier tire parti d'autres points forts intellectuels. Citons l'aptitude logique à monter une bonne stratégie, la capacité à reconnaître des modèles spatiaux familiers et à les exploiter sur place, et un sens interpersonnel de la personnalité et de la motivation des autres joueurs de la partie. Une description du joueur de hockey Wayne Gretzky évoque certaines des composantes du métier[64] :

> Devant le filet, les yeux dans les yeux avec le gardien de but, il prendra le palet [...] un instant de plus, cassant le rythme du jeu et de l'anticipation du gardien de but [...]. Ou bien, dans la chaleur du jeu, il va déclencher une passe avant d'avoir l'air prêt à le faire, se faufilant à travers un dédale de joueurs un peu derrière [...]. Si c'est quelque chose comme un tour de prestidigitation du corps, il le réussit [...]. Il fait une passe derrière lui. Personne n'est là pour recevoir le palet. Mais soudain un coéquipier arrive pour le recevoir. Ce qui paraît de la chance ou de la magie n'est ni l'un ni l'autre. Étant donné le mouvement notable des autres joueurs, Gretzky sait exactement où son coéquipier est censé se trouver.

Quoique certains commentateurs pensent que Gretzky réussisse sans effort, il n'en convient pas lui-même :

> Sur dix personnes, neuf pensent que ce que je fais, c'est pur instinct... Ce n'est pas vrai. Personne ne dirait jamais qu'un médecin a appris sa profession par instinct ; pourtant j'ai consacré, à ma manière, plus de temps à étudier le hockey que les carabins à étudier la médecine.

Dans notre culture, l'athlète professionnel s'entraîne de la même manière qu'un artiste et il est effectivement soumis pour une bonne part aux mêmes pressions[65]. Dans un environnement hautement compétitif, il est si difficile de parvenir à un niveau d'excellence dans les disciplines athlétiques que la plupart des gens finissent comme spectateurs.

L'inventeur. Notre débat sur l'intelligence corporelle s'est polarisé sur les aptitudes qui privilégient l'utilisation du corps *per se*, mais nous ne nous sommes guère préoccupés de l'utilisation du corps, en particulier des mains, avec d'autres matériaux. Pourtant, comme nous l'avons vu, le développement de la capacité à manufacturer et à transformer des objets, à la fois directement avec le corps et par l'utilisation d'outils, est propre à l'espèce humaine.

Travailler avec des objets physiques relativement petits joue un rôle majeur dans la profession d'un grand nombre de gens. La plupart des travailleurs, qu'ils soient chasseurs, paysans, agriculteurs, cuisiniers ou ouvriers, manipulent des objets. Il arrive que cela devienne pure routine, tandis qu'à d'autres moments cela implique une grande créativité. De fait, l'ingénieur, le technicien ou l'inventeur n'utilisent pas les matériaux seulement de manière culturellement établie, mais ils réarrangent les matériaux afin de créer un objet mieux ajusté à la tâche à laquelle ils doivent faire face.

Revenons à une question que j'ai posée plus haut. De telles utilisations des objets et des outils en général, et en particulier la conception d'inventions nouvelles, se produisent-elles à l'intérieur des limites de l'intelligence corporelle, ou vaut-il mieux les envisager à la lumière d'une autre compétence intellectuelle ou, peut-être, comme un amalgame de plusieurs intelligences ? De mon point de vue, une intelligence corporelle motrice fine, combinée à des aptitudes spatiales, favorise l'utilisation des objets et des outils. Surtout quand il commence à utiliser un objet ou un outil, l'individu doit coordonner l'information qu'il peut assimiler grâce à son intelligence spatiale avec les aptitudes qu'il a élaborées grâce à son intelligence corporelle. Confiné dans son intelligence spatiale, il pourrait relativement bien comprendre un mécanisme et pourtant n'avoir aucune idée de la manière dont il peut en réalité manipuler ou employer l'objet dans lequel il est logé ; restreint à son intelligence corporelle, il pourrait être en mesure d'accomplir les bons mouvements, mais il échouerait à apprécier la manière dont l'appareil ou la procédure fonctionne. Il serait donc dans une impasse s'il le rencontrait dans un cadre, un format ou une situation un peu différents. Il est probable que la conceptualisation de la manière dont un objet doit fonctionner n'est possible que si l'individu a une idée de l'activité de chacune de ses parties et peut envisager comment elles se coordonneront au sein d'un unique mécanisme.

Il est clair que la combinaison de plusieurs intelligences est souhaitable non seulement pour parvenir à comprendre des outils ou des machines complexes, mais aussi pour concevoir de nouvelles inventions. En plus de cette fusion des intelligences corporelles et spatiales, sans doute suffisantes pour comprendre un appareil ordinaire, l'individu doit utiliser aussi ses capacités logico-mathématiques afin de se représenter ce que requiert telle ou telle tâche, les procédures qui peuvent fonctionner en principe et les conditions nécessaires et suffisantes pour obtenir le produit souhaité. Pour l'individu qui s'appuie sur la méthode des essais et erreurs ou procède en improvisant, c'est-à-dire, pour utiliser le terme de Lévi-Strauss, comme un *bricoleur*, l'utilisation du raisonnement logico-mathématique est moins cruciale.

La façon dont John Arnold, du MIT, s'y prend pour fabriquer un nouveau type de dispositifs d'impression montre le rôle que joue la pure déduction en matière d'invention [66]. Plutôt que de les construire simplement à partir de dispositifs d'imprimerie déjà existants, il essaie de calculer pour son produit l'ensemble de contraintes le plus complet possible. Il en déduit que la base de tout dispositif d'imprimerie, c'est de permettre la transmission de l'information, de la transférer d'une forme ou d'une place à l'autre, de la rendre visuelle et d'en faire de multiples copies. Cette analyse est pertinente, que l'on emploie des moyens électroniques, des copies photostatiques ou, plus traditionnellement, des plaques de caractère encrés et un rouleau. Il est certain qu'une telle approche, très éloignée de celle de l'ouvrier, repose sur les aptitudes logico-mathématiques.

Quel lien entre les premières préoccupations d'un enfant et l'inventivité qu'il manifestera ensuite dans le cadre de l'ingénierie ? Tracy Kidder a étudié des surdoués qui construisent du hardware informatique [67]. Plusieurs de ces inventeurs talentueux ont passé beaucoup de temps dans leur enfance à démonter des objets mécaniques. Décrivant un de ces travailleurs, Kidder souligne : « Comme pratiquement tout le monde dans l'équipe, il a commencé par devenir ingénieur à l'âge de quatre ans environ, s'emparant d'ustensiles domestiques ordinaires, lampes, pendules et radios. Il les démontait dès que ses parents n'y prêtaient plus attention. » Ce futur ingénieur a eu de mauvais résultats à l'école et à l'université jusqu'à ce qu'il prenne un cours d'électronique de base : « J'ai totalement flashé pour le cours », se rappelle-t-il. Un autre membre de l'équipe informatique était très déprimé à l'école jusqu'à ce qu'il découvre qu'il pouvait démonter un téléphone : « Je planais, c'était fantastique ! Je pouvais enfin m'absorber dans quelque chose et oublier que j'avais des problèmes. » De tels témoignages indiquent que l'intérêt pour la manipulation, l'assemblage (ou le démontage) ou le réassemblage ultérieur d'objets peut être important pour la formation d'un ingénieur ; une telle activité peut aussi offrir un encouragement à des personnes qui s'intéressent peu à d'autres domaines d'expérience (ou sont peu douées pour cela).

L'intelligence corporelle dans d'autres cultures

Au sein de notre propre histoire culturelle, nous devons remonter à l'époque des Grecs pour trouver une époque « où la beauté du corps humain fut reconnue, où il fut placé sur le même plan que l'esprit ou l'âme [68] ». Dans bien d'autres cultures, cependant, l'expression et la connaissance corporelles continuent à être importantes. En se déplaçant dans la chaleur, en se courbant pour puiser de l'eau croupie, en se lavant au ruisseau, en cultivant les champs, en s'accroupissant pour déféquer et en portant de lourdes charges sur la tête, les peuples Ibo du Nigeria développent la force physique nécessaire à leurs danses savantes [69]. Dès leur plus jeune âge, les enfants commencent à prendre part à des travaux familiaux comme concasser les ignames, couper du bois et transporter de lourds fardeaux. La pratique individuelle de la danse commence dans le ventre maternel, et ensuite quand le nouveau-né est sur le dos de sa mère et qu'elle danse. Avant même de savoir marcher, l'enfant est encouragé à danser, et les jeunes s'exercent régulièrement. Chez les peuples Anang du Nigeria, on attend de tout individu qu'il soit en mesure de bien danser et de bien chanter, de sculpter et de tisser. Les Anang reconnaissent qu'un très petit nombre de personnes peuvent surpasser les autres, mais ils sont persuadés que chacun est doué. Comme le dit l'anthropologue John Messenger [70] : « Il est manifeste que, pour les Anang, le talent implique la possession de certaines capacités que tout être peut développer pourvu qu'il s'arrange pour le faire. »

Dans d'autres sociétés, certaines aptitudes corporelles sont très répandues. Margaret Mead rapporte que la mère Manus emmène son jeune bébé Manus en canoë [71]. Si le vent se lève, le canoë peut faire une embardée et éjecter mère et enfant en mer. Le bébé a toutefois appris à s'agripper : aussi ne sera-t-il pas perdu dans la mer. À l'âge de cinq ou six ans, l'enfant peut trouver lui-même son équilibre et diriger le canoë avec précision, pagayer assez fort pour avancer en cas de vent doux, tirer le canoë sous son abri sans abîmer le gouvernail, sortir un canoë d'un amas d'embarcation, le sortir de l'eau en faisant osciller l'avant et l'arrière alternativement. Comprendre la mer signifie aussi apprendre à nager, à plonger, à progresser sous l'eau et à savoir comme faire sortir l'eau du nez et de la gorge. Dans cette société tribale, l'enfant moyen peut accomplir des prouesses très rares en Occident.

Bali offre peut-être l'exemple le plus remarquable de société où les individus prennent soin de leur corps et évoluent avec grâce et art. Dans cette société, tout le monde apprend à prêter attention au corps [72] :

Un élève apprend à marcher, il apprend les premiers gestes qui conviennent pour jouer des instruments de musique, il apprend à manger et à danser, en ayant toujours son maître derrière lui, qui lui transmet directement par pression et presque toujours avec un minimum de mots le geste à exécuter. Dans un tel système d'apprentissage, on ne peut apprendre que si l'on est complètement détendu. Les Balinais n'apprennent pratiquement rien par instruction verbale.

Ce savoir kinesthésique accroît le sens de l'équilibre bien développé et le contrôle moteur :

> Les enfants balinais consacrent beaucoup de temps à jouer avec les articulations de leurs doigts [...]. Là où un natif d'Amérique ou de Nouvelle-Guinée emploie pratiquement tous les muscles de son corps pour s'emparer d'une épingle, le Balinais utilise seulement le muscle qui se rapporte immédiatement à l'acte en question, sans troubler le reste de son corps... Le muscle employé n'entraîne pas tous les autres dans un acte unifié, mais quelques petites unités sont mises en mouvement en toute douceur et en toute simplicité — les doigts seulement, la main et l'avant-bras seulement, ou les yeux seulement comme les Balinais ont l'habitude caractéristique de pivoter les yeux d'un côté sans tourner la tête [...]. Le corps [des Balinais] s'adapte parfaitement et rapidement à sa tâche présente.

Ce souci de grâce se rencontre aussi dans d'autres pays — par exemple en Inde, où la gaucherie passe presque pour un signe d'immaturité ; au Japon, où la cérémonie du thé et l'arrangement floral témoignent d'une vraie passion pour les formes et les modèles délicats, mais surtout chez les bouddhistes zen, où règne le désir de dépasser les limites ordinaires du potentiel corporel. Quelle qu'en soit la raison, le fait qu'un maître zen puisse casser des briques à mains nues ou marcher sur des braises — plus globalement, la conviction qu'il peut traduire une intention directement en action — doit nous émerveiller, même si (ou précisément parce que) cela défie l'explication scientifique courante.

Le corps, sujet et objet

Mon étude des différents usages de l'intelligence corporelle a pris le corps en tant qu'objet. Nous avons vu comment les danseurs et les athlètes utilisent leur corps tout entier comme un « pur » objet et nous avons souligné comment les inventeurs ou les travailleurs utilisent les parties de leur corps — surtout la main — pour manipuler, arranger et transformer les objets du monde. Aussi décrite, l'intelligence corporelle complète le trio des intelligences qui se rapportent à l'objet : l'intelligence logico-mathématique, qui s'épanouit à travers la modélisation d'objets en ensembles numériques ; l'intelligence spatiale, qui sert à transformer les objets au sein de l'environnement et à se déplacer parmi un monde d'objets dans l'espace ; et l'intelligence corporelle qui, dirigée vers l'intérieur, se limite à l'exercice du corps et, tournée vers l'extérieur, entraîne des actions physiques sur les objets du monde.

Mais le corps est plus qu'une simple machine qu'il serait impossible de distinguer des objets artificiels du monde. Il est aussi le réceptacle de la conscience de soi de l'individu, de ses sentiments et de ses aspirations les plus personnelles, ainsi que l'entité à laquelle les autres répondent d'une manière particulière en fonction de qualités exclusivement humaines. Depuis la naissance, le fait d'être un humain influence la manière dont les autres nous traitent et nous en venons très rapidement à prendre conscience de la spécificité de notre propre corps. Chacun forme une conscience de soi qu'il modifie perpétuellement et qui influence au retour ses pensées et son comportement, lorsqu'il doit répondre aux autres dans son environnement. Quoique toujours mal connues, les intelligences personnelles sont clairement de toute première importance pour les humains. Elles donnent lieu à nos réalisations les plus impressionnantes, mais traduisent aussi nos tendances les plus terrifiantes. Abordons maintenant cette intelligence qui, telle Janus, est en partie prise dans la sphère interne émotionnelle-affective, en partie tournée vers l'extérieur, vers les autres.

CHAPITRE 9

Les intelligences personnelles

Introduction : la conscience de soi

En 1909, G. Stanley Hall, psychologue et président de la Clark University, invita Sigmund Freud et quelques-uns de ses collaborateurs à venir aux États-Unis donner des conférences d'introduction sur la théorie psychanalytique qu'il venait d'inventer. C'était la première fois (et comme il se révéla, la seule) que Freud partait pour l'Amérique, où l'on manifestait un vif intérêt pour sa théorie et sa méthode thérapeutique nouvelles. Dans un magistral ensemble de conférences[1], Freud présenta sa conception controversée de la personnalité humaine et contribua à faire avancer la cause de la psychanalyse aux États-Unis, bien que les institutions fussent plutôt dominées par le courant béhavioriste. À une exception près toutefois. Pour venir de Cambridge, Massachusetts, à Worcester, il fallut que William James, le doyen des psychologues et des philosophes américains, déjà assez âgé et malade, voyageât un jour entier pour entendre Freud et rencontrer le jeune savant autrichien. Après sa conférence, James vint le voir et lui dit simplement : « L'avenir de la psychologie réside dans vos travaux[2]. » L'historien de la sociologie, H. Stuart Hughes, a résumé cette scène : « L'histoire intellectuelle de notre époque ne présente pas de moment de plus grande ampleur. »

Freud et James incarnaient des démarches historiques différentes, des traditions philosophiques différentes, des programmes différents en matière de psychologie. Freud, le type même de l'intellectuel européen pessimiste, avait choisi de se pencher surtout sur le développement de la psyché individuelle, les conflits que l'individu doit affronter au sein de sa famille immédiate, sa lutte pour l'autonomie, l'angoisse et les multiples mécanismes de défense qui sont le lot de la condition humaine. Pour Freud, la clé de la santé était la connaissance de soi et la volonté de faire face aux souffrances inévitables et aux paradoxes de l'existence humaine.

James approuvait cette analyse, sa propre vie l'ayant amené à rencontrer beaucoup des contraintes et des tensions que Freud décrivait dans sa théorie. Pourtant, James sentait aussi que leurs visions du monde différaient. Tout en faisant l'éloge de Freud, il a aussi indiqué à un confident : « J'espère que Freud et ses disciples pousseront leurs idées jusqu'à leurs limites extrêmes, de sorte que nous puissions mieux les comprendre [...]. Elles révèlent des aspects insoupçonnés de la nature humaine [3]. » James a, quant à lui, choisi de pratiquer une forme de psychologie aux orientations plus positives, moins contrainte par les impératifs biologiques du comportement, plus ouverte aux possibilités de changement et de croissance. Plus que son homologue autrichien, le penseur américain considérait que la relation avec les autres individus est un moyen de parvenir à ses fins, d'effectuer des progrès et de se connaître soi-même. Il se résume dans une phrase célèbre : « Un homme a autant de moi sociaux qu'il existe d'individus qui le reconnaissent et se font mentalement une image de lui [4]. » James a exercé une influence considérable sur la génération suivante des chercheurs en sciences humaines, dont James Mark Baldwin et George Herbert Mead, qui se sont penchés sur les origines sociales de la connaissance et sur la nature interpersonnelle de la conscience de soi propre à l'individu [5].

Mais ce qui unissait Freud et James et ce qui les différenciait de la psychologie alors dominante en Europe et aux États-Unis, c'était leur certitude que l'individu lui-même est important. Ils étaient convaincus que la psychologie devait se construire autour du concept de personne, avec sa personnalité, son développement, son destin. De plus, tous deux pensaient que le potentiel de développement du soi est important, parce que de lui dépend la possibilité de faire face à son environnement. Aucun n'aurait employé cette expression. Mais je crois bien qu'ils auraient été favorables à l'idée d'« intelligences personnelles ». En même temps, ils ne se seraient pas accordés sur la façon de présenter ces intelligences. Freud s'intéressait au moi localisé dans l'individu et, comme clinicien, il se préoccupait de la connaissance qu'un individu a de lui-même. Étant donné ce parti pris, l'intérêt qu'une personne manifeste envers les autres permet de mieux comprendre ses problèmes, ses désirs, ses angoisses et, en fin de compte, de réaliser ses propres buts. Au contraire, pour James, comme pour les psychologues sociaux américains qui lui ont succédé, les relations entre l'individu et son entourage sont déterminantes. La connaissance de soi dérive de l'appréciation des autres, mais elle vise moins à la réalisation d'un projet personnel qu'à assurer le fonctionnement harmonieux de la communauté.

Ce chapitre traite du développement de ces deux aspects de la nature humaine. D'un côté, on trouve le développement des aspects internes d'une personne. La clé en est *l'accès à la vie affective* — l'éventail des affects ou des émotions propres à un individu : la capacité à distinguer ses sentiments et, en fin de compte, à les étiqueter, à les capter dans des codes symboliques, à en tirer un moyen pour comprendre et guider son comportement. Dans sa forme la plus primitive, l'intelligence intrapersonnelle se réduit, à peu de choses près, à la capacité à distinguer un sentiment de plaisir d'un sentiment de chagrin et, sur la base d'une telle discrimination, à s'impliquer davantage dans une situation ou à s'en dégager davantage. À son niveau le plus avancé, la connaissance intrapersonnelle permet de détecter et de symboliser des ensembles de sentiments complexes et hautement différenciés. On trouve cette forme d'intelligence développée chez le romancier (comme Proust) qui peut décrire ses sentiments par introspection, chez le patient (ou le thérapeute) qui parvient à atteindre une connaissance profonde de sa vie affective, chez le vieil homme sage qui puise dans ses expériences les conseils qu'il peut donner aux autres membres de sa communauté.

L'autre intelligence personnelle est tournée vers l'extérieur, vers les autres individus. La clé est *l'aptitude à remarquer chez les autres* leurs humeurs, leurs tempéraments, leurs motivations et leurs intentions et à bien les distinguer. Examinée sous sa forme la plus élémentaire, l'intelligence interpersonnelle permet au jeune enfant de distinguer les individus qui sont autour de lui et à détecter leurs différentes humeurs. Sous sa forme développée, la connaissance interpersonnelle permet à l'adulte évolué de lire les intentions et les souhaits de nombreux autres individus — même dissimulés — et d'agir éventuellement en fonction de cette connaissance, par exemple en influençant un groupe d'individus disparates pour qu'ils se comportent selon la direction qu'il souhaite. On note des formes hautement développées d'intelligence interpersonnelle chez les dirigeants politiques et religieux (le Mahatma Gandhi ou Lyndon Johnson), chez les parents et les professeurs talentueux et chez les personnes qui aident ou soignent, qu'ils soient thérapeutes, conseillers ou chamans.

Plus que toute autre, l'intelligence interpersonnelle et intrapersonnelle est très variée. En effet, parce que chaque culture a ses propres systèmes symboliques, ses propres moyens d'interpréter les expériences, les « matériaux bruts » des intelligences personnelles sont classés par des systèmes de signification qui peuvent différer grandement les uns des autres. Par conséquent, alors que l'on n'a aucun mal à identifier les formes d'intelligence spatiale ou kinesthésique et à les comparer d'une culture à l'autre, les différents types d'intelligence personnelle sont plus hétérogènes, bien moins comparables, voire difficiles à comprendre pour une personne venant d'une autre société.

De même que la symbolisation et l'acculturation des intelligences personnelles prennent de nombreuses formes, leurs effondrements et leurs pathologies sont très variés. En effet, l'effondrement de l'intelligence personnelle revêt nécessairement différentes formes, en fonction de chaque culture : ce qui est pathologique dans un cadre peut être jugé normal dans un autre. De plus, plutôt que de voir seulement son acuité diminuer, une intelligence prend souvent des formes aberrantes et pathologiques, les individus agissant sur la base de distinctions erronées. En ce sens, tout se passe comme pour l'aphasie dans le domaine du langage. Mais, pour que cette analogie soit parfaitement valide, il faudrait que les formes d'aphasie présentent des différences frappantes d'une culture à l'autre.

Au vu de telles distinctions entre l'intelligence personnelle et les autres formes d'intelligence, on doit se demander si les formes de connaissance intrapersonnelle et interpersonnelle sont comparables aux facultés de l'intelligence musicale, linguistique ou spatiale que j'ai examinées dans les chapitres précédents, ou si j'ai commis une erreur de classification.

Pour ce faire, il faut considérer les différences entre l'intelligence personnelle et les autres formes d'intelligence. Nous en avons déjà indiqué certaines. Le « cours naturel » de l'intelligence personnelle est plus atténué que celui des autres formes, attendu que les systèmes symboliques et interprétatifs propres à chaque culture donnent souvent une coloration décisive à ces dernières formes de traitement de l'information. De même, comme je l'ai souligné, les modèles de développement et d'effondrement des intelligences personnelles sont manifestement beaucoup plus variés que ceux des autres intelligences. Les états terminaux sont très variés.

Il faut noter également une autre différence. J'ai jusqu'alors traité séparément chacune des intelligences ; cette fois, j'ai lié deux formes d'intelligence. Assurément, chacune a son propre moteur : l'intelligence intrapersonnelle est principalement impliquée dans l'examen et la connaissance que l'individu a de ses propres sentiments, tandis que l'intelligence interpersonnelle est dirigée vers l'extérieur, le comportement, les sentiments et les motivations des autres. De plus, comme nous le verrons, chaque forme a sa représentation neurologique et son modèle d'effondrement caractéristiques. Je dois donc exposer brièvement pourquoi je les traite toutes les deux ensemble. Au cours du développement, ces deux formes de connaissance sont intimement imbriquées dans toute culture, la connaissance que chacun a de sa propre personne dépendant toujours de son aptitude à appliquer les leçons tirées de l'observation des autres, tandis que la connaissance des autres provient des discriminations internes accomplies de façon routinière. Nous pourrions effectivement décrire séparément nos deux formes d'intelligence personnelle, mais cela impliquerait une séparation artificielle et des répétitions qui ne sont pas nécessaires. Dans des circonstances ordinaires, aucune de ces formes d'intelligence ne peut se développer sans l'autre.

Il faut mentionner d'autres différences concernant les intelligences personnelles. Tout d'abord, des altérations dans ces aires tendent à être beaucoup plus dommageables que celles qui provoquent des désordres dans les autres intelligences. Par ailleurs, on est bien plus récompensé à agir sur son intelligence personnelle particulière. Alors que la décision prise par un individu d'employer (ou de ne pas employer) son intelligence musicale ou spatiale n'est guère chargée, il subit des pressions intenses pour employer ses intelligences personnelles : seul un individu exceptionnel n'essaie pas de comprendre les relations personnelles afin de favoriser son bien-être ou ses relations avec sa communauté. Rien ne garantit, bien sûr, que cette forme d'intelligence conviendra ou sera efficace. Les formes d'intelligences personnelles, autant que celles des autres, peuvent faire long feu ou échouer, et il n'est ni facile ni assuré de traduire le « savoir-que » en « savoir-comment » [6].

Étant donné de telles différences, pourquoi ai-je intégré les intelligences personnelles à mon exposé ? Essentiellement parce que je sens que ces formes de connaissance jouent un rôle crucial dans de nombreuses sociétés, voire dans toutes, même si les spécialistes de la cognition ont eu tendance à les ignorer ou à les négliger [7]. Peu importe les raisons de cette omission. Elle a cependant accrédité une vision trop partiale de l'intellect, qui ne permet pas de bien comprendre de nombreux aspects importants de certaines cultures.

De plus, pour reprendre notre liste de critères, les intelligences personnelles y satisfont plutôt bien. Comme je l'ai déjà évoqué, chacune a un fondement identifiable, un modèle de développement caractéristique, un nombre d'états terminaux qu'on peut expliciter, et on peut en discerner les bases neurologiques et les pathologies. Des données proviennent également de l'étude de l'évolution, et il est probable que nous en saurons un jour plus sur les origines phylogénétiques de ces intelligences. Les arguments tirés de l'étude d'individus exceptionnels — prodiges ou monstres dans les royaumes personnels — sont moins convaincants, mais ils ne manquent pas. La psychologie expérimentale et les tests psychologiques sont moins pertinents qu'on ne le souhaiterait, mais c'est sans doute dû à la répugnance que les psychologues mettent à explorer ce secteur plutôt qu'à des problèmes propres à l'évaluation de ces formes de connaissance personnelle. Pour finir, quoique l'on n'ait pas coutume de considérer les formes de la connaissance personnelle comme encodées dans des systèmes symboliques extérieurs, il me semble que la symbolisation est l'essence même des intelligences personnelles. Sans un code symbolique fourni par sa culture, l'individu n'est confronté qu'à une perception élémentaire et non organisée des sentiments. Armé d'un tel schéma d'interprétation, il peut, au contraire, donner du sens à l'ensemble des expériences que lui-même ou d'autres membres de sa communauté peuvent vivre. De plus, les rituels, les codes religieux, les systèmes mythiques et totémiques sont autant de codes symboliques destinés à capter et à transmettre les aspects fondamentaux de l'intelligence personnelle.

Comme nous le verrons, l'émergence d'une conscience de soi est fondamentale pour les intelligences personnelles de chacun de nous. Quoique l'on puisse considérer que le fait d'avoir une conscience de soi développée soit la quintessence de l'intelligence intrapersonnelle, mes recherches me conduisent à penser tout autrement. Cette « conscience » est plutôt le produit de la combinaison ou de la fusion des connaissances interpersonnelles et intrapersonnelles. Le fait qu'il existe des formes très différentes de conscience de soi montre que cette fusion peut suivre des modèles extrêmement variés, en fonction des aspects de la personne (et des personnes), sur lesquels les différentes cultures mettent l'accent. Par conséquent, dans ce qui suit, j'utiliserai le terme *conscience de soi* au sens d'équilibre instauré par tout individu — et toute culture — entre ses « sentiments internes » et les pressions émanant des « autres personnes ».

Parler de la conscience de soi explique partiellement pourquoi les chercheurs ont hésité à interpréter les intelligences personnelles dans une perspective cognitive. Il semble que l'épanouissement de la conscience de soi développée soit la plus haute réussite des êtres humains. Cette attitude viendrait couronner, supplanter et dominer toutes les autres formes d'intelligence, plus partielles. C'est aussi à cet égard que l'implication personnelle est la plus forte. C'est pourquoi la question est particulièrement sensible et délicate. Faut-il, pour autant, renoncer à toute investigation scientifique minutieuse ? Certainement pas. J'espère en tout cas que ce chapitre montrera que la conscience de soi, aussi merveilleuse soit-elle, n'est pas imperméable à l'étude. Au contraire, on peut l'attribuer à deux formes d'intelligence que tout être humain a la possibilité de développer et de fondre.

En dernière analyse, les intelligences personnelles se réduisent à des capacités de traitement de l'information — l'une dirigée vers l'intérieur, l'autre vers l'extérieur — dont dispose tout nouveau-né humain et qui font partie de son héritage spécifique. Raison de plus pour étudier les intelligences personnelles. La capacité à se connaître soi-même et à connaître les autres est aussi essentielle à la condition humaine que l'aptitude à connaître les objets ou les sons.

Les intelligences personnelles ne pourraient être liées à certaines formes d'intelligence que nous avons déjà rencontrées. Mais comme je l'ai souligné au début de cette enquête, il n'y a aucune raison de penser que deux intelligences, quelles qu'elles soient, peuvent être entièrement comparables. Ce qui compte, c'est qu'elles fassent partie du répertoire intellectuel de l'homme et que leurs origines prennent des formes somme toute comparables dans le monde entier.

Le développement des intelligences personnelles

En premier lieu, les différentes formes d'intelligence personnelle proviennent, à l'évidence, du lien entre le nouveau-né et ceux qui prennent soin de lui — dans presque tous les cas, entre le nouveau-né et sa mère. L'histoire évolutionniste et l'histoire culturelle se combinent pour rendre ce lien d'attache indispensable à une croissance normale. Au cours de la première année de sa vie, l'enfant en vient à former un lien puissant avec sa mère, aidé en cela par l'attirance tout aussi forte que la mère ressent envers sa progéniture. Et c'est dans le cadre de ces liens forts — et des sentiments qui les accompagnent — que l'on peut voir les origines de la connaissance personnelle.

Pendant environ un an, le lien est maximal, de sorte que l'enfant est perturbé s'il est soudain séparé de sa mère ou s'il perçoit qu'un adulte étranger peut être une menace pour le lien. L'enfant cherche à maintenir son sentiment positif de bien-être et à éviter les situations de chagrin ou d'anxiété. Ensuite, le lien devient progressivement plus lâche et plus flexible, comme l'enfant s'aventure loin de son chez-soi, maintenant certain de pouvoir y retourner et retrouver sa mère (ce qui lui permet de recouvrer ses sentiments d'appartenance). Si, pour une raison quelconque, on empêche le lien de se former convenablement ou bien s'il est rompu de façon abrupte sans être immédiatement réparé, des difficultés profondes apparaissent chez l'enfant. Les travaux de Harry Harlow sur les singes sans mère et ceux de John Bowlby sur les nouveau-nés placés en institution ont montré que la privation du lien d'attachement peut entraîner des effets dévastateurs pour le développement normal d'une génération et de la suivante[8]. Notons un point spécialement important pour notre propos : l'absence d'un tel lien présage, pour un individu, des difficultés pour son aptitude ultérieure à connaître d'autres personnes, à élever une progéniture et à tirer parti de cette connaissance pour se connaître soi-même. Ainsi le lien initial entre le nouveau-né et ceux qui prennent soin de lui peut-il être considéré comme un effort de la Nature pour assurer que les intelligences personnelles émergent comme il convient[9].

On peut diviser la croissance de la connaissance personnelle en un grand nombre d'étapes ou de stades. À chaque étape, il est possible d'identifier certains traits importants pour le développement de l'intelligence intrapersonnelle, ainsi que d'autres facteurs qui se révèlent fondamentaux pour la croissance de l'intelligence interpersonnelle. Le tableau donné ici privilégie nécessairement le développement des intelligences personnelles au sein du contexte de notre propre société, car c'est principalement cette trajectoire qui a été étudiée pour le moment. Ce n'est qu'ensuite que j'évoquerai certains des traits qui peuvent caractériser les intelligences personnelles dans d'autres cultures.

LE NOUVEAU-NÉ

Quoiqu'il n'y ait pas moyen de se mettre soi-même dans la peau d'un nouveau-né, il semble probable que, depuis les tout premiers jours de sa vie, tout nouveau-né normal fait l'expérience d'une vaste gamme de sentiments et d'affects. L'observation de nouveau-nés au sein d'une culture donnée et d'une culture à l'autre, ainsi que la comparaison des expressions de leur visage avec celles des autres primates, confirment qu'il existe un ensemble d'expressions du visage qui sont universelles et présentes chez tous les enfants normaux [10]. On peut donc en déduire qu'il existe des états du corps (et du cerveau) associés à ces expressions lorsque les nouveau-nés sont en état d'excitation et de plaisir ou de chagrin [11]. Assurément, ces états sont au départ *non interprétés* : le nouveau-né n'a aucune manière de définir pour lui-même ce qu'il ressent ni pourquoi il ressent telle ou telle chose. Mais l'éventail des états corporels dont le nouveau-né fait l'expérience — il peut sentir différemment à différentes occasions et réussir à corréler des sentiments et des expériences spécifiques — lui sert d'introduction à la connaissance intrapersonnelle. De plus, c'est grâce à ces discriminations qu'il découvre ensuite qu'il est une entité distincte faisant ses propres expériences et ayant son identité propre.

Comme le nouveau-né en vient à connaître les réactions de son corps et à les différencier les unes des autres, il forme aussi ses premières distinctions entre les autres individus et même entre les humeurs exprimées par ses « proches [12] ». À l'âge de deux mois, et peut-être même dès la naissance, l'enfant est déjà en mesure de discriminer les autres individus et d'imiter les expressions de leur visage [13]. Cette capacité témoigne d'un extraordinaire degré de « pré-réglage » sur les sentiments et le comportement des autres individus. L'enfant distingue vite son père de sa mère, ses parents des étrangers, les expressions heureuses des expressions de tristesse ou de colère. (En effet, à l'âge de dix mois, l'aptitude du nouveau-né à discriminer entre différentes expressions affectives produit déjà des modèles distincts d'ondes cérébrales.) De plus, l'enfant parvient à associer différents sentiments à des individus, expériences et circonstances particuliers. Ce sont déjà les premiers signes d'empathie [14]. Le jeune enfant a une réponse de sympathie s'il entend les pleurs d'un autre nouveau-né ou voit quelqu'un dans le chagrin : quoique l'enfant ne puisse pas encore apprécier *comment* l'autre sent, il semble avoir le sentiment que quelque chose ne va pas dans le monde de l'autre personne. Le lien entre la familiarité, la compassion et l'altruisme a déjà commencé à se former.

Grâce à l'astucieuse technique expérimentale conçue par Gordon Gallup pour ses études sur les primates, nous disposons d'un moyen pour repérer le moment où le nouveau-né humain en vient pour la première fois à se considérer lui-même comme une entité séparée, une personne naissante [15]. L'expérience consiste à placer à l'insu de l'enfant une toute petite marque — par exemple une trace de rouge — sur son nez et à étudier ensuite ses réactions quand il s'examine dans un miroir. Pendant la première année de sa vie, le nouveau-né est amusé par la marque rouge, mais il semble la regarder comme une simple décoration intéressante sur un *autre organisme* qu'il aperçoit par hasard dans le miroir. Mais, au cours de sa deuxième année, l'enfant se met à réagir différemment quand il voit la couleur étrangère. Il touche son nez quand il découvre cette rougeur inattendue sur ce qu'il perçoit comme son anatomie vraiment personnelle. La conscience d'être physiquement séparé et d'avoir une identité ne sont pas, bien évidemment, les seules composantes de la connaissance de soi à ses débuts. L'enfant commence aussi à réagir à son propre nom, à se référer à lui-même en se nommant par son nom, à avoir des programmes et des plans définis qu'il s'efforce de mener à bien, à se sentir efficace quand il remporte des succès, à faire l'expérience de l'angoisse quand il viole certaines normes que les autres lui ont édictées ou qu'il s'est édictées à lui-même [16]. Toutes ces composantes de la conscience de sa personne [17] initiale font leur apparition au cours de la deuxième année de la vie.

L'ENFANT ÂGÉ DE DEUX À CINQ ANS

Au cours de la période qui va de deux à cinq ans, l'enfant traverse une révolution intellectuelle majeure : il devient en mesure d'utiliser différents symboles pour se référer à lui-même (« moi », « mon »), à d'autres individus (« toi », « lui », « maman »), (« toi peur », « toi triste ») et à ses propres expériences (« mon anniversaire », « mon idée »). Les mots, les tableaux, les gestes et les nombres comptent parmi les véhicules mis au service de l'enfant pour qu'il parvienne à une connaissance symbolique du monde, ainsi qu'il le fait à travers des actions physiques qu'il exerce directement sur lui et ses discriminations sensorielles. Même dans les cultures où il n'y a pas de pronom personnel, le même type de discrimination symbolique se fait facilement. Au terme de cette période, l'enfant est, de fait, une créature qui symbolise. Il est en mesure de créer et d'extraire des significations au seul niveau de l'utilisation des symboles.

L'apparition de l'utilisation des symboles a d'importantes conséquences pour le développement des intelligences personnelles. Pour l'enfant, la transition est irrévocable : il dépasse les types de discriminations simples de ses propres humeurs et de celles des autres qui étaient d'abord possibles sur une base non médiatisée et passe à l'ensemble bien plus riche et bien plus élaboré des discriminations guidées par la terminologie et le système interprétatif à l'œuvre dans sa société tout entière. L'enfant ne doit plus se reposer sur des discriminations préprogrammées et sur ses déductions personnelles (si elles existent) ; au contraire, la culture met à sa disposition un système d'interprétation dont il peut tirer profit quand il tente de donner un sens à des expériences qu'il a lui-même subies ainsi qu'à celles qui impliquent d'autres individus.

Il peut aussi explorer les différentes fonctions sociales. En parlant, en jouant à des jeux, en faisant des gestes, des dessins, etc., le jeune enfant fait l'essai des facettes de différentes fonctions : la mère et son enfant, le médecin et le malade, le policier et le voleur, le professeur et l'élève, l'astronaute et le Martien. L'enfant en vient non seulement à savoir quel comportement est associé à tel individu, mais encore à comprendre ce que ressent la personne qui occupe ces niches caractéristiques. En même temps, les enfants arrivent à établir une corrélation entre le comportement et les états des autres personnes et leurs expériences personnelles : en identifiant ce qui est positif ou négatif, ce qui provoque l'anxiété ou détend, ce qui est puissant ou sans force, ils avancent dans la définition de ce qu'ils sont et de ce qu'ils ne sont pas, ce qu'ils désirent être et de ce qu'ils préféreraient éviter. L'identité sexuelle est une forme particulièrement importante de discrimination de soi qui s'affirme à ce moment [18].

Les principales théories développées sur cette période de la vie font apparaître plusieurs chemins et modèles associés aux deux lignes de l'intelligence personnelle. D'après les auteurs qui prennent essentiellement en compte l'individu isolé, l'enfant serait une créature à part définissant lui-même ses propres rôles et constituant de lui-même sa différence. Pour Freud, par exemple, le jeune enfant est engagé dans des conflits avec les autres — avec ses parents, ses frères et sœurs, ses pairs et même les adversaires des contes de fées, et ce aux seules fins d'établir sa présence et ses pouvoirs [19]. Selon les termes suggestifs d'Erik Erikson, ce temps est marqué par la lutte entre les sentiments d'autonomie et de honte, et entre les impulsions d'initiative et de culpabilité [20]. Selon les termes de Piaget, moins chargés d'affects, c'est la phase de l'égocentrisme où l'enfant est encore enfermé dans sa conception personnelle du monde : comme il n'est pas encore pleinement en mesure de se mettre à la place des autres, il est limité à ses propres façons de voir centrées sur lui [21]. Il se peut qu'il ait une certaine connaissance de lui-même, mais elle est toujours rigide et gelée : il peut dire son nom et peut-être énumérer ses attributs physiques, mais il n'est pas encore sensible à la dimension psychologique, à la volonté ou au besoin, à la possibilité de modifier ses rôles ou ses attentes — il reste une créature singulièrement unidimensionnelle. Perturbé ou non, l'enfant de cet âge est décrit comme un individu à part, qui s'efforce d'établir son autonomie par rapport aux autres et qui est relativement insensible au monde des autres individus.

Un angle d'approche différent mais tout aussi instructif est fourni par l'école américaine « symbolique interactive » de George Herbert Mead et Charles Cooley, ainsi que par les réflexions « médiationnistes » russes de Lev Vygotsky et Alexander Luria[22]. Du point de vue de ces observateurs de l'enfance, le seul moyen pour l'enfant de se connaître lui-même au cours de cette période, c'est d'en venir à connaître les autres individus. C'est-à-dire qu'aucune connaissance et aucune conscience de la personne ne peuvent effectivement être séparées de l'aptitude à connaître les autres — à savoir à quoi ils ressemblent et comment ils vous voient. Ainsi, le jeune enfant serait une créature sociale par définition : comme tel, il demanderait aux autres leurs schémas interprétatifs et verrait en eux son moyen favori — en fait, le seul — de découvrir la personne qui est dans sa peau et d'en acquérir une compréhension initiale. Selon le point de vue *intra*personnel, l'individu isolé accède progressivement à des connaissances sur les autres personnes. Selon le point de vue *inter*personnel, s'orienter vers les autres individus (et les connaître petit à petit) est le seul moyen dont l'enfant dispose pour découvrir la nature de sa propre personne.

Peut-être un seul de ces points de vue est-il exact, mais il apparaît beaucoup plus probable que les deux approches mettent simplement en lumière différents aspects du développement personnel. Selon l'approche centrée sur l'individu, à ce stade, l'enfant est assailli de sentiments forts et souvent conflictuels qui le poussent à se concentrer sur sa propre condition et stimulent sa découverte naissante qu'il est un individu séparé. Ces idées naissantes constituent un modèle important pour la capacité d'introspection qui est au cœur de la connaissance intrapersonnelle. Selon l'approche à orientation sociale, l'enfant ne se développe pas dans l'isolement : il est forcément membre d'une communauté. Son idée de ce que sont les individus ne peut se développer dans le vide. Il est vrai qu'il vit ses propres expériences affectives, mais c'est la communauté qui lui fournit un point de référence essentiel et les schémas d'interprétation nécessaires à ces affects. Par conséquent, la connaissance de la place que l'enfant occupe par rapport aux autres ne peut lui venir que de la communauté extérieure : il est inextricablement poussé à être attentif aux autres vus comme autant d'indices de ce qu'il est. En clair, sans la présence d'une communauté pour leur fournir les catégories pertinentes, les individus ne découvriraient jamais qu'ils sont des « personnes ». (C'est le cas des enfants sauvages[23].)

L'ENFANT D'ÂGE SCOLAIRE

Dans notre société, c'est au début de la scolarisation que la différenciation entre soi et les autres se consolide. L'enfant a désormais atteint un premier niveau de connaissance sociale. Il est parvenu à maîtriser un bon nombre des différents rôles adoptés par d'autres individus. Il comprend de mieux en mieux qu'il est un individu distinct qui a ses propres besoins, souhaits, projets et buts. Avec l'émergence des opérations mentales concrètes, l'enfant peut aussi se mettre en rapport d'une manière plus flexible avec les autres individus. Il a une certaine idée de la réciprocité : il lui faut se comporter avec les autres d'une certaine manière, de sorte qu'ils lui rendent éventuellement ses faveurs. Il voit les choses d'une certaine manière parce qu'il a sa propre perspective, mais il a le potentiel de mettre les lentilles des autres et de percevoir les modalités matérielles et personnelles de *leur* point de vue. Il ne faut certes pas surestimer la soudaineté de ces idées. On peut détecter des signes clairs du déclin de l'égocentrisme pendant les années préscolaires, tandis que d'autres aspects persistent toute la vie. Mais il semble qu'à l'époque de son entrée à l'école, l'enfant puisse distinguer entre soi et l'autre, entre sa perspective et celle des autres individus.

Même si (ou peut-être parce que) les traits de sa personne se fixent davantage, l'enfant a désormais la faculté de devenir une créature plus authentiquement sociale. Il peut sortir du cercle familial et se forger des amitiés et des relations d'égalité avec d'autres. Il peut apprendre à traiter les autres d'une manière loyale : de fait, eu égard aux fautes, il poursuit plus que tout la justice, même s'il n'est pas encore en mesure de moduler les exigences propres aux différentes situations. Il est également à même de reconnaître les intentions et motivations simples des autres ; il fait moins souvent l'erreur de se contenter de projeter ses propres désirs sur n'importe qui. En somme, l'enfant devient à cet âge une créature sociale, gouvernée par la norme. Il veut avant tout être un membre représentatif des communautés dans lesquelles il vit (plutôt qu'un membre spécialement favorisé ou injustement maltraité).

Pendant cette période de latence (c'est ainsi que les psychanalystes l'ont nommée), les sentiments personnels, les appétits et les peurs peuvent sembler momentanément en repos. Mais la croissance de l'intérêt pour soi et de la connaissance de soi ne s'apaise guère. Au contraire, pendant cette période, l'enfant se préoccupe d'acquérir des connaissances, des compétences et des talents objectifs. De fait, la définition qu'il donne de lui-même n'est plus embourbée dans ses attributs physiques, quoiqu'elle ne se concentre pas encore sur ses traits psychologiques. Pour l'enfant de six, sept ou huit ans, ce sont les choses qu'il peut faire — et le degré de succès avec lequel il peut les réaliser — qui constituent le lieu principal de la connaissance de soi. C'est l'âge de l'acquisition des compétences, de la construction de l'assiduité au travail : l'enfant pâlit de peur de se sentir inadéquat, d'apparaître un soi sans talent.

FIN DE L'ENFANCE

Pendant cette période, qui dure cinq ans, entre le début de la scolarisation et le commencement de l'adolescence, on observe des tendances continues vers une plus grande sensibilité sociale, vers une conscience plus intense des motivations des autres et vers une conscience plus pleine de ses propres compétences et faiblesses. Les enfants s'investissent plus profondément dans leurs amitiés et se donnent beaucoup de mal pour maintenir une relation personnelle ; la perte de copains précieux se révèle beaucoup plus désagréable. Ils consacrent beaucoup d'énergie à cimenter leur place au sein du réseau de leurs amis. Ces groupes ou coteries peuvent être structurés de façon informelle, mais il arrive (surtout dans le cas des garçons) qu'ils soient ordonnancés de façon aussi formelle qu'une hiérarchie de domination chez les primates. La vie est « vertigineuse » pour les enfants qui ont la chance d'être inclus, et triste pour ceux qui occupent une place médiocre dans le groupe ou qui en sont exclus.

De même que les enfants investissent beaucoup d'efforts pour maintenir leurs modèles d'amitiés, ils consacrent aussi beaucoup de temps à penser aux relations interpersonnelles. Avec l'augmentation de leur capacité à se mettre eux-mêmes dans la peau d'autres individus spécifiques, ainsi que dans celle d'un « autre généralisé » non familier, on voit apparaître des formes récursives intrigantes de connaissance personnelle. L'enfant peut procéder à un ensemble de manipulations mentales sur les interactions possibles avec d'autres individus (« il pense que je pense qu'il pense... »). Il n'est guère étonnant que de tels préadolescents soient à même d'apprécier des formes subtiles de littérature et de faire des plaisanteries sophistiquées.

On risque à ce moment-là de préjuger de l'insuffisance des enfants ou d'évaluer leur efficacité au mépris de la réalité. À cet âge, ils peuvent concevoir l'intention de délaisser les études, comme ils se convainquent qu'il existe certaines activités qu'ils ne peuvent mener à bien (par exemple, de nombreuses fillettes se disent qu'elles ne peuvent résoudre des problèmes mathématiques et entrent dans un cercle vicieux générateur d'échec). L'enfant peut aussi se sentir très seul s'il est incapable de se forger des amitiés effectives avec d'autres individus. Pour la première fois, il peut ressentir son inaptitude à se mettre en rapport avec les autres comme un échec qui rabaisse l'image qu'il a de lui. Les sentiments personnels sont moins transitoires ; et s'ils sont authentiquement troublants, il se peut qu'ils se mettent à dominer les introspections de l'enfant.

L'ADOLESCENCE

Avec le début de l'adolescence, les formes personnelles de connaissance prennent un grand nombre de tournants importants. S'écartant quelque peu de l'orientation sociale frénétique des premières années (un peu incontrôlée), les individus (du moins dans notre société) parviennent à une harmonie psychologique beaucoup plus grande. Ils se révèlent plus sensibles aux motivations sous-jacentes des autres, à leurs peurs et désirs cachés. Les relations avec les autres ne se fondent plus essentiellement sur les récompenses matérielles, mais plutôt sur le soutien et la compréhension psychologiques qu'un individu sensible peut leur donner. De même, l'adolescent cherche des amis qui le valorisent pour ses propres idées, sa connaissance et sa sensibilité, plus que pour sa force ou ses possessions matérielles.

La compréhension du monde social devient également beaucoup plus différenciée. Le jeune se rend compte que toute société doit avoir des lois afin de fonctionner convenablement, mais qu'au lieu de leur obéir aveuglément, il faut prendre en considération des circonstances atténuantes. De la même façon, la justice demeure importante, mais elle ne peut plus être rendue sans prise en compte des facteurs d'individualisation dans une dispute ou un embarras particulier. Les individus continuent à souhaiter d'être reconnus et aimés par les autres, mais ils comprennent de mieux en mieux que le partage total n'est pas possible et que certaines matières doivent rester privées. Peut-être même est-ce une nécessité absolue.

Nous voyons alors, dans les années turbulentes de l'adolescence, la maturation de la connaissance que la personne a d'elle-même ainsi que de la connaissance des autres. Mais en même temps, au sein de nombreuses cultures, un événement encore plus fondamental intervient. L'adolescence est la période de la vie où les individus doivent rassembler les deux formes de connaissance personnelle au sein d'une conscience plus large et mieux organisée, une conscience de l'identité ou (pour utiliser le terme que je privilégierai ensuite) une conscience de soi. Telle que formulée par le psychanalyste Erik Erikson, l'apparition de l'identité entraîne une définition complexe de soi qui aurait plu à la fois à Freud et à James : l'individu en vient à délimiter les rôles dans lesquels il se sent conforté au respect de ses propres sentiments et aspirations, et à formuler des propositions significatives sur les besoins d'ensemble de la communauté et ses attentes spécifiques eu égard à lui[24].

Cette formation d'une conscience de soi est un projet — et un processus — de toute première importance. La manière dont elle se réalise détermine si l'individu peut fonctionner efficacement au sein du contexte social dans lequel il a choisi — ou doit choisir — de vivre. Il est nécessaire pour l'individu de s'accommoder de ses sentiments, motivations et désirs personnels — y compris les puissants désirs sexuels qui sont son lot une fois qu'il a passé la puberté. Ainsi peut-il être aux prises avec des tensions durant cette période stressante de son cycle de vie. Il peut encore subir une grande tension — et un grand désir — pour réfléchir à sa conscience de soi en train d'apparaître ; et ainsi une connaissance propositionnelle de soi devient-elle une faculté à laquelle certains cadres culturels donnent de la valeur. C'est peut-être paradoxal, mais les pressions concernant la formation d'une conscience de soi seront moins intenses dans les milieux culturels où les choix qui se présentent sont moins nombreux : là où les attentes sociales externes se révèlent déterminantes et où il se peut que les aspirations favorites de l'individu soient reléguées à un statut marginal.

LA CONSCIENCE DE SOI ARRIVÉE À MATURITÉ

De nombreux chercheurs ont tenté de décrire les phases suivantes de la maturation du soi. Leurs réflexions se sont parfois centrées sur les décisions ou les points de tension qui doivent se produire dans toute vie. Erikson, par exemple, parle de crise de l'intimité à la suite de la crise de l'identité, mais aussi de luttes consécutives à la question de la procréation, à l'âge mûr (transmettre à la génération suivante des valeurs, la connaissance et la possibilité de la vie) et à la question de l'intégrité de la vieillesse. (La vie d'un homme a-t-elle sens et cohérence ? S'est-on préparé à affronter la mort[25] ?) Certains chercheurs parlent de périodes de renouvellement des tensions à l'âge mûr — quand il devient trop tard pour changer son plan de vie — et avec la vieillesse — quand on doit faire face au déclin de sa puissance ainsi qu'à des peurs et des incertitudes croissantes. Au contraire, d'autres insistent sur les processus de développement continu, l'individu ayant la faculté de devenir de plus en plus autonome, intégré ou en actualisation permanente, pourvu qu'il puisse accomplir les « démarches » correctes et parvenir à accepter ce qui ne peut être modifié. Le but final de ces processus est un soi hautement développé et pleinement différencié des autres : on peut citer comme modèles Socrate, Jésus-Christ, le Mahatma Gandhi, Eleanor Roosevelt — qui ont manifestement compris beaucoup de choses sur eux-mêmes et leur société, et se sont accommodés avec succès des faiblesses de la condition humaine, tout en incitant ceux qui les entourent à mener une vie plus productive.

Tous ces points de vue sur la maturité mettent en évidence une conscience de soi relativement autonome, qui accentue considérablement les traits intrapersonnels même quand ils sont mis au service des autres. Mais il existe une autre conception qui met beaucoup plus l'accent sur le rôle formateur des autres personnes dans la conscience de soi et, par conséquent, accorde peu de crédit à la notion de soi autonome. Selon ce point de vue, un individu est toujours et nécessairement un ensemble de « soi », un groupe de personnes, reflétant perpétuellement le contexte dans lequel ils se trouvent à un moment particulier. Plutôt qu'un « soi-cœur » central qui organise les pensées, le comportement et les buts, on considère la personne comme une accumulation de masques relativement différents, aucun n'ayant la primauté sur les autres et chacun étant simplement appelé à servir en tant que de besoin et ôté quand la situation n'exige plus sa présence et que la « scène » se déplace ailleurs. Ici l'accent sur la « conscience de soi » tombe beaucoup plus nettement sur la connaissance interpersonnelle et le savoir-comment.

Ce point de vue, relativement dominant en psychologie sociale et en sociologie (par opposition à la psychologie des profondeurs), pose que ce qui détermine le comportement en dernier ressort, c'est la situation ou le contexte dans lequel on se trouve et les rôles qui, par conséquent[26], s'imposent. De ce point de vue, il devient important de savoir manipuler la situation selon ses objectifs propres : les notions de personnalité achevée ou intégrée, ou de fidélité à ses valeurs et normes les plus profondes tendent à passer au second plan. Selon d'autres perspectives, développées dans d'autres cultures, les individus peuvent avoir le potentiel de se développer de manière individualiste et de déployer une conscience de soi autonome, mais rejettent explicitement cette ligne de développement comme hostile au sens de la communauté et eu égard à la vertu de l'altruisme. Étant donné les idéaux qui prévalent en Occident, ces conceptions de la nature humaine peuvent sembler moins attirantes ou moins complètes ; mais on n'a pas pour autant prouvé qu'elles sont fausses ou illégitimes. Après tout, l'objectif des sciences humaines n'est pas de démontrer le bien-fondé de préjugés, mais plutôt de trouver un modèle (ou des modèles) du comportement humain qui approche ce que sont vraiment les choses à travers le temps et les différentes cultures.

TUTELLE EN MATIÈRE DE CONNAISSANCE PERSONNELLE

J'ai envisagé jusqu'ici le développement de la connaissance personnelle comme un processus relativement naturel au cours duquel les valeurs dominantes dans notre société guident doucement le long de tel ou tel chemin nos inclinations enracinées dans l'effort pour distinguer nos propres sentiments ou affiner notre perception des autres. Dans de nombreux cas, le développement de la connaissance personnelle peut effectivement ne pas être soumis à une tutelle explicite : on n'a pas besoin de montrer à un individu ouvertement comment faire de telles discriminations ; il suffit de permettre leur apparition.

Mais il y a des cas où, dans le domaine personnel, des instructions plus explicites sont nécessaires ou recommandables. De temps en temps, ce processus est commandé par la société. Grâce à un tutorat formel ou à travers la littérature, les rites et d'autres formes symboliques, la culture aide l'individu en développement à faire des discriminations parmi ses propres sentiments ou les autres personnes de son milieu. Comme T. S. Eliot l'a un jour souligné, « en développant le langage, en enrichissant la signification des mots, [le poète] rend possible aux autres hommes un éventail beaucoup plus large d'émotions et de perceptions, parce qu'il leur donne le discours pour exprimer bien davantage [27] ». À d'autres moments, c'est l'individu, désireux d'augmenter ses talents dans le domaine personnel, qui cherchera lui-même de l'aide pour effectuer le bon type de discrimination. On peut certainement considérer le recours à la thérapie en Occident comme un effort pour se rendre capable de discriminations plus fines et plus correctes dans le domaine des sentiments personnels et en ce qui concerne la « lecture » des signaux des autres individus. De même, la popularité durable de livres du genre « comment apprendre par vous-mêmes... » ou « comment se faire des amis » traduit un besoin largement ressenti dans une société « tournée vers autrui » d'acquérir les talents qui permettront d'interpréter correctement une situation sociale et d'entreprendre ensuite les démarches qui conviennent à cet égard.

Mais on ne connaît pas exactement la place idéale que devrait prendre la formation dans le domaine personnel. Il n'existe pas de critères fiables pour déterminer dans quelle mesure une formation des intelligences personnelles a été un succès. Cependant, l'éducation de telles émotions et de telles discriminations implique clairement un processus cognitif. Se sentir par exemple paranoïaque, envieux, radieux — c'est interpréter une situation d'une certaine manière, c'est voir que quelque chose peut avoir des effets sur soi ou sur d'autres individus [28]. On peut développer des estimations adaptées, des discriminations finement aiguisées, des catégorisations et des classifications correctes des situations ; ou bien, avec moins de bonheur, on peut faire des discriminations grossières, des étiquetages inadaptés, des déductions incorrectes, et partant mésinterpréter les situations. Moins une personne comprend ses propres sentiments, et plus elle en sera la proie. Moins une personne comprend les sentiments, les réponses et le comportement des autres, et plus il sera probable qu'elle interagira de façon inadaptée avec eux et échouera donc à s'assurer une place au sein d'une communauté élargie.

Il est certain que les sociétés diffèrent dans l'importance respective qu'elles accordent à ces divers points de vue et états terminaux de la croissance humaine, dans la portée relative qu'elles accordent à l'individu par opposition au soi social, dans leur adhésion à des modes explicites de formation des intelligences personnelles. J'en viendrai à examiner de plus près certaines de ces variations quand je considérerai la connaissance personnelle en fonction de ses limites culturelles. Mais il faut maintenant insister sur le fait que l'on peut discerner chez tout individu normal les principaux traits des deux faces du développement — s'orienter vers les autres et maîtriser son rôle social d'une part, s'orienter vers le soi et maîtriser sa vie personnelle, d'autre part. Au-delà des variations culturelles, l'unicité de l'individu, même s'il doit grandir dans un contexte social — un individu qui a des sentiments et fait des efforts, qui doit compter sur les autres pour qu'ils lui assignent des tâches et jugent ses réalisations — voilà qui est inhérent à la condition humaine et définit l'appartenance à notre espèce.

Les bases biologiques de la personnalité

CONSIDÉRATIONS ÉVOLUTIONNISTES

Les psychologues comparatifs pensent que même les aspects les plus précieux de la nature humaine peuvent se retrouver chez d'autres animaux, bien que sous des formes un peu plus simples. On discerne une certaine aptitude linguistique chez les chimpanzés. Ils sont aussi capables de reconnaître qu'une trace de rouge est sur *leur* nez (les autres singes ne le peuvent pas). Et l'on estime de plus en plus qu'on trouve au moins des formes primitives de conscience, à défaut la conscience de soi, chez les mammifères supérieurs [29]. Pourtant, à l'exception des amoureux des animaux, tout le monde admet que les formes de connaissance personnelle dont il est question ici sont réservées aux êtres humains. En tout cas, un problème se pose : quels facteurs de l'évolution de notre espèce ont engendré la tendance remarquable à s'orienter vers la personne et les autres, qui caractérise l'*homo sapiens* ?

Parmi les innombrables facteurs mentionnés pour leur contribution à l'unicité humaine, deux semblent spécialement liés à la montée en puissance de la connaissance personnelle — il s'agit à la fois de la variété individuelle et de la variété sociale. Le premier facteur est l'enfance prolongée du primate et, en particulier, son lien étroit avec sa mère. Nous savons que les chimpanzés passent les cinq premières années de leur vie dans une proximité étroite avec leur mère et que de nombreux apprentissages ont lieu pendant cette période [30]. La mère fournit des modèles que sa jeune progéniture peut observer, imiter et garder en mémoire pour s'en servir ensuite. D'égale importance est le fait que la mère indique par son comportement *quelles* sortes de choses et d'événements le jeune animal doit remarquer. Elle définit ainsi un univers d'activités et d'individus significatifs. La mère est le premier professeur, et elle reste le principal : elle peut même apprendre à son petit à mettre au point de nouveaux modèles de comportement — par exemple fouiller pour trouver des pommes de terre — qui viennent tout juste d'apparaître dans certaines poches de l'espèce. Cet « autre signifiant » est si important pendant les premières années de la vie que quand la mère est blessée ou bien mise à l'écart d'une autre manière, le développement normal de l'individu est en péril. Il se peut que l'importance que l'espèce humaine accorde à la personne ait essentiellement pour origine cette disposition à se concentrer sur un seul autre individu, à pouvoir apprendre de lui et à pouvoir, en fin de compte, transmettre cette connaissance acquise à la génération suivante.

Un second facteur évolutionniste est l'apparition, il y a plusieurs millions d'années, d'une culture au sein de laquelle la chasse a pris une grande importance. Pour fouiller, rassembler ou tuer de petits animaux, un seul individu peut suffire. Mais chasser, suivre à la trace, tuer, partager et préparer la viande d'animaux plus gros sont autant d'activités qui impliquent inévitablement la participation et la coopération d'un grand nombre d'individus. Des groupes d'humains ou de préhumains — sans doute des mâles — doivent apprendre à travailler ensemble, à planifier, à communiquer et à coopérer, tout cela afin de prendre des bêtes au piège et de partager le produit de la chasse. Les jeunes mâles doivent s'entraîner pour pouvoir participer à la chasse ; par exemple, les garçons doivent apprendre à suivre à la trace, à distinguer les différentes empreintes et les différents cris, à contrôler leurs gestes et à les synchroniser avec ceux de leurs partenaires spécifiques, à fortifier certains muscles, à lancer avec précision, à trouver leur chemin dans des endroits étrangers et à retourner au lieu dit à l'heure du rendez-vous. Plus généralement, l'existence du groupe humain devient étroitement liée à la vie des animaux voisins dont les humains dépendent pour ce qui est de leur nourriture, de leur abri, de leurs vêtements et même de leur activité religieuse.

À la lumière de ce que requiert une chasse efficace, il devient relativement facile de comprendre les besoins du groupe en matière de cohésion, de commandement, d'organisation et de solidarité. Mais la nécessité de l'apparition de la famille nucléaire avec le lien fort entre mère et enfant et les liens, d'un genre différent, entre le père et son enfant (surtout le jeune mâle), est moins évidente[31]. Sans doute d'autres arrangements sociaux, distincts de la famille nucléaire où les liens sont forts entre les parents et leur progéniture, auraient-ils pu se développer dans les sociétés dont la chasse était l'activité centrale. Il suffit peut-être, dans ce domaine extrêmement hypothétique, de suggérer que la famille nucléaire fournit une solution hautement adaptative à un grand nombre de problèmes : construire des liens interpersonnels forts qui soutiennent la solidarité de la communauté plus large ; former les jeunes mâles à devenir des chasseurs ; former les femelles à tenir la maison et à être les futures mères ; garantir une certaine stabilité pour tout ce qui concerne les modèles d'accouplement ; prévenir l'inceste qui peut être préjudiciable ; préserver et transmettre les différentes formes de connaissance et de sagesse.

Pour ce qui est des origines des aspects intrapersonnels de l'intelligence, il est plus difficile de trouver des indices évolutionnistes, en partie parce que les observateurs scientifiques ont eu plus de mal à identifier et établir ces formes de connaissance. La capacité à transcender la pure satisfaction de pulsions instinctives est un des facteurs permettant de promouvoir la reconnaissance de soi comme une entité séparée. Une telle faculté est de plus en plus accessible à des animaux qui ne sont pas perpétuellement impliqués dans la lutte pour la survie, qui ont une vie relativement longue et qui s'engagent régulièrement dans des activités d'exploration. Il est certain que l'utilisation d'une forme de système symbolique — et du langage, qui est le système symbolique dominant — promeut aussi cette variété personnelle de l'intelligence. Des indices de « personnalité » deviennent plus probables chez les animaux qui ont des capacités proto-symboliques.

L'origine évolutionniste des intelligences personnelles a suscité les spéculations des meilleurs chercheurs en préhistoire humaine. Le paléontologue Harry Jerison pose une distinction nette entre la perception des autres individus et la perception de soi [32]. Selon lui, « la perception des autres dans leurs rôles sociaux peut souvent être gérée au niveau d'organisation de modèles d'action fixes » — en d'autres termes, quand des actions réflexives de haut niveau se construisent à l'intérieur du répertoire de l'organisme. Et en effet, la reconnaissance des congénères, dont les parents spécifiques, se produit facilement dans de nombreux groupes animaux. Au contraire, pour Jerison, la perception de soi est « un développement proprement humain de la capacité à créer "des objets" dans le monde réel ». Jerison soutient que la connaissance de soi peut se construire sur notre imagerie et nos pouvoirs imaginatifs, lesquels nous permettent de créer des modèles de nous-mêmes.

Le psychologue britannique N. K. Humphrey insiste sur les capacités créatives impliquées dans la connaissance du monde social [33]. De fait, il va jusqu'à affirmer que la créativité ne s'exerce pas en art et dans les sciences, mais plutôt dans le maintien de la société. Il souligne que les primates sociaux sont forcés d'être des calculateurs, de prendre en compte les conséquences de leur comportement, de calculer le comportement probable des autres, d'évaluer les profits et les pertes — tout cela dans un contexte où les preuves pertinentes sont éphémères, susceptibles de changement, même à la suite de leurs propres actions. Seul un organisme qui a des aptitudes cognitives hautement développées peut se débrouiller dans un tel contexte. Les aptitudes requises ont été mises au point pendant des millénaires par les êtres humains, les aînés les ayant transmises aux jeunes individus avec grand soin et beaucoup de talent :

> Il en a résulté que les membres de l'espèce humaine sont doués de pouvoirs remarquables de prévision et de compréhension sociales. Cette intelligence sociale, développée initialement pour être à la hauteur des problèmes locaux des relations interpersonnelles, a trouvé avec le temps son expression dans les créations institutionnelles de « l'esprit sauvage » — les structures hautement rationnelles de la royauté, du totémisme, du mythe et de la religion qui caractérisent les sociétés primitives.

LES SENTIMENTS CHEZ LES ANIMAUX

Pour insaisissable que puisse être la base perceptuelle des intelligences personnelles, la question de savoir si les animaux font l'expérience de différents états de sentiments — et sont en mesure de faire des discriminations parmi eux — est encore plus obscure. Les travaux de John Flynn semblent montrer que des états de sentiments distincts peuvent exister sous des formes neuralement limitées. Ce chercheur a observé qu'il est possible de déclencher chez les chats une forme complexe de comportement chargé d'affect en stimulant directement le cerveau par une décharge électrique. Par exemple, même chez les chats qui n'attaquent pas les souris dans des circonstances ordinaires, pour provoquer un comportement d'attaque qualifié en association avec des expressions faciales, il suffit de stimuler certaines régions du cerveau [34]. Cela signifie que le « système d'attaque » a évolué pour fonctionner comme une unité distincte ; il n'est besoin ni d'expérience, ni de formation, ni d'apprentissage pour le déclencher pleinement et correctement. Nous avons ici la preuve que tout l'ensemble des modèles de comportements, qui sont sans doute accompagnés d'états affectifs spécifiques (voire déclenchés par eux), peut être provoqué par des déclencheurs endogènes (internes) ainsi que par des déclencheurs environnementaux classiques. Les études qui provoquent (et suppriment ensuite) une profonde dépression chez les rats par l'injection de produits chimiques dans leur cerveau justifient également l'idée que nous défendons [35]. Il est possible d'exploiter de tels programmes réactifs destinés à une espèce supérieure dans différentes situations moins canalisées.

Une espèce plus proche des êtres humains peut nous fournir des enseignements sur les origines d'une émotion particulière. Donald Hebb a démontré que l'on peut provoquer chez le chimpanzé un état de peur qualifié, sans aucune formation ou expérience préalable spécifique, simplement en lui présentant un spectacle sensiblement différent de celui que l'animal a auparavant perçu [36]. À ce titre, un chimpanzé sera extrêmement effrayé, excité ou anxieux s'il voit le

corps inerte, mutilé ou démembré d'un autre chimpanzé. L'objet catalyseur doit être suffisamment différent des autres membres d'une
classe pour retenir son attention, mais continuer à présenter assez de
ses propriétés pour qu'il le perçoive comme un membre de la même
classe. Selon la formulation de Hebb, la peur a son origine dans la
rupture des activités cérébrales normalement impliquées dans la perception : elle se distingue des autres émotions en vertu des réactions
physiologiques qui l'accompagnent et en vertu des processus qui
tendent à restaurer l'équilibre cérébral — par exemple s'enfuir loin de
l'objet menaçant. Ainsi, de même que de jeunes nouveau-nés humains
ont des réactions émotionnelles liées à des événements spécifiques
catalyseurs, de même trouvons-nous dans une espèce à laquelle nous
sommes apparentés un ensemble de réactions fonction de l'événement
qui signalent l'apparition de la conscience d'appartenir à une catégorie
d'individus. Le fait que la catégorie soit une autre « personne » et que
la réaction soit si « sévère » est un autre argument suggestif en faveur
de l'idée que l'on peut détecter l'origine des intelligences personnelles
dans une espèce autre que la nôtre.

Il est important d'insister sur le fait que de tels programmes réactifs organisés peuvent aussi être ruinés au terme de certaines
manipulations environnementales. Pour le singe, par exemple, un
ensemble complexe de systèmes affectifs entoure le développement du
lien d'attachement entre mère et enfant. Dans des conditions d'éducation normales, ces systèmes évolueront sans accroc. Pourtant, grâce
aux études pionnières que Harry Harlow a menées sur les singes sans
mère, nous savons que l'absence de certaines conditions stimulantes
produira un singe très anormal dans le domaine « personnel »[37]. Ces
singes ne sont pas en mesure d'avoir des réactions adaptées vis-à-vis
des autres singes ; ils ne peuvent pas jouer leur rôle dans les hiérar-
chies de domination ; ils tremblent de peur ou attaquent de façon
agressive dans des situations inappropriées ; et, ce qui est le plus élo-
quent, ils se révèlent incapables d'élever leur propre progéniture, s'ils
sont seulement capables de procréer. Les effets d'une éducation sans
mère sont réversibles dans une certaine mesure — par exemple si l'on
a permis aux jeunes de jouer avec des substituts de la figure maternelle ; même une telle substitution se heurte à des « règlements de
limitations », un délai au-delà duquel la connaissance du singe de ses
rapports avec ses congénères sera définitivement dévastée. Si la privation de la mère a des effets irrévocables sur les intelligences
personnelles des singes, elle n'a pas d'effets comparables sur les capacités cognitives comme celles qui sont mesurées de façon routinière
par les tâches de résolution de problèmes. Même chez les infra-
humains, il semble que les compétences intellectuelles jouissent d'une
certaine autonomie l'une par rapport à l'autre.

Des interventions chirurgicales sur les singes peuvent également
provoquer des réactions sociales anormales. À la lumière des études

menées par Ronald Myers et ses collaborateurs du National Institute of Health, nous savons qu'un grand nombre de sites dans le système nerveux des primates joue un rôle crucial dans les types de comportements sociaux adéquats qui sont une part essentielle de l'intelligence interpersonnelle[38]. En particulier, l'ablation du cortex préfrontal chez les jeunes primates réduit l'usage de la face et de la voix pour la communication, modifie l'agressivité et les pratiques de toilette, diminue la participation aux activités de jeu et provoque fréquemment une hyperactivité sans objet. Des effets opposés de maturation sociale significative ont pu se faire sentir à la suite d'une lobectomie frontale. Ces découvertes suggèrent que les structures modulantes nécessaires se développent progressivement durant la période de croissance sociale que Harlow et ses collègues ont éclairée.

Des lésions dans les aires temporales antérieures du cortex imitent, pour une grande part, les effets causés par une lésion du cortex préfrontal. À la suite de lésions dans cette aire, les animaux opérés ont négligé de rejoindre leur groupe familial et n'ont pas tenté de rétablir leur statut dominant antérieur à l'opération. Ils ont aussi montré des modulations moins riches au niveau des expressions de la face, des gestes et des vocalisations. À l'inverse des singes blessés frontalement, ceux qui ont des lésions temporales étaient enclins à faire preuve d'un comportement agressif inapproprié. Sur un plan général, Myers conclut que le changement le plus clairement observable dans le comportement des animaux ayant subi des lésions préfrontales ou temporales antérieures était une réduction dans les activités qui maintiennent les liens sociaux.

Myers a risqué l'hypothèse qu'il pouvait exister deux mécanismes neuraux distincts qui desservent, respectivement, les « sentiments intérieurs réels » des singes et leur aptitude à exprimer (ou à transmettre) leurs émotions sur leur visage, s'ils les sentent en réalité. Selon Myers, des lésions à la base du cerveau peuvent causer une paralysie de l'usage volontaire du visage, tout en laissant intacte l'expression faciale spontanée de nature émotionnelle. Cette découverte suggère que nous pourrions être en mesure de trouver chez des organismes infra-humains un indice préalable et biologiquement fondé de la différence entre un accès intrapersonnel aux sentiments (état interne) et l'aptitude à les exprimer volontairement à d'autres (communication interpersonnelle). Les études menées par Ross Buck sur les êtres humains confirment l'existence de systèmes neurologiques distincts chez les êtres humains pour une expression volitionnelle des émotions, par opposition à une expression spontanée : apparemment, comme pour les autres primates, notre aptitude à transmettre délibérément des émotions aux autres procède le long d'un sentier séparé de l'expérience de nos sentiments et de leur expression spontanée et involontaire[39].

PATHOLOGIE DE LA PERSONNALITÉ

Nous voyons ainsi que, même dans un domaine aussi manifestement humain que la connaissance de soi et des autres individus, il est possible de trouver des antécédents chez nos frères primates. Les analogies entre la connaissance interpersonnelle humaine et celle déployée par les primates ne sont pas douteuses. Et quoique le développement de la connaissance de soi semble plus particulièrement humain, les recherches menées sur les chimpanzés sont riches d'enseignements sur les origines de la plus humaine des capacités. Néanmoins, les formes personnelles de la connaissance ayant eu un développement incomparablement plus grand chez les humains, les chercheurs se sont bien évidemment intéressés au destin de la connaissance personnelle — à la fois interne et sociale — dans différentes affections de lésion cérébrale chez l'homme.

Une fois encore, tous les signes indiquent que les lobes frontaux sont les structures qui jouent un rôle majeur dans les différentes formes de connaissance personnelle[40]. Des défauts dans le lobe frontal peuvent perturber le développement des formes personnelles de la connaissance et causer différentes pathologies de la connaissance intrapersonnelle et interpersonnelle. Nous avons la certitude, depuis un siècle, que la destruction des lobes frontaux chez les adultes a des effets relativement minimes sur l'aptitude d'un individu à résoudre des problèmes (comme ceux qui sont présentés dans un test d'intelligence standard), mais peut gravement endommager sa personnalité. En un mot, l'individu qui a eu une maladie majeure du lobe frontal, et surtout si elle est bilatérale, ne se fait plus reconnaître comme la « même personne » aux yeux de ceux qui l'ont connu avant.

Il se peut qu'il y ait plus qu'un syndrome de changement personnel à la suite d'une atteinte aux lobes frontaux. Frank Benson et Dietrich Blumer suggèrent qu'il est probable qu'une atteinte des aires orbitales (les plus basses) des lobes frontaux produit l'hyperactivité, l'irritabilité, l'insouciance et l'euphorie ; tandis qu'une atteinte de la partie convexe (les plus hautes régions) du lobe frontal produit plus probablement l'indifférence, l'inertie, la mollesse et l'apathie — une sorte de personnalité dépressive (à l'inverse d'une personnalité psychopathique)[41]. En effet, on trouvera divers mélanges de ces symptômes d'un individu à l'autre, selon toute vraisemblance en corrélation avec l'endroit exact de la lésion. Mais il faut insister sur le fait que les individus dont la performance cognitive — celle des autres intelligences — semble relativement préservée dans un sens computationnel, ressentent uniformément l'absence de la conscience d'être la « même personne ». L'individu n'exprime plus le même sens de l'objectif, la même motivation qu'avant, les mêmes buts ni le même désir d'entrer en contact avec les autres ; la réaction de l'individu envers les autres aura été profondément modifiée, et sa propre conscience de soi semble être suspendue.

Mais comme ce tableau des symptômes peut résulter d'une lésion significative du cerveau, quel que soit l'endroit précis de la lésion, il devient important de déterminer si, face à une atteinte massive d'autres régions du cerveau, l'individu peut toujours déployer une personnalité préservée, une conscience de soi persistante. Directement en liaison avec cette question, le neuropsychologue russe Alexander Luria a rapporté il y a plusieurs années le cas fascinant de « l'homme au monde éclaté[42] ». Jeune soldat lors de la Seconde Guerre mondiale, Zasetsky a souffert d'une grave blessure de guerre dans l'aire pariétale-occipitale gauche de sa tête — une atteinte qui l'a estropié dans un éventail douloureusement étendu de ses facultés conceptuelles et symboliques. Son discours se limitait aux formes d'expression les plus élémentaires ; il ne pouvait plus écrire un seul mot, ni même une seule lettre ; il ne pouvait pas percevoir son champ de vision droit ; il ne pouvait pas planter un clou, mener à bien des tâches ménagères simples, jouer à des jeux, trouver son chemin à l'extérieur ; il mélangeait l'ordre des saisons, il était incapable d'additionner deux nombres, ou même de décrire une image.

Pourtant, selon Luria, Zasetsky avait conservé quelque chose de bien plus précieux que les capacités intellectuelles standard : ses fonctions propres à la personne associées à ses lobes frontaux. Il continuait à posséder la volonté, le désir, la sensibilité à l'expérience et l'aptitude précieuse à former des plans, à les poursuivre et à les mener à bien aussi efficacement que sa condition le lui permettait. Ainsi donc, pendant une période de vingt-cinq ans, Zasetsky a assidûment travaillé à améliorer ses propres performances. Sous la conduite de Luria, il est parvenu à réapprendre à écrire et à lire. Il tenait un journal dans lequel il notait avec grand soin ses progrès quotidiens. Il s'est même révélé capable d'introspection sur sa condition[43] :

> Les mots ont perdu toute signification pour moi ou ont une signification incomplète et informe. Tout mot que j'entends me semble vaguement familier [...] pour ce qui est de ma mémoire, je sais qu'un mot particulier existe, sauf qu'il a perdu sa signification [...] ainsi dois-je me limiter moi-même aux mots qui « sonnent » familièrement à mon oreille, qui ont une signification définitive pour moi.

À l'inverse des patients atteints au lobe frontal que Benson et Blumer ont décrits, on sent que Zasetsky est demeuré fondamentalement la même personne, pouvant continuer à avoir des rapports normaux avec d'autres individus.

Pourquoi les lobes frontaux doivent-ils avoir ce statut spécial pour la conscience de la personne, au point qu'un individu dont le lobe frontal est épargné continue à avoir accès à ses propres vues sur lui-même, tandis que des individus souffrant d'une lésion moins étendue peuvent avoir totalement perdu cette présence d'esprit ? Selon Walle Nauta, un neuroanatomiste de première importance qui a longtemps étudié les lobes frontaux, les lobes frontaux constituent le point de rencontre *par excellence*[44] de l'information en provenance des deux grandes zones fonctionnelles du cerveau ; les régions postérieures, qui sont impliquées dans le traitement de toute information sensorielle (y compris la perception des autres) ; et le système limbique qui abrite les fonctions motivationnelles et émotionnelles de l'individu et qui génère ses états internes[45]. Le cortex frontal se révèle comme le royaume où les réseaux neuraux représentant le milieu intérieur de l'individu — ses sentiments et ses motivations personnels, sa connaissance subjective — convergent avec le système qui représente le milieu extérieur — images, sons, goûts et mœurs du monde transmis par différentes modalités sensorielles. En vertu de leur localisation anatomique stratégique et de leurs connexions, les lobes frontaux ont donc le potentiel de servir comme station d'intégration majeure — et c'est ce qu'ils font.

Au cœur de la connaissance personnelle, telle que représentée dans le cerveau et surtout dans les lobes frontaux, il semble qu'il y ait deux types d'information. L'une est l'aptitude à connaître d'autres personnes — à reconnaître leur visage, leur voix et leur personne ; à réagir envers elles de façon appropriée ; à s'engager avec elles dans des activités. L'autre type est notre sensibilité à nos propres sentiments, à nos propres souhaits et peurs, à notre histoire personnelle. Comme nous l'avons vu, on peut trouver des indices de ces aptitudes dans le royaume animal et sans aucun doute dans l'ordre primate : la reconnaissance des visages et des voix, la formation de liens étroits avec d'autres organismes et l'expérience d'un éventail de sentiments ne sont certainement pas la propriété exclusive des êtres humains. De plus, chacune de ces formes peut être compromise par des expérimentations chirurgicales. Mais il semble que l'aptitude que nous avons à lier ces formes du savoir aux symboles, de manière à pouvoir conceptualiser la connaissance intuitive que nous avons de nous-mêmes et la connaissance plus publique que nous avons des autres, soit une fonction exclusivement humaine. Elle nous permet de formuler théories et convictions sur d'autres individus et de développer un savoir propositionnel sur notre propre personne, ce que j'ai ailleurs baptisé une « métaphore du soi ». En toute probabilité, de nombreuses aires du cerveau (subcorticales ainsi que corticales) participent au développement et à l'élaboration de ces formes d'intelligence personnelle ; mais à cause de leur rôle unique en tant que jonction intégratrice, à cause de leur développement relativement tardif dans l'histoire de l'espèce et de l'individu, les lobes frontaux jouent un rôle privilégié et irremplaçable dans les formes d'intelligence auxquelles nous nous intéressons ici.

Le statut de la connaissance personnelle a également été étudié chez d'autres populations pathologiques. Certaines pathologies peuvent bloquer le développement de la connaissance de soi et des autres. Pour ce qui est des êtres humains jeunes, nous trouvons l'individu qui est autiste par intervalles[46] : un enfant qui peut avoir des capacités computationnelles épargnées, surtout dans des secteurs comme la musique ou les mathématiques, mais dont la condition pathologique se définit en fait par une inaptitude à communiquer avec les autres et par une conscience de soi si altérée que l'enfant a des difficultés singulières pour prononcer les mots *je* et *moi*. Quel que soit le problème qui accable l'enfant autiste, il est clair qu'il implique des difficultés à connaître les autres et à utiliser cette connaissance pour se connaître soi-même. La répugnance des yeux à regarder les autres est un symptôme spécialement poignant de ce désordre.

À ma connaissance, on ne trouve pas d'*idiots savants* du type opposé, des individus qui auraient une conscience de soi trop développée. Il semble que la connaissance et la maturation de soi exigeant l'intégration étendue des autres capacités, l'individu devrait être, en l'occurrence, une personne essentiellement normale. Pourtant, il peut valoir la peine de remarquer que, dans certaines formes d'arriération comme le syndrome de Down, l'aptitude à forger des relations sociales effectives avec les autres semble relativement préservée, du moins en comparaison avec des capacités cognitives plus « directes », comme le langage ou la logique. Il semble hautement douteux que cette forme de « jugeote » interpersonnelle de l'individu se traduise en idées sur sa propre condition, en une sorte de connaissance intrapersonnelle. De plus, dans le cas de certains désordres, comme il s'en trouve dans les personnalités psychopathiques, l'individu peut être en harmonie extrêmement intense avec les intentions et les motivations des autres sans déployer une sensibilité semblable à l'égard de ses propres sentiments et motifs. Enfin, il est également possible que certains individus aient une connaissance extrêmement précoce ou intense de leurs propres sentiments sans être en mesure de révéler cette connaissance, ou d'en tirer parti pour agir, en présence des autres. Ce type d'affection serait, par définition, des plus difficiles à identifier pour un observateur !

On peut examiner le destin de la connaissance personnelle chez des individus qui ont subi différentes atteintes localisées — par exemple, chez des personnes naguère normales qui sont devenues aphasiques à la suite d'une lésion de l'hémisphère cérébral dominant. Il peut sembler que le langage tienne la clé de la connaissance de soi ; et qu'en l'absence de cette forme de symbolisation, l'aptitude à se concevoir soi-même ou à coopérer avec d'autres individus est sérieusement, sinon fatalement, compromise. De fait, pourtant, on trouve des cas d'aphasie grave sans implications aussi dévastatrices pour la connaissance personnelle. Chez ceux qui ont été aphasiques mais qui ont suffisamment recouvré leur faculté pour décrire leur expérience, nous trouvons un témoignage cohérent : l'individu peut avoir observé une diminution de sa vigilance en général et une grande dépression devant sa condition, mais il ne s'est nullement ressenti comme étant une personne différente. Il reconnaissait ses propres besoins, volontés et désirs et il essayait de les satisfaire le mieux possible. Les membres de la famille (et les médecins) sont généralement d'accord pour dire qu'étant donné la gravité de l'altération, l'aptitude de l'aphasique à se mettre en rapport avec d'autres individus et à réfléchir sur sa propre condition survit d'une façon étonnante.

Le tableau symptomatique est différent chez les individus qui ont subi une lésion unilatérale à l'hémisphère droit (non dominant ou mineur)[47]. Chez ces patients, le langage est intact en apparence. Ainsi, leur aptitude à faire des discriminations vis-à-vis d'eux-mêmes et des autres personnes est-elle inaltérée. De fait, dans la simple conversation, de tels patients peuvent superficiellement apparaître comme étant restés les mêmes personnes. Mais il suffit en général de quelques minutes de discussion pour avoir confirmation de ce que leur aptitude à entrer en contact avec les autres a été maintenue essentiellement, sinon exclusivement, au niveau verbal, et qu'il existe un fossé large, peut-être insurmontable, entre leur personnalité d'avant et leurs modes présents de rapport avec les autres. Les liens avec les autres semblent très superficiels, et les remarques ne semblent pas naître du même individu qui s'était développé avant l'attaque de la lésion cérébrale. Qui plus est, il a un faible sens de l'action, manifeste peu de signes d'une quelconque intention de recouvrer ses facultés et a une ardeur très limitée à former et réaffirmer des relations personnelles pauvres. Il se peut que le patient proclame qu'il va bien (reflétant un déni de maladie souvent associé à son affection) et qu'il va retourner travailler le jour suivant ; mais en réalité, il restera assis sans bouger pendant des heures à côté de la porte de sortie. Peut-être l'absence de conscience de son état réel est-elle, en effet, un facteur majeur de la faible récupération que l'on trouve normalement chez les patients qui ont l'hémisphère droit atteint — alors que la récupération souvent étonnamment bonne des talents chez un patient aphasique reflète une conscience de soi et une initiative préservées, en même temps que la perception de ses déficits durables.

Des études menées sur d'autres populations de patients peuvent nous donner des perspectives supplémentaires sur la connaissance personnelle. Chez les patients qui ont la maladie d'Alzheimer — une forme de démence présénile — l'effondrement des capacités computationnelles — en particulier dans les royaumes spatiaux, logiques et linguistiques — est souvent sévère. Pourtant, en même temps, le patient restera bien soigné, aura un comportement social adéquat et sera continuellement en train de s'excuser des erreurs qu'il commet. C'est comme si le patient, sentant ses pouvoirs s'affaiblir, était conscient de son déclin et angoissé par son échec à circonvenir les difficultés, mais il ne donnera pas libre cours à sa frustration en manifestant de l'hostilité aux autres. Mon interprétation de cet ensemble de signes étranges et inquiétants est que les lobes frontaux du patient restent relativement préservés au cours des premiers stades de sa démence présénile : la maladie d'Alzheimer attaque en fait les zones postérieures du cerveau avec une intensité particulière. Au contraire, les patients qui souffrent de la maladie de Pick — une autre variété de démence présénile, à orientation beaucoup plus frontale — montrent une perte rapide de la convenance sociale, un tableau symptomatique qui rappelle davantage les formes irascibles des pathologies du lobe frontal[48].

MODIFICATIONS DE LA CONNAISSANCE PERSONNELLE

J'ai considéré jusqu'à présent les pathologies qui diminuent d'une manière ou d'une autre la connaissance personnelle. Il convient aussi de regarder les individus dont la connaissance personnelle a été modifiée — plutôt que réduite en réalité — par un désordre neurologique. Le cas des patients qui souffrent d'une épilepsie du lobe temporal se révèle particulièrement instructif à cet égard. La personnalité de tels patients peut se montrer un peu différente : leur façon de voir le monde se transforme, souvent profondément. Quelle qu'ait été leur orientation personnelle antérieure, ils tendent à devenir introspectifs, écrivent des textes de grande étendue, sont progressivement enclins à étudier la philosophie et la religion et à méditer avec acharnement sur des questions profondes. Ils peuvent succomber n'importe quand à d'énormes crises de rage, mais on constate chez le même individu l'intensification de son sens éthique et religieux, qui peut alimenter son souhait d'être extrêmement bon, attentionné et habité par la crainte de Dieu. En plus, il peut y avoir de la viscosité chez ces patients, dans la mesure où ils cherchent à former des liens excessivement étroits avec les autres et se révèlent incapables de « se laisser aller » dans une rencontre personnelle. Il est risqué de comparer l'épilepsie directement avec une destruction du tissu cérébral, parce que cette maladie entraîne plutôt un emballement anormal du tissu nerveux que la destruction massive des neurones. Pourtant le fait que la constellation de la personnalité de l'individu et sa manière de se mettre en rapport avec les autres peuvent être significativement affectées par cette pathologie — même si les performances en matière de mesure du langage et autres mesures cognitives standard restent exactement comme avant — semblent bien montrer que les intelligences personnelles constituent un domaine à part.

Peut-être même deux domaines à part. Se fondant sur ses travaux poussés concernant des patients épileptiques du lobe temporal, David Bear a récemment fait des découvertes étonnantes sur deux formes d'effondrement du comportement et leurs substrats neuroanatomiques[49]. Un ensemble de régions corticales, localisées dans la partie dorsale (pariétale) du cortex, semble décisif pour ce qui est de la vigilance, de l'attention et de l'éveil : une atteinte à cet endroit a pour résultat l'indifférence et la *perte de la conscience du soin de sa propre personne*. Un ensemble opposé des régions corticales, localisé dans la région ventrale (temporale) du cortex, semble décisif pour ce qui est d'identifier des stimuli, d'apprendre de nouvelles choses et d'avoir des réponses émotionnelles adaptées. Du fait des lésions dans cette dernière aire, le patient manifeste *un manque d'intérêt aux stimuli extérieurs* et, par conséquent, procède envers les autres individus à une émission inappropriée de réponses sexuelles ou agressives sans vraiment considérer les conséquences auparavant apprises de tels déploiements scandaleux. Même si Bear n'a pas spécialement développé son schéma en vue de traiter les variétés de l'intelligence personnelle que je présente ici, on peut facilement trouver des similitudes suggestives entre ces formes d'altération et notre paire d'intelligences personnelles.

La découverte de la plus grande ampleur qu'aient faite les neuroscientifiques de la génération précédente se révèle probablement pertinente. Comme pratiquement tous les « scanneurs » des suppléments de la presse dominicale (ainsi que les lecteurs de mon chapitre 2) le savent, une opération chirurgicale peut désormais permettre de déconnecter les deux moitiés du cerveau et de les tester séparément. Outre qu'elle prouve que l'hémisphère gauche est dominant pour le fonctionnement linguistique, comme l'est le droit pour le fonctionnement spatial, la recherche menée sur les patients « callosotomisés » a prouvé qu'un individu possède (au moins potentiellement) plus qu'une unique conscience[50]. En effet, l'individu peut abriter deux — voire plusieurs — consciences (ou « soi ») qui, dans le sillage d'une intervention chirurgicale, sont séparées l'une de l'autre.

Beaucoup d'efforts sont faits de nos jours pour caractériser ces formes de conscience, chercher si elles sont toutes deux pareillement subjectives ou objectives et si l'une a une certaine forme de priorité existentielle ou épistémologique sur l'autre. Il se peut qu'elles soient toutes deux impliquées dans le traitement émotionnel, l'hémisphère gauche étant un peu plus orienté vers l'euphorie, le bonheur et l'optimisme, et l'hémisphère droit vers le pessimisme, la réaction, l'hostilité (c'est pourquoi la destruction d'un des hémisphères tend à produire la configuration de traits opposée, celle qui a été « épargnée »). Il se peut aussi que la conscience de l'hémisphère gauche soit simplement plus orientée vers les mots et les autres symboles distincts et catégories analytiques, tandis que l'hémisphère droit est corrélativement consacré aux royaumes émotionnels, spatiaux et interpersonnels. Peut-être pouvons-nous trouver des indices de ces deux styles cognitifs chez les individus normaux, qui exploitent les processus de l'hémisphère droit à orientation un peu plus humaniste, tandis que ceux qui favorisent les processus de l'hémisphère gauche sont un peu plus sobres, scientifiques, « directs ». Quoique ces deux tableaux soient des caricatures et que le cerveau soit beaucoup plus que deux « petits soi », on ne doit pas négliger de prendre appui sur les intelligences humaines qui peuvent être, en fin de compte, tirées d'études des hémisphères séparés.

Comme j'ai moi-même critiqué ailleurs ceux qui seraient enclins à appeler chaque hémisphère d'un nom différent, il me semble dangereux de tirer des conclusions excessives à propos de l'intelligence personnelle à partir de bribes d'indices obtenus sur différentes populations de patients. En toute franchise, nous disposons en matière d'intelligences personnelles de connaissances moindres, et certainement moins irréfutables, que pour ce qui est des autres formes d'intelligence plus computationnelles, moins susceptibles de canalisation sociale. Nous pouvons interpréter de multiples manières les témoignages issus de différentes populations ayant des lésions cérébrales, et il n'est nullement certain qu'opposer les lésions de l'hémisphère droit et de l'hémisphère gauche, les lésions corticales et subcorticales, les atteintes dorsales et ventrales, doive mieux nous permettre de découper les intelligences personnelles au niveau de leur véritable articulation. Pourtant, notre débat suggère clairement que des formes d'intelligence personnelle peuvent être détruites, ou épargnées, de façon relativement isolée par rapport aux autres types de cognition : on trouve des indications utiles dans la littérature évolutionniste et dans la littérature neuropathologique, quant à la possibilité de distinguer les intelligences intrapersonnelle et interpersonnelle l'une de l'autre. Pour faire des découvertes plus décisives, il faut attendre la mise en place de mesures plus sensibles et de descriptions plus satisfaisantes de chaque forme d'intelligence personnelle.

Les personnes dans d'autres cultures

Quoique les intelligences personnelles puisent leurs racines dans la biologie, on peut discerner des différences de constitution importantes et hautement significatives d'une culture à l'autre. Les explorations anthropologiques ont été très utiles pour montrer comment un équilibre différent peut être maintenu entre les connaissances intrapersonnelle et interpersonnelle dans les différents « soi ». Pour donner un avant-goût de cette variété, je ne peux que présenter l'esquisse de Cliffort Geertz, qui définit les trois concepts opposés de la personne qu'il a rencontrés dans ses travaux sur le terrain depuis un quart de siècle[51].

À Java où il a travaillé dans les années cinquante, Geertz a observé un souci pour le soi aussi permanent et vivace qu'on peut le rencontrer chez un grand nombre d'intellectuels européens. En fonction de leur intérêt général pour les questions philosophiques, les Javanais même les moins prospères manifestent de l'intérêt pour ce qui constitue la personne. Pour eux, une personne abrite deux types d'oppositions. La première se produit entre le « dedans » et le « dehors ». D'une manière familière aux Occidentaux, les Javanais isolent dans l'expérience humaine le « domaine ressenti » à l'intérieur — le flux du sentiment subjectif directement perçu. Ils opposent ces phénomènes immédiats au « monde du dehors » — les actions extérieures, les mouvements, les positions et le discours, ce qui, dans notre culture, va dans le sens des thèses béhavioristes. Les Javanais ne conçoivent pas ces facettes du dedans et du dehors comme relatives les unes aux autres, mais plutôt comme des domaines qui demandent à être ordonnancés séparément[52].

Le second type d'opposition se situe entre le « pur » et le « civilisé » d'une part, et le « brut », « non civilisé » ou « vulgaire », de l'autre. Les Javanais s'efforcent de parvenir à une forme pure et civilisée à la fois dans le domaine intérieur, par la discipline religieuse, et dans le domaine extérieur, par le respect de l'étiquette sociale. Il en résulte finalement une conception divisée du soi, « pour moitié sentiment sans geste et pour moitié geste sans sentiment ». Un monde intérieur d'émotions calmes et un monde extérieur de comportements concertés se font face comme deux royaumes distincts, que les Javanais doivent d'une manière ou d'une autre négocier avec succès au sein de leur corps et de leur vie. Sans doute la tension entre les deux « visages » de la connaissance personnelle est-elle directement affrontée dans le contexte de Java.

Ce qui prend une coloration philosophique à Java est traité en terme théâtral à Bali. Dans cette culture hindoue stable, on observe de constants efforts pour styliser les moindres aspects de l'existence personnelle au point que toute personnalité idiosyncrasique s'estompe au profit de l'occupation d'une place assignée dans le drame de la vie balinaise. Les individus sont conçus en fonction du masque qu'ils portent, du rôle qu'ils jouent dans ce sempiternel cortège. Les personnes sont identifiées à leurs fonctions dans une distribution perpétuelle des caractères, les facteurs accidentels en cours étant soumis à fin de donner la vedette à un ensemble permanent de relations réglées par les statuts. Le grand risque que court l'individu dans une telle « présentation de soi » (et sa grande peur) est de se faire remarquer en public et d'affirmer sa propre personnalité (comme nous l'appellerions). Comme Geertz le décrit : « Quand cela arrive, car c'est parfois le cas, l'urgence du moment est ressenti avec une intensité atroce, et les hommes deviennent soudain et contre leur gré de véritables bêtes[53]. » Les individus font tous leurs efforts et mettent beaucoup de soin pour protéger le soi stylisé contre l'assaut de l'urgence, de la spontanéité et de la violence brutale. Cette culture a clairement pris la décision d'accentuer les formes interpersonnelles du soi et d'en assourdir les formes intrapersonnelles.

Les Marocains que Geertz est venu à étudier au milieu des années soixante vivaient à Séfrou, une petite ville située à environ trente kilomètres au sud de Fez. La ville se compose d'un grand nombre d'individus de différentes extractions (Arabes, Berbères et Juifs), de différentes professions (tailleurs, cavaliers et soldats), de différents niveaux de développement et de richesse. Peut-être est-ce pour contrebalancer l'anonymat dans cet assemblage bigarré que les Marocains ont adopté une pratique, un moyen symbolique, pour s'identifier mutuellement, appelée la *nisba*. La *nisba* de quelqu'un est son attribution — une étiquette attachée à son nom qui indique la région ou le groupe dont il vient. Par ce mode d'identification — « Omar de la tribu Bugadu », « Mohammed de la région de Sousse » — chacun se fait connaître des autres. L'étiquetage précis utilisé à tout moment peut dépendre du contexte — plus le groupe auquel appartient l'individu en question est petit, plus précis sera l'étiquetage ; mais les habitants de Séfrou pratiquent universellement l'identification d'un individu de cette manière.

La *nisba* fait partie du tableau d'ensemble de l'existence des gens. Une des caractéristiques les plus fondamentales de la société marocaine est la stricte distinction qu'elle pose entre la personne publique et la personne privée. La mosaïque vivante et fluide de la vie de la casbah est séparée avec grand soin de l'intimité bien protégée des occupations personnelles de l'individu. Plutôt que de diviser en castes cette société si diverse, les Marocains distinguent les contextes dans lesquels les hommes sont strictement séparés les uns des autres (le mariage, le culte, la loi et l'éducation) des contextes plus publics (le travail, l'amitié, le commerce) où ils entretiennent des liens variés avec les autres individus. Les personnes interagissent les unes avec les autres en termes de catégories publiques dont la signification renvoie à des lieux géographiques, et ils choisissent de savourer les formes d'expériences plus personnelles de la vie dans l'intimité de leur tente et de leur temple. Ainsi le système de la *nisba* crée-t-il une charpente dans laquelle les personnes peuvent être identifiées en termes de caractéristiques supposées immanentes (le discours, le sang, la foi), et elles gardent pourtant une grande latitude dans leurs relations pratiques dans les lieux publics : on autorise une sorte d'hyperindividualisme dans les relations publiques où presque tout ce qui est spécifique peut être rempli par des processus d'interaction. En même temps, on ne risque pas la perte de soi, ce soi étant soigneusement réservé aux activités de procréation et de prière, plus intimes et isolées. Le cadre marocain organise l'espace pour cultiver à la fois l'intelligence intrapersonnelle et l'intelligence interpersonnelle, mais les deux ne se mélangent jamais dans un soi unique intégré.

Quoique les descriptions soigneuses et attentives de Geertz visent une autre fin — expliquer la manière dont l'anthropologue peut comprendre d'autres peuples en examinant leurs formes symboliques — ces portraits permettent de valider les distinctions que j'ai introduites dans ce chapitre. Nous voyons ici des cultures disparates, embrassant la moitié du monde et de nombreux siècles d'évolution historique, chacune affrontant le même ensemble de contraintes : comment faire face, d'une part, aux sentiments, aux exigences et à l'idiosyncrasie de chaque individu et permettre, d'autre part, le fonctionnement toujours fluide et productif avec les autres membres de la communauté ? Chaque culture s'arrange avec cette tension selon sa manière caractéristique : les Javanais posent explicitement deux domaines distincts d'existence que chaque individu doit maintenir en équilibre d'une manière ou d'une autre ; les Balinais privilégient nettement vers le pôle public et essaient désespérément d'empêcher les aspects « rudes » de la personnalité de s'exprimer (peut-être à l'exception du cadre relativement ritualisé du combat de coqs) ; les Marocains relèguent certaines portions de la vie exclusivement dans la sphère privée et laissent donc une liberté importante aux interactions qui subsistent dans la sphère publique.

Chacune à sa manière, ces différentes cultures font finalement naître une personne, une conscience de soi, un amalgame idiosyncrasique mais bien adapté des aspects de l'expérience qui sont le plus purement personnels et intérieurs, et de ceux qui gouvernent et règlent la relation de chacun avec sa communauté, dehors. La manière dont le soi s'exprimera et dont l'équilibre sera maintenu dépend de quantité de facteurs, dont l'histoire et les valeurs de la culture et, très vraisemblablement, la nature de son écologie et de son économie. Il n'est guère possible de prévoir la forme particulière que les conceptions de la personne et de soi prendront dans différents coins du monde. La seule chose que l'on peut présager, pourtant, est que toute culture doit, d'une manière ou d'une autre, prendre en main l'ensemble de ses préoccupations et qu'il faudra toujours créer un nœud entre les problèmes interpersonnels et intrapersonnels. Il s'ensuit que la conscience de soi développée au sein d'une matrice culturelle donnée reflétera une synthèse entre les facettes intrapersonnelles et interpersonnelles de l'existence.

À inspecter les cultures du monde, on rencontre des variations fascinantes des formes à la fois interpersonnelles et intrapersonnelles de l'intelligence. On découvre aussi que les différentes cultures mettent plus ou moins l'accent sur les formes personnelles d'intelligence *per se* : alors que, par exemple, dans le contexte occidental, les intelligences logico-mathématiques et linguistiques sont fortement privilégiées, les sociétés traditionnelles et, encore aujourd'hui, les sociétés développées autres que l'Occident (comme le Japon) mettent proportionnellement l'accent sur les formes d'intelligence personnelle. À moins de faire comme Cook le tour des cultures du monde, il n'y a pas moyen de dresser le portrait exhaustif de l'éventail des solutions qui ont été imaginées au regard des formes des intelligences personnelles et des consciences de soi. Il est pourtant possible de classer et de caractériser les différentes solutions selon un certain nombre de critères.

Empruntant une distinction établie par Harry Lasker, je peux commencer mon inspection en distinguant entre deux types idéaux de société[54]. Dans une société « de particules » comme la nôtre, le foyer du soi réside principalement dans un individu spécifique. L'individu est considéré comme ayant une grande autonomie et comme contrôlant pour l'essentiel son propre destin, qui peut aller du triomphe parfait à la défaite désastreuse. À cela s'ajoutent un intérêt, voire une fascination pour la personne individuelle isolée, tandis que l'environnement extérieur est simplement vu comme le lieu d'un support ou d'une interférence d'arrière-plan. La notion occidentale de héros solitaire, luttant contre un environnement hostile et contre l'hostilité des autres, symbolise cette existence de particule. La tradition littéraire française le reprend d'une façon vivante[55] :

> Le grand projet littéraire national [...] l'entreprise interprète le soi comme le lieu de toutes les possibilités, avide, sans peur de la contradiction (rien à perdre, tout à gagner) et l'exercice de la conscience comme la plus haute visée de la vie, parce qu'on ne peut devenir libre qu'en devenant pleinement conscient.

Empruntant une analogie à la physique, nous pouvons opposer société de *particules* et société de *champ*. Dans cette dernière, le lieu de l'attention, du pouvoir et du contrôle est entre les mains des autres ou même de la société dans son ensemble. Loin de mettre l'accent sur la personne individuelle, avec ses propres buts, volontés et peurs, une société de champ se centre presque entièrement dans l'environnement dans lequel on se trouve. Ce contexte environnant est considéré comme la force déterminante dans la vie d'un individu, le lieu où les décisions sont prises en réalité ; même dans les cas où un individu se distingue, il est regardé comme ayant été « choisi » ou « poussé » à l'intérieur d'une niche, sans avoir spécialement son mot à dire (ou même sans aucun désir d'avoir son mot à dire) eu égard à son destin particulier. Pour Jean-Paul Sartre, un apôtre de la tradition littéraire française, « l'enfer, c'est les autres[56] ». Pour les individus d'une société de champ, « soi-même *est* quelqu'un d'autre » — et quand un compagnon est détaché des siens, il reste peu de chose d'un cœur irréductible du soi.

Presque toutes les sociétés traditionnelles, et même les sociétés modernes non occidentales, attachent beaucoup plus de prix aux facteurs « de champ », et il est bien moins probable qu'elles attribuent un pouvoir de décision significatif ou un libre arbitre à la « particule » individuelle. Chez les Maori de Nouvelle-Zélande, par exemple, l'identité d'un homme est déterminée par le statut dont il a hérité et par ses relations avec son groupe. En dehors de son groupe, un Maori n'est plus personne. Ni la souffrance ni le plaisir ne viennent du dedans : au contraire, ils sont vus comme la résultante de forces extérieures. De même, chez les Dinka du sud du Soudan, la notion d'un esprit emmagasinant ses propres expériences n'existe pas [57]. Au contraire, la personne est toujours un objet qui est agi — par exemple, par un lieu. Plutôt qu'objet d'étude, le monde est un sujet actif dont l'impact est ressenti par l'individu passif. On voit la différence entre cette perspective et celle qu'assume habituellement une société occidentale de particules. L'accent mis sur le soi comme une particule atomisée est un héritage particulier des traditions politique, philosophique et littéraire occidentales, qui remonte peut-être à l'époque des Grecs et qui n'a apparemment son rival nulle part dans le monde. Nous devons faire attention de ne pas confondre « notre » conscience de la personne avec celles qui sont entretenues par d'autres cultures ; et nous devons reconnaître que, même dans les sociétés occidentales, il y a de grandes différences individuelles entre l'« indépendance du champ » et les « lieux de contrôles » jugés comme tels.

On peut ranger les préoccupations concernant la personne qui sont propres à chaque culture du monde en fonction d'autres critères instructifs. On peut d'abord examiner dans quelle mesure ces cultures ont élaboré une théorie explicite de la personne. Certaines sociétés, comme les Maori de Nouvelle-Zélande, font des distinctions seulement dans le langage de la vie de tous les jours [58]. D'autres groupes, comme les Yogas de l'Inde, bâtissent une théorie du développement de soi bien plus complexe et différenciée que toutes celles qui sont envisagées en Occident [59]. La manière de découper le domaine de la personne peut servir d'autre point utile de comparaison. Dans la Chine traditionnelle, on ne sépare pas l'esprit et les objets physiques [60]. Au contraire, chez les Ojibwa des environs du Lac supérieur, le royaume de la personne s'étend à un bien plus grand éventail d'entités, dont les animaux, les roches et la grand-mère de l'individu [61]. Les cultures diffèrent également de façon significative pour ce qui est des aspects de la personne qu'elles choisissent de mettre en valeur. Les Japonais cultivent un style de « communication des messages minimum [62] ». Méprisant le « message maximum » du langage parlé, les Japonais demandent à de subtils indices non verbaux de leur donner la clé des sentiments, des motivations et des messages de l'individu. Les Japonais chérissent et honorent également le *jikkan* — les sentiments « réels et directs » — et révèrent toute personne qui est en harmonie avec son propre *jikkan*. Suivant un chemin assez différent, les Navajos mettent spécialement l'accent sur l'aptitude à bien écouter. Ils considèrent qu'écouter de façon pénétrante est la clé d'une bonne décision et que ceux qui savent bien écouter ont des dons particuliers.

Alors que les cultures diffèrent sensiblement dans l'accent qu'elles mettent sur l'intelligence intrapersonnelle ou interpersonnelle, on rencontre des rôles sociaux qui requièrent le développement maximal des deux aspects. Un exemple particulièrement étourdissant à cet égard nous vient des Ixils du Guatemala, qui demandent conseil et avis à un chaman ou « gardien du jour ». Tel que décrit par Benjamin N. et Lore M. Colby, le rôle du gardien du jour exige un développement considérable des deux formes de connaissance personnelle [63] :

> Il doit évaluer la situation, le comportement et les préoccupations [de ses patients]. Il doit aussi mener lui-même une vie exemplaire, ou du moins essayer de le faire. Faire tout cela requiert une analyse de soi ainsi qu'un point de vue empathique pour comprendre les autres : cela exige de mettre à jour, de revoir et de réparer son image de soi ; cela exige une conceptualisation des autres complétée et révisée — une conceptualisation qui inclut les attributs et les relations que les clients, leurs familles et leurs amis entretiennent les uns avec les autres ; cela exige une compréhension des buts et valeurs qui motivent les gens et de la manière dont le contexte ou la situation peuvent transformer ces buts et intentions.

Il ne fait aucun doute qu'en considérant pleinement les différents rôles favoris de telle ou telle société, on se rendrait mieux compte de l'accent mis sur la différenciation des formes de l'intelligence interpersonnelle et intrapersonnelle. De même que, dans notre société, le thérapeute, le chef religieux ou bien l'artiste exploitent diverses formes de compréhension personnelle, il est probable que les chamans, les sorciers, les magiciens, les diseurs de bonne aventure et autres figures du même genre ont une connaissance hautement différenciée du royaume personnel. Dans la société occidentale, nous avons Rousseau ou Proust, qui ont cultivé la connaissance de soi, de même que nous avons des artistes comme Shakespeare, Balzac ou Keats dont la connaissance des autres personnes, la « capacité négative », a été exemplaire et qui ont trouvé leur source d'inspiration dans leur aptitude à se mettre soi-même dans la peau des autres [64]. On a toute raison de croire qu'un éventail analogue de talents et de rôles peut se trouver partout ailleurs. En tout cas, il semble mesquin d'assurer que, dans des cultures où les connexions sociales sont encore plus importantes que dans la nôtre, l'aptitude à comprendre les autres personnes et à traquer leurs motivations est très cotée.

Conclusion

En considérant les formes de connaissance qui tournent autour des autres personnes, nous sommes entrés dans un domaine où le rôle de la culture et des forces historiques se révèle particulièrement important. On peut raisonnablement penser que certaines formes d'intelligence — par exemple, celles qui sont impliquées dans le traitement spatial — fonctionnent sous une forme essentiellement semblable d'une culture à l'autre et résistent relativement bien au moulage culturel ; mais il est patent que, quand on en vient à la connaissance personnelle, la culture joue un rôle déterminant. En effet, c'est à travers l'apprentissage du système symbolique d'une culture — et son utilisation — que les intelligences personnelles en viennent à prendre leur forme caractéristique.

Nous rencontrons ici des facteurs qui ont subi une longue évolution. En tant qu'espèce, nous avons atteint un degré unique d'individualisation qui a culminé dans la possibilité d'une conscience de l'identité personnelle[65]. Comme le sociologue Thomas Luckmann l'a souligné, l'apparition d'une conscience de l'identité personnelle n'est possible que parce que notre espèce se détache de l'ici et maintenant des situations et ne se laisse pas entièrement absorber dans l'urgence des expériences. En raison de l'accroissement de ce sens de la perspective, nous devenons à même de faire l'expérience de notre environnement à travers une structure riche et plutôt stable d'objets et d'événements. Nous pouvons poursuivre en intégrant des séries de situations dans une histoire des événements ordinaires. Nous pouvons faire attention aux autres individus et reconnaître le reflet de nous-mêmes dans leur comportement et dans leurs actions. Enfin, la conscience de l'apparition de l'identité personnelle sert de médiateur entre les déterminants phylogénétiques de l'existence humaine et le modèle particulier de l'histoire établi par des générations précédentes. Chaque culture ayant sa propre histoire, la conscience de soi et des autres sera nécessairement unique.

À la lumière de ces circonstances particulières, il convient de se demander s'il faut penser que les intelligences personnelles — la connaissance de soi et des autres — sont aussi spécifiques (et générales) que les autres intelligences que nous avons considérées dans les chapitres précédents. Peut-être est-il plus sensé de penser que la connaissance de soi et des autres se situe à un niveau supérieur et constitue une forme d'intelligence plus intégrée, plus aux ordres de la culture et des facteurs historiques, qui contrôle et régule les « couches primaires » de l'intelligence.

Je doute que la question de la « spécificité » des intelligences personnelles autorise une réponse nette et définitive. D'une certaine manière, les intelligences personnelles sont tout aussi basiques et biologiques que toutes les intelligences considérées ici : on peut discerner leur origine dans les sentiments dont l'individu a fait directement l'expérience, dans le cas de la forme intrapersonnelle, et dans la perception directe d'autres individus significatifs, dans le cas de la variété interpersonnelle. En ce sens, les intelligences personnelles sont conformes à nos hypothèses de travail en faveur d'une intelligence basique. Pourtant, il est indubitablement vrai que les diverses formes que l'intelligence personnelle peut prendre figurent parmi ses caractéristiques les plus exceptionnelles. Et, en particulier en Occident, il semble raisonnable d'estimer que la conscience de soi d'un individu est une sorte de régulateur de second niveau, une métaphore d'ensemble pour le reste de la personne, qui peut, au titre d'un de ses « devoirs », réussir à comprendre et à moduler les autres capacités d'un individu. En ce sens donc, les intelligences personnelles sont incommensurables aux intelligences que j'ai traitées dans les précédents chapitres.

Mais il est tout aussi important d'insister sur le fait que cette « glorification du soi » est un choix culturel, qui a pris son essor dans les milieux européens contemporains, mais qui n'est aucunement un impératif humain. Les différentes cultures sont confrontées au choix d'élire, comme unité première d'analyse, le soi individuel, la famille nucléaire ou une entité bien plus large (la communauté ou la nation) ; par ce choix, les cultures déterminent (non pas, elles dictent) dans quelle mesure l'individu scrute à l'intérieur de lui-même ou regarde les autres à l'extérieur. Une raison pour laquelle nous autres Occidentaux tendons à nous concentrer, même à nous obstiner sur le soi *individuel* est que cet aspect de l'existence a — pour des raisons historiques — gagné de plus en plus la primauté au sein de notre société. Si nous vivions dans une culture qui se concentre avant tout sur les autres individus, les relations interpersonnelles, le groupe ou même le surnaturel, nous ne serions sans doute pas torturés par le dilemme du soi considéré comme hors série. Car comme nous l'avons déjà vu, toute considération de la « spécificité du soi » ne peut se faire sans une analyse des valeurs et du schéma interprétatif d'une société particulière.

Néanmoins, si j'étais forcé de présenter une définition « transculturelle » du soi, je ferais les remarques suivantes : je vois la conscience de soi comme une capacité en train d'apparaître. De ce point de vue, elle est le résultat naturel de l'évolution de la connaissance interpersonnelle ; mais cette évolution prend nécessairement place au sein d'un contexte culturel interprétatif, quoiqu'elle soit nécessairement canalisée par des capacités de représentation qui déclinent toute la gamme des intelligences humaines. En d'autres termes, je pense que toute société présente au moins une conscience tacite de la personne ou de soi, enracinée dans la connaissance et dans les sentiments personnels de l'individu. Pourtant, il est inévitable que cette conscience soit interprétée et sans doute reforgée par les relations qu'un individu entretient avec les autres personnes et la connaissance qu'il en a et, plus généralement, par les schémas interprétatifs fournis par la culture où il est englobé. Toute culture produira aussi une conscience mûre de la personne, impliquant un certain équilibre entre les facteurs interpersonnel et intrapersonnel. Dans certaines cultures, comme la nôtre, l'accent mis sur le soi individuel peut devenir suffisamment extrême pour conduire à l'apparition d'une capacité du second ordre, qui préside à l'ensemble et joue un rôle de médiateur au sein des autres formes et catégories de l'intelligence. C'est donc un résultat possible de l'évolution culturelle — mais un résultat, il faut y insister, qu'il nous est difficile de juger et qui peut se fonder, au moins en partie, sur une vision illusoire de la primauté de nos pouvoirs et du degré de notre autonomie.

Maintenant que nous avons très longuement passé en revue notre famille de sept intelligences, nous pouvons peut-être les conceptualiser à gros traits de la manière suivante. Les formes de l'intelligence « se rapportant à l'objet » — spatiale, logico-mathématique, kinesthésique — sont sujettes à un type de contrôle, exercé en réalité par la structure et les fonctions des objets particuliers avec lesquels les individus entrent en contact. Si notre univers physique avait une autre structure, on peut supposer que ces intelligences revêtiraient d'autres formes. Nos formes de l'intelligence « libres des objets » — musique et langage — ne sont pas fabriquées ni canalisées par le monde physique, mais reflètent au contraire les structures de musiques et de langages particuliers. Elles peuvent aussi refléter les traits de notre système auditif et oral, quoique (comme nous l'avons vu) le langage et la musique puissent se développer chacun, au moins dans une certaine mesure, en l'absence de ces modalités sensorielles. Enfin, les formes personnelles de l'intelligence reflètent un ensemble de contraintes puissantes et concurrentes : l'existence de notre propre personne, l'existence d'autres personnes, la manière dont une culture présente et interprète le soi. Dans toute conscience de la personne ou du soi, il existe des traits universels, mais aussi des nuances culturelles considérables, reflétant une armée de facteurs historiques et individualisants.

Réfléchir sur la place de la connaissance personnelle dans cet ensemble d'intelligences conduit à aborder le problème du statut de la théorie en tant qu'entreprise scientifique. Ce sont des questions qu'il faut traiter pour les intelligences particulières aussi bien que pour la viabilité de l'entreprise dans son ensemble. Même si je dois laisser aux autres le fin mot de la critique, il me semble approprié de présenter certaines des difficultés les plus saillantes que pose la théorie et d'exprimer mes propres vues sur la manière dont on peut s'efforcer de mieux les résoudre.

CHAPITRE 10

Une critique de la théorie des intelligences multiples

Introduction

Dans ma deuxième partie, j'ai proposé une nouvelle théorie des intelligences destinée à fournir un modèle positif des différents points forts intellectuels déployés par les êtres humains. J'ai essentiellement procédé par démonstration : c'est-à-dire que j'ai présenté chacune des intelligences à travers des exemples et, pour en montrer l'utilité, énuméré les différentes manières dont elles se sont déployées dans divers cadres culturels. Il reste à pallier l'absence de nombreux détails concernant ces intelligences et leur mode de fonctionnement. De plus, j'ai passé sous silence ou tout à fait ignoré la plupart des limites de la théorie.

Dans le présent chapitre, j'entreprends d'examiner cette nouvelle théorie d'un œil plus critique. Il est important de considérer la manière dont la théorie se greffe sur d'autres théories concurrentes de la cognition humaine : est-elle trop extrême ou trop éclectique ? Qu'ajoute-t-elle et qu'oublie-t-elle ? Comment l'étendre de manière à incorporer d'autres facettes de notre connaissance de l'être humain ? Et comment la rendre plus utile aux praticiens et aux politiques ? Nous examinerons ces questions dans le reste du livre, où je tente de replacer la théorie des intelligences multiples dans un contexte plus large. Dans ce chapitre et dans le suivant, mon propos est essentiellement critique : dans le chapitre 11, je jette un pont entre les grandes lignes de cette théorie et les questions pédagogiques et pratiques qui occupent le devant de la scène dans les derniers chapitres du livre. Ceux qui s'intéressent par priorité à l'application de la théorie pourront passer directement au chapitre 12.

La théorie des intelligences multiples suppose l'existence d'un petit ensemble de potentiels intellectuels humains, dont le nombre ne dépasse peut-être pas sept et que tous les individus sont capables de mettre en œuvre en vertu de leur appartenance à l'espèce humaine. En raison de l'hérédité, d'une formation précoce ou, en toute probabilité, d'une interaction constante entre ces facteurs, certains individus développeront certaines intelligences beaucoup plus que d'autres ; mais tout individu normal devrait développer chaque intelligence dans une certaine mesure, pourvu qu'il lui soit donné une occasion modeste de le faire.

Dans le cours normal des événements, les intelligences interagissent effectivement entre elles et profitent l'une de l'autre depuis le début de la vie. De plus, comme je le démontrerai un peu plus en détail au chapitre 11, elles sont en fin de compte mobilisées au service de fonctions et de rôles sociaux différents. Néanmoins, je crois qu'au cœur de chaque intelligence, il existe une capacité computationnelle, ou dispositif de traitement de l'information, qui est unique à cette intelligence particulière et sur laquelle se fondent ses réalisations et ses incarnations plus complexes. Tout au long du livre, j'ai essayé de suggérer que ces composantes « cœurs » pouvaient être : le traitement phonologique et grammatical dans le cas du langage ; le traitement tonal et rythmique dans le cas de la musique. Pour le présent propos toutefois, l'idée que chaque intelligence a un ou plusieurs cœurs computationnels « à l'état brut » est plus importante que le dessin précis des limites de ces cœurs.

Je ne souhaiterais pas qu'un lecteur prenne cette métaphore du dispositif computationnel ou de l'ordinateur plus au sérieux que je n'en ai eu l'intention. Il est clair que je n'ai aucune raison de croire que les mécanismes neuraux du cerveau fonctionnent de la même manière que les composantes électromécaniques d'un ordinateur ; je n'entends pas non plus suggérer que mes dispositifs computationnels s'engagent dans des processus décisionnels complexes pour déterminer si un certain signal est (ou n'est pas) musical, grammatical ou personnel. Ce que je veux plutôt exprimer, c'est que l'être humain normal est constitué de manière à être sensible à un certain contenu informationnel : quand une forme particulière d'information se présente, divers mécanismes du système nerveux se déclenchent pour mener à bien des opérations spécifiques de traitement de cette information. Et de l'utilisation répétée de ces différents dispositifs computationnels, de leur élaboration et de leurs interactions découlent en fin de compte des formes de connaissance que nous pourrions facilement qualifier d'« intelligentes ».

Il peut sembler étrange de penser qu'un concept aussi vénéré que celui d'intelligence se compose de mécanismes « muets » (c'est-à-dire des mécanismes insensibles à des significations plus larges, qui opèrent simplement comme par réflexe quand ils sont stimulés par certains contenus ou apports). Le philosophe Robert Nozick propose une discussion utile de ce point [1] :

> S'agissant d'expliquer pourquoi nous possédons tel trait, il n'est guère éclairant de l'attribuer à une petite personne à l'intérieur de nous-mêmes, un homoncule psychologique qui exerce exactement le même trait. S'il y a une explication de la manière dont notre intelligence fonctionne, elle devrait se faire en termes de facteurs qui, pris individuel-lement, sont eux-mêmes muets, par exemple en termes de concaténation d'opérations simples qui peuvent être effectuées par une machine. Une explication psychologique de la créativité se fera en termes de parties ou processus qui ne sont pas eux-mêmes créatifs [...]. L'explication de tout trait, de toute particularité ou de toute fonction précieuse du soi se fera en fonction d'un autre trait, qui n'a pas précisément cette valeur et auquel on n'accorde probablement pas de valeur [...] de sorte qu'il n'est pas surprenant que les explications soient réductionnistes, présentant une image de nous moins précieuse.

Néanmoins, les chapitres suivants tâcheront d'expliquer comment, à partir de capacités computationnelles « muettes », nous finissons pourtant par avoir un comportement intelligent et même hautement créatif.

Il vaut donc mieux considérer les différentes compétences intellec-tuelles présentées ici comme un ensemble de « types naturels » de cubes de construction, servant à bâtir des lignes productives de pensée et d'action. Sans pousser trop loin l'analogie, les intelligences peuvent apparaître comme les éléments d'un système chimique, les consti-tuants de base qui peuvent entrer dans des composés de différentes sortes et dans des équations qui fournissent une pléthore de processus et de produits. Ces intelligences, quoique initialement à l'état brut et non médiatisées, ont le potentiel d'être impliquées dans des systèmes symboliques, d'être acculturées par leur mise en œuvre dans des tâches culturelles (c'est en cela qu'elles diffèrent de façon décisive de leurs homologues chez les autres animaux). Nous pouvons les voir opérer d'une façon isolée, dans certaines populations exceptionnelles et dans des situations atypiques. C'est l'occasion d'examiner systématiquement les circonstances spéciales qui nous ont permis d'identifier les opéra-tions clés dans chaque domaine. Mais dans un rapport humain normal, on rencontre d'ordinaire des complexes d'intelligences fonc-tionnant ensemble de façon sous-jacente et fluide afin d'exécuter des activités humaines compliquées.

Théories apparentées

Comme je l'ai souligné dans mes chapitres d'introduction, l'idée d'intelligences multiples est ancienne. Différentes facettes de l'esprit ont été même reconnues à l'époque des Grecs ; et la « psychologie des facultés » a atteint son apogée dans les premières années du XIXe siècle, bien avant les débuts de la psychologie scientifique. De plus, le fait que la psychologie des facultés soit tombée presque complètement en disgrâce explique qu'elle passe plus pour un recueil de curiosités que pour un ensemble de théories psychologiques. Pourtant, cette approche a récemment connu un regain d'intérêt : un grand nombre de théoriciens ont avancé des points de vue qui ont un air de famille avec elle. Avant de considérer quelques-unes de ces théories des facultés rajeunies, il convient de considérer les facteurs qui ont provoqué la renaissance du point de vue « modulaire » sur les capacités intellectuelles.

Dans son ardeur à suivre les sciences physiques, la psychologie a recherché les lois et processus généraux — les aptitudes qui peuvent recouper toute forme de contenu et peuvent donc être considérées comme véritablement fondamentales. Les figures majeures de la dernière génération de psychologues — Clark Hull, Kenneth Spence, B. F. Skinner — ont représenté cette tendance. Ils avaient l'habitude de rechercher les lois de base de la sensation, de la perception, de la mémoire, de l'attention et de l'apprentissage, lesquelles, une fois découvertes, étaient supposées travailler de façon équivalente pour le langage et la musique, pour les stimuli visuels et auditifs, pour les modèles et problèmes élémentaires ou complexes. Dans sa version « uniformiste » stricte, cette recherche visait à établir un ensemble de principes — ordinairement des lois d'association — supposé être le fondement de toutes les facultés précitées. Selon une telle analyse, la mémoire était une perception faible, l'apprentissage était une perception encouragée ou différenciée, etc.

On s'accorde généralement pour dire que cette entreprise — quelque motivée qu'elle ait pu être — a été un échec. On entend rarement parler de nos jours de rechercher des lois psychologiques de base qui engloberaient tout. On retrouve cependant des traces de cette approche dans certaines écoles dominantes en psychologie cognitive, celles qui reposent fortement sur le modèle de l'ordinateur multi-usages travaillant en série[2]. Toutes donnent foi à un ensemble de concepts apparentés : les *talents généraux de résolution de problème*, qui peuvent être mobilisés pour tout problème clairement posé ; l'analyse de *charpente, scénario* ou *schéma*, une manière de donner du sens à des éléments apparemment divers en les replaçant dans un contexte structuré, comme le « scénario » d'un ensemble familier d'événements ; et la planification générale ou unité *fourre-tout* qui recourt au rétro-contrôle pour déterminer si une tâche projetée a effectivement été menée à bien ; la *capacité de mémoire à court terme*, qui peut être « uti-lisée totalement » pour tout contenu ; le *processeur central*, qui reçoit initialement toutes les données ; et l'*exécutif*, qui détermine la manière dont l'organisme doit déployer ses différentes facultés pour la pour-suite d'un but. Ces approches ont eu, à mon avis, plus de succès que celles de la précédente génération de théoriciens de l'apprentissage ; mais elles se sont également révélées inadéquates, et leur analyse des processus psychologiques clés s'est souvent révélée erronée.

Partageant certains de ces doutes, un grand nombre de théoriciens ont récemment avancé des points de vue qui remettent en cause le caractère central — ou, en quelque sorte, l'hégémonie — d'un modèle qui pose des mécanismes généraux « tous usages » de l'esprit. Le psy-chologue expérimental britannique D. Alan Allport a pensé qu'il valait mieux considérer l'esprit humain (à l'image du cerveau humain) comme un grand nombre de *systèmes de production* indépendants : ses unités computationnelles opèrent en parallèle (plutôt qu'en série) et sont activées par un certain type d'information auquel elles sont accor-dées[3]. « Nous disposons d'une accumulation de preuves écrasantes en faveur de l'existence de neurones spécialisés, correspondant de façon sélective à des propriétés invariantes particulières (souvent très abs-traites) des entrées sensorielles, comme un trait majeur du système nerveux central », écrit-il. La clé de la formulation d'Allport est l'affir-mation que tout système de production *dépend du contenu* : nos activités cognitives ne se rapportent pas à la quantité d'information à traiter, mais plutôt à la présence de modèles particuliers avec lesquels des structures neurales spécifiques doivent entrer en résonance (et elles le font).

Allport récuse la nécessité d'un processeur central en charge de ces unités. Selon lui, les systèmes de production travaillent simplement en parallèle, ceux qui déchargent le plus emportant la mise. Il souligne, métaphoriquement, que le contrôle passe simplement d'un système à l'autre à la suite de quelque chose qui ressemble à une discussion entre experts (c'est-à-dire entre les différents systèmes de production haute-ment sensibilisés). Il ne voit pas la nécessité — et il ne trouve même pas d'argument rationnel à ce sujet — d'un homoncule central qui déci-derait quoi faire. Il pose la question suivante : « Que ferait le processeur central ? »

Pour l'essentiel, les systèmes de production spécialisés d'Allport (et les neurones qui leur sont associés) ont affaire à des unités d'informa-tion bien plus fines que ne le font les intelligences particulières que je pose. Pourtant, en accord avec ma réflexion, Allport indique que le principe modulaire de sous-systèmes séparables du point de vue fonctionnel semble tenir à un niveau d'analyse molaire, l'un des sous-systèmes faisant le plan des systèmes pertinents du point de vue du comportement, comme le langage ou la perception visuelle. De fait, Allport voit dans l'argument de l'effondrement des aptitudes mentales à la suite d'une lésion cérébrale le fondement le plus sûr en faveur de l'existence de modules intellectuels dans le sens des lignes que j'ai esquissées. Ainsi, quoique Allport ait conçu sa théorie pour des raisons très différentes, son modèle est, dans ses caractéristiques majeures, en accord avec mon propre point de vue.

Dans une discussion plus étendue, Jerry Fodor, philosophe et psychologue au MIT, a soutenu la thèse de la modularité de l'esprit[4]. Puisant l'essentiel de ses arguments dans des études empiriques menées récemment sur la compétence linguistique et le traitement visuel, dont certaines ont été inspirées par son collègue Noam Chomsky, Fodor montre qu'il vaut mieux voir les processus mentaux comme des modules indépendants ou « encapsulés », chacun opérant selon ses propres règles et manifestant ses propres processus. Se rangeant résolument du côté des vues de la psychologie des facultés de Franz Joseph Gall (voir chapitre 1) et contre des générations plus récentes de théoriciens, Fodor rejette les « processus horizontaux », tels la perception générale, la mémoire et le jugement, et défend l'idée de « modules verticaux » comme le langage, l'analyse visuelle ou le traitement musical, chacun ayant son mode de fonctionnement caractéristique. Fodor ne s'intéresse pas particulièrement à l'identité précise de chaque module — c'est une question empirique ; mais il soutient que les modules tendent à refléter les différents systèmes sensoriels, le langage constituant un module séparé.

Jusqu'à présent, je ne me sens donc pas fondamentalement en désaccord avec Fodor, qui pose de fait des modules à un niveau d'analyse proche de celui que j'ai adopté. Mais Fodor prétend de surcroît que ces modules relativement encapsulés ne peuvent expliquer que certaines parties de la cognition. Il trouve nécessaire de supposer qu'il existe une région de l'esprit centrale, « non encapsulée », qui s'occupe de la « fixation des croyances ». Le processeur central a accès à l'information en provenance des différents modules, il peut comparer les différentes entrées les unes avec les autres et puiser avec flexibilité dans ces données variées afin de prendre des décisions, de résoudre des problèmes et d'accomplir bien d'autres opérations possibles. Les comparaisons qu'effectue le processeur central permettent aux individus de faire les meilleures hypothèses sur ce qu'est le monde.

En adoptant ce point de vue, Fodor s'écarte d'une perspective modulaire pure. En effet, il indique que, même si le point de vue modulaire s'accorde avec une vision localisée du système nerveux, la perspective du traitement central reflète une vision du cerveau plus équipotentielle, les différentes aires du système nerveux participant à un large éventail d'activités et étant (du moins potentiellement) en communication constante les unes avec les autres. Pourtant, Fodor en arrive finalement à une conclusion qui, quoique pessimiste d'un point de vue scientifique, le rapproche de mes thèses. Fodor conclut qu'une investigation scientifique devrait être en mesure de nous éclairer sur les modules, parce qu'étant relativement distincts, ils peuvent être sujets à une expérimentation contrôlée. Mais le processeur central est très probablement à l'abri d'une telle étude parce que ses lignes d'information sont à la fois illimitées et totalement interconnectées. D'un point de vue pratique, la science de la cognition se limite donc à l'étude des modules individuels. Même si la notion de traitement central est valable, nous dit Fodor, nous ne serons pas en mesure de l'incorporer de façon significative dans notre science de la cognition.

Savoir s'il est besoin de postuler un mécanisme de traitement central est une question complexe qui, de l'avis de tous, ne peut encore être résolue. Certaines autorités favorables au point de vue modulaire, comme Zenon Pylyshyn, pensent qu'il est important de faire une distinction de principe entre des processus impénétrables (inaccessibles à une information venant d'autres systèmes) et des processus pénétrables, qui peuvent être influencés par des buts, des croyances, des inférences et d'autres formes de connaissance et d'information[5]. D'autres chercheurs, comme Geoffrey Hinton et James Anderson, sous l'influence d'un modèle « en parallèle » des opérations du système nerveux, ne voient ni la raison ni l'utilité d'un hypothétique processeur central[6]. D'autres chercheurs hésitent toutefois. Michael Gazzaniga et ses collègues soutiennent qu'« il y a de multiples systèmes mentaux dans le cerveau, chacun ayant la capacité de produire un comportement et chacun ayant ses propres pulsions vers l'action, mais qu'ils ne sont pas nécessairement en relation à l'intérieur » ; ils continuent à poser que le système du langage maternel peut exercer en fin de compte un certain type de contrôle sur les autres modules[7]. De mon point de vue, que je discuterai en détail, tâcher de déterminer dans quelle mesure on peut considérer que toutes les activités humaines impliquent le développement de plusieurs intelligences individuelles et leurs diverses interactions est une meilleure piste de recherche. Peut-être découvrira-t-on même, en fin de compte, que l'on peut expliquer des processus de haut niveau des deux manières à la fois — c'est-à-dire en posant des combinaisons compliquées d'intelligences ou bien un certain type de capacité supra-modulaire (avec sa propre genèse et sa propre histoire) ; mais même cette solution œcuménique semble prématurée.

Mes efforts ont été encouragés par le fait que des points de vue analogues à la théorie des intelligences multiples (ou IM) sont « dans l'air du temps ». (Il existe de nombreuses théories concurrentes concernant aussi l'intelligence, et je discuterai certaines d'entre elles au chapitre 11, après avoir examiné la présente théorie.) En même temps, il devient plus important de justifier certaines des démarches que j'ai

suivies en avançant ma propre théorie. Il est évident, par exemple, que
la taille des modules candidats au titre d'intelligence peut grandement
varier et aller de systèmes extrêmement limités — comme ceux qui
sont impliqués dans la perception d'un phonème ou la détection d'un
vers — à des modules beaucoup plus généraux — comme ceux qui sont
impliqués dans le langage ou dans la perception spatiale. Je suis d'avis
à cet égard que les deux efforts, mini-modulaires et maxi-modulaires,
conviennent tout aussi bien et peuvent être pareillement justifiés, mais
ils servent différents objectifs.

Si l'on veut donner un modèle fidèle de ce que produit le système
nerveux, il convient de s'attacher à l'étude des modules les plus petits
possible qui peuvent être rapportés à un comportement spécifique.
C'est ce qui fait la pertinence du courant représenté par Allport (ou
Hinton et Anderson). D'un autre côté, si l'on cherche à donner un fondement assuré à l'éducation ou aux politiques de développement, il est
important d'aborder ces modules au niveau d'analyse employé dans la
discussion de tous les jours. Dans ce dernier cas, la position de Fodor
ou de Gazzaniga semble préférable. Pourtant, on ne peut adopter de
telles catégories relevant du bon sens que si elles apparaissent effectivement, au cours des investigations, comme des « types naturels »,
comme des groupes légitimes de modules à grain plus fin ; par ailleurs,
une fusion arbitraire entre mini-modules et maxi-modules est illégitime. Aussi est-il de la plus haute importance que les différents mini-
modules qui font l'objet des investigations de chercheurs comme
Allport ou Hinton soient intégrés à des champs plus larges : en d'autres
termes, que différentes capacités perceptives spécifiques soient considérées comme des unités d'un système spatial plus vaste. De même
pour les différents analyseurs linguistiques spécifiques, qui sont autant
d'unités au sein d'un système linguistique plus général. Il semble plausible qu'au cours des millions d'années de l'évolution, de tels systèmes
de production individuels aient évolué pour devenir des unités au sein
de modules beaucoup plus vastes et hautement imbriqués. Ceux
d'entre nous qui s'occupent de définir des domaines mentaux utiles
aux professionnels de l'éducation peuvent exploiter cette circonstance
heureuse.

Qu'en est-il de mon utilisation de ce terme si chargé, l'« intelligence » ? Comme j'y ai fait allusion plus haut, mon désir de proposer un
modèle d'intelligence plus solide motive pour partie mon usage de ce
terme : je cherche à en finir avec la notion courante d'intelligence, qui
est largement discréditée et est considérée comme un seul trait hérité
(ou un ensemble de traits) qui peut être correctement évalué par un
entretien d'une heure ou un test. Mais il faut dire également ici que
l'utilisation particulière de ce terme n'implique rien d'autre, et je serais
satisfait de lui substituer des expressions comme « compétences intellectuelles », « processus de pensée », « capacités cognitives », « talents
cognitifs », « formes de connaissance », ou toute autre terminologie

mentaliste voisine. Ce qui compte en priorité, ce n'est pas l'étiquette, mais plutôt la conception : que les individus ont un grand nombre de domaines de compétence intellectuelle potentielle qu'ils sont en position de développer, pourvu qu'ils soient normaux et aient à leur disposition les facteurs de stimulation appropriés. En tant qu'êtres humains normaux, nous exploitons ces potentiels pour faire face à un large éventail de matériaux et d'objets qui tirent leur signification de la situation dans laquelle ils sont employés. Dans le modèle proposé par mon collègue Israel Scheffler, les potentiels intellectuels peuvent être réalisés pourvu que des circonstances préventives soient absentes, que les séries adaptées d'expériences soient faites et que la détermination à poursuivre ces lignes de développement existe[8].

Je devrais souligner que, dans les chapitres précédents, j'ai surtout pris comme exemple les plus hautes formes de réalisation d'un potentiel intellectuel. Je me suis donc concentré sur les individus qui « produisent » dans un domaine et se sont consacrés à des « formes accomplies de production », comme la composition musicale ou la création poétique. Pourtant, on étend sans peine l'analyse à la perception et au jugement ainsi qu'à la production et à différentes formes d'art, de science ou production de sens, qu'elles soient novatrices ou traditionnelles, qu'elles appartiennent à la culture populaire ou à la culture noble. En effet, ces intelligences sont à l'œuvre dans les activités ordinaires menées par des non-spécialistes, mais on ne peut manquer de souligner que leurs réalisations les plus illustres se trouvent chez des individus doués en matière de production artistique ou scientifique.

Autres interprétations psychologiques

C'est le dernier point que je dois traiter avant de passer à certaines des questions soulevées par la théorie des intelligences multiples. Bien que la théorie se révèle aussi bien motivée que possible, il reste de nombreux secteurs de la psychologie humaine qu'elle ne peut englober. Il aurait fallu inclure ici des chapitres si volumineux — ou des manuels tout entiers — traitant de la psychologie sociale, de la psychologie de la personnalité, de la psychologie du tempérament, de la psychologie de l'affect ou du sentiment, du développement du caractère. La théorie des intelligences multiples n'est pas du tout supposée abolir ces sujets d'enquête utiles ni les supplanter.

Pourtant il serait tout aussi trompeur de suggérer que la théorie des IM procède sur un plan totalement éloigné de ces préoccupations traditionnelles. De fait, la théorie les recoupe d'au moins deux manières. D'abord, la théorie des IM cherche à mettre en évidence dans quelle mesure le savoir — c'est-à-dire des formes de connaissance — est impliqué dans presque tous les aspects de l'existence humaine. Ainsi donc, bien loin d'être distinctes de la cognition, nos capacités à interagir avec d'autres individus, à jouir des œuvres d'art ou à faire de l'athlétisme ou de la danse, impliquent chacune des formes de cognition hautement développées. La théorie des IM cherche à établir comment les activités intellectuelles touchent des secteurs dont elles ont été jusqu'à présent souvent exclues.

La théorie des IM peut également suggérer qu'il faudra intégrer certaines facettes de la psychologie traditionnelle au sein d'une intelligence particulière. Selon mon analyse, de nombreux aspects du développement et du comportement social sont du ressort de l'intelligence interpersonnelle. De même, divers aspects du développement de la personnalité, du caractère et de l'affect peuvent être traités dans le cadre de l'intelligence intrapersonnelle. Savoir comment fixer les limites de ces champs — et quels aspects de ces champs traditionnels continuent à échapper à la théorie des IM — voilà une tâche qu'il convient de mener à bien ultérieurement.

Je n'ai également pas traité deux autres préoccupations éternelles de la psychologie — la motivation et l'attention. Je ne doute pas qu'il s'agisse de deux aspects extrêmement importants de l'existence humaine : il est probable que toute tentative pour former certaines intelligences — ou même toutes les intelligences — ne servent à rien en l'absence d'une bonne motivation et d'une attention suffisamment concentrée. De plus, je suis d'avis que les mécanismes de la motivation et de l'attention se révéleront plutôt généraux : en d'autres termes, des théories correctes de la motivation et de l'attention se révéleront applicables à plusieurs sphères intellectuelles. Pourtant, il ne fait pas de doute, même pour un observateur occasionnel, que si de hauts degrés de motivation ou d'attention sont nécessaires pour s'engager dans telle ou telle sphère intellectuelle, il ne s'ensuit pas que l'on constate des investissements analogues dans d'autres secteurs. Un jeune peut être hautement motivé pour devenir musicien et déployer de superbes capacités d'attention eu égard à la pratique de l'instrument, mais ne manifester ni motivation ni attention dans d'autres sphères de sa vie. Par conséquent, même si une théorie générale de l'attention et de la motivation reste à faire, elle devrait pourtant rendre compte de différences évidentes dans le degré de mobilisation de ces capacités tant vantées pour des activités représentant différents champs intellectuels.

Opérations cognitives « de niveau supérieur »

Jusqu'à ce point de mon inspection des autres secteurs de la psychologie, je me suis occupé de concepts et de lignes d'explication qui peuvent concerner les intelligences, mais que l'on ne considère pas d'ordinaire cognitives par nature. Il m'a semblé possible de les discuter sommairement, sans mettre sérieusement en péril la théorie des IM. Mais des problèmes plus graves se présentent quand nous considérons certains autres aspects du comportement humain, plus nettement cognitifs par nature, qui semblent aussi, au premier abord, échapper à ma grille d'analyse. Il existe des capacités cognitives qui semblent « de niveau supérieur » — comme le bon sens, l'originalité et la capacité métaphorique : elles utilisent clairement des talents mentaux, mais semblent inexplicables en termes d'intelligences individuelles, parce qu'elles ont manifestement une nature large et générale. En vérité, il n'est pas du tout évident d'expliquer chacun de ces termes au sein de la théorie des intelligences multiples et, si cela s'avère impossible, de modifier la théorie pour qu'elle en rende compte de manière adéquate. Pourtant, dans un pareil travail, il semble incomber à l'auteur d'exprimer au moins ses intuitions eu égard à ces fonctions intellectuelles clés. C'est ce que je me propose de faire tout en admettant que des analyses supplémentaires pourraient aller dans des directions très différentes.

LE BON SENS

Peut-être le terme cognitif « général » le moins problématique est-il le *bon sens* que je définis comme l'aptitude à traiter des problèmes d'une manière intuitive, rapide et parfois exacte contre toute attente. Ce qui m'a frappé dans l'analyse du terme *bon sens*, c'est qu'il est invoqué d'habitude en référence à deux types d'individus : ceux qui sont talentueux dans le domaine interpersonnel et ceux qui sont doués dans le domaine mécanique (corporel et spatial selon ma terminologie). Au contraire, le terme *bon sens* semble rarement, à supposer qu'il le soit, invoqué dans des discussions portant sur des individus doués en musique, en maths ou dans des activités purement spatiales. Il semble s'appliquer de préférence à des individus qui ont des talents hautement développés dans un ou deux secteurs de l'intelligence, et pas dans le type général sous-entendu dans le terme. Le *bon sens*, en d'autres termes, semble s'apparenter à l'application pratique d'une petite minorité d'intelligences.

Néanmoins, je reconnais que ce terme peut s'appliquer aussi à des individus qui semblent en mesure de planifier par avance, d'exploiter des circonstances, d'orienter leur destinée et celles des autres d'une manière prudente, sans être contaminés par un jargon, une idéologie ou des théories élaborées mais peut-être hors de propos. Il semble plus difficile d'accorder une telle aptitude à des aptitudes mécaniques ou sociales simples et hautement développées. Un tel individu semblerait se distinguer par sa capacité à rassembler quantité d'informations et à les intégrer à un plan d'action général et efficace.

Afin de réfléchir sur cette forme hautement souhaitable de compétence, il est nécessaire de tenir compte d'un grand nombre d'autres considérations. Pour commencer, l'aptitude à s'engager dans des supputations sur le bon ordonnancement et la bonne orchestration des multiples voies d'activité implique l'intelligence logico-mathématique. Ensuite, si un individu doit s'engager dans une planification de sa vie (ou de la vie d'autrui) à grande échelle, il lui faut nécessairement une intelligence intrapersonnelle hautement développée ou, plus simplement, une conscience de soi mûre. Enfin, la démarche qui va de l'*aptitude* à planifier une ligne d'action à l'*accomplissement* réel d'actions (des rêves aux actes) nous transporte loin du royaume de la cognition, au sens strict, sur la scène de l'action pratique ou effective. Nous empiétons ici sur la sphère de la volonté — à coup sûr une composante capitale de la manière dont nous menons réellement notre vie, mais que j'ai choisi de contourner dans cette étude sur les intelligences humaines.

L'ORIGINALITÉ

Une deuxième capacité cognitive qui peut échapper à notre théorie des intelligences est celle de l'*originalité* ou de l'*innovation* — le talent à fabriquer dans un domaine particulier un produit non familier et pourtant de prix, que ce soit une histoire ou une danse d'imagination, la solution à un conflit personnel ou à un paradoxe mathématique. Selon ma manière de penser, l'originalité ou la nouveauté se rencontre principalement, sinon exclusivement, au sein de domaines isolés : on trouve rarement, sinon jamais, des individus qui sont originaux ou innovants d'un bout à l'autre du tableau intellectuel, même s'il est clair que certains sont capables d'être hautement créatifs dans plus d'un domaine — Léonard de Vinci par exemple. Ainsi pour expliquer cette capacité, peut-être suffit-il d'expliquer la nouveauté au sein des domaines particuliers où elle s'observe effectivement — et d'expliquer pourquoi une poignée d'individus réussissent dans plusieurs.

Comme dans d'autres pans de ce travail, il est utile d'adopter une perspective développementale pour examiner le problème de la nouveauté. Tôt dans la vie, la plupart des enfants donnent l'apparence de s'engager dans un comportement original ou nouveau. Je pense qu'il en est ainsi à cause de deux facteurs conjoints : tout d'abord, comme le jeune enfant n'est pas profondément au courant des limites entre les domaines, il les transgresse plus facilement, de sorte qu'il produit très souvent des juxtapositions et des associations inhabituelles et séduisantes. En second lieu, le jeune enfant ne considère pas comme un enjeu affectif le fait d'arriver à une interprétation littérale unique d'une situation ou d'un problème : il n'est pas gêné par la présence d'incohérences, de non-littéralité, d'écarts par rapport à la convention. Cette insouciance contribue aussi à la fréquence apparemment plus grande de produits nouveaux, quoiqu'elle n'assure nullement que ces produits jouiront de l'affection — ou même de l'interprétation — des autres.

L'originalité et l'innovation précoces, tout irrésistibles qu'elles puissent être pour le chercheur ou le parent, sont loin des créations originales et nouvelles que nous pouvons espérer — sans nous y attendre nécessairement — de professionnels talentueux dans un champ déterminé. Il convient de souligner que ce type d'originalité et d'innovation, quoique souvent valorisée dans la société occidentale contemporaine, est de fait considérée comme non souhaitable dans de nombreuses cultures, qui privilégient l'adhésion à la tradition. Pourtant, selon mon analyse, des activités authentiquement originales ou nouvelles ne sont possibles que quand un individu a la maîtrise du champ dans lequel il travaille. Seul un tel individu possède les talents nécessaires et une compréhension suffisante de la structure du champ pour être en mesure de sentir où résidera une innovation authentique et de savoir comment l'accomplir au mieux.

Mais nous ne savons vraiment pas à quel point du développement une originalité ou nouveauté de ce genre peut advenir et si elle est effectivement objet de choix pour tout individu qui a progressé à travers un domaine intellectuel jusqu'à ses plus hauts niveaux. Si c'est le cas, c'est au praticien talentueux lui-même de décider s'il produit effectivement des travaux originaux ou s'il se satisfait simplement de suivre la tradition antérieure. Peut-être faut-il faire pourtant remonter les germes de l'originalité bien plus haut et y voir des reflets du tempérament, de la personnalité ou du style cognitif de base : selon cette analyse, des individus seraient marqués très tôt comme créateurs potentiels d'œuvres originales. Il est probable que ces individus marqués spécialement tôt deviendront alors candidats à des productions originales, même sans atteindre les sommets de leur champ ; en revanche, d'autres à qui manquent ces attributs personnels ne seront jamais originaux, même s'ils atteignent d'excellents talents techniques.

Il y a quelques années, nous nous sommes entretenus avec plusieurs compositeurs de musique très originaux. Dans chaque cas, nous avons trouvé que dès dix ou onze ans, ces futurs compositeurs ne se satisfaisaient pas d'exécuter seulement les morceaux de musique qu'on leur présentait, mais qu'ils avaient déjà commencé à mener différentes expériences, en cherchant des variations qui les séduisaient davantage. En d'autres termes, comme nous le voyons dans le cas d'Igor Stravinsky à un âge encore plus précoce, certains jeunes musiciens doués composaient et déchiffraient déjà. Pour autant que j'aie été en mesure de le déterminer, ces expériences précoces ne sont pas communes chez les individus qui deviennent d'excellents exécutants, mais ne composent pas de façon régulière. On ne commence pas comme Menuhin pour finir comme Mozart. Un autre argument en faveur de ce point de vue est tiré d'innombrables études de la personnalité « créative »[9]. Ces études établissent que certains traits de la personnalité — comme la force de l'ego et la volonté de braver la tradition — caractérisent les individus exceptionnellement créatifs au sein d'un domaine particulier ; ils aident aussi à expliquer l'absence de relation entre les résultats des mesures de créativité et les résultats à des tests plus conventionnels des forces intellectuelles, du moins au-dessus d'un certain niveau de QI.

LA CAPACITÉ MÉTAPHORIQUE

Il existe des capacités qui posent de plus grands défis à qui veut en rendre compte selon la théorie des IM : ce sont les aptitudes à faire des *métaphores*, à percevoir des *analogies* et à recouper différents domaines intellectuels dans le processus de mise en œuvre de telles connexions lumineuses. De fait, cette famille de capacités semble être en désaccord avec l'idée d'intelligences distinctes, car l'intelligence métaphorique (si nous pouvons étiqueter ainsi à titre d'essai cet ensemble de capacités) se définit par la véritable capacité à intégrer différentes intelligences. C'est ce type de réalisation qui a apparemment incité Jerry Fodor à poser un processeur central qui puisse intégrer les entrées de modules séparés. Savoir qu'Aristote a isolé la capacité à créer des métaphores comme la véritable marque du génie n'invite d'ailleurs pas un défenseur de la théorie des IM à avoir confiance dans ses affirmations : seule une théorie cognitive inadéquate laisserait en effet le génie glisser entre ses doigts analytiques.

Mais la théorie des IM propose des moyens d'approcher le problème de l'aptitude métaphorique. Pour commencer, ce peut être la marque particulière de l'intelligence logico-mathématique que de percevoir des modèles où qu'ils puissent être : ainsi un individu qui a de fortes aptitudes logico-mathématiques peut-il être en position favorable pour discerner des métaphores, sans pour autant l'être nécessairement pour juger de leur valeur. Je pense que le fait que les résultats du test des analogies de Millar, largement utilisé (TAM), ait une corrélation forte avec d'autres mesures du pouvoir logique, soutient modestement cette spéculation[10]. Il est également possible — de fait, c'est hautement probable — que la capacité à discerner métaphores et analogies existe au sein de domaines particuliers. Comme je l'ai souligné plus haut, la capacité à inventer des images ou des métaphores spatiales a été d'une grande utilité pour les scientifiques qui essayaient de découvrir de nouvelles relations ou de transmettre à un plus large public les relations qu'ils avaient découvertes. De plus, il est très possible que les praticiens acquièrent le talent de découvrir des relations au sein de leur domaine d'élection. Ainsi, dans le domaine du langage, le poète discernera-t-il de nombreuses métaphores et analogies entre deux catégories sémantiques ; de même, le peintre, l'architecte ou l'ingénieur peuvent-ils découvrir d'innombrables métaphores et analogies au sein des systèmes symboliques particuliers élus dans leurs domaines respectifs. Il se peut donc, du moins à l'intérieur des différents domaines particuliers, que des individus aux talents bien aiguisés soient les premiers appelés à produire des métaphores de façon efficace.

Mais cette ligne d'explication laisse encore de côté la figure du génie, l'individu dont les aptitudes s'étendent dans différents domaines et qui, en effet, est marqué par la capacité à trouver des connexions entre le langage et la musique, la danse et la communion sociale, les royaumes spatial et personnel. On peut penser que ces individus ont une capacité métaphorique hautement développée dans un domaine (disons logico-mathématique ou spatial) qu'ils importent simplement ailleurs. Mais cette explication ne me semble pas tout à fait convaincante. Tout domaine *peut* servir de véhicule principal (dans un sens technique) pour forger des métaphores. Il est cependant peu probable que cela suffise à expliquer entièrement l'aptitude métaphorique hautement talentueuse.

Par bonheur, il existe des preuves en faveur du développement général des capacités métaphoriques, que nous devons surtout à la courtoisie de notre propre laboratoire engagé dans le Projet zéro de Harvard[11]. Nous pouvons détecter au moins trois formes de capacité analogique ou métaphorique chez tous les enfants normaux. Pour commencer par la forme peut-être la plus remarquable, il semble que de jeunes nouveau-nés naissent avec la capacité de remarquer des similitudes entre des domaines sensoriels — comme des ressemblances d'intensité et de rythme — qui sont détectables dans les domaines auditif et visuel. Ainsi l'enfant de six mois peut-il correctement associer un rythme auditif avec un ensemble de points ou un film muet qui met en œuvre le même rythme. Il existe chez le jeune enfant une capacité primitive, mais néanmoins exacte, à effectuer des connexions d'un domaine à l'autre — une capacité qui semble extérieure au développement des intelligences spécifiques tel que je l'ai décrit dans les chapitres précédents.

Dans les années préscolaires, après que l'enfant est devenu un utilisateur de symboles, nous rencontrons une seconde capacité métaphorique. C'est le moment où l'enfant trouve facile — et peut-être séduisant — d'effectuer des connexions entre des champs disparates : remarquer des similitudes entre différentes formes au sein de modalités sensorielles (ou au-delà) et les capter en mots (ou dans d'autres symboles) ; faire des combinaisons inhabituelles de mots, de couleurs ou de mouvements de danse et trouver du plaisir à le faire. Ainsi l'enfant de trois ou quatre ans peut-il noter et décrire les ressemblances entre un verre de soda et un pied qui s'est engourdi ; ou entre un passage joué au piano et un ensemble de couleurs ; ou entre une danse et le mouvement d'un avion. Comme je viens de le suggérer dans la discussion sur la nouveauté, cette tendance à métaphoriser donne de l'essor à une forme précoce d'originalité, dont l'enfant ne peut pas être entièrement conscient, mais qui n'est pas non plus du tout complètement accidentelle (mes collègues l'ont prouvé).

Durant les premières années d'école, la métaphorisation est moins importante. À ce moment, l'enfant s'efforce de comprendre la structure de chaque domaine et de maîtriser les talents qui s'y rapportent, de sorte que toute incursion dans le royaume de la fabrication de métaphores ou d'analogies le perturberait. Mais une fois qu'il a solidifié ces domaines de façon satisfaisante et qu'il s'est assuré des talents requis au sein des domaines souhaités, la possibilité de faire des connexions métaphoriques revient une fois encore sur le devant de la scène. On commence pourtant à rencontrer ici de grandes différences individuelles, certains individus s'engageant rarement dans des connexions aventureuses (ou même de routine) entre les domaines, tandis que d'autres se révèlent plus probablement enclins à effectuer ces connexions quel que soit le domaine.

Je suis convaincu que ces différentes formes précoces de métaphorisation correspondent à un phénomène universel, qui se situe un peu à part du développement des intelligences spécifiques, mais qui fait partie du processus naturel du développement. La constitution des nouveau-nés veut qu'ils fassent certaines connexions transmodales, de même qu'ils sont équipés pour être en mesure d'imiter certains modèles de comportement des adultes. Les enfants à l'âge préscolaire sont censés remarquer des similitudes et des différences, au titre de leur effort pour donner du sens au monde. Ce sont simplement des faits de développement, et toute réflexion d'ensemble sur le développement humain doit les tenir pour tels. Mais on est loin d'avoir des certitudes quant à savoir s'ils sont directement impliqués dans les niveaux suivants, supérieurs, de l'intelligence et, s'ils le sont, si les différentes formes « de l'enfant » sont impliquées : ainsi le chercheur peut-il être excusé de ne pas poser l'hypothèse d'une intelligence métaphorique à vie courte ou d'un ensemble d'intelligences qui peut être entrevu au cours des premières années de la vie.

Quand on en vient aux formes mûres de la métaphorisation, se pose pourtant une question capitale : existe-t-il une forme adulte de capacité métaphorique, à côté des intelligences séparées, que certains individus ont développée à un si haut degré qu'ils peuvent l'adapter à des domaines intellectuels particuliers ? Et, si c'est le cas, quelles sont les origines développementales de cette activité adulte très précieuse ? Pour le moment, je ne dispose pas d'assez de preuves pour décréter que cette forme d'intelligence existe de façon séparée. À l'exception de l'existence indiscutable d'un état terminal développé, l'intelligence métaphorique ne parvient pas à manifester les signes qui se révèlent centraux dans l'identification des autres intelligences. Ma propre « position de repli » est que les individus qui sont des métaphorisateurs talentueux ont développé cette aptitude dans un domaine ou plus, au titre de leur processus d'apprentissage général, mais qu'ils se sentent dès lors assez confiants dans leur talent pour pouvoir l'appliquer aux domaines dans lesquels ils viennent à être impliqués. Au mieux de lui-même, le métaphorisateur brillant discernera des connexions pratiquement partout et pourra censurer celles qui lui apparaissent improductives ou incommunicables. Il aura pourtant un lieu d'exercice de ses capacités de métaphorisation favori — nommément, les champs dont il est le plus profondément informé et où cette aptitude à métaphoriser a trouvé son terrain le plus fertile. Aussi un métaphorisateur talentueux comme l'essayiste scientifique Lewis Thomas sera-t-il en mesure de discerner et d'exploiter des ressemblances dans les secteurs de la musique ou de la danse ; mais son mode principal d'opération sera toujours dans les secteurs logico-mathématiques [12]. Pareillement, le redoutable poète W. H. Auden, un autre métaphorisateur plein d'intuition (et invétéré), passera le monde au peigne fin dans ses poèmes, mais son principal point de départ métaphorique restera le royaume linguistique. Une métaphore peut s'étendre à de nombreuses localités, en d'autres termes, mais elle garde tout de même une « intelligence maison » favorite.

SAGESSE

Une forme encore plus générale de l'intelligence un peu parente de la métaphorisation, mais un peu plus large, a été différemment appelée *pouvoir général de synthèse* ou, même, *sagesse*. Cette intelligence est celle que l'on attend d'un individu plus âgé qui a eu un vaste éventail d'expériences critiques dans les années précédentes de sa vie et qui peut maintenant les appliquer dans des circonstances appropriées de manière judicieuse et heureuse.

D'un point de vue superficiel, aucune capacité ne semblerait s'éloigner davantage du déploiement d'une seule intelligence ou même d'une paire d'intelligences. La sagesse, ou synthèse, procure par sa nature même la vision la plus large : dans la mesure où elle a l'esprit de clocher ou est spécifique à un domaine, il semble inapproprié de l'appeler « sagesse ». J'ai le pressentiment que ces termes s'appliquent à des individus qui ont une certaine combinaison des aptitudes que je viens d'énumérer : un bon sens et une originalité solides dans un domaine ou plus, couplés avec une capacité assortie à faire des métaphores ou des analogies. Cet individu peut tirer parti de ces aptitudes, au moins dans des circonstances données, afin de faire des observations sensées et de proposer des lignes d'action bien motivées. Si mon pressentiment est juste, alors toute explication qui rende compte du bon sens, de l'originalité et de la capacité à métaphoriser doit évoquer les constituants de la sagesse sous sa forme achevée. Par malheur, il faudrait une personne très sage pour réussir à donner une formulation convaincante !

La précédente discussion indique que, pour certaines opérations « de niveau supérieur » du moins, il devrait être possible de donner une explication dans les termes de la théorie des intelligences multiples. Ces opérations se limitent parfois à des capacités dans un seul et unique domaine (par exemple, le bon sens interpersonnel ou l'originalité en sculpture) ; on peut parfois les voir comme la combinaison d'un trait de personnalité individuel et d'une aptitude impressionnante dans un domaine intellectuel donné (comme dans le cas d'un romancier original) ; il vaut parfois mieux les considérer comme une capacité en train d'apparaître, qui commence dans un domaine, mais se répand à l'extérieur (comme dans certaines aptitudes à métaphoriser) ; et il vaut parfois mieux les voir comme un amalgame de différentes forces intellectuelles (comme dans le cas de la sagesse).

Toutes ces démarches sont franchement réductrices : elles sont intelligibles et peut-être admissibles s'il s'agit de sauver la théorie des IM, mais elles ne sont certainement pas nécessaires et manquent peut-être de sagesse. Ce n'est pas parce que la théorie des intelligences multiples ne peut pas tout expliquer qu'il faut l'invalider dans son ensemble. À un certain moment de l'avenir de cette théorie, il sera peut-être raisonnable d'ajouter des aptitudes ou capacités plus générales (comme Fodor l'a fait) et de les utiliser pour embellir les compétences qui ont surgi des capacités individuelles.

LA CONSCIENCE DE SOI REVISITÉE

Il convient que j'insère ici quelques remarques supplémentaires sur la capacité cognitive qui m'a déjà donné le plus de peine dans la théorie des intelligences multiples. Je me réfère ici à la *conscience de soi* — la première candidate au statut d'« aptitude du second ordre » présidant aux intelligences séparées. Dans le chapitre précédent, j'ai envisagé le développement du soi en fonction des intelligences personnelles. Selon la présente analyse, les racines d'une conscience de soi résident dans l'exploration qu'un individu fait de ses propres sentiments et dans son aptitude naissante à envisager ses propres sentiments et expériences en fonction des schémas interprétatifs et systèmes symboliques fournis par sa culture. Certaines cultures auront tendance à minimiser le souci de soi ; et par conséquent, l'individu enfermé dans une telle culture ne consacrera pas beaucoup d'énergie à ses propres efforts, mais il mettra corrélativement l'accent sur le comportement et les besoins des autres. Mais d'autres cultures, comme la nôtre, mettent beaucoup plus l'accent sur le soi comme un agent actif de prise de décisions, possédant une grande autonomie, y compris la capacité à prendre des décisions capitales pour sa propre existence future. Toute culture doit, bien entendu, maintenir l'équilibre entre les aspects interpersonnels et intrapersonnels de la connaissance — et c'est dans cette modulation que consiste la conscience de soi sous sa forme achevée, mais les sociétés qui ont des préventions en faveur de l'intrapersonnel, et partant en faveur d'une conscience de soi autoritaire, constituent la plus grande menace contre tout point de vue sur les intelligences considérées comme une simple conversation entre des éléments égaux.

Comme je l'ai déjà mentionné dans les chapitres précédents, on peut suivre un grand nombre d'approches stratégiques différentes pour envisager le problème. La première consiste simplement à déclarer que le développement de la conscience de soi est un domaine d'intelligence séparé — né de l'aptitude clé à se percevoir soi-même que nous avons rencontrée dans la discussion sur les intelligences personnelles, mais qui se retrouve complètement à pied d'égalité avec les autres intelligences que j'ai examinées ici. Dans cette analyse, la conscience de soi devrait ou bien devenir une nouvelle intelligence (la huitième) ou bien la forme mûre de l'intelligence intrapersonnelle. La deuxième approche, plus radicale, consiste à déclarer que l'intelligence de soi est un domaine séparé, fondamentalement privilégié depuis le début en tant qu'il sert pour ainsi dire de processeur central ou de réflecteur au-dessus des autres capacités. C'est la démarche de nombreux psychologues développementaux qui ont étudié la croissance du soi. Une troisième démarche, celle à laquelle je suis actuellement favorable, consiste à considérer la conscience de soi de l'individu comme une capacité en train d'apparaître : cette capacité est initialement née des intelligences intrapersonnelles *et* interpersonnelles, mais elle a la faculté, dans certains cadres sociaux, d'exploiter les autres intelligences comme un moyen en vue d'une nouvelle fin, laquelle est l'invention d'un *modèle explicatif d'un type spécial* qui englobe tout ce qu'est l'individu et tout ce qu'il fait.

Parce que les êtres humains ont à leur disposition tout un éventail de systèmes symboliques — comme le langage, les gestes, les mathématiques, etc. — ils sont en mesure de prendre la compréhension inchoative qui réside au cœur de l'intelligence intrapersonnelle et de la rendre publique et accessible (à eux-mêmes et, en l'occurrence, aux autres qui s'y intéressent). Ces systèmes de représentation permettent à l'individu de créer finalement ce qui est une figure de discours inventée — une entité fictive de l'esprit — un modèle de ce qu'est sa personne, ce qu'elle fait, ce que sont ses points forts et ses faiblesses, ce qu'elle pense d'elle-même, etc. L'individu peut alors opérer sur ce modèle, de même qu'il peut opérer sur d'autres modèles proposés dans d'autres systèmes symboliques. Le fait que ce modèle se rapporte à l'entité vivante qui est la plus sacrée pour lui confère au modèle un goût et un parfum spéciaux ; mais les opérations intellectuelles que l'individu réalise sur ce modèle ne diffèrent pas, par leur nature même, de celles que l'on fait subir au modèle d'un système solaire, d'un organisme biologique ou d'une autre créature sociale. C'est seulement que le modèle est *ressenti* comme différent — et plus important.

Plutôt que de considérer la conscience de soi comme un domaine à part, ou comme un domaine qui a une priorité ontologique inhérente sur les autres, je préfère penser dans les circonstances actuelles que la conscience de soi peut s'expliquer en fonction des intelligences multiples existantes. Je regarde la conscience de soi comme le résultat de l'évolution naturelle de l'intelligence intrapersonnelle au sein d'un contexte culturel d'interprétation, telle qu'aidée par les capacités de représentation qui apparaissent dans les autres formes de l'intelligence. Pour finir, l'individu peut proposer une description de lui-même — exprimée par le langage (ou, plus rarement, dans d'autres systèmes symboliques) qui met en avant d'une façon logiquement acceptable toutes les propriétés et toutes les expériences du soi qu'il vaut apparemment la peine de noter. Et il peut continuer à présenter cette peinture du soi au fur et à mesure que des événements se produisent au cours des années et que son « concept de soi » se modifie. La description particulière qu'il a fournie peut être valable ou ne pas l'être, mais l'essentiel n'est pas là. Le point capital, c'est que la combinaison de ses compétences intellectuelles et les schémas interprétatifs que lui procure le reste de sa propre culture lui permettent de poser une description de lui qui semble résumer son existence et en régler la suite. Travaillant de conserve, les intelligences peuvent donner naissance à une entité qui semble plus large qu'elles toutes.

Infirmation de la théorie

Avant de mettre fin à cette discussion critique de la théorie des IM, il me semble opportun d'indiquer à quelles conditions la théorie peut être réfutée. Après tout, si la théorie des IM peut expliquer tout argument qui l'infirme potentiellement (ou en donner une explication satisfaisante), elle n'est pas une théorie valide, au sens scientifique du terme.

On pourrait distinguer deux sortes de modifications de la théorie. Dans le cas le plus heureux, on pourra continuer à en admettre la direction générale, mais il faudra effectuer des corrections mineures ou majeures eu égard à des affirmations spécifiques. Par exemple, il peut se révéler que certaines des intelligences candidates violent des critères majeurs et soient donc mises hors jeu ; ou bien, une intelligence qui a été ignorée ou rejetée peut gagner sa place parmi le petit groupe sélectionné. Dans le cadre d'une correction plus substantielle, il se peut que la théorie des intelligences multiples rende compte d'une part significative de l'activité intellectuelle humaine, mais qu'il convient aussi d'ajouter certaines autres composantes, présentement non incluses. Il faudrait ajouter telle composante horizontale — comme la perception ou la mémoire — si l'on démontrait de façon convaincante que cela fût souhaitable, ou telle autre capacité — comme la métaphore, la sagesse ou la conscience de soi — si l'on pouvait prouver qu'elle existe à côté de l'appareil de la théorie des intelligences multiples.

Je survivrais facilement à une telle correction. Mais la théorie sera peut-être prise en défaut d'une manière plus fondamentale. S'il se révèle que les activités humaines les plus significatives ne peuvent être expliquées en fonction de la théorie des IM et trouvent une meilleure explication selon une théorie concurrente, on aura alors raison de rejeter la théorie. S'il se révèle que les types de preuves qui pèsent ici — par exemple, les découvertes neuropsychologiques ou transculturelles — sont fondamentalement défectueuses, il faudra alors réévaluer dans son ensemble la ligne d'enquête suivie ici. Il est également possible que des études ultérieures menées sur le système nerveux — ou sur d'autres cultures — suggèrent un tableau très différent des processus intellectuels de l'homme ; et dans ce cas, il faudrait remanier radicalement la théorie. Enfin, il pourrait se révéler que l'inclinaison occidentale dans son ensemble à faire d'une intelligence — ou de plusieurs — un « type naturel » ne soit pas la meilleure manière (ni même une bonne manière) de découper la psyché humaine et le comportement humain. Et dans ce cas, la théorie présente prendra le chemin du phlogistique, avec toutes celles qu'elle prétend remplacer. Il ne me plairait guère d'être ainsi mis au rebut — mais je me sentirais moins déçu que si j'avais proposé une théorie dont la vraie nature serait inaccessible à la réfutation.

Conclusion

Même si des démarches comme celles que je viens de proposer peuvent sauver ma liste d'intelligences initiale, il est évident qu'il ne suffit pas de considérer les intelligences comme un groupe de capacités computationnelles à l'état brut. Le monde est bardé de significations, et des intelligences ne peuvent être rendues effectives que dans la mesure où elles participent de ces significations et permettent à l'individu de se développer au sein de sa communauté comme un membre qui fonctionne et utilise des symboles. Comme la réflexion de Robert Nozick que j'ai citée au début nous le rappelle, il se peut qu'il existe des capacités « muettes » au centre de l'intelligence ; mais il est tout aussi vrai qu'il faut rendre ces capacités « plus malines » si l'on veut réussir à interagir avec la société environnante.

Le prochain chapitre aura à charge de commencer à construire à partir de capacités intellectuelles à l'état brut des intelligences capables de fonctionner dans un monde complexe et riche de significations. Ces significations apparaissent tôt dans notre histoire, car les perceptions et actions initiales du nouveau-né — et tout ce qui s'ensuit — sont saturées de sens : depuis le tout début, des plaisirs et des chagrins leur sont associés, et des interprétations leur sont imposées. Encore plus important, ce qui caractérise les intelligences humaines, à la différence de celles des autres espèces, c'est leur potentiel d'être impliquées dans toutes sortes d'activité — la perception de symboles, la création de symboles, l'implication dans des systèmes symboliques de tous genres. C'est une autre part, et peut-être la plus capitale, de l'histoire du développement humain dans un monde de significations. Enfin, avec l'âge et l'expérience, chaque individu en vient à apprendre non seulement les conséquences particulières attachées à des actes et symboles individuels, mais les schémas interprétatifs les plus généraux de la culture — la manière dont le monde des personnes et des objets, des forces physiques et des produits faits main est interprétée dans la culture particulière où il vit. Cette immersion dans la *Weltanschauung* d'une culture constitue un dernier aspect, décisif, de la vie humaine, une sphère où les différentes intelligences accomplies se déploient en se combinant.

Parler d'analyseurs spécifiques, d'ordinateurs, de systèmes de production ou même de modules ne suffit plus une fois que l'on aborde ce niveau d'analyse. Nous devons commencer à penser en termes de catégories plus globales — les expériences de l'individu, ses cadres de référence, ses moyens de donner du sens, sa vision du monde en général. Tout cela serait impossible sans des capacités computationnelles intellectuelles spécifiques, mais aussi sans l'activité symbolique. Aussi le développement chez l'homme de systèmes symboliques et de capacités de symbolisation doit-il nécessairement être abordé si nous voulons effectivement jeter un pont entre les intelligences et la pratique pédagogique.

CHAPITRE 11

La socialisation des intelligences humaines par les symboles

Le rôle central des symboles

Les découvertes de la biologie et de l'anthropologie se situent aux deux extrémités opposées de toute théorie de la cognition humaine. Grâce à l'étude des structures et des fonctions du système nerveux, nous devrions parvenir à déterminer les limites de toutes les activités cognitives de l'homme. Grâce à l'étude de toutes les cultures humaines connues, nous devrions en fin de compte embrasser tout l'éventail des aptitudes (dont les processus de pensée) qui se sont développées au cours de l'histoire humaine. Ainsi nous parviendrons à un composite de la nature, de l'éventail et des limites des prouesses intellectuelles de l'homme.

Mais, dans la perspective de cette synthèse interdisciplinaire, la biologie et l'anthropologie sont trop éloignées l'une de l'autre. En d'autres termes, nos deux principales perspectives dans ce livre ne parlent pas la même langue. La biologie donne un tableau du potentiel génétique humain ainsi qu'un exposé de la structure des cellules, des connexions synaptiques et des régions relativement molaires du cerveau. L'anthropologie marque les différents rôles qui existent dans diverses sociétés, les diverses fonctions que des individus exécutent, les circonstances dans lesquelles ces fonctions sont menées à bien, les buts que les individus se donnent et les problèmes qu'ils se posent et tentent de résoudre. Aussi loin que je puisse voir, il n'existe pas de méthode toute faite pour jeter directement un pont entre ces deux corpus d'information : leurs vocabulaires, leurs cadres de référence sont trop disparates. C'est comme si l'on demandait à quelqu'un d'imaginer une connexion entre la structure d'un clavecin et le son de la musique de Bach : ces entités sont incommensurables.

Venons-en aux symboles, aux produits symboliques et aux systèmes symboliques. Le domaine des symboles tel que constitué par les spécialistes est idéalement conçu pour nous aider à franchir le fossé entre les entités précitées — le système nerveux avec ses structures et ses fonctions, et la culture avec ses fonctions et ses activités. En nous confrontant à des symboles comme les mots ou les images, à des systèmes symboliques comme les mathématiques et le langage, à des produits symboliques comme des théories scientifiques ou des narrations littéraires, nous avons commerce avec des entités et des niveaux d'analyse qui peuvent « s'adresser » à la fois à la biologie et à l'anthropologie. De façon spécifique, le système nerveux est ainsi constitué qu'à condition d'accomplir certains types d'expérience, l'organisme est en mesure d'apprendre à percevoir et à traiter des entités symboliques comme les mots, les phrases et les récits. Car si le système nerveux ne connaît rien de la culture, ses différentes parties sont constituées pour en savoir long sur le langage. D'un autre côté, une culture — prise ici comme collectivité d'habitants — est effectivement en mesure d'examiner les mots, récits, théories, etc. que ses membres émettent. Figurée sous cette forme anthropomorphe, la culture peut évaluer ces produits, déterminer s'ils sont adéquats, observer des changements ou conseiller d'en faire, opter pour la tradition ou pour la révolution. Il est très possible que les individus les plus directement chargés de maintenir la connaissance culturelle et la tradition ne sachent rien des cellules du cerveau (ni même du rôle du cerveau dans la cognition), mais ils sont bien équipés pour connaître et évaluer les danses, les drames et les représentations fabriqués par les membres de leur culture. Le domaine des symboles fournit de fait un terrain d'analyse indispensable, un *tertium quid* essentiel, entre les contraintes de la biologie et la sphère de la culture (ou, si l'on préfère, entre la sphère de la biologie et les contraintes de la culture).

C'est par les *symboles* et les *systèmes symboliques* que notre présente forme, qui prend ses racines dans la psychologie des intelligences, peut être efficacement liée aux préoccupations de la culture, y compris l'éducation des enfants et leur installation finale dans des postes de responsabilité et de compétence. Les symboles conduisent des intelligences à l'état brut et aux cultures abouties. Il est donc nécessaire de réfléchir au moyen d'envisager ce royaume.

Adoptons un point de vue éclectique sur les symboles. Suivant mon mentor Nelson Goodman et d'autres autorités, j'appelle symbole toute entité (matérielle ou abstraite) qui peut dénoter une autre entité ou se référer à elle[1]. Selon cette définition, on compte volontiers pour symboles les mots, les images, les diagrammes, les nombres et quantité d'autres entités. Tel est en effet tout élément — une ligne non moins qu'un rocher — aussi longtemps qu'il est utilisé (et interprété) comme représentant un certain type d'information.

En plus de dénoter ou de représenter, les symboles transmettent des significations d'une autre manière tout aussi importante, mais moins souvent appréciée. Un symbole peut transmettre une humeur, un sentiment ou un ton — une fois encore pourvu que la communauté dont il s'agit choisisse d'interpréter un symbole particulier d'une manière particulière. Ainsi, une peinture, qu'elle soit abstraite ou figurative, peut-elle transmettre des humeurs comme la tristesse, le triomphe, l'angoisse ou la « bleuité » (même si la peinture est elle-même rouge !). En incluant cette importante fonction expressive au sein de notre batterie symbolique, nous rendons compte de tout l'éventail des symboles artistiques, des symphonies aux danses de village, de la sculpture aux pattes de mouche, tout ce qui a le potentiel d'exprimer des connotations.

Les symboles peuvent fonctionner à eux seuls comme des entités riches de signification : mais ils entrent très communément comme composantes ou comme éléments dans un système hautement élaboré. Ainsi une figure de mots dans le langage parlé ou écrit ; des nombres et d'autres symboles abstraits, dans les langages mathématiques ; des gestes et d'autres modèles de mouvement, à l'intérieur des systèmes de danse, etc. Et l'on peut transmettre efficacement toute une gamme de significations quand on utilise des systèmes symboliques dans leur entier ; maîtriser le déploiement et l'interprétation (« lire » et « écrire ») de tels systèmes symboliques constitue une tâche majeure pour tout enfant au cours de sa croissance.

Enfin, les symboles et systèmes symboliques sont surtout utiles lorsqu'ils entrent dans la fabrication de produits symboliques qualifiés : récits et sonnets, pièces de théâtre et poésie, démonstrations mathématiques et résolutions de problèmes, rites et comptes rendus — toutes sortes d'entités symboliques que des individus créent afin de transmettre un ensemble de significations et que d'autres individus imprégnés de leur culture sont en mesure de comprendre, d'interpréter, d'apprécier, de critiquer ou de transformer. Ces produits symboliques sont la *raison d'être*[2] ultime de ces systèmes symboliques — ce pour quoi ils en viennent à évoluer et ce pour quoi des individus humains se donnent beaucoup de mal pour maîtriser différents systèmes symboliques.

Existe-t-il des limites aux systèmes symboliques, ou tout ensemble concevable d'éléments peut-il être organisé en systèmes et fournir par là même des produits symboliques interprétables ? La question est difficile. C'est presque aller à l'encontre du but recherché que de poser *a priori* un nombre de systèmes symboliques fixé et non modifiable : cette restriction constitue un défi presque trop tentant, et il ne fait pas de doute qu'un individu astucieux (ou une culture entreprenante) puisse inventer un nouveau système symbolique efficace. D'un autre côté, on risque d'ouvrir une boîte de Pandore en disant l'inverse — en affirmant qu'il peut y avoir un nombre infini de systèmes symboliques. On devrait alors expliquer pourquoi des cultures, partout dans le monde, ont eu tendance à imaginer et à favoriser les mêmes types de systèmes symboliques et pourquoi la découverte effective de nouveaux systèmes symboliques fait sensation parmi les anthropologues.

Si l'on a bien précisé d'une part la nature des intelligences humaines — les matériaux bruts de la cognition — et l'éventail des fonctions et rôles culturels humains de l'autre, on devrait être en mesure de produire une liste de tous les systèmes symboliques possibles et, si l'on veut, de tous les domaines dans lesquels des êtres humains peuvent s'engager intellectuellement. La liste serait longue, parce que le nombre d'activités culturelles est effectivement large et peut continuellement augmenter avec l'invention de nouvelles technologies. Mais, du moins en principe, il devrait être possible de donner une liste exhaustive des systèmes symboliques. Une telle liste — ou même l'esquisse d'une telle liste — serait utile aux pédagogues, car elle leur donnerait des indications sur les systèmes de significations possibles que des individus grandissant dans une culture sont censés maîtriser.

Bien sûr, l'introduction et la maîtrise de systèmes symboliques ne sont pas seulement une affaire de spéculation théorique. C'est une tâche majeure pour l'enfance, et on peut même y voir la principale mission des systèmes éducatifs modernes. Il est donc important de considérer ce qui est connu sur la manière dont les êtres humains réussissent dans le domaine symbolique. Par conséquent, je résumerai l'histoire du développement symbolique, comme j'en suis venu à le concevoir, en me fondant d'une part sur les découvertes d'autres spécialistes, et d'autre part sur les résultats des dix années de recherches menées par Dennie Wolf et d'autres collaborateurs dans le cadre du Projet zéro de Harvard[3]. Une telle inspection aura une double fonction. Sur le plan théorique, elle indiquera la manière d'intégrer un point de vue sur l'intelligence fondé sur la biologie, d'une part, à un inventaire anthropologique des différents rôles culturels, d'autre part. Nous nous tournerons ensuite vers des préoccupations plus pratiques et nous présenterons, dans une discussion sur le cours normal du développement symbolique, certains des défis auxquels les pédagogues sont confrontés. Ces étapes nous mettront en meilleure position d'analyser les différents enseignements pédagogiques que nous présenterons dans les derniers chapitres.

L'apparition de la compétence symbolique

INTRODUCTION

Selon mon analyse, il est utile de repérer quatre phases distinctes dans le développement d'une compétence en matière de systèmes symboliques. Durant la petite enfance, l'enfant acquiert certaines compréhensions de base, qui serviront plus tard de marchepied à une utilisation symbolique. Il en vient à manifester des capacités pour certaines activités symboliques banales. Pendant les premières années de l'enfance, période de progrès incroyablement rapide entre deux et cinq ans, l'enfant acquiert une compétence de base pour toute une gamme de systèmes symboliques : c'est aussi le moment où sont à l'œuvre deux aspects parallèles du développement symbolique, que mes collaborateurs et moi-même avons nommés respectivement les « ondes » et les « ruisseaux » du développement. Pendant la période scolaire, après être parvenu à certaines compétences de base en manière de symbolisation, l'enfant acquiert des talents plus développés dans certains domaines culturellement valorisés ou « canaux » de symbolisation. C'est aussi le moment où il maîtrise différents systèmes symboliques de notation ou du « second ordre », qui se révèlent extrêmement utiles pour mener à bien des tâches culturelles complexes. Enfin, au cours de l'adolescence et à l'âge adulte, l'individu peut utiliser pleinement ces symboles : il peut transmettre une connaissance symbolique à des individus plus jeunes et a le potentiel de fabriquer des produits symboliques originaux.

Le nouveau-né. À l'aide de différents exemples tirés de mes propres travaux, je peux examiner de plus près ces étapes du développement symbolique et commencer à considérer les rapports qu'elles entretiennent avec les principaux thèmes de cet essai. Pour commencer par le nouveau-né, nous savons que l'enfant qui vient de naître dispose d'un ensemble relativement circonscrit de talents et d'aptitudes grâce auxquels il commence à connaître le monde : il utilise des « schémas » comme sucer et regarder. Il les applique d'abord à tout objet disponible ; mais il apprend très vite à diriger certaines activités sur certains objets (sucer sa tétine et secouer son hochet), tout en évitant ces activités lorsqu'elles sont moins productives. Nous voyons ici les premiers exemples de « signification » rattachée à un comportement. L'enfant poursuit des activités qui, pour lui, doivent être connectées à des expériences agréables, ainsi que des activités qui conduisent aux résultats qu'il souhaite. En cela, il est normalement aidé par les interprétations que les adultes confèrent à son comportement et par les situations vers lesquelles les adultes le guident (ou dont les adultes le détournent).

L'enfant aboutit à certaines formes de base de compréhension pendant la première année de sa vie. Il en vient à comprendre que des individus peuvent mener à bien certains rôles avec le comportement qui leur est associé (comme faire les courses ou donner à manger) ; que les événements ont des conséquences (si vous jetez la bouteille, elle tombera par terre) ; qu'il existe des catégories d'objets, comme les poupées ou les fleurs, qu'il ne faut pas confondre les unes avec les autres, etc. Il est important que l'enfant parvienne à le comprendre pour pouvoir se débrouiller dans le monde des personnes et des objets. De plus, elles constituent pour lui une première introduction à de nombreuses facettes de l'expérience qui seront finalement exprimées par différents moyens symboliques.

On peut aussi écrire l'histoire de la première année de la vie en termes d'opérations initiales d'intelligences spécifiques. Comme nous l'avons déjà vu, l'enfant est en mesure de mener à bien d'innombrables opérations propres à chaque domaine intellectuel : il peut reconnaître des différences dans les hauteurs et dans les séries tonales, des points communs entre des signes du même type de phonème et savoir compter de petits ensembles d'objets ; il se met à comprendre la structure de l'espace qui l'entoure, l'utilisation de son corps pour obtenir les objets qu'il souhaite, les modèles de comportement caractéristique des autres individus et son propre ensemble de réactions et de sentiments ordinaires. En effet, on constate de grands progrès dans chacun de ces domaines intellectuels distincts au cours de la première année de la vie.

Pourtant tout aussi importantes sont les différentes interactions qui se mettent en place entre ces intelligences. Pour atteindre un objet en douceur, il faut coordonner aptitudes spatiales et activités corporelles : pour aller à la recherche d'objets cachés, il faut associer les capacités logico-mathématique, spatiale et corporelle ; le sentiment d'anxiété quand la mère s'en va ou qu'un étranger entre en scène implique la connexion des formes intrapersonnelle et interpersonnelle de l'intelligence.

Enfin, nous voyons les intelligences se combiner dans les premières formes de comportement proto-symbolique détecté vers la fin de la première année de la vie : l'aptitude à apprécier les significations de simples mots et l'aptitude à « lire » des représentations plastiques d'objets du monde réel. L'enfant de un an est en mesure de répondre de façon appropriée aux mots comme *mère, gâteau* ou *chien*, parce qu'il peut à la fois effectuer les bonnes discriminations symboliques et lier ces enveloppes de sons aux objets qu'il perçoit dans le monde et aux actions ou aux sentiments qu'il associe de façon caractéristique à ces objets. De même, il est en mesure d'apprécier la liaison entre une forme peinte et un objet du monde réel, un objet qui présente une fois encore tout un éventail d'associations perceptives, motrices et affectives. En vertu de ces capacités, l'enfant peut entrer pour la première fois dans le monde des significations publiques — et cette entrée dans le monde symbolique lui servira ensuite à mener à bien les nombreuses activités symboliques complémentaires qui l'attendent.

L'enfant de deux à cinq ans. Pendant les années suivantes de sa vie, le développement symbolique de l'enfant est marqué par des événements importants. De deux à cinq ans, la *symbolisation de base* se développe, l'enfant devenant en mesure d'apprécier et de créer des exemples de langage (phrases et histoires), de symbolisation bidimensionnelle (dessins), de symbolisation tridimensionnelle (pâte à modeler et cubes de construction), de symbolisation gestuelle (danse), musicale (chansons), dramatique (jouer un rôle) et certains types de compréhension mathématique et logique, dont l'appréciation des opérations numériques de base et des explications causales simples. Vers la fin de cette période, au moment où, dans notre société, les enfants entrent à l'école, ils possèdent une connaissance initiale ou « de premier jet » de la symbolisation ; ils peuvent ensuite continuer dans les années suivantes et parvenir à une maîtrise symbolique plus pleine.

On peut avoir l'intuition des différentes étapes impliquées dans l'acquisition d'une telle connaissance « de premier jet » de la symbolisation grâce à l'exemple suivant d'un enfant qui joue avec des cubes. Étant donné un cube, l'enfant de un an se contente de le mettre dans sa bouche, de taper sur sa surface ou de le jeter — rien de symbolique là-dedans. Une activité symbolique de type quotidien commence dans le royaume perceptif, quand l'enfant peut mettre le cube en rapport avec une image de cube ou peut remettre le cube quand on lui demande de le faire (« Donne le cube à maman »). C'est vers l'âge de deux ans que se place l'étape suivante, qui est importante dans l'utilisation du cube, quand l'enfant est en mesure de prendre deux cubes, d'annoncer qu'un cube est la « maman », et l'autre le « bébé » et d'emmener alors les deux cubes « faire un tour ». À trois ans, l'enfant peut prendre un bon nombre de cubes, placer le plus petit au-dessus du plus gros et déclarer « c'est un bonhomme de neige », ou bien « c'est une pyramide ». À quatre ans, l'enfant est en mesure d'utiliser les cubes d'une manière numériquement précise — par exemple, construire un escalier dans lequel chaque colonne comporte un cube de plus (ou de moins) que la colonne à laquelle elle s'arc-boute. Enfin, à l'âge de cinq ou six ans, l'enfant peut, pour la première fois, exploiter les différentes inscriptions sur le côté des cubes, afin de composer de simples mots, comme CHAT, ou de confirmer de simples faits numériques, comme $2 + 4 = 6$.

LES RUISSEAUX DE SYMBOLISATION

Notre analyse de tels événements qui se produisent de façon prévisible au cours de la première enfance a révélé que de nombreux facteurs sont à l'œuvre : ce sont, respectivement, les *ruisseaux*, les *ondes* et les *canaux* de symbolisation. C'est dans leur mode de fonction-nement que réside la clé du développement symbolique au cours des années préscolaires.

Tout d'abord, on constate que la progression est propre à chaque système symbolique. Dans le langage, par exemple, on observe une longue évolution des capacités syntaxiques, de l'aptitude à enchaîner une paire de mots (à l'âge de dix-huit mois) à l'aptitude à parler avec des phrases complexes, à poser des questions et à utiliser des construc-tions passives (à l'âge de quatre ou cinq ans). Cette progression a lieu exclusivement au sein du langage et a peu de ramifications directes, à supposer qu'elle en ait, dans les autres systèmes symboliques — c'est pourquoi on peut la regarder comme un *ruisseau* séparé dans la famille de compétences en évolution de l'enfant. En musique, l'activité implique pour l'essentiel l'élaboration des relations basiques des sons qui se trouvent dans une gamme. Dans les cubes de construction, le défi de base en forme de ruisseau comporte la compréhension des dimensions en matière d'étendue, de contour et de continuité, qui entrent en jeu pour régler la construction d'immeubles et autres struc-tures architectoniques. Dans le nombre, les activités clés impliquent une compréhension des opérations de + 1 et − 1, et la capacité crois-sante à coordonner ces opérations avec la connaissance des ensembles numériques de base. Et ainsi de suite, pour chaque autre système symbolique.

On peut donc penser que ce développement en forme de ruisseau représente l'articulation d'une intelligence particulière une fois que la capacité intellectuelle est devenue susceptible d'être impliquée (ou appropriée) dans des systèmes symboliques adaptés de la culture. Ainsi les aspects clés de l'intelligence musicale (hauteur et rythme) sont-ils commandés par les aspects symboliques de la musique, comme l'*ex-pression* (c'est un morceau joyeux) et la *référence* (cela renvoie à une section précédente de la chanson). Dans le cas du langage, les aspects clés syntaxiques et phonologiques expriment certains types de signifi-cation (par exemple, une série de mots décrit un agent menant à bien une action ayant telles conséquences) et créent certains types d'effet (par exemple, une certaine intrigue s'entoure d'une aura d'épouvante). Pour ce qui est du dessin, l'élaboration de relations spatiales en deux ou trois dimensions participe à la peinture d'objets ou d'ensembles d'objets dans le monde, y compris ceux qui sont loin d'un autre objet, le chevauchent ou qui sont plus petits que lui. Ici, dans chaque cas, une compétence intellectuelle « à l'état brut » et non médiatisée est commandée par un véhicule symbolique disponible afin de permettre la réalisation du potentiel symbolique de cette compétence particu-lière. Toute intelligence qui se développe comme il faut après la première année de vie se mêle nécessairement aux différents systèmes et fonctions symboliques. En effet, c'est seulement chez des individus qui ont une lésion cérébrale ou qui sont autistes que l'intelligence continue à se déplier dans une forme « pure » ou brute, insensible à toute enveloppe symbolique.

LES ONDES DE SYMBOLISATION

Un autre volet du développement symbolique, et tout aussi étonnant, bien qu'il entre en concurrence avec l'aspect en forme de ruisseau ou encapsulé. Je me réfère ici à certains processus psychologiques que nous appelons « ondes » de symbolisation : ces processus diffusants apparaissent normalement au sein d'un champ symbolique particulier, mais leur véritable nature s'étend rapidement, et parfois même de façon inadaptée, à d'autres domaines symboliques.

Prenons comme premier exemple l'« onde » qui *structure le rôle* ou *l'événement* : l'aptitude de l'enfant de deux ans à indiquer qu'une action a été menée à bien ou un rôle effectivement rempli par un agent. Le moyen symbolique normal pour exprimer de telles significations passe par les mots (« Maman dort », « Fido saute ») ou par un « rôle à jouer » (l'enfant met une poupée à dormir, l'enfant enroule son jouet stéthoscope autour de son cou) : le langage et le « rôle à jouer » sont les lieux propres de la connaissance qui structure l'événement. À partir de là, si on donne un marqueur à un enfant et qu'on lui demande de dessiner un camion, il peut empoigner le stylo, le frotter le long du papier et dire « Vroum vroum ». Il a transformé le marqueur en camion, et ses actions servent à recréer le son et la sensation d'un véhicule en mouvement. Ou bien, si on demande à l'enfant de sélectionner parmi des cubes celui qui ressemble à une brosse à dents, accordant peu d'intérêt au cube cylindrique long, il empoigne le premier cube disponible, quelle que soit sa forme, et le met dans sa bouche, prétendant que le cube est une brosse à dents. Une fois encore, la structure du rôle et de l'événement prennent la première place.

Une deuxième onde, que nous appelons *cartographie analogique* ou *topologique*, prend le dessus environ un an plus tard, approximativement à l'âge de trois ans. Dans la cartographie analogique, l'utilisation du symbole par l'enfant capte, à l'intérieur même du véhicule symbolique, certaines relations originellement observées dans le champ de référence qu'il symbolise. Et ainsi, pour la première fois, l'enfant peut dans ses dessins ajouter deux appendices à la base d'une forme circulaire et baptiser la forme résultante une « personne ». Ou bien il peut poser plusieurs cubes l'un sur l'autre et appeler la forme résultante un « bonhomme de neige ». Les symboles entretiennent une ressemblance analogique avec leurs référents. Dans le domaine musical, on constate un développement peut-être apparenté, quand l'enfant peut capter des relations analogiques comme savoir si la chanson « cible » monte ou descend, accélère ou ralentit, mais il ne peut capter la hauteur exacte ni les relations métriques. Étant donné la nature diffusante d'une onde de symbolisation, l'enfant tient à utiliser une forme relationnelle de symbolisation même dans des circonstances où ce n'est pas adapté. Quand on lui demande de compter le nombre d'éléments d'un ensemble, il note s'ils sont nombreux ou peu nombreux, mais il n'en fixe pas la valeur avec une précision exacte. Ou bien, si on lui demande de répéter une histoire avec plusieurs personnages, il réduit les protagonistes à deux individus — un qui représente les forces du bien, l'autre représentant celles du mal. La tendance à capter des tailles, forces ou valences relatives, révèle à cet âge une onde qui englobe tout.

Une onde ultérieure, qui apparaît vers l'âge de quatre ans, constitue le revers de la médaille. Chevauchant cette onde de *cartographie numérique* ou *quantitative*, l'enfant s'occupe maintenant de donner de façon précise et correcte le nombre d'éléments d'un ensemble. L'enfant ne se satisfait plus d'approximations grossières du nombre d'orteils d'un pied, de personnages dans une histoire, des hauteurs dans une chanson : l'enfant donne maintenant très bien ces quantités. Pourtant, même ce progrès apparemment utile a son revers : plutôt que de capter les sentiments et les humeurs d'une forme particulière de comportement (la conscience qu'une personne court dans une danse ou dans un dessin), l'enfant peut faire tellement attention à dépeindre le mouvement de façon exacte qu'il peut négliger d'importants aspects de ton et de nuance. Il arrive que les qualités d'un référent soient moins importantes à capter que leurs quantités (surtout en fonction d'objectifs esthétiques).

L'apparition et la prolifération de ces capacités en forme d'onde ont des conséquences importantes. D'abord, chacune de ces ondes est destinée à avoir une histoire ultérieure, pour structurer les événements, cartographier des analogies et cartographier numériquement chaque figure plus tard dans la vie. Nous pouvons penser que le romancier, le sculpteur et le mathématicien adultes sont passés « maîtres » des trois capacités en forme d'onde que je viens de décrire. Mais, et ce point est peut-être plus proche de mes objectifs, l'envergure importante des ondes indique que certains processus symboliques, quelle que soit leur origine, ne sont pas inviolablement liés à un domaine de symbolisation particulier. Au contraire, ils peuvent être exploités de façon appropriée (ou non) par un beaucoup plus large éventail de systèmes symboliques.

On touche ici un aspect capital des pouvoirs intellectuels humains. Alors que la plupart des animaux possède certaines capacités computationnelles hautement développées — le chant chez les oiseaux, ou la danse chez les abeilles — ces compétences sont presque invariablement encapsulées : c'est-à-dire qu'elles restent rigidement confinées dans une certaine voie d'expression. En revanche, l'intelligence humaine est beaucoup plus flexible. Étant donné une aptitude nouvelle et précieuse, les humains ont une bien plus grande tendance à déployer largement cette aptitude, à l'essayer dans des domaines symboliques éloignés et à vérifier si elle « marche ». En effet, il se peut que nous autres humains ne soyons pas en mesure de résister à l'envie d'expérimenter certaines capacités qui viennent d'évoluer, même si elles ne sont pas entièrement adaptées. Pour finir, les êtres humains deviennent des utilisateurs de symboles souples à cause de leur aptitude à mobiliser les opérations propres à un domaine symbolique ainsi que certaines opérations passe-partout qui se prêtent elles-mêmes à une application dans toute une gamme de domaines symboliques.

La relation des ondes de symbolisation avec les intelligences autonomes pose un problème difficile. Tandis que les ruisseaux se cartographient commodément à l'intérieur de notre intelligence initiale, les ondes, par nature, ne respectent pas les frontières qui servent de démarcation entre les domaines intellectuels. Je suis d'avis que chaque onde de symbolisation a son origine au sein d'une intelligence : ainsi, l'onde qui structure l'événement est-elle plus étroitement liée à l'intelligence linguistique ; la cartographie analogique, à l'intelligence spatiale ; la cartographie numérique, à l'intelligence logico-mathématique. Pourtant, pour des raisons qui ne sont pas encore claires, des forces puissantes opèrent pour guider ces ondes symboliques vers des domaines intellectuels éloignés.

Après avoir négocié les trois ondes au cours de la période où les ruisseaux individuels de développement continuent à se déployer dans plusieurs domaines symboliques, l'enfant de cinq ans a effectivement atteint une connaissance de premier jet d'innombrables produits symboliques. Il sait ce qu'est une histoire et comment en tisser une, courte, mais opportune ; il manifeste une connaissance comparable des chansons, jeux, danses, dessins et autres produits symboliques en grand nombre. En effet, on décrit souvent cet âge comme celui de l'épanouissement de l'activité symbolique, l'enfant pouvant produire, avec enthousiasme et sans effort, des sujets dans chacun de ces domaines symboliques. De plus, ces réalisations frappent souvent l'observateur (du moins dans nos régions esthétiquement permissives) comme nouvelles, charmantes, créatives et originales. L'enfant est en mesure de s'exprimer lui-même librement sans craindre des critiques injustes, et il n'est nullement obligé de produire exactement ce que d'autres ont fabriqué. Il a envie de dépasser les frontières, de lier les domaines, d'effectuer des juxtapositions inhabituelles — en bref, de manifester un peu de l'expérimentation et du bouquet de saveurs que nous associons à un artiste mûr. C'est une époque grisante.

CANAUX DE SYMBOLISATION

Pourtant, un nouvel ensemble de processus symboliques commence aussi à apparaître. Ces processus naissent spontanément (du moins dans notre société), quand l'enfant commence de lui-même, au cours d'un jeu, à faire de petites marques pour « compter » sur un bout de papier ; et quand on lui demande d'aller au magasin et d'acheter une douzaine d'éléments, il essaie d'inventer une notation simple pour l'aider dans sa tâche. À environ cinq, six ou sept ans, les enfants deviennent capables de *symbolisation notationnelle*. Il s'agit de la capacité à inventer ou utiliser divers systèmes notationnels du « second ordre » qui se réfèrent aux systèmes symboliques de base. Ainsi le langage écrit se réfère-t-il au langage parlé ; le système numérique écrit, aux nombres parlés (ou symbolisés autrement) ; l'assortiment des cartes, diagrammes, codes, les systèmes notationnels de la danse et de la musique assortis, chacun d'entre eux ayant été imaginé afin de capter des points saillants d'un dispositif symbolique. Nous pouvons considérer ce nouveau développement comme l'onde de symbolisation finale la plus décisive.

La symbolisation notationnelle diffère des ondes précédentes. D'abord, la capacité à créer des notations est de second ordre : elle présente un système symbolique qui se réfère lui-même à d'autres systèmes symboliques. La possibilité de procéder à des notations ouvre la voie à l'imprévisible : l'enfant peut maintenant continuer à inventer des systèmes symboliques d'un ordre toujours plus haut et plus complexe, qui prennent comme référent un système notationnel antérieurement maîtrisé. Les mathématiques et la science sont construites pour une bonne part sur cette possibilité récursive, un système de troisième ordre pouvant se référer à un système de second ordre, et ainsi de suite.

Mais le point peut-être le plus important, c'est qu'à ce moment du développement symbolique, on peut voir à l'œuvre la main de la culture. Alors que les ruisseaux et les ondes des années précédentes ont une qualité endogène et peuvent s'observer sous des formes à peu près comparables d'une culture à l'autre dans le monde, il est clair que les notations proviennent largement de la culture environnante. Aussi constituent-elles des *canaux* de symbolisation — des moyens de codifier l'information, qui ont évolué au sein d'une culture donnée et qui sont maintenant directement fournis au jeune qui apprend. Même s'il se peut que l'inclinaison à inventer des notations soit présente même chez des individus qui vivent dans des sociétés ayant des pratiques notationnelles pauvres, il semble probable que seuls des individus vivant dans des sociétés qui ont de nombreux canaux de notation se mettront à utiliser régulièrement des notations dans leur propre vie. Ici peut résider une des principales différences entre les sociétés scolarisées et les sociétés non scolarisées et, partant, entre les types d'individus que chacune produit de façon caractéristique.

Une fois qu'il est entré dans le monde des notations, l'enfant peut maîtriser de nouveaux systèmes et les utiliser de façon précise et prescrite. Il s'engage maintenant pour de bon à parvenir aux talents symboliques de sa culture ; et, en un sens, le jeu est fini. L'enfant prête une attention particulière aux canaux symboliques favoris de sa culture, que ce soit les danses rituelles ou le langage dans un manuel d'histoire ; et il se met corrélativement à ignorer les potentiels symboliques que néglige sa propre culture. Tandis que, jusqu'à ce moment, la symbolisation était pour l'essentiel informelle, et presque invisible, l'apprentissage de ces systèmes notationnels explicites a en général lieu dans un cadre formel et, très souvent, dans une école bien réelle. Il est à peine exagéré d'affirmer que l'*éducation* — dans le sens que l'on donne aujourd'hui au terme — se réfère aux processus par lesquels les enfants sont introduits dans les principaux canaux notationnels de leur culture et viennent à les maîtriser.

Dans notre société au moins, on observe un corollaire cognitif étonnant, sinon un peu décourageant, à l'arrivée de la symbolisation notationnelle. Dans son zèle pour maîtriser certains systèmes symboliques, l'enfant devient souvent extrêmement enclin à la littéralité. Il veut n'utiliser le système symbolique que de la bonne manière et il ne souffre aucun écart ni expérimentation. De fait, langage figuratif, juxtapositions inhabituelles et autres manquements par rapport aux conventions sont proscrits. Cela rend le travail de l'enfant apparemment prosaïque et terne — par opposition aux productions plus libres, voire idiosyncrasiques des années précédentes.

Mais il se peut que ce « stade littéral » constitue un aspect essentiel du développement symbolique ; et seul un pédagogue radical tenterait de l'empêcher ou de le subvertir tout à fait. Peut-être doit-on maîtriser un système symbolique comme on est supposé le maîtriser, avant de pouvoir en tirer parti de façon nouvelle. En effet, la plupart des adultes semblent se contenter d'acquérir simplement une certaine compétence dans les systèmes symboliques majeurs de leur culture et de s'assurer que leurs enfants parviennent à une compétence similaire (voire supérieure). La plupart des populations s'intéressent assez peu aux utilisations novatrices, aux écarts par rapport à la norme. Il est donné à seulement peu d'individus, dans la plupart des cultures, d'atteindre un haut degré de compétence symbolique et ensuite de se déplacer dans des directions imprévisibles, en faisant des expériences avec des systèmes symboliques, en fabriquant des produits inhabituels et novateurs, voire en tentant d'imaginer un système symbolique nouveau.

VUE D'ENSEMBLE

Grâce à ce survol des points culminants du développement symbolique, tels qu'ils sont apparus dans les recherches liées au Projet zéro, j'ai tenté de suggérer la manière dont les intelligences brutes sont exploitées et absorbées dans la conception et l'interprétation de produits symboliques. Ainsi peut-il y avoir des exemples d'intelligences brutes dans la petite enfance, mais elles sont presque immédiatement enveloppées dans des activités riches de signification, du fait de leurs conséquences affectives pour le jeune enfant et à la lumière des interprétations riches que propose en permanence la culture environnante. Ensuite, dans les années préscolaires, chaque intelligence est progressivement impliquée dans la maîtrise et le déploiement de divers systèmes symboliques. Pendant cette période, certains aspects du développement des compétences symboliques respectent les frontières d'une intelligence, avançant le long de ruisseaux relativement restreints, mais il est probable que d'autres aspects franchissent les frontières entre les domaines intellectuels, sous forme d'ondes larges. Enfin, pendant la période de la symbolisation notationnelle, la culture fait elle-même intrusion, les différents canaux fournis par la culture ayant de plus en plus d'influence sur les pratiques et accomplissements symboliques de l'enfant. À ce moment, il faut que, d'une manière ou d'une autre, la dynamique propre à une intelligence individuelle soit engagée dans un programme culturel, faute de quoi l'enfant risque de se livrer à des activités qui, du point de vue de la culture, sont improductives, sinon franchement autistiques. En effet, la plupart des individus sont si préoccupés de maîtriser les systèmes symboliques — tels que définis par la culture — que seule une petite minorité de la population présente des étincelles de créativité originale.

L'étude du développement de la symbolisation humaine n'en est qu'à ses débuts. Pour l'essentiel, toutes les recherches ont été menées dans la perspective de la science du comportement. Pourtant, soucieux de prendre en compte les bases biologiques de la cognition, je voudrais risquer quelques remarques. Tout d'abord, il semble évident que participer au processus symbolique est inhérent à la condition humaine. Les humains sont comme « préparés » pour s'engager dans des processus symboliques (du langage aux rêves), comme les écureuils pour enterrer des noix : il faudrait des pressions extraordinaires pour empêcher un organisme (élevé dans un cadre culturel) de devenir une créature symbolique. En second lieu, il se peut que les formes et les types de symbolisation auxquels les humains participent soient aussi guidés par des processus biologiques. S'il est clair qu'il existe un large éventail de routes symboliques et que des cultures peuvent faire apparaître des complexes symboliques fascinants et inattendus, il semble probable que les nombreuses voies de symbolisation, les nombreuses formes d'utilisation symbolique et notre trio de ruisseaux, ondes et canaux soient aussi la marque de l'appartenance à notre espèce.

Un dernier point concerne les rythmes du développement symbolique. De mon point de vue, il y a une période de flexibilté ou de plasticité relativement grande pendant les premières années du développement symbolique : à ce moment, de nombreux choix s'offrent dans l'exploration des systèmes symboliques particuliers, dans la découverte de combinaisons symboliques inhabituelles, ou dans la transgression réelle de frontières symboliques. Il se peut que cette période soit liée à la phase de plasticité précoce que présente toute une gamme de systèmes biologiques dans tout un éventail d'organismes. En même temps, il peut exister aussi des périodes sensibles ou critiques, quand l'implication avec la « matière » des systèmes symboliques particuliers est fondamentale, et l'échec d'une telle implication coûteux. Corrélativement (au sein d'une culture et d'une culture à l'autre), des événements déclencheurs ou des expériences cristallisatrices peuvent guider les individus sur des chemins symboliques particuliers [4]. La répugnance croissante à faire des expériences avec les systèmes symboliques à la fin de l'enfance peut refléter un déclin de la flexibilité et de la plasticité, en parallèle avec la rigidité croissante qui se retrouve ailleurs dans les processus de développement biologique. Savoir pourquoi un groupe choisi d'individus peut retenir — ou recapter — la flexibilité de la première enfance reste une des énigmes les plus étranges de la biologie.

Même s'il s'est avéré possible d'indiquer certaines des voies selon lesquelles les intelligences individuelles continuent à se développer au cours des périodes où la symbolisation vient au premier plan, il est important de souligner une fois encore que certains aspects du développement n'entrent pas facilement dans le mode d'analyse centré sur « l'intelligence pure ». Je me réfère, par exemple, aux différentes formes amodales (ou transmodales) de la représentation, qui peuvent ne pas respecter les frontières entre les intelligences. Dès les premiers mois, il faudra le rappeler, les nouveau-nés manifestent certaines aptitudes à lier de l'information venant de diverses modalités sensorielles et même à reconnaître des qualités abstraites comme la continuité, l'intensité, la hauteur, etc., qui se rencontrent dans différents domaines intellectuels. Des types semblables de sensibilité amodale peuvent permettre à l'enfant pendant la période de symbolisation de base d'effectuer des cartographies entre différents systèmes. Et, vers la fin de l'enfance, de telles sensibilités amodales peuvent stimuler le développement de pouvoirs analogiques ou synthétiques plus généraux qui se révèlent extrêmement importants pour les productions créatives. Jusqu'ici, pour des raisons explicitées dans le précédent chapitre, j'ai résisté au désir d'étiqueter ces capacités comme une forme d'intelligence « amodale » ou « transmodale » séparée ; mais il est important qu'elles ne soient pas exclues d'une description de la trajectoire du développement symbolique chez l'homme.

Tout en devant laisser ouverte la possibilité que le développement symbolique puisse impliquer des aptitudes qui ne ressemblent ni à des ruisseaux ni à des ondes, nous devons garder à l'esprit les pouvoirs des intelligences individuelles. Comme nous l'avons vu dans les chapitres précédents, une intelligence linguistique peut naître même chez des individus privés des canaux de communication oro-acoustiques normaux, tout comme l'intelligence spatiale peut naître même chez des individus aveugles de naissance. De telles découvertes montrent que les intelligences sont suffisamment canalisées (au sens biologique) pour se manifester même en l'absence de stimulants de croissance normaux. Sans doute est-il possible qu'elles soient canalisées par les différentes cultures à des fins extrêmement diverses, mais il est finalement peu probable que les potentiels humains les plus basiques puissent être tout à fait détournés ou étouffés.

Les problèmes du développement symbolique

J'ai jusqu'ici donné à entendre qu'il existait un consensus dans la communauté des spécialistes du développement sur les problèmes du développement symbolique. D'une certaine manière, c'est vrai, parce que fort peu de chercheurs explorent ce secteur et que nous nous sommes surtout occupés à établir une classification. De plus, il est honnête de dire que la plupart des chercheurs ont été fortement influencés par Piaget et trouvent donc naturel de partager sa conception du développement par stades. Pourtant, il est probable que toute discussion entre ceux qui étudient le développement symbolique révélerait des désaccords significatifs et aussi des tensions. Puisque j'entends soumettre la théorie des IM à la discussion et à la critique, je dois indiquer où peuvent résider certaines de ces tensions.

Tout d'abord, si de nombreux auteurs pensent que l'apprentissage se canalise et se rigidifie progressivement avec l'âge, de sorte que les individus âgés ont à leur disposition moins de voies de flexibilité, certains chercheurs ont avancé un autre point de vue. D'après eux, le jeune enfant est prisonnier de ses aptitudes et de ses dons, qui peuvent exister sous une forme fine, mais qui sont aussi isolés les uns par rapport aux autres et ne se prêtent pas à une liaison efficace. À l'inverse, l'individu mûr peut avoir *consciemment* accès à ses différentes aptitudes modulaires et les mobiliser à différentes fins. Selon Ann Brown et Paul Rozin, deux psychologues qui ont abordé ce problème, une fois qu'une nouvelle aptitude devient consciente, elle peut s'appliquer à tous les types de différents programmes et objectifs[5]. Naturellement, il est moins probable qu'un tel bouillonnement de la conscience se produise chez un enfant de deux ans que chez un homme de vingt ans. Cela pourrait expliquer l'originalité et la flexibilité frappantes qui se trouvent au moins chez certains adultes.

En ce qui me concerne, je ne crois pas que ces deux positions s'excluent nécessairement. Peut-être l'aptitude à maîtriser un programme particulier sans effort est-elle plus évidente au début de la vie, mais il se peut que la capacité à mobiliser cette aptitude et à l'employer pour des utilisations nouvelles soit la prérogative de l'individu développé. En tout cas, il est vital pour tout pédagogue intervenant dans le domaine symbolique de déterminer à quel moment les aptitudes sont flexibles et/ou accessibles, et à quel moment elles sont canalisées et/ou inaccessibles.

La question de savoir si les stades de développement existent et dans quelle mesure de tels stades peuvent être liés à certains âges est également un sujet de controverse. Développée par Piaget, la thèse dominante consiste à dire qu'il existe effectivement des stades distincts de développement, qui sont différents qualitativement les uns des autres et stipulent des points de vue caractéristiques sur le monde. De plus, ce point de vue comporte souvent une clause additionnelle, que les stades de développement seraient liés à l'âge et, si l'enfant ne passe pas en douceur par tel stade à l'âge approprié, la suite de son développement irait toujours de travers.

Ces dix dernières années, cette hypothèse a été mise à mal. Il s'avère que les jeunes enfants sont capables de nombreuses opérations qu'on leur déniait jadis. Dans certaines circonstances, des adultes doivent passer par des stades d'apprentissage analogues à ceux que le jeune enfant franchit. Il est difficile, à la lumière de ces découvertes, d'en rester à une vision rigide de la théorie des stades. Néanmoins, de mon point de vue, il est utile d'admettre différentes organisations mentales associées à différents niveaux de compréhension (par exemple, dans le tableau du développement symbolique que j'ai proposé). Seul un optimiste, sûr que l'adulte n'a aucun mal à acquérir certains talents symboliques, empêcherait des enfants de faire des expériences symboliques capitales. Sans doute des adultes peuvent-ils parvenir à la maîtrise de nombreux secteurs, parfois même plus vite que des enfants, mais il se peut que des individus mûrs utilisent d'autres types d'aptitudes et de stratégies (dont celles auxquelles ils ont consciemment accès) ; il se peut que l'adulte ne soit jamais en mesure de négocier avec autant de succès que l'enfant naïf certaines facettes du matériau auquel il a affaire (comme l'accent ou la connotation dans le langage).

Revenons à l'argument des chapitres précédents : je crois plausible que chaque domaine d'intelligence et, par extension, chaque domaine symbolique comporte sa propre série d'étapes par lesquelles l'individu passe. Ces intelligences ou systèmes symboliques ne coïncident pas les uns avec les autres de manière pleinement complète : cette notion de stade général est aujourd'hui abandonnée. Il n'est pas non plus raisonnable d'affirmer que l'adulte a les mêmes limites et possibilités d'apprendre quel que soit le système symbolique. Il semble plus opportun, à ce point du débat, de chercher à trouver, pour chacune des intelligences séparées, des séries en forme de stades et des limites liées à l'âge, et de voir si l'on peut observer des modèles systématiques. Il est tout aussi important d'examiner des séries conjecturales de stades d'une culture à l'autre pour voir, par exemple, si les étapes du développement en matière de dessin ou de danse diffèrent de façon révélatrice, selon les contextes culturels dans lesquels elles se déploient. C'est seulement lorsque ce travail empirique sera réalisé qu'on pourra revenir à des problèmes plus généraux comme l'utilité du concept de stade et les relations qui peuvent être établies entre l'apprentissage chez l'enfant et l'apprentissage chez l'adulte.

Une dernière controverse concerne le problème de définir l'éventail d'aptitudes ou de potentiels que l'on peut trouver au sein d'une population et d'évaluer en même temps dans quelle mesure il peut être modifié par des manipulations environnementales. Le dilemme est classique. Les tenants de l'hérédité croient généralement qu'il existe des différences individuelles importantes, qui ne peuvent être modifiées par des manipulations environnementales ; les empiristes ou environnementalistes tendent à minimiser les différences individuelles et à penser que les différences, quelles qu'elles soient, se prêtent volontiers à réduction (ou à intensification). Bien sûr, il est possible de trouver des partisans de l'hérédité qui croient qu'il existe seulement de petites différences individuelles, de même que certains empiristes admettent des grandes différences (initiales ou formées par la culture) entre les individus.

Au fil du temps et malgré l'abondance d'informations dont on dispose, la plupart des auteurs engagés dans cette dispute s'en tiennent à leur position d'origine. Même les démonstrations établissant qu'un étudiant normal peut décupler sa mémoire à court terme[6], que la mise en place d'un tutorat permet pratiquement d'éliminer la plupart des différences en matière de performances[7] et que des enfants japonais apparemment moyens peuvent devenir des violonistes virtuoses ne suffisent pas à convaincre les partisans invétérés de l'hérédité qu'une intervention judicieuse peut contrebalancer les différences individuelles. En fait, je reste persuadé qu'il existe des différences innées, parfois de grande portée, et que certaines au moins ne peuvent être ineffaçables.

Une recherche récente a prouvé, de façon presque irrécusable, qu'une intervention précoce et une formation cohérente peuvent jouer un rôle décisif pour déterminer le niveau final de performance d'un individu, quelles que soient les différences initiales. Si une culture donne de l'importance à un comportement particulier, si elle lui consacre des ressources considérables, si l'individu est lui-même motivé à réussir dans ce secteur, s'il a à sa disposition les bons moyens de cristallisation et d'apprentissage, presque tout individu normal peut atteindre une compétence impressionnante dans un domaine intellectuel ou symbolique. Inversement, et peut-être de façon encore plus évidente, l'individu qui a le talent le plus inné s'écroulera si son environnement ne lui offre pas un soutien positif. Il n'est pas nécessaire que la découverte d'un profil intellectuel inhérent à un individu (je la crois possible) serve ensuite de moyen pour cataloguer l'individu ou pour le jeter intellectuellement au rebut ; une telle découverte doit plutôt donner les moyens d'assurer que tout individu a à sa disposition autant de choix que possible ainsi que le potentiel d'obtenir une compétence dans n'importe quel champ jugé important par lui et par sa société.

L'interaction entre compétences intellectuelles

Comment les intelligences se déploient-elles finalement ? Il est évident qu'à de rares exceptions près, les sociétés ne s'intéressent pas à des compétences intellectuelles « pures » : il existe peu de professions que l'*idiot savant*, en matière d'intelligence linguistique, logique ou corporelle puisse exécuter. On voit plutôt à l'œuvre, dans presque toutes les fonctions socialement utiles, un amalgame de compétences intellectuelles et symboliques, qui travaillent à accomplir de façon sous-jacente les buts mis en valeur.

En un sens, la description que je propose des intelligences individuelles et même des premiers stades du développement symbolique est donc une fiction, essentiellement utile pour des objectifs scientifiques. Il n'est pas vrai que les différentes intelligences ou les différents ruisseaux existent de façon isolée ; de tels « systèmes idéaux » se rencontrent plutôt dans un cadre culturel qui vient exercer un contrôle décisif sur le cours de leur développement. Ainsi ai-je traversé un Rubicon conceptuel, dans la présente étude : à partir de maintenant, je m'occuperai (à de rares exceptions près) de la manière dont les tendances et les talents humains se déploient dans le cadre d'un contexte culturel déterminé.

Il est clair, et surtout dans une société complexe, qu'il n'existe pas de correspondance univoque entre les points forts intellectuels et les fonctions sociales. Pour commencer, l'individu qui a une aptitude impressionnante dans une forme d'intelligence peut l'employer à un grand nombre de fins. Ainsi la personne qui a des talents spatiaux bien développés peut-elle devenir ingénieur ou architecte ou, tout aussi bien, artiste ou sculpteur. De même, celle qui a des talents interpersonnels bien développés peut finir comme professeur ou travailleur social, ministre ou magicien. Un point fort intellectuel ouvre des possibilités : une combinaison de points forts intellectuels vaut une multiplicité de possibilités.

De la perspective inverse, il est tout aussi évident qu'un rôle culturel valorisé peut être rempli par des individus qui présentent des profils intellectuels distincts. Prenons, par exemple, le rôle de l'avocat dans notre société. La profession juridique (et ses sommets) donne leur place aux individus qui ont des talents linguistiques exceptionnels : on

peut exceller à écrire des plaidoiries, à bâtir des arguments convaincants, à rappeler des faits pour des centaines de cas, etc. Elle donne
aussi sa place à l'individu qui a des talents interpersonnels hautement
développés, qui peut parler avec éloquence à la Cour, procéder avec
talent à l'interrogatoire de témoins ou de jurés et avoir une personnalité attractive — ce qu'on appelle la profession d'avocat. Enfin, elle
donne sa place à l'individu qui a des talents logiques hautement développés, qui est en mesure d'analyser une situation, d'isoler ses facteurs
sous-jacents, de suivre une chaîne de raisonnement tortueuse pour
arriver à sa conclusion.

Pourtant, même dans le secteur du raisonnement juridique, les
formes peuvent être différenciées diversement. Des spécialistes qui ont
analysé la profession juridique, comme Paul Freund et Edward Levi,
distinguent différentes aptitudes à raisonner qui peuvent être utilisées
par les avocats, dont le fait de raisonner par analogie, de poursuivre
longuement des chaînes de syllogismes, de s'engager dans une pensée
dialectique, de trouver la meilleure jurisprudence, de négliger des
détails marginaux et de tester des hypothèses (à la manière d'un scientifique)[8]. Les avocats peuvent commencer par les premiers principes,
par des cas précédents ou par la conclusion que leur client veut
atteindre. Ils peuvent s'appuyer sur la réflexion, l'autorité ou l'intuition
— l'identification d'une solution par des moyens instantanés, sans
réflexion. Les membres de la profession juridique diffèrent également
en ce qu'ils comptent sur la déduction logique directe, favorisent l'élé-
gance de la présentation, se préoccupent de problèmes éthiques ou
bien sont sous l'influence de leurs liens personnels avec un client.

Ce résumé, aussi bref soit-il, prouve bien que la seule évocation
du « raisonnement logico-mathématique » ne suffit pas à rendre
compte des types et des combinaisons de talents que cultivent les
avocats en matière de raisonnement. On peut sans aucun doute mener
à bien une analyse différenciée semblable pour chacun des rôles d'une
société complexe, des exécutants aux médecins, des scientifiques aux
représentants de commerce. De plus, une fois que l'on commence à
considérer des combinaisons d'intelligences, on se rend compte qu'un
individu a un ensemble de manières encore plus large d'être compétent. Ainsi semble-t-il évident qu'un avocat est bien servi s'il a
hautement développé ses intelligences linguistiques, logiques et interpersonnelles (la manière dont il peut mettre en pratique son
intelligence musicale ou kinesthésique est moins claire). Et l'on peut
s'étonner de la multiplicité des combinaisons qui peuvent effectivement intervenir dans la pratique juridique entre les intelligences
linguistiques, logiques et interpersonnelles.

Il suffit de jouer avec ces ensembles d'intelligences pour voir sans
mal comment des combinaisons différentes peuvent être exploitées par
différents types de praticiens, dans notre culture et dans d'autres
cultures. Prenant l'avocat comme paradigme de la combinaison des

aptitudes intellectuelles logiques et linguistiques, nous pouvons opposer cet alliage d'intelligences à plusieurs autres couples. Le politicien talentueux peut combiner l'intelligence linguistique et sociale à un haut degré, mais il a relativement peu besoin d'aptitude logique : la grâce corporelle qu'implique l'intelligence kinesthésique peut se révéler être aussi un avantage. Comme pour d'autres figures dans des sociétés à orientation moins juridique, il est possible que des facteurs sociaux se révèlent avoir une fois encore plus d'importance que les facteurs logiques. Selon Stanley Tambiah, par exemple, les avocats des sociétés africaines se préoccupent moins de savoir si leurs propositions peuvent être réfutées, mais plus de cultiver leurs talents de persuasion [9]. Dans le cas du comédien, il se peut que l'intelligence linguistique et corporelle soit très appréciée ; d'un autre côté, je ne suis pas sûr que l'intelligence interpersonnelle soit *per se* une figure dominante dans l'exécution talentueuse de rôles dramatiques, quoiqu'elle puisse être importante pour un metteur en scène qui doit orchestrer beaucoup d'individus.

D'autres combinaisons d'intelligences mènent encore dans d'autres directions. L'individu aux aptitudes logico-mathématiques et spatiales très développées a les dons nécessaires pour devenir un physicien : les aptitudes logiques peuvent se révéler relativement plus importantes pour l'individu orienté vers la théorie ; les aptitudes spatiales, pour l'expérimentateur. Un individu doué de ces aptitudes associées à une combinaison de talents linguistiques et sociaux ferait un administrateur idéal d'un grand laboratoire scientifique. Paradoxalement, cette dernière combinaison d'aptitudes peut aussi être utile au sorcier d'une société traditionnelle, car il a lui aussi besoin de talents en matière de langage, de relations interpersonnelles et de logique, quoique l'alliage soit sans doute différent.

Il est tentant de regarder les intelligences particulières comme les éléments d'une même chimie mentale et de procéder comme pour les cocktails, c'est-à-dire d'analyser différents rôles sociaux en fonction de leur mélange favori de saveurs intellectuelles. J'ai moi-même succombé à la tentation. Mais j'espère ne pas avoir obscurci le point sérieux : une dialectique est toujours à l'œuvre entre les rôles et les fonctions auxquelles une culture donne de la valeur, d'une part, et les talents intellectuels individuels possédés par ses habitants, d'autre part. L'objectif du marché du travail ou des directeurs du personnel est d'effectuer le bon arbitrage entre les demandes des différents rôles et les profils d'individus spécifiques. On peut même supposer qu'une société fonctionne en douceur si elle a trouvé un bon mécanisme pour effectuer cette correspondance (ou a des rôles que n'importe qui peut remplir), tandis qu'une société dysfonctionne si elle regorge d'individus dont les profils intellectuels ne s'accordent pas aux rôles importants. Il est probable que ce type de mauvais arbitrage se produit à des époques de changement rapide. En pareil cas, de nouveaux rôles (par exemple, ceux qu'impliquent la science et la technologie) doivent être pourvus ; mais la formation traditionnelle des individus a négligé (ou activement rejeté) les combinaisons de talents intellectuels et symboliques indispensables à l'exécution efficace de ces rôles nouveaux.

Dans le présent chapitre, j'ai cherché à élargir les analyses des parties précédentes du livre, en montrant comment, chez l'homme, les compétences intellectuelles à l'état brut constituent la base sur laquelle les capacités d'utilisation symbolique les plus diverses se construisent et se déploient ensuite à des fins sociales. De mon point de vue, c'est en comprenant la manière dont les individus acquièrent des compétences dans différents systèmes symboliques et apprennent à fabriquer divers produits symboliques que nous serons le plus à même de mieux comprendre les moyens grâce auxquels on devient (ou on échoue à devenir) un membre productif de sa communauté. Pour justifier mes vues, j'ai proposé une théorie du mode de développement symbolique et j'ai abordé aussi un grand nombre de problèmes toujours controversés portant sur la forme du développement symbolique.

Autres approches de l'intelligence humaine

Dans les derniers chapitres de ce livre, j'aborde les implications pédagogiques de ma théorie, la manière dont la théorie des intelligences multiples peut être utilisée pour informer, et peut-être modifier, les politiques mises en œuvre par les responsables de l'éducation, du soin de l'enfant et du développement humain. Mais avant d'en venir là, je voudrais m'attarder sur certaines alternatives majeures de l'intelligence et indiquer en quoi elles me semblent différer de mon approche. *Je ne considère aucunement ce survol rapide comme une discussion approfondie des rapports que ma théorie entretient avec d'autres théories existantes* : cette tâche demanderait un autre livre (de fait, je ne cite les noms des scientifiques qu'à des fins d'illustration). Mais il est utile d'indiquer brièvement la forme qu'un tel document critique pourrait prendre.

ENCORE UNE FOIS LES PORCS-ÉPICS ET LES RENARDS

Classiquement, comme je l'ai mentionné chapitre 1, il existe deux points de vue majeurs sur la construction de l'intelligence : des chercheurs « porcs-épics » sont favorables à la notion d'intelligence générale (« g ») comme Charles Spearman et Arthur Jensen [10] ; d'autres sont favorables à une vision pluraliste de l'intelligence, comme les « renards » qui ont une approche multifactorielle de l'intellect (par exemple L. L Thurstone et J. P Guilford). Il est évident que les conclusions de la théorie des IM sont bien plus proches de celles des « renards » et incompatibles avec les convictions de ceux qui soutiennent une conception « g » de l'intelligence.

Ma propre analyse suggère que les partisans de « g » trouvent apparemment l'essentiel de leurs arguments dans le fait que la plupart des tests d'intelligence sont des questionnaires reposant nettement sur des aptitudes linguistiques et logico-mathématiques. Des personnes talentueuses dans ces deux secteurs réussiront donc bien aux tests d'intelligence générale, à la différence des individus dont les points forts résident ailleurs. Les écoles valorisent la « manipulation mentale ». C'est pourquoi « g » peut prédire le succès scolaire avec une certaine exactitude.

En quoi la théorie des IM s'oppose-t-elle au point de vue multifactoriel ? Tout d'abord, ce dernier ne remet pas en cause l'existence d'aptitudes horizontales générales, comme la perception et la mémoire, pouvant recouper différents secteurs de contenu. En effet, le point de vue multifactoriel laisse de côté cette question : certains facteurs sont effectivement des formes horizontales de mémoire ou de perception, d'autres reflétant des secteurs de contenu stricts, comme l'aptitude spatiale. Deuxièmement, le point de vue multifactoriel ne se soucie pas de la biologie, mais il est strictement empirique, le résultat de corrélations entre les résultats de test et rien de plus. Troisièmement, et c'est peut-être le point le plus capital, l'approche multifactorielle ne permet pas d'aborder tout l'éventail des compétences intellectuelles que j'ai considéré ici. Tant que l'on se contente d'utiliser des questionnaires ou des entretiens rapides, durant quelques minutes plutôt que quelques heures, il n'y a simplement pas moyen d'approcher la compétence d'un individu dans des secteurs comme l'expression corporelle, l'aptitude musicale ou les formes de l'intelligence personnelle. Ainsi donc, quoiqu'on puisse la féliciter d'être plus pluraliste que l'école « g », l'approche multifactorielle fournit seulement un aperçu extrêmement partial de l'intelligence, qui reflète le génie scientifique occidental.

PIAGET ET LE TRAITEMENT DE L'INFORMATION

Les travaux des deux écoles suivantes, celle de Piaget et celle du traitement de l'information, constituent un pas en avant. Mais ils ne représentent pas nécessairement un progrès dans l'analyse des profils intellectuels. L'école de Piaget est plus attentive aux activités et talents quotidiens de l'enfant. Elle donne donc une vision plus holiste et véridique de ses capacités intellectuelles. Il faut se réjouir de son intérêt pour les stratégies, les erreurs révélatrices, les relations entre les différents corpus de connaissance. La méthode d'intervention clinique mise au point par Piaget constitue une innovation très utile pour quiconque étudie la croissance intellectuelle.

Pourtant la vision structuraliste classique de l'intellect est toujours plus limitée que celle que soutiennent les défenseurs des tests d'intelligence. Elle privilégie essentiellement la pensée logico-mathématique. Peut-être est-ce la raison pour laquelle elle reste aveugle aux contenus : elle avance clairement l'hypothèse que les opérations mentales se déploient de la même façon quel que soit le matériel. Cependant, les travaux de Kurt Fischer, un disciple de Piaget, prennent en compte le fait que le développement ne peut pas se produire à la même vitesse dans différents domaines. De fait, dans la terminologie de Piaget, le *décalage*[11] (approximativement dit « variation ») d'un domaine à l'autre est la règle plutôt que l'exception[12]. Pourtant, il reste convaincu que le développement respecte le même schéma quel que soit le domaine et il n'est pas assez sensible à la possibilité que son cours puisse différer d'un domaine de contenu à l'autre. Il est poignant de voir que Piaget, pourtant biologiste de formation et croyant étudier la biologie de la cognition, ait pu être aussi insensible aux diverses tendances biologiques du cognitif.

La psychologie du traitement de l'information représente un progrès par rapport à Piaget en ce sens qu'elle fait plus attention aux processus réels par lesquels des individus résolvent des problèmes minute par minute[13]. L'analyse méticuleuse des tâches, qui est une partie essentielle de cette approche, nous a aidés à nous rendre compte que de nombreux stades et séries apparents de Piaget sont des artefacts de configurations de tâche particulière et que de jeunes individus possèdent de nombreuses aptitudes que Piaget leur a déniées à tort.

Mais parce que le traitement de l'information est plus une approche qu'une théorie, elle nous a peu aidés à dresser un tableau cohérent des aptitudes intellectuelles humaines. Cette approche peut justifier l'idée que tous les problèmes sont résolus pour l'essentiel de la même manière, mais également l'idée que chaque tâche est spécifique, que chacune requiert ses propres aptitudes, sans qu'il y ait transfert. Pareillement, cette approche montre que l'enfant traite l'information exactement de la même manière que les adultes (il possède simplement moins de connaissance), mais qu'il a une mémoire à court terme moins vive, une capacité à encoder moins adéquate et d'autres divergences qualitatives par rapport à la machinerie de traitement de l'information chez l'adulte.

Le seul fait que la psychologie de traitement de l'information puisse aboutir à des conclusions si diverses montre qu'elle en est encore à ses débuts. Pourtant, à mon avis, cela peut refléter des lacunes plus graves : l'absence de perspective biologique sur la nature des tâches employées, ainsi que des incertitudes quant à son objet d'étude. Elle donne un modèle vague de l'enfant pris comme une sorte de dispositif computationnel. Cela présente certains avantages, mais comme tout modèle, c'est seulement partial. Et, comme Allan Allport l'a suggéré, selon le type d'ordinateur que l'on choisit et l'analyse de l'ordinateur que l'on embrasse, on produira un tableau très différent de ce à quoi ressemble le processeur de l'information [14].

LA POSITION DE CHOMSKY

Toutes les approches que j'ai énumérées jusqu'à maintenant se centrent sur l'individu vu, d'une façon cartésienne, presque entièrement seul, engagé dans la résolution de problèmes sophistiqués, son environnement intervenant peu dans la formation de ses talents, de ses attitudes et de ses performances achevées. Cette perspective est poussée à l'extrême dans les travaux de Noam Chomsky (et, dans une certaine mesure, dans ceux de son collègue Jerry Fodor) [15]. Ici l'enfant est considéré comme une accumulation de dispositifs computationnels séparés, chacun se dépliant selon ses propres lois prédéterminées (et préformées), l'environnement exerçant peu d'influence de quelque sorte que ce soit (sinon de déclenchement). En effet, Chomsky rejette les notions traditionnelles d'apprentissage et de développement : à leur place, il propose un modèle de déploiement intellectuel qui emprunte beaucoup à l'embryologie.

Il devrait être manifeste que j'ai de la sympathie pour le point de vue de Chomsky. Il permet de nuancer les conceptions empiriques de l'acquisition de la connaissance que les générations précédentes ont imaginées. Et la réflexion que Chomsky (et Fodor) mène sur les différents domaines cadre bien avec la mienne, quoique je ne sois pas parvenu à déceler dans leurs travaux la moindre tentative pour indiquer comment définir et délimiter un domaine de manière systématique. Le point de vue de Chomsky semble pourtant être entaché d'une impardonnable faiblesse. Il ne parvient pas, en effet, à reconnaître la manière dont une intelligence doit se déployer dans un environnement rempli de significations et d'interprétations : il n'identifie pas la manière dont différentes capacités symboliques se développent et interagissent ni la façon dont le substrat biologique humain peut être exploité à de nombreuses fins, selon les valeurs et les fonctions particulières de la société en question. En niant le rôle de la culture — ou en ne lui conférant pas d'importance — Chomsky fabrique une théorie squelettique. Il ne nous permet pas de comprendre comment une société accomplit son travail, comment (ou même pourquoi !) l'éducation prend place, en quoi les jeunes enfants diffèrent les uns des autres et en quoi ils diffèrent encore plus des adultes dans différentes sociétés. En d'autres termes, cette théorie manque complètement de superstructure, quoiqu'elle ait probablement déduit l'infrastructure avec un éclat intuitif remarquable.

LA PRISE EN COMPTE DE LA CULTURE

Le souci de la superstructure domine chez un autre groupe de chercheurs, ceux qui s'intéressent aux effets de la culture sur le développement de l'individu [16]. Les principaux représentants de cette tradition comprennent Michael Cole, Sylvia Scribner, Jean Lave et leurs collaborateurs psychologues, comme Clifford Geertz, l'anthropologue des systèmes symboliques. Ces spécialistes concentrent presque toute leur attention sur les composantes de la culture environnante, dans la pensée que pour arriver à un bon exposé de l'acquisition des capacités cognitives, il faut probablement procéder à une analyse soigneuse de la culture, de ses différentes formes et points forts. Geertz cite avec approbation la mise en garde de Gilbert Ryle d'après laquelle « l'esprit n'est pas même une "place" métaphorique [17]. Au contraire, l'échiquier du jeu d'échecs, l'estrade, la chaire du professeur, le banc du juge, le siège du camionneur, le studio et le champ du footballeur sont certaines des places où il se trouve ». Et il ajoute lui-même : « Des hommes sans culture seraient des monstruosités munies de certains instincts utiles, de peu de sentiments identifiables et de pas du tout d'intelligence [18]. » Il ne fait aucun doute que c'est en réaction contre le mentalisme ressenti comme excessif dans les approches philosophiques traditionnelles, qui accordent directement à l'individu toutes les aptitudes mentales, et aussi contre des théoriciens contemporains comme Chomsky, qui rend un hommage peu sincère à la culture, que ces commentateurs à orientation anthropologique mettent en évidence dans quelle mesure les individus tirent leurs symboles, leurs idées, leurs manières de penser ce qui les entoure, et plus généralement de la sagesse collective de leur culture.

La perspective anthropologique introduit à bien des égards un nouvel élément important pour comprendre la cognition. Par exemple, Cole et ses collaborateurs ont examiné les performances d'individus issus de plusieurs cultures en matière de tests d'intelligence et de raisonnement standard, et ils ont conclu que les différences de performances les plus apparentes pouvaient s'expliquer par les différences d'expériences antérieures des sujets [19]. Quand on prend ces expériences en compte et que l'on modifie les procédures de test, les différences les plus apparentes s'évanouissent ; et de fait, des individus issus de cultures dont on peut conjecturer qu'elles sont développées peuvent même exécuter les tests à un niveau supérieur. Il est certain qu'il n'est pas besoin d'introduire la moindre idée de différences ethniques inhérentes.

Ces chercheurs avancent l'argument général suivant : si les produits du raisonnement et les types d'information auxquels les individus sont sensibles peuvent différer de façon significative d'une culture à l'autre, les processus de pensée sont les mêmes partout. Les différentes cultures mobilisent ces capacités de base de traitement de l'information — ces intelligences clés — et les façonnent ensuite selon leurs propres objectifs. Poursuivant cette réorientation des théories cognitives, des spécialistes comme Cole soulignent que tout individu tire de l'extérieur ses pouvoirs mentaux — d'abord constitués dans la connaissance et dans les actions d'autres personnes, ils ne s'intériorisent que progressivement dans les capacités de représentation de chacun. Si nous comptons et écrivons, ce n'est pas que nous nous sommes nous-mêmes développés d'une certaine manière, mais parce que nous avons vu d'autres individus faire usage de ces notations. Ce processus est sans fin : quelle que soit la société, l'individu dépend toujours des contributions intellectuelles des autres pour mener à bien ses tâches quotidiennes et pour assurer sa propre survie. Combien d'individus sont vraiment autosuffisants, même dans un sens cognitif ? La réponse met en évidence dans quelle mesure même l'esprit d'un individu dépend éternellement des nombreux esprits qui l'entourent.

Naturellement, cette approche à orientation anthropologique ne se montre guère favorable aux trajectoires développementales endogènes. Elle n'éprouve pas non plus le besoin de poser une série d'ordinateurs mentaux relativement autonomes : l'individu agira comme l'exige la culture où il vit. La croyance en des composantes mentales autonomes devrait être critiquée dans au moins deux perspectives. Tout d'abord, la théorie autonome procède comme si le développement initial était régulé par des facteurs internes à l'organisation, alors qu'en réalité, la culture (et ses mécanismes interprétatifs) est présente depuis le début. En second lieu, la théorie autonome tend à affirmer que l'éventail des résultats développementaux possibles est nettement canalisé, sinon réellement fixé à l'avance. Selon une vision plus culturelle, il est vraisemblable que certaines cultures encore inconnues exécutent des opérations que nous ne pouvons pas envisager, ou bien que des cultures qui vont évoluer dans l'avenir forgeront aussi leurs tendances intellectuelles dans des directions imprévisibles.

Conclusion

Il semble qu'il faille intégrer tous ces aperçus dans une réflexion d'ensemble sur la cognition humaine. Mais ce qui manque à l'analyse menée à la lumière de l'anthropologie, c'est de reconnaître qu'au sein d'une culture, certaines personnes, fussent-elles élevées de la manière la plus adaptée et la plus semblable, peuvent pourtant différer significativement les unes des autres — en matière de points forts intellectuels, d'aptitude à apprendre, d'utilisation développée de leurs facultés, d'originalité et de créativité. Il ne me semble pas possible — hors d'une approche plus psychologique (et biologique) — de traiter cette variable de différence entre les performances. L'approche environnementale néglige aussi d'examiner à la fois dans quelle mesure l'individu peut progresser dans un champ en n'utilisant que l'aide modeste de son environnement et comment certains individus isolés peuvent parvenir à des performances vraiment remarquables. En un sens, l'approche de ces scientifiques d'inspiration anthropologique convient mieux pour expliquer comment l'individu moyen *fonctionne* dans une situation moyenne, mais elle donne peut-être une idée trompeuse de la manière dont nous sommes tous, en fait, des individus dans la moyenne.

Quelque part entre la théorie de Chomsky qui met l'accent sur les individus, avec leurs facultés mentales qui se déploient séparément, le point de vue de Piaget sur l'organisme qui se développe en passant par une série uniforme de stades et l'attention que l'anthropologie porte aux effets de l'environnement en terme de formation, il devrait être possible de trouver un moyen terme opératoire : une position qui prenne au sérieux la nature des tendances intellectuelles innées, les processus hétérogènes de développement chez l'enfant et la manière dont les pratiques et valeurs particulières d'une culture les façonnent et les transforment. C'est ce que j'ai entrepris dans ce livre. Je dois donc insister sur le fait que je me suis beaucoup appuyé sur les auteurs précités et sur de nombreux autres psychologues du développement qui se sont penchés sur les problèmes pédagogiques. Dans un précédent chapitre, j'ai déclaré avoir tiré mon point de vue sur le caractère central des systèmes symboliques et sur la nécessité qu'il y a à les analyser en termes de domaines culturels de ma collaboration avec Gavriel Salomon, David Olson et tout particulièrement David Feldman. Je dois encore rappeler ma dette envers ces spécialistes contemporains du développement et de l'éducation[20]. Et je dois ajouter à cette liste le nom de Jerome Bruner qui — plus que tout autre psychologue du développement aujourd'hui — s'est intéressé au thème de la dernière partie de ce livre : l'héritage biologique de l'enfant, ses voies de développement favorites et les effets formateurs de la culture, y compris le rôle que jouent les outils, les systèmes symboliques, les médiums et autres prothèses dans la conception et la transmission de la connaissance. Je dois une large dette à Jerome Bruner parce qu'il m'a introduit (comme il l'a fait pour beaucoup d'autres) à ce type de problèmes.

Une fois présentés les dogmes majeurs de la théorie des intelligences multiples, une fois indiquées certaines de ses faiblesses majeures, telles que je les vois, et une fois marquées les différences entre la version de la théorie et d'autres perspectives concurrentes sur l'intellect, le moment est venu de voir si ce fondement peut nous aider à mieux comprendre les processus éducatifs tels qu'ils ont été accomplis par le passé et tels qu'ils pourraient être revus à l'avenir. Cette tâche requerra d'abord de considérer en détail les différents modes de transmission de la connaissance tout au long de l'histoire humaine. Venons-en d'abord à ce problème fascinant, mais souvent mal connu.

Troisième partie

IMPLICATIONS ET APPLICATIONS

CHAPITRE 12

L'éducation des intelligences

Introduction

C'est le moment de faire revenir en scène les trois figures que nous avons rencontrées au début de ce livre : le jeune Palau qui apprend la navigation, le jeune musulman à la mémoire impressionnante et l'adolescente parisienne qui, devant son terminal informatique, se prépare à composer un morceau de musique, combinant, d'une manière à peine imaginable il y a quelques années encore, les intelligences logico-mathématique et musicale.

C'est afin de faire mieux comprendre les dons impliqués dans ces promesses, de faire réfléchir aux méthodes pédagogiques qui permettent de développer de telles compétences et d'examiner comment évaluer ces compétences d'une manière adaptée que j'ai entrepris cette enquête. J'ai considéré dans les chapitres précédents chacune des intelligences candidates de façon assez détaillée et j'ai aussi entrepris une critique de la théorie. Ensuite, au chapitre 11, j'ai commencé à mettre les compétences intellectuelles « à l'état brut » et relativement autonomes en rapport avec les préoccupations et les pratiques de la société dans son ensemble. J'ai décrit la manière dont l'utilisation des symboles se développe chez des individus normaux. Et j'ai considéré comment des systèmes symboliques, des codes et des formes interprétatives de la culture peuvent mettre les intelligences humaines au service de fonctions spécifiques.

Quoiqu'on puisse en admettre la validité, ce tableau s'est pourtant concentré sur l'individu en développement. En cohérence avec mes partis pris psychologiques, j'ai essentiellement considéré la culture comme une toile de fond, ses produits et systèmes étant autant de moyens de stimuler le développement personnel. Mais on peut examiner les mêmes rencontres, les mêmes situations sous un angle très différent — celui de la société au sens large. Après tout, du point de vue de la culture, d'innombrables personnes naissent continuellement, et chacune a besoin d'être socialisée selon les normes, valeurs et pratiques dominantes. Comme j'envisage ici l'éducation des intelligences, nous nous intéresserons au moyen que la société utilise — et en particulier les différents modes d'éducation et de formation.

L'anthropologue Jules Henry rappelle le rôle central que joue l'éducation dans toutes les sociétés depuis les premiers jours [1] :

> Dans tout le cours de son histoire, l'*homo sapiens* a été un « chercheur de statut » ; et la route qu'il a dû suivre, par contrainte, a été l'éducation. De plus, il a toujours dû s'appuyer sur ceux qui lui sont supérieurs en connaissance et en statut social pour lui permettre d'accroître son propre statut [...]. Dans les tribus, instruire le jeune est aussi naturel que respirer ; [les adultes] ont un intérêt vital à enseigner les enfants et ils semblent souvent avoir même un intérêt plus large pour l'existence tribale dans son ensemble.

L'éducation est essentielle dans toutes les cultures ; c'est aussi le meilleur secteur pour observer les intelligences. Et pourtant, comme notre perspective glisse de l'individu à la situation éducative dans son ensemble, nous nous déplaçons dans des eaux largement inexplorées. Le nombre de variables qu'entraîne la description des systèmes éducatifs est si énorme qu'il faut renoncer à tout espoir d'expérimentation contrôlée ou de présentation scientifique.

Mon mode d'exposition devient par conséquent de plus en plus descriptif et allusif. Qui plus est, dans les dernières pages de ce livre, je deviens encore plus spéculatif, car je considère les choix qui s'offrent aux professionnels de l'éducation et tente de poser les problèmes auxquels il ou elle est confronté(e), voire de proposer certains conseils pratiques. Il est honnête d'avertir le lecteur de ce changement significatif d'envergure et de ton. J'espère qu'un tel glissement trouve sa justification dans l'urgence des problèmes éducatifs auxquels on doit faire face partout dans le monde et dans la nécessité de considérer ces problèmes selon une perspective plus large que celle de l'individu solitaire.

Afin d'éclairer les formes particulières d'apprentissage qu'on trouve aujourd'hui, je procéderai de la façon suivante : tout d'abord, j'examinerai rapidement les composantes majeures de toute situation éducative — lesquelles comprennent les types d'intelligences impliquées, les principaux agents de la transmission, le contexte général au sein duquel prend place la transmission de la connaissance. Prises ensemble, ces composantes constituent un type qui peut s'appliquer à toute situation éducative et qui doit révéler les ressemblances et les nuances entre différentes situations éducatives.

Cela fait, je considérerai ensuite les trois situations éducatives incarnées par nos trois élèves prototypes — le jeune navigateur, l'étudiant coranique et la jeune programmatrice. Bien sûr, isoler trois exemples, c'est réduire l'éventail de la variété éducative qui se rencontre réellement dans le monde aujourd'hui. Il est donc important de souligner que ces exemples ne sont là qu'à des fins d'illustration. Je tirerai en réalité mon information d'innombrables cadres éducatifs comparables afin d'arriver à formuler des généralisations à propos de trois prototypes d'apprentissage : 1. l'acquisition de talents spécialisés dans une société ne maîtrisant pas l'écriture (exemple du marin) ; 2. l'apprentissage de la lecture et de l'écriture dans une école religieuse traditionnelle (exemple de l'étudiant coranique) ; et 3. la transmission d'un programme scientifique dans une école laïque moderne (exemple de la programmatrice).

Ma grille d'analyse servira à expliquer pourquoi, si certains efforts éducatifs contemporains ont eu du succès, bien d'autres ont eu un destin moins heureux. Je m'attacherai à ce travail dans le chapitre de conclusion de ce livre. Pour nous aider dans cet effort, j'ai considéré dans les dernières pages trois composantes qui se combinent d'ordinaire dans une éducation laïque moderne — la présence à l'école, l'acquisition de différents types d'écriture et le déploiement de la méthode scientifique. C'est la coïncidence de ces facteurs indépendants qui donne au cadre éducatif occidental contemporain sa saveur particulière. Et c'est par l'examen de ces facteurs (et de leurs conséquences) que nous réussirons à mieux comprendre le fonctionnement de processus éducatifs très différents des nôtres et les difficultés qui se présentent à chacune de nos tentatives pour imposer « nos » formes à d'autres cultures.

Grille d'analyse des processus éducatifs

Commençons par les diverses composantes qu'il faut prendre en compte dans l'analyse de toute situation éducative. Étant donné la complexité de toute situation dans laquelle un ou plusieurs individus sont chargés de transmettre la connaissance à un autre ensemble d'individus, il est essentiel de considérer un large ensemble de composantes et ainsi, malheureusement, de se limiter à un exposé sommaire de chacun. Pour conclure cette section, j'ai inclu un tableau qui indique comment appliquer la charpente à nos trois spécimens de situations d'apprentissage. Il est probable que le détail du tableau ne deviendra clair qu'après que l'on aura digéré les passages consacrés individuellement à chacune de ces rencontres éducatives. Néanmoins, la consultation de ce tableau aidera peut-être les lecteurs à la fois à suivre la présentation des composantes spécifiques dans les paragraphes qui suivent et à lire les descriptions plus détaillées de chaque situation éducative dans les passages suivants.

Après ce bref aparté destiné aux lecteurs qui pourraient être perplexes, je me tournerai d'abord vers une composante qui revêt dans ce livre une importance particulière — les *intelligences particulières utilisées en situation éducative*. Cette seule composante a de multiples facettes : par exemple, les aptitudes que comporte une intelligence peuvent être utilisées comme un *moyen pour acquérir de l'information*. Ainsi des individus peuvent-ils apprendre en exploitant des codes linguistiques, des démonstrations kinesthésiques ou spatiales ou des liens interpersonnels. Même si différentes intelligences peuvent être utilisées comme moyens de transmission, le *matériau à maîtriser* peut correspondre à une intelligence spécifique. Qui apprend à jouer d'un instrument doit acquérir la connaissance musicale. Qui apprend à calculer doit assimiler la connaissance logico-mathématique (même si le moyen est linguistique par nature). Ainsi voit-on que nos différentes compétences intellectuelles peuvent servir à la fois de moyen et de message, de forme et de contenu.

En rapport avec les intelligences, mais séparées d'elles, sont impliquées les *manières d'apprendre* réelles utilisées dans un cadre ou dans l'autre. Peut-être la forme la plus basique est-elle *l'apprentissage direct* ou « *non médiatisé* » : l'élève observe l'activité d'un adulte *in vivo*, comme quand un enfant Palau regarde un aîné construire un canoë ou se préparer à partir en mer. Étroitement liées à l'observation directe, mais impliquant une participation plus nette de l'élève, on trouve différentes formes *d'imitation*, où l'enfant observe et imite ensuite (ou bien sur-le-champ, ou bien plus tard) les actions exécutées par le modèle.

Dans ces formes *d'apprentissage par l'observation*, les formes de connaissance spatiale, corporelle et interpersonnelle sont souvent très cotées. La connaissance linguistique peut également être impliquée, mais d'habitude d'une manière incidente — par exemple, pour attirer l'attention sur un trait de l'exécution. Parfois, on invoque également des adages ou des propositions générales : à ce point, le « savoir-que » se joint au « savoir-comment ».

Mais l'instruction d'un talent spécifique peut aussi se produire *en dehors du contexte* dans lequel ce talent est ordinairement pratiqué : par exemple, le jeune marin Palau apprend les configurations des étoiles en disposant des cailloux sur le sol de l'abri du canoë. Il arrive que l'on procède à une cérémonie ou à un rite, au cours duquel l'élève est exposé aux secrets ou bien gratifié d'une pratique spécialisée qu'il pourra utiliser plus tard dans « son contexte ». Et quand les sociétés deviennent plus complexes, et les tâches plus compliquées et davantage dotées de multiples facettes, l'apprentissage prend peu à peu place dans des contextes éloignés de leur site réel de pratique — par exemple, dans des bâtiments spéciaux que l'on appelle des « écoles ». J'examinerai de telles formes élaborées d'apprentissage en abordant la question des écoles, écoles de brousse informelles, écoles religieuses traditionnelles et écoles laïques contemporaines avec lesquelles la plupart des lecteurs ont une certaine familiarité.

En inspectant ces différents types de cadre d'apprentissage, nous rencontrons trois variables supplémentaires qui doivent trouver leur place à l'intérieur de toute équation d'apprentissage. Pour commencer, différents *moyens* ou *médiums* sont utilisés pour la transmission de la connaissance. Alors que les formes directes d'apprentissage sont largement non médiatisées, mais impliquent tout au plus une simple description verbale ou une figuration linéaire esquissée « sur le sable », des modes plus formels d'apprentissage s'appuient sur des médiums de transmission distincts, qui peuvent inclure des systèmes symboliques articulés, comme le langage ou les mathématiques, et une famille de médiums toujours en expansion, dont les livres, les brochures, les diagrammes, les cartes, la télévision, les ordinateurs et différentes combinaisons de ces modes de transmission ou d'autres. Naturellement, ces médiums diffèrent suivant le type d'intelligence requis pour être correctement utilisés et suivant le type d'information qu'ils présentent le plus volontiers.

Ensuite, il y a les *sites particuliers* ou *lieux* où prend place l'apprentissage. Une bonne part de l'éducation, en particulier dans les sociétés traditionnelles, prend place *sur site* : l'élève est simplement placé à proximité du modèle (ou il gravite dans ses parages). L'apprentissage sur site peut avoir lieu à la maison, quand c'est le lieu ordinaire de l'activité, que ce soit apprendre à préparer le repas ou parvenir à « s'identifier » avec un parent qui passe son temps à l'étude. Comme je l'ai déjà souligné, il est probable que quand les sociétés deviennent plus complexes, elles créent des *institutions d'apprentissage spécialisées*. Les écoles en sont les manifestations les plus évidentes ; mais les ateliers, les boutiques ou les laboratoires où il existe des systèmes d'apprentissage sont aussi des exemples pertinents. Et parfois des cadres spécialisés, comme ceux utilisés pour des rites initiatiques ou des cérémonies, facilitent la rapidité et l'efficacité de la transmission d'une connaissance capitale (et souvent d'un affect puissant). On peut supposer que presque tout type d'information pourrait être transmis sur n'importe quel site ; mais, comme je l'ai suggéré, les formes de savoir linguistique et logico-mathématique sont plus à même d'être transmises dans des cadres conçus pour la transmission de la connaissance (et utilisés essentiellement à cet usage).

Une troisième variable dans l'équation de la connaissance concerne les *agents particuliers* investis de cette tâche[2]. Classiquement, les professeurs sont les parents ou les grands-parents, en général du même sexe que l'élève ; d'autres alliés ou membres de la caste ou du clan peuvent aussi servir de dépôt d'une sagesse spéciale. Les copains ou les pairs sont également souvent ceux qui transmettent la connaissance : de fait, pour certaines tâches, il est plus facile aux enfants d'apprendre auprès de leurs copains plus âgés qu'auprès de professeurs avec qui ils n'ont pas de relation. Il n'est pas rare qu'il y ait *appariement* d'individus au sein d'une culture. Les jeunes sont finalement formés par les adultes qui possèdent les talents qu'il est important d'assimiler : ce type de mariage peut avoir lieu à cause de relations de sang, pour des questions de proximité ou, moins couramment, parce que la communauté perçoit une correspondance entre les talents du modèle et l'aptitude du jeune (il est plus probable qu'un tel mariage se produise dans des sociétés qui ont une scolarisation informelle). Enfin, dans certaines sociétés, on voit naître une classe séparée de professeurs et de chefs — au début religieux, puis d'orientation laïque — qui sont chargés d'enseigner un corpus donné de connaissances à certains jeunes d'une communauté, ou peut-être à tous. On attend parfois du professeur une moralité exemplaire, quoique dans le cadre laïc, l'expertise technique soit devenue l'exigence capitale. Il est possible que ce soit la première fois qu'une relation initiale entre l'enfant et l'adulte ne soit pas un signe avant-coureur nécessaire de la relation éducative : au contraire, il s'agit d'une situation contractuelle où il suffit de résider dans tel secteur géographique ou d'appartenir à telle communauté religieuse pour avoir son billet d'entrée dans une relation éducative.

Un mot, enfin, sur le *contexte général dans lequel l'apprentissage prend place*. Chacun de nos exemples prototypes d'apprentissage tend à se produire dans un contexte culturel particulier. Dans une société traditionnelle qui ne dispose pas de l'écriture, la plus grande part de l'apprentissage est considérée comme une nécessité de survie. Les mêmes formes de connaissance se retrouvent par conséquent chez tous les habitants, ou du moins chez la plupart. Relativement peu de savoirs sont exprimés dans des codes explicites, et il suffit d'observer des individus en train de pratiquer dans leurs milieux habituels pour acquérir la plus grande part de la connaissance indispensable. Comme ces formes de connaissance sont relativement immédiates, je ne les considérerai pas davantage ici. En revanche, je me tournerai vers les formes de connaissance d'une société traditionnelle qui requièrent un long processus d'apprentissage, tel celui qui engage notre jeune marin Palau ou un futur barde dans un milieu sans écriture de Yougoslavie.

Dans les sociétés où la lecture et l'écriture sont transmises dans un cadre religieux traditionnel, la situation est un peu différente. Ici, une certaine fraction de la société, en général les jeunes mâles, acquiert un talent qui distinguera ses membres de ceux qui ne l'ont pas. À la suite d'un processus de vannage progressif, certains individus ne finissent qu'avec un tout petit peu de cette connaissance spécialisée, tandis que la plupart des personnes bien informées deviennent les têtes religieuses ou laïques de la communauté. Hors du cadre scolaire, il peut intervenir une division du travail supplémentaire ; souvent, pourtant, la relative simplicité de la structure technologique et économique de la société permet à la plupart des individus de posséder le même ensemble général de talents et de connaissances.

À l'autre extrémité, on trouve les sociétés technologiques modernes qui présentent un large spectre de fonctions et de talents. Comme il est inconcevable qu'un individu puisse les maîtriser tous, la division du travail est considérable ; la transmission de la connaissance et des normes explicites pour évaluer le succès se fait dans des formats institutionnalisés. Presque toute acquisition de talents prend place dans des cadres spécialisés, allant des écoles techniques aux ateliers, des usines aux corporations. Alors que dans une société traditionnelle, presque tout le monde a une certaine compréhension de la connaissance que possèdent les autres, la société technologique présente des experts dont les réserves particulières de connaissance se révèlent aussi mystérieuses pour le citoyen moyen que le sont la lecture et l'écriture pour qui ne les maîtrise pas.

Les types d'intelligence auxquels on accorde une grande valeur diffèrent nettement d'un contexte d'apprentissage à l'autre. Dans les sociétés traditionnelles sans écriture, on accorde une grande valeur à la connaissance interpersonnelle. Les formes de connaissance spatiale et corporelle tendent à être fortement exploitées, quoique les formes de connaissance linguistique et musicale puissent être également cotées dans certaines circonstances spécialisées. Dans une société qui comporte des écoles religieuses traditionnelles, la connaissance linguistique est tenue en haute estime. On cultive la connaissance interpersonnelle et on encourage certaines formes de connaissance logico-mathématique. Enfin, dans les cadres éducatifs laïcs modernes, la connaissance logico-mathématique est très cotée, et certaines formes de compétence linguistique sont aussi prisées ; au contraire, le rôle de la connaissance interpersonnelle est généralement limité, tandis que les formes de compréhension intrapersonnelle peuvent apparaître beaucoup plus largement.

J'ai présenté succinctement une esquisse d'analyse et un ensemble de catégories qui peuvent s'appliquer à toute une gamme de cadres et d'expériences pédagogiques. Naturellement, *toute application de cette grille doit être préparatoire et expérimentale, en attendant, d'une part, que l'on ait observé dans le détail la société particulière en question et que l'on ait développé des moyens d'appliquer ces catégories sans ambiguïté et de manière fiable.* On peut se faire une idée de la manière dont la charpente peut s'appliquer aux trois cadres types et à d'autres d'une envergure comparable en étudiant le tableau de la page suivante. Bien sûr, le tableau échantillonne seulement trois cadres culturels possibles ; l'analyse d'autres cadres culturels apporterait sans aucun doute de nombreuses combinaisons de traits et pourrait introduire des agents, des lieux, des médiums de transmission ou des formes d'intelligence qui n'ont pas été pris en considération ici. En effet, la vertu d'une telle grille est que, loin d'être le lit de Procuste, elle peut nous aider à saisir des aspects de l'équation éducative qui, sans elle, pourraient rester invisibles.

La charpente d'analyse des processus éducatifs appliquée à trois cadres culturels

Composante de l'éducation	Type d'apprentissage		
	Talent spécialisé dans une société sans écriture	Lecture et écriture dans une école religieuse traditionnelle	Programme scientifique dans une école laïque moderne
Exemples mentionnés au chapitre 13	Navigation des Palau Poésie orale yougoslave	École coranique Gurukula hindoue Cheder hébreu École cathédrale médiévale	Écoles élémentaire et secondaire en Europe, Amérique du Nord et Japon ; Programmation sur micro-ordinateur
Intelligences	Linguistique, musicale (poésie orale) Spatiale (navigation) Kinesthésique Interpersonnelle	Linguistique Interpersonnelle Logico-mathématique (pour les étudiants avancés)	Logico-mathématique Intrapersonnelle Linguistique (moins accentuée)
Médiums de transmission	Le plus souvent non médiatisée (observation directe) Une certaine instruction linguistique orale	Poésie orale ou livres	Une grande variété, dont des livres, graphiques, ordinateurs, films, etc.
Lieu d'apprentissage	Sur site	Bâtiment séparé ou à l'intérieur d'un bâtiment religieux	Bâtiment séparé Une part de l'apprentissage peut se faire à la maison ou dans un lieu d'étude privé
Agents qui transmettent la connaissance	Aînés talentueux, normalement des parents	Individus formés dans l'écriture, la lecture et l'argumentation ; exigence d'une haute moralité ; statut élevé sauf au départ	Individus avec formation en matière éducative à un niveau inférieur ; individus avec une formation spécialisée à des niveaux supérieurs ; non-prise en compte du calibre moral
Contexte général d'apprentissage	La plupart des individus partagent certains talents de base, dont la navigation ; un petit nombre d'individus peuvent devenir experts	La plupart des mâles commencent dans des écoles religieuses ; processus de vannage progressif	Éducation primaire et secondaire universelle ; de nombreux individus reçoivent une éducation post-secondaire spécialisée ; possibilité de bénéficier de l'éducation toute sa vie, à l'iniative de l'individu

TALENTS DANS LA SOCIÉTÉ QUI NE DISPOSE PAS DE L'ÉCRITURE

Jusqu'à il y a quelques milliers d'années, presque tous les êtres humains vivaient dans des sociétés où l'on dépensait son énergie à satisfaire les besoins de base, essentiellement par la chasse, la cueillette, l'agriculture et la préparation de la nourriture. Dans de telles sociétés, la plupart des formes de connaissance étaient largement partagées, car il était important pour des individus de la société (ou du moins pour tous les membres d'un sexe) d'être en mesure de pourvoir à leur propre subsistance et à celle des autres dont ils avaient la responsabilité. En général, le jeune acquérait ces formes de connaissance relativement tôt dans la vie, d'habitude par la simple observation et imitation des adultes de sa famille. On avait peu besoin de codes explicites, de formation spécialisée ou de niveaux articulés de gradation des talents.

Mais même dans les sociétés qui ne disposent pas de l'écriture, on trouve des talents complexes, hautement élaborés et limités à des individus qui ont une expertise considérable — et ce sont les talents qui revêtent une signification particulière pour notre enquête. La navigation dans les îles Palau, dans l'archipel des Carolines de Micronésie, est un excellent exemple d'un talent de ce genre [3]. Dans cette société, il est extrêmement difficile de parvenir au statut de « maître navigateur » auquel parvient seulement une poignée de mâles (peut-être une demi-douzaine). En effet, de nombreux mâles ne tentent même pas d'acquérir une connaissance un peu plus que rudimentaire de la navigation ; et parmi ceux qui en font la tentative, moins que la moitié réussissent à aller jusqu'au bout et à devenir des navigateurs talentueux. Pareillement, la fabrication des canoës est aussi un talent élaboré, qui exige une solide formation et que n'acquiert qu'une petite minorité de la population.

L'étude menée par Thomas Gladwin, rapportée au chapitre 7, nous a permis de mieux comprendre les processus impliqués pour devenir un marin Palau. Gladwin dessine deux voies distinctes d'apprentissage nécessaires pour bien naviguer. L'apprentissage est en partie oral et prend place « hors site » : il implique de confier à la mémoire de grandes quantités d'informations factuelles, comme l'identité et la localisation de toutes les îles et l'identité et le déplacement de toutes les étoiles que le navigateur est censé avoir besoin de connaître. Gladwin souligne qu'il n'est pas besoin de garder ce savoir secret, puisque

nul ne peut l'apprendre à moins d'une instruction pour l'essentiel pénible et longue [...]. Elle est enseignée et mémorisée grâce à des répétitions et des tests sans fin. Le travail d'apprentissage n'est complet que quand l'élève, à la requête de son instructeur, peut partir de n'importe quelle île de l'océan bien connu et réciter à toute vitesse les étoiles à l'aller et au retour entre cette île et toutes les autres qu'il est concevable d'atteindre directement de cette île [4].

Cet aspect de la navigation Palau, qui repose sur l'intelligence linguistique, est nécessaire mais tout à fait insuffisant pour qui aspire à devenir marin. On a besoin de connaissances de première main des courants, des conditions spécifiques aux voyages à travers les différents groupes d'îles, du système utilisé pour évaluer la distance parcourue, des types d'information que les ondes transmettent et des procédures de navigation en cas de tempête, pour trouver son chemin dans l'obscurité, pour prévoir le temps, pour affronter la vie en mer et pour guider sa course grâce aux étoiles. Une grande part de ce processus implique la construction de « modèles mentaux » de telle sorte que le navigateur peut se concevoir lui-même en train de parcourir son trajet, alors que tout défile et bouge, à l'exception des étoiles stables au-dessus de sa tête[5]. Pour ces aspects cœurs de la navigation, une connaissance linguistique se révèle de peu d'utilité ; des capacités sensorielles aiguës et le déploiement d'une connaissance spatiale et kinesthésique sont essentiels.

Les conteurs yougoslaves contrastent avec les navigateurs Palau. Selon Millman Parry et Albert Lord, il est à peine besoin d'entraînement formel pour devenir un chanteur épique — un individu qui peut chanter, par exemple, un chant différent pour chacune des quarante nuits que dure le mois du Ramadan chez les musulmans[6]. Le futur chanteur se contente plutôt d'écouter des exécutions, nuit après nuit, pour apprendre l'intrigue de l'histoire et, plus important, les différentes formules linguistiques et musicales sur lesquelles se construit toute nouvelle exécution. Après avoir passé des années à écouter ces modèles et à s'en imprégner, l'individu commence à pratiquer lui-même les formules et apprend à développer ou orner les chants qu'il entend, ou peut-être même à créer de nouveaux chants. Selon Lord, « c'est un processus d'imitation et d'assimilation à travers l'écoute et une grande pratique personnelle ». Enfin, le chanteur a l'occasion d'exécuter le chant en présence d'un public favorable, mais critique. C'est à ce moment qu'il peut enfin vérifier si sa prouesse peut exercer les effets escomptés sur les membres de sa communauté.

Le marin Palau et le chanteur yougoslave accomplissent des exploits qui les singularisent au sein de leur société. Dans les deux cas, il est important, pour qui veut devenir expert, de posséder une vaste mémoire linguistique et de bien l'entraîner. Mais tandis que le marin dépend de ses aptitudes spatiales et corporelles, le chanteur compte sur ses aptitudes musicales et aussi sur son talent interpersonnel de communication avec un public. Presque tout l'ensemble de l'apprentissage du poète yougoslave prend place « sur site », sans instruction formelle : il est, au sens fort, un autodidacte. Au contraire, des procédures d'enseignement explicites sont utilisées pour les marins Palau, et au moins certaines d'entre elles prennent place « hors site » — par exemple dans un abri pour canoës, des cailloux représentant les étoiles. Dans le cas de l'apprentissage à la fabrication de canoës, l'enfant travaille presque toujours avec son père ; mais pour la navigation et la poésie orale, les liens de parenté ne suffisent pas. De nombreux membres d'une famille n'ont pas les aptitudes (ou l'inclination) nécessaires pour devenir des praticiens talentueux, et un individu par ailleurs doué peut réussir même si ses propres parents ne s'investissent pas dans les activités talentueuses précitées. Néanmoins, comme pour la plupart des autres activités d'une société traditionnelle, il est plus probable que l'on s'investisse dans une activité et que l'on atteigne un haut niveau d'expertise si cette activité fait partie des préoccupations habituelles de la famille depuis de nombreuses générations.

L'acquisition d'une telle expertise par une petite caste au sein d'une société traditionnelle est, comme je l'ai dit, un peu une anomalie, puisque la plupart des activités de ce type de société entrent dans les compétences de tous les adultes normaux. (De fait, tous les adultes dans les îles Palau ont une capacité rudimentaire à naviguer, de même que tous les adultes dans la société yougoslave ont une certaine connaissance de la poésie orale.) En nous déplaçant pour considérer une société scolarisée, nous rencontrons un environnement où la connaissance spécialisée est plus commune. Nous comprendrons mieux le fonctionnement de ces sociétés une fois que nous aurons rapidement considéré trois institutions qui peuvent se trouver dans une société traditionnelle, chacune d'entre elles s'écartant du cours normal de l'apprentissage par observation, et anticipant par là même les processus plus formels associés à une société scolarisée.

TROIS FORMES ÉDUCATIVES DE TRANSITION

Rites initiatiques. Commençons par des circonstances d'apprentissage beaucoup plus formellement organisées — le rite initiatique, qui a fait couler des flots d'encre : ce sont des cérémonies qui peuvent durer des heures ou des années. On soumet communément les jeunes d'une culture à certains défis et on attend d'eux qu'ils maîtrisent une information ou des comportements particuliers considérés comme une étape — souvent décisive — pour passer de l'enfance à l'âge adulte. Ces rites sont parfois brutaux : un jeune peut être soumis à une douleur physique sévère, comme chez les Tonga en Afrique, ou laissé seul dans la nature sauvage pendant de longues périodes, comme c'est le cas de certaines tribus amérindiennes. Parfois, comme chez les Tikopia de Polynésie, les rites sont plus restreints : ce sont des parents qui exécutent les cérémonies, et il y a beaucoup d'affection, des festivités, des échanges de dons et de nourriture[7].

On pourrait se demander ce que l'on apprend au cours de ces rites de passage plus ou moins traumatisants, et s'ils doivent être considérés comme des circonstances d'apprentissage. Répondre en termes de volume pur d'information est probablement hors de propos. En général, il vaut mieux considérer le rite initiatique comme marquant un changement de statut plutôt que comme une occasion de maîtriser des talents et un savoir ; quoique dans certains cas ce soit le lieu d'un apprentissage riche (par exemple, pendant le rite de circoncision qui dure trois mois en Sénégambie[8]). Mais réussir à comprendre que l'on est maintenant un membre de la société adulte et que cette fonction implique des attentes et des privilèges spécifiques est en soi une forme capitale de connaissance dans les sociétés traditionnelles : les croyances que l'on a sur soi-même constituent un stimulant puissant et reflètent l'évaluation que fait chacun de sa capacité (ou de son inca-pacité) à s'exécuter de la manière prescrite. C'est un exercice central dans le développement de l'intelligence intrapersonnelle et de la conscience de soi. De plus, le rite initiatique marque aussi un moment d'apprentissage affectif intense — l'apprentissage de ses propres senti-ments et de ses relations aux autres dans son groupe. La tension, l'émotion et la peur qui entourent ces expériences servent probable-ment de modèle aux affects qui sont associés à d'autres expériences importantes de la vie que l'enfant doit apprendre à gérer — par exemple, la chasse, le mariage, la procréation et la mort : pour l'indi-vidu, subir ces rites, c'est confirmer sa relation avec sa communauté (de même qu'elle est affaiblie si, pour une raison ou une autre, l'initié ne s'exécute pas de façon adéquate). On peut regarder le rite initiatique comme un type d'expérience cristallisatrice dans le royaume personnel — un moment critique où l'enfant, en passe de devenir adulte, doit réussir à prendre en mains l'éventail de sentiments qu'il éprouve en propre comme personne et comme membre de la société.

Écoles de brousse[9]. Si de telles formes d'apprentissage affectives et personnelles peuvent éventuellement se télescoper en quelques jours ou en quelques mois, il est, dans une société traditionnelle, d'autres talents qui prennent plus de temps à maîtriser. Ce fait a donné nais-sance à deux autres institutions — elles ne sont pas des écoles au sens pleinement institutionnel, mais elles se prolongent l'une et l'autre sur de longues périodes de temps et partagent certaines des caractéris-tiques d'une institution éducative formelle. La première est ce que l'on appelle l'école de brousse — un lieu séparé où un enfant peut apprendre à exécuter des arts, des métiers et d'autres talents impor-tants pour la vie de la communauté. Dans les écoles de brousse traditionnelles de l'Afrique de l'Ouest, garçons et filles sont enrôlés pour plusieurs années et formés au sein d'une société secrète. Le grand maître est un individu de haut statut. Les jeunes sont divisés en groupes selon leur âge et leurs aptitudes, et ils sont instruits dans le savoir assorti à leur vie naturelle. On inclut aussi des tests pour déter-miner les aptitudes individuelles : des simulacres de bataille et des escarmouches testent les aptitudes de chacun à faire la guerre. Au titre de l'implication dans l'école de brousse, il existe un rite initiatique où le jeune se voit donner un nouveau nom : ceux qui ne témoignent pas d'assez d'endurance peuvent être simplement autorisés à mourir. Dans certaines de ces écoles, on insiste tout particulièrement sur la genèse historique de la population : c'est un moyen de stimuler la conscience collective, le raisonnement politique et un plus grand courage.

Les systèmes d'apprentissage[10]. C'est un autre moyen pour former les talents difficiles à acquérir par l'imitation pure et simple ou grâce à l'implication dans un rite initiatique. Dans sa forme la plus familière, comme on en trouve l'exemple dans les guildes du bas Moyen Âge, un jeune quitte le foyer au cours de sa préadolescence ou de son adolescence et demeure plusieurs années dans la maison d'un maître qui fait un métier particulier. Là, il devient d'abord membre d'une maisonnée, fait les courses, regarde travailler le maître, forme des liens avec les autres apprentis et ceux qui sont déjà devenus des compagnons. Quand on juge que l'apprenti est prêt, on l'initie lentement aux talents du métier, en lui imposant des tâches de plus en plus difficiles, en le soumettant constamment à l'évaluation du maître, en lui faisant part des secrets du métier. Si l'apprenti apprend bien ses leçons et nourrit comme il faut le lien interpersonnel, on lui donne l'occasion de faire son chemin vers des tâches plus exigeantes au sein d'une spécialité particulière. L'admission dans la société des maîtres dépend elle-même de la réalisation d'une tâche ou d'une pièce correspondant à la guilde en particulier. Ce « chef-d'œuvre » constitue effectivement l'ultime examen. Enfin, le compagnon a le droit de rejoindre le rang des maîtres, d'être mis au courant de tous leurs secrets et de prendre des apprentis dans son propre atelier.

Le système de l'apprentissage semble avoir évolué de façon efficace dans diverses régions du monde, peut-être même indépendamment, y compris dans de nombreux endroits qui ne connaissent ni l'écriture ni l'école. Par exemple, les Anang du Nigeria ont un système d'apprentissage pour la maîtrise de la sculpture[11]. Quoique les jeunes soient souvent instruits par leur père, un jeune homme peut aussi apprendre à sculpter en payant d'importants appointements à un maître sculpteur et en lui servant d'apprenti pendant un an. Il existe même des villages de sculpteurs où d'innombrables individus se spécialisent dans l'enseignement et dans la pratique de ce métier. Dans l'Inde ancienne, les talents techniques et artisanaux ont donné lieu à des guildes — une pratique qui peut, de fait, avoir donné naissance au jati, ou système des castes[12]. En Égypte, les travailleurs sur bois dans le style arabe ont depuis longtemps un système d'apprentissage long et compliqué où les secrets de ce métier ardu sont lentement révélés aux jeunes les plus prometteurs[13]. Quoiqu'on n'ait guère l'habitude de les présenter ainsi, on peut considérer comme constituant un système d'apprentissage les procédures par lesquelles l'adolescent Palau apprend la navigation. On rejette les étudiants les moins aptes au fur et à mesure de la mémorisation orale ou des premiers « essais » sur mer, et on admet ceux qui ont réussi dans la petite société des maîtres navigateurs.

Il convient de souligner la progression que j'ai notée ici. Des formes d'apprentissage directes et non médiatisées suffisent pour des activités relativement peu compliquées, mais elles sont inadéquates quand un processus est plus long et présente des éléments qu'un œil non formé a du mal à observer et à comprendre. Une fois que les talents dans un domaine ont atteint un certain niveau de complexité, la pure observation ou même une interaction non formelle avec l'instructeur permettra rarement de réaliser un produit de qualité. Par conséquent, la société a tout intérêt à développer des mécanismes formels pour s'assurer que les jeunes gens prometteurs atteindront un haut niveau de compétence. Les écoles de brousse et les guildes de métier sont toutes deux des mécanismes qui augmentent la probabilité pour qu'au moins plusieurs mâles talentueux d'une société aient le niveau de compétence nécessaire. Pour que cette procédure fonctionne, il est indispensable de mettre en place une certaine division du travail à l'intérieur de la société.

Dans ces formes de transmission de la connaissance, on observe rarement, à l'intérieur d'une culture, de divorce entre les talents techniques — qu'ils soient corporels, musicaux ou spatiaux — et les facettes interpersonnelles de la vie. Les écoles de brousse se terminent par des rites initiatiques, et on peut voir dans les guildes une sorte de rite initiatique élaboré, qui se termine par la transmission de secrets jusque-là soigneusement tus, parfois sans nécessité, simplement pour prolonger la période du contrat d'apprentissage. Il est peu probable que des individus qui ne possèdent pas les talents interpersonnels requis réussissent à négocier la série d'obstacles : en effet, la sensibilité interpersonnelle peut se révéler aussi importante que le courage personnel ou la dextérité manuelle. Et il arrive souvent que l'occasion même de participer au processus dépende de liens interpersonnels préexistants à l'intérieur d'une famille ou entre les familles.

L'apparition des écoles de brousse et des guildes de métier marque aussi une transition entre les méthodes directes qui ont cours dans de nombreuses sociétés traditionnelles et le mode de scolarisation formelle qui s'est développé, au cours du dernier millénaire, dans de nombreuses parties du monde. Les écoles formelles naissent pour tout un faisceau de raisons, la principale pouvant être le besoin que ressent une société d'enseigner efficacement et effectivement à lire et à écrire à une certaine partie de la jeunesse. Avec l'essor des écoles, nous passons d'une connaissance tacite à des formes explicites de connaissance, des rites de cérémonie aux exigences techniques, de la conservation orale de la connaissance à des formes écrites de communication, d'une orientation religieuse à une position laïque et, en fin de compte, à l'essor d'une approche scientifique de la connaissance. Toutes ces tendances formidablement complexes ne s'identifient pas les unes aux autres ; et aucune n'est pour le moment assez bien comprise. Pourtant, si nous devons faire face aux défis pédagogiques auxquels est aujourd'hui confrontée une bonne partie de la population mondiale, il est important d'essayer de comprendre la nature de la scolarisation dans ses différentes manifestations et la manière dont une scolarisation utilise (et développe) les différents potentiels intellectuels des individus.

La diversité des écoles

L'ÉDUCATION CORANIQUE [14]

L'islam s'étend à un cinquième de la population mondiale et couvre la moitié du globe. De l'Afrique du Nord jusqu'à l'Indonésie, les jeunes garçons musulmans sont soumis à des formes analogues d'éducation. À un certain moment, entre quatre et huit ans, le jeune enfant entre dans une école coranique. Le mot *Coran* signifie « récitation », et le principal but de ces écoles est (comme c'est le cas depuis des siècles) la mémorisation du Coran tout entier. Le premier jour d'entrée à l'école est un instant important et joyeux, marqué par des prières et des célébrations ; mais l'attention se porte bientôt sur des questions sérieuses. Tout d'abord, le jeune enfant écoute la lecture du Coran et en apprend quelques lignes. Il est initié à l'alphabet arabe en apprenant les noms des lettres, à quoi elles ressemblent et comment elles s'écrivent.

À partir de là, l'apprentissage progresse le long de deux voies parallèles. Une partie du programme implique la récitation régulière du Coran. L'enfant doit apprendre à réciter le Coran en utilisant le bon rythme et la bonne intonation, qu'il acquiert en imitant servilement son maître. L'accent est mis sur l'exactitude du son plus que sur la compréhension de la signification, et de nombreux individus confieront à leur mémoire l'ensemble du Coran — processus qui peut prendre de six à huit ans — sans comprendre les mots qu'ils prononcent. La mémorisation de l'ensemble du Coran est considérée comme une vertu en soi, et il n'importe guère que les mots soient ou non compris.

Le reste du programme consiste à apprendre à lire et à écrire l'arabe, processus qui s'accomplit essentiellement par la maîtrise du Coran. Tout d'abord, l'étudiant apprend à tracer ou écrire les lettres. Ensuite, il apprend à copier une ligne entière du Coran. Les étapes suivantes consistent à apprendre à écrire sous la dictée et à comprendre la signification des mots dans ce qui est, pour de nombreux enfants, une langue étrangère. La plupart des étudiants ne dépassent pas ce niveau élémentaire en matière de lecture et d'écriture, mais on permet à ceux qui avancent vite et qui réussissent le mieux de lire d'autres textes, de discuter leurs significations, d'argumenter, d'analyser et d'interpréter.

Bien sûr, l'éducation coranique diffère dans ses détails d'une école à l'autre, d'une partie du monde musulman à l'autre. La place accordée à l'étude d'autres matières — comme l'arithmétique, l'astronomie, la poésie ou la logique — et celle laissée à l'apprentissage d'autres langues ou à la lecture de textes profanes varient selon les nations et les contextes sociaux. Mais au cœur de l'éducation musulmane, on trouve partout, et encore aujourd'hui, la maîtrise linguistique d'un texte sacré, laquelle implique toujours une récitation orale et suppose aussi de savoir lire et écrire la langue arabe.

LES ÉCOLES TRADITIONNELLES

Le régime de l'école coranique, qui met l'accent sur la mémorisation par cœur d'un texte écrit dans une langue peu familière à l'étudiant, peut sembler aux lecteurs contemporains une pratique éloignée et même bizarre. Il est donc important de souligner que des procédures et processus analogues ont caractérisé tout un éventail d'écoles au cours du dernier millénaire, dont de nombreux cas dans l'Europe chrétienne occidentale et d'autres poches du monde qui disposent de l'écriture, comme les *seder* et *yeshiva* juives, les écoles et *madrasas* coraniques musulmanes, les *terakoyas* japonaises, les *gurukulas* hindoues. Suivant les travaux de Michael Fischer et de mes collègues Robert LeVine et Susan Pollak, j'indiquerai un certain nombre de traits qui caractérisent ces écoles traditionnelles[15]. Il existe manifestement des différences significatives entre ces prototypes ; mais on peut observer des similitudes dans des endroits disparates de la terre, qui ne sont guère entrés en contact les uns avec les autres.

Comme je l'ai déjà souligné, ces écoles traditionnelles sont presque invariablement religieuses, mises en œuvre par des religieux à des fins religieuses. (Bien sûr, dans une société qui privilégie les écoles traditionnelles, il y a peu de domaines qui ne soient pénétrés de religion.) Non seulement les professeurs sont des religieux, mais on attend encore d'eux qu'ils soient d'une haute moralité ; ils ont une grande liberté de punir les étudiants capricieux (si nécessaire) et sont censés être des parangons de vertu dans la communauté. Un professeur immoral est presque considéré comme une contradiction dans les termes.

Le principal programme de ces écoles, surtout pour les premières années de l'éducation, est simple : l'étudiant doit apprendre à lire et à écrire dans la langue des textes sacrés. Comme il s'agit presque toujours d'une langue autre que la langue vernaculaire, les étudiants entreprennent pour plusieurs années l'apprentissage d'une langue étrangère. De même, peu d'efforts sont accomplis pour rendre sa langue familière et « amicale » à l'utilisateur ; la tâche consiste à apprendre par cœur la langue par des exercices et un travail de mémorisation. On commence d'ordinaire par copier et mémoriser les jambages des lettres de l'alphabet. On copie ensuite les mots et les phrases, et bientôt l'élève apprend à produire et à mémoriser la vision et le son de passages plus longs. On laisse à peu près à l'initiative de l'individu de travailler (de lui-même) les éléments de la grammaire et de la structure sonore de la langue. (Il est clair que l'intelligence linguistique joue ici un rôle de tout premier plan ; il est probable que l'enfant qui a ce don — comme notre jeune Iranien fictif — réussit ce « décodage ».) L'apprentissage passe généralement de la maîtrise de l'alphabet au décodage de la langue et à la compréhension des textes. Arrivés aux plus hauts niveaux, les individus sont en mesure de se saisir de textes autres que sacrés et de passer finalement à l'interprétation publique des textes et à la discussion de la signification de certains d'entre eux. Mais il faut plusieurs années pour atteindre cet objectif, et la plupart des étudiants ne dépassent jamais le stade de la mémorisation des textes sacrés les plus familiers.

Les élèves de ces écoles traditionnelles sont pour l'essentiel de jeunes garçons. Dans certaines communautés, la première éducation est obligatoire ; dans d'autres, elle est limitée (ou fortement réduite) à un groupe d'élite. Le premier jour d'école est un instant privilégié, et on fait comprendre à l'enfant que la possibilité d'apprendre à lire l'Écriture sainte est chose merveilleuse et qu'il faut la marquer par des célébrations. Mais les plaisirs deviennent par la suite plus rares, les exercices quotidiens et la mémorisation prenant le dessus. Les individus qui ont des talents dans les tâches de lecture et d'écriture sont rapidement séparés de ceux qui en manifestent peu. Une mémoire linguistique puissante caractérise probablement cette progression, et partant les dons ou les techniques mnémoniques jouent un rôle de tout premier plan. Si la mémorisation n'est souvent pas le but reconnu de ce régime, elle semble être une étape nécessaire : après tout, une bonne part de l'interprétation et de la discussion futures présuppose que l'on se rappelle rapidement et fidèlement le texte en tant qu'il contient les réponses pertinentes aux principaux dilemmes de la vie et que son existence a été, après tout, la *raison d'être* [16] de l'école. Des célébrations périodiques peuvent avoir lieu chaque fois que l'élève franchit des étapes majeures. On permet aux individus qui, comme notre jeune Iranien, réussissent dans leurs études et bénéficient par ailleurs de l'approbation de leur communauté, de progresser jusqu'au plus haut niveau des études — les *yeshivas*, les universités médiévales ou les *madrasas* des cités saintes musulmanes. Ces individus ont la faculté de consacrer leur vie à la connaissance, et même s'ils ne deviennent jamais aussi riches que certains de leurs pairs, la communauté les honore.

Si les aptitudes linguistiques et logiques occupent manifestement le devant de la scène dans ce type de formation, il ne faut pas minimiser les aspects interpersonnels de l'éducation traditionnelle au cours des siècles. À l'exception de ceux qui sont relégués à l'enseignement des très jeunes enfants, les professeurs ont généralement inspiré un grand respect. Par le passé, une grande partie du processus éducatif se centrait sur une seule figure charismatique — un gourou, un mollah, un rabbin, un savant confucianiste qui prenait les étudiants prometteurs sous son aile et les aidait à atteindre les sommets de la connaissance. De plus, les écoles avaient pour objectif essentiel de maintenir la cohésion sociale de la communauté, qui les soutenait et tirait beaucoup de fierté du succès des meilleurs étudiants. Si le talent était souvent reconnu et souvent récompensé, cela ne se déroulait pas dans une atmosphère dépourvue de favoritisme, de contacts et de liens. La sécularisation et la dépersonnalisation de l'éducation sont encore à venir (et ne seront peut-être jamais parfaites).

Il faut souligner que ces écoles ne naissent pas dans le vide. Pendant la période médiévale, les groupes religieux qui vivaient au Proche-Orient étaient en contact et les écoles traditionnelles en ont même franchement emprunté certains traits [17]. Les doctrines des religions concurrentes étaient souvent le lieu de débats entre ceux qui avaient intégré les rangs de l'« éducation supérieure ». Je dois aussi souligner l'existence de différences bien déterminées entre les systèmes : je les ai ignorées pour les besoins de l'exposition, mais il faut les prendre en compte dans toute considération de l'école traditionnelle. Les écoles religieuses se construisent elles-mêmes sur des traditions antérieures : la formation des scribes et des copistes dans l'ancienne Égypte et en Mésopotamie ; les institutions scolastiques en Chine et en Inde il y a trois mille ans ; les académies antiques de l'ancienne Athènes, où *L'Iliade* et *L'Odyssée* constituaient la base des études, mais où la musique, l'entraînement physique, l'arithmétique, la géométrie, l'astronomie, la philosophie et la politique étaient également présents. En effet, avec l'effondrement du monde antique, ce programme a tourné court : une grande partie des connaissances anciennes s'est perdue et la forme de scolarisation qui est née au début du Moyen Âge était notablement plus bornée.

Le sentiment général qui dominait en fait dans l'Europe du Moyen Âge était que la somme d'informations à apprendre était finie. Richard McKeon observe [18] : « Si vous voulez savoir ce qu'était la culture du XIIᵉ siècle, vous pourriez dresser la liste, disons, des trois mille citations que tout intellectuel devait connaître... Vous pourriez la présenter sous forme de tableau. » La méthode d'enseignement, par un ensemble de questions réponses, formalisait les définitions, voire les lectures dans leur ensemble. En effet, seule une poignée de privilégiés avait le droit de participer à des débats relativement libres. Même à l'université, les étudiants ne pouvaient se procurer des livres et ils devaient donc mémoriser de nombreux textes. C'est resté le cas jusqu'à la Renaissance, comme on peut le voir dans la description d'une université italienne avant la diffusion de l'imprimerie [19] :

> Les étudiants n'avaient ni notes, ni grammaires, ni lexiques, ni dictionnaires d'antiquités pour les aider. Il était donc nécessaire que le maître de conférence dictât des citations, répétât sur toute leur longueur des passages parallèles, expliquât les allusions géographiques et historiques, analysât dans le détail la structure des phrases... Des masses d'étudiants, vieux et jeunes, équipés seulement de papier et d'une plume, restaient patiemment assis et enregistraient ce que le lecteur disait. À la fin de ses discours [...] chacun d'entre eux emportait un volume de résumés contenant une transcription du texte de l'auteur, avec une masse diverse de notes critiques, explicatives, éthiques, esthétiques, historiques et biographiques. En d'autres termes, un livre avait été dicté, et il y avait autant de copies que les élèves attentifs en avaient fait.

Comme Michael Fischer le remarque dans sa discussion instructive de ces écoles traditionnelles, la description aurait pu s'appliquer à des écoles en Iran jusqu'au XIXe siècle.

Les facteurs qui ont donné naissance aux différentes écoles traditionnelles étaient variés et ne peuvent être considérés indépendamment des conditions historiques, culturelles et religieuses spécifiques. Néanmoins, la similarité surprenante entre les formes mises en œuvre dans de nombreuses parties du monde et sur une longue période suggère que nous avons affaire à un type d'éducation remarquablement adaptatif, qui a exploité des savoirs dont de nombreux individus sont capables. Construites sur la mémorisation qui joue un rôle si important dans une société qui ne dispose pas de l'écriture, ces écoles ont continué à cultiver l'art de la mémoire, tout en apportant à la mémoire verbale l'aptitude à lire (et en fin de compte à écrire) des textes que les étudiants ne connaissaient pas encore. Reconnaissant l'importance d'une figure centrale dans la transmission de la connaissance, ces écoles présentaient un « maître » respecté et souvent charismatique avec lequel les étudiants se sentaient un lien et qui évaluait leurs progrès pour déterminer s'ils pouvaient passer au prochain niveau d'accomplissement. Quoique logées à l'écart de la vie économique courante de la communauté, les institutions d'apprentissage ne lui étaient pas étrangères. Enracinées dans une pratique religieuse, souvent placées dans un temple ou dans une mosquée, elles passaient aux yeux de tous pour absolument centrales à la vie de la communauté ; il faut donc les considérer, en un sens, comme « sur site » ou « contextuelles ». À l'exception des livres, il y avait peu de médiums de transmission : à l'exception des étudiants qui avaient le plus de succès, dont la participation aux discussions invoquait des talents logiques, les

intelligences présentes étaient les formes linguistiques et interpersonnelles qui sont toujours souveraines dans une société traditionnelle.
Ces formes d'apprentissage différaient des modes d'éducation traditionnels sans l'écrit par leur relative indifférence aux intelligences
spatiales et corporelles. Ainsi, les écoles religieuses traditionnelles ont
beau ne pas pouvoir être assimilées à l'apprentissage direct sur site
d'un barde yougoslave ou d'un marin Palau, leurs liens avec des institutions d'apprentissage moins formelles sont pourtant évidents.

Rabelais, plusieurs siècles après l'apogée de l'école traditionnelle
médiévale, a tourné en ridicule les aspects contraignants de cette
forme d'éducation. Il a décrit le grand docteur de théologie, maître
Tubal Holopherne, qui a réussi

> à rendre son élève de plus en plus stupide en le forçant à passer cinq ans
> sur l'alphabet jusqu'à ce qu'il puisse le réciter à l'envers, puis en l'atta-
> chant pendant treize ans, six mois et deux semaines aux pires des
> manuels médiévaux, jusqu'à ce qu'il les connaisse à l'envers, aussi, suivi
> de seize ans sur les grossiers compilateurs latins tardifs dont l'œuvre
> était tout ce dont disposaient les premiers barbares[20].

Francis Bacon, au début du XVIIe siècle, a déclaré que « la méthode
de découverte et de démonstration qui veut que l'on établisse d'abord
les principes les plus généraux, que l'on juge à leur aune les axiomes
intermédiaires et qu'on les prouve ainsi, est mère de l'erreur et de la
malédiction de toute science ». Pourtant, ces critiques sont injustes : la
scolarisation scolastique médiévale était à bien des égards appropriée
à la structure et aux buts de la société de l'époque et a permis une
transmission efficace de l'essentiel des talents et des connaissances.

Le déclin des écoles traditionnelles et l'essor de l'école laïque
moderne se sont d'abord produits en Occident, surtout en Angleterre
et en Allemagne. Le développement de la science moderne et son
acceptation progressive en Europe et en Amérique du Nord furent
d'une importance capitale. Les nombreuses autres transformations en
matière religieuse, politique, économique et sociale qui ont eu lieu
entre 1400 et 1800 sont si bien connues et ont si souvent été mention-
nées qu'il n'est pas nécessaire de les décrire encore. Mais dans leur
sillage est apparu un ensemble de citoyens ayant un plus grand besoin
d'éducation formelle et désirant se sacrifier afin que leurs enfants puissent recevoir cette éducation, plus orientée vers les sciences et vers la
technologie, et moins vers l'apprentissage des textes sacrés et la lecture
de la littérature classique. À la faveur des grandes révolutions indus-
trielles — la révolution des textiles et de la machinerie lourde au
XVIIIe siècle, la révolution de l'ingénierie chimique, électrique et sidérur-
gique au XIXe siècle, la révolution des ordinateurs et des techniques de
l'information au XXe siècle — le système éducatif a connu de nouveaux
changements. De nos jours, l'école moderne en Europe, aux États-

Unis, en Union soviétique, en Israël ou en Égypte, en Inde ou au Japon ressemble assez peu au modèle que je viens d'esquisser.

L'ÉCOLE LAÏQUE MODERNE

Caractéristiques. Qu'est-ce qui caractérise les écoles laïques — mode de transmission de la connaissance familier aux lecteurs de ce livre ? Tout d'abord, elles ne se sont plus centrées sur les textes religieux et traitent toute connaissance comme étant entièrement de leur ressort. Deuxièmement, elles ne sont plus exclusivement, ni même essentiellement, aux mains du clergé ; au contraire, elles ont donné naissance à un ensemble de fonctionnaires, d'enseignants employés par l'État, qui sont devenus les agents de l'instruction et qui ont été choisis sur la base de leurs références intellectuelles plutôt qu'en fonction de leur fibre morale. L'éducation commence : Érasme a recommandé qu'elle commence à trois ans. Certains auteurs sont même favorables à ce qu'elle débute encore plus tôt[21]. La famille contribue à l'éducation de toutes les manières possibles : l'usage de la langue vernaculaire, de formes d'expression simples et directes, de jeux, de devinettes et de livres spécialement écrits pour les enfants est accepté et s'est finalement répandu. On a permis aux femmes d'étudier et même d'enseigner. Enfin, les finalités globales de l'éducation ont changé. On lui attribue la mission d'encourager le travail productif et de développer la citoyenneté. Elle doit aussi stimuler le développement personnel et fournir des aptitudes à utiliser librement.

Bien sûr, les buts individuels diffèrent d'une société laïque à l'autre, et on peut discuter de leur réalisation effective. De plus, la frontière entre les écoles traditionnelles et laïques n'est pas si tranchée : toutes les écoles religieuses n'ont pas été, à strictement parler, religieuses, et de nombreuses écoles par ailleurs laïques conservent certains liens avec la religion. Mais il est indéniable que la plupart des écoles du monde industrialisé ont pris une forme laïque.

Ce glissement a eu un effet sur les intelligences, qui reste à étudier en détail. On peut toutefois risquer certaines remarques.

Pour commencer, l'importance relative de l'intelligence interpersonnelle a été réduite sur la scène éducative contemporaine : il est moins important que par le passé d'être sensible aux autres en tant que tels, d'être capable de tisser des liens étroits avec un unique mentor, d'être en mesure de s'entendre avec les autres, de décoder leurs signaux et de répondre de façon adaptée. En revanche, les talents intrapersonnels sont de mieux en mieux reconnus, et on doit surveiller ses réactions, planifier le cours de ses études et, en fait, toute sa vie. Certains talents purement linguistiques sont moins importants : les livres étant facilement disponibles, il est important de savoir lire rapidement et de prendre bien des notes, mais la mémorisation pure et la répétition sans critique ont diminué d'importance (et sont parfois mal vues). La combinaison des talents linguistiques et logiques est plutôt mise en avant et on attend de chacun qu'il manie l'abstraction, la synthèse et la critique des textes qu'il lit, et qu'il invente de nouveaux arguments et de nouvelles idées. Avec l'essor des ordinateurs et autres techniques contemporaines, le mot lui-même perd de l'importance : l'individu peut désormais exécuter une bonne partie de son travail en manipulant des symboles logiques et numériques. Les écoles traditionnelles ont remplacé les « méthodes directes » propres aux intelligences spatiales et corporelles en insistant sur le langage, tout en conservant beaucoup des aspects interpersonnels ; l'école moderne accorde de plus en plus de valeur à l'aptitude logico-mathématique et à certains aspects de l'intelligence linguistique, mais elle a aussi récemment découvert l'importance de l'intelligence intrapersonnelle. Le reste des capacités intellectuelles est pour l'essentiel réservé aux activités d'après la classe ou de récréation, à supposer qu'on s'en préoccupe vraiment. Les personnes qui vivent dans des sociétés scolarisées de façon traditionnelle ont souvent beaucoup de problèmes à s'intégrer à un système éducatif centré sur l'ordinateur.

Une adolescente qui programme. Accordons-nous une pause, le temps de considérer notre hypothétique étudiante parisienne en train de programmer une composition musicale sur son micro-ordinateur domestique. Cette activité implique que la société dans laquelle elle vit est hautement industrialisée et technologique, et que le niveau de vie soit assez élevé pour lui permettre d'acheter un équipement qui relevait de la science-fiction il y a une génération ou deux. Nul ne peut bâtir une société d'ordinateurs — ou un ordinateur — à partir de zéro.

Pourtant, notre étudiante peut progresser par elle-même, en interagissant très peu avec d'autres membres de sa culture. Si elle maîtrise les rudiments de la programmation, qui peuvent s'acquérir dans un manuel ou dans un cours succinct, elle est libre de se mettre à son terminal à son gré, d'acheter tous les logiciels qu'elle désire et de produire les morceaux de musique qui lui plaisent. Elle a la liberté de revoir, rejeter ou transformer ses compositions, de les partager avec d'autres ou de les réserver à son seul usage. Comme beaucoup de choses dépendent de son emploi du temps, de sa connaissance de ce qu'elle veut et de la meilleure manière de le réaliser, la connaissance intrapersonnelle joue un rôle central dans les activités qu'elle choisit et dans la valeur qu'elle leur accorde. (De même, elle a bien plus prise sur les décisions importantes de sa vie — métier, époux, lieu de résidence — que ses pairs formées au sein d'une culture religieuse traditionnelle.) En travaillant sur un ordinateur, elle recourt nécessairement plus à ses aptitudes logico-mathématiques que la plupart des individus dans la plupart des autres sociétés. Vivre dans une société informatisée implique aussi de combiner son intelligence logico-mathématique avec d'autres formes intellectuelles — le plus souvent linguistiques ; mais dans le cas de notre étudiante parisienne, l'intelligence logico-mathématique peut aussi être couplée avec la pensée musicale. On peut continuer à exercer d'autres capacités intellectuelles, comme les formes spatiales, kinesthésiques ou interpersonnelles ; mais cette activité demeure un choix personnel plutôt qu'un impératif social.

L'adolescente au travail sur son ordinateur personnel est un des extrêmes du continuum pédagogique. Le jeune qui vit dans une société traditionnelle et apprend à chasser, à planter ou à fabriquer un simple outil en est un autre. Notre musicienne est également éloignée de l'étudiant d'un *seder* ou d'une *madrasa* qui apprend un texte religieux. Pourtant, il est important de ne pas surestimer les différences entre les profils d'intelligence qui sont en faveur dans différents cadres scolaires. Il est certain que les relations interpersonnelles conservent leur importance dans certains contextes éducatifs modernes : par exemple, une bonne part de l'éducation universitaire, en sciences comme en lettres, se fonde sur la constitution des liens étroits entre le professeur et ses étudiants prometteurs[22]. Si des points forts intellectuels d'un type non personnel sous-tendent l'instauration de ce lien, leur conservation au cours d'une longue période constitue un élément important dans le succès que le futur collègue aura dans le champ qu'il a choisi. On doit souligner que presque toutes les sociétés dotées d'écoles laïques modernes ont essayé de préserver, d'une certaine manière, des aspects des écoles traditionnelles. Une société peut instituer un modèle d'éducation religieuse après la classe ou des « écoles du dimanche » en fin de semaine. Il y a souvent des écoles spéciales pour les études juives ou musulmanes que certains fréquentent en plus de leur école laïque. Au Japon, les professeurs cultivent souvent certaines valeurs traditionnelles dans les salles de classe, tandis que leurs étudiants fréquentent après l'école des *jukus* censés les préparer de façon laïque aux examens d'entrée à l'université. En Inde, les *patashalas* proposent un traitement laïc de nombreuses disciplines, tandis que les *gurukulas* sont un retour à une ère précédente. Et même dans l'Occident moderne, on voit se maintenir l'orientation classique des écoles traditionnelles antérieures dans le contexte plus scientifique des écoles laïques modernes[23]. Ainsi avons-nous des lycées pour les lettres et le latin à côté des lycées techniques, et des *Humanistische* à côté des *Technische Gymnasia*[24]. Et nous pouvons encore opposer les écoles élémentaires « terminales » censées garantir que les individus auront certains rudiments d'instruction avant de commencer leur métier d'ouvrier ou de fermier, aux écoles privées de l'élite où l'on continue à mettre l'accent sur des aspects de l'éducation classique, même si une certaine proportion d'individus est initiée au savoir et aux méthodes des sciences. Enfin, les innombrables activités optionnelles ou extra-scolaires offertes dans les pays développés assurent que toute la gamme des intelligences peut être cultivée, pourvu que l'on en ait le temps, le désir et les moyens financiers.

Critiques de la scolarisation. Les écoles laïques modernes s'étant imposées depuis de nombreuses années dans une grande partie de l'Occident, notre société a eu l'occasion de réfléchir sur cette institution, d'identifier ses faiblesses ainsi que ses points forts[25]. Nous avons ainsi pu évaluer ce qui a été perdu en généralisant la scolarisation et en acceptant sans discernement, au cours de ce siècle, l'école laïque moderne, qui privilégie certains usages de l'esprit et s'écarte des dimensions spirituelles et morales. Cet examen de conscience a donné naissance, ces vingt dernières années, à des attaques virulentes. Citons Ivan Illich, qui nous a appelés à « dé-scolariser la société » ; Paolo Freire, qui a protesté contre l'utilisation des écoles comme outils entre les mains de l'élite pour manipuler les gens opprimés ; Ronald Dore, qui condamne la fonction référentielle de la scolarisation de survaloriser les diplômes alors qu'il y a peu de travail pour les diplômés ; Ulric Neisser, qui critique les aptitudes scolaires surestimées dans les salles de classe ; Christopher Jencks (et d'autres observateurs américains), pour qui les écoles dans leur ensemble n'atteignent pas leur but, qui est d'aider les individus à réussir (le milieu social et la chance sont en fait plus importants) ; et des nostalgiques comme Michael Maccoby et Nancy Modiano qui déclarent[26] :

> Si un enfant de paysans n'a pas l'esprit émoussé par la vie de village, il fera l'expérience de l'unicité des événements, des objets et des gens. Mais au fur et à mesure de sa croissance, l'enfant de la ville peut finir par échanger une relation spontanée, moins aliénée avec le monde contre une vision plus sophistiquée qui se concentre sur l'utilisation, l'échange ou le catalogage. Tout ce que l'homme urbain industrialisé peut gagner en terme d'aptitude croissante à formuler, raisonner et coder des unités toujours plus innombrables d'information complexe dont il a besoin, il peut le perdre en matière de sensibilité aux gens et aux événements.

Toutefois, les écoles peuvent faire une différence positive dans la vie des enfants[27]. Si une école a assez de ressources, un directeur compétent, si elle décrète que l'enseignement doit être fait par des professeurs compétents et responsables, si elle adopte un système clair et équitable de récompenses et de punitions, les enfants apprendront plus, aimeront mieux l'école et ne tomberont pas dans la délinquance. C'est vrai même à New York ! Et pour les populations défavorisées, un programme de soutien précoce mis en œuvre dès les premières années peut avoir des effets positifs à long terme sur les attitudes et les succès des étudiants.

Je ne veux pas polémiquer avec les défenseurs ou les détracteurs de l'école. Ma grille d'analyse peut, au contraire, aider à identifier les caractéristiques de l'école moderne et les conséquences, plus ou moins délibérées, qu'elles peuvent avoir. On comprend les prises de position des partisans des intelligences spatiales, corporelles ou musicales, ainsi que de ceux qui privilégient les aspects interpersonnels de la vie. L'école laïque moderne a négligé ces aspects. En revanche, les observateurs qui sont favorables au développement des intelligences logico-mathématique et intrapersonnelle et à un système méritocratique plutôt qu'à l'évaluation différenciée des qualités de chacun trouvent davantage de raisons d'admirer l'école moderne. Pourtant, il convient de noter que, parmi les facteurs qui contribuent à l'efficacité des écoles, on compte les qualités personnelles du directeur et des professeurs. Même si on nous promet un ordinateur sur chaque bureau (... et à leur place), ces professionnels ne peuvent être remplacés, du moins pas encore.

Si les effets réels et l'efficacité des écoles modernes peuvent (et continueront longtemps d'être) discutés, l'impact global de la scolarisation d'une société (par opposition à une société dépourvue d'une éducation formelle) est rarement matière à dispute. Presque tous les observateurs trouvent évident que l'assiduité à l'école pendant plusieurs années produit un individu — et en fin de compte une collectivité — très différent de ceux qui n'ont pas suivi de scolarisation formelle[28]. Il y a, bien sûr, des différences entre les écoles traditionnelles et les écoles laïques modernes : mais selon ma théorie, on peut considérer qu'une société dont l'école est traditionnelle est une étape intermédiaire entre une société sans scolarisation formelle et une société dominée par les écoles laïques modernes[29].

Trois caractères de l'éducation moderne

Quel que soit son mode favori de transmission de la connaissance, presque toute société dans le monde contemporain doit s'efforcer de réussir au sens qui prévaut dans le monde moderne « industrialisé » ou « développé ». Seules quelques sociétés, critiques à l'égard des modèles européens, américains ou japonais, ont été en mesure de tourner le dos aux systèmes éducatifs de ces sociétés modernes et de se contenter de leurs formes traditionnelles de transmission de la connaissance[30].

Soucieux de prendre des décisions réfléchies, les responsables de l'éducation ont cherché à mieux comprendre les effets et les conséquences des principaux caractères de l'éducation dans le monde développé — l'inscription dans une école laïque, l'acquisition de la lecture et de l'écriture et la maîtrise de la méthode scientifique. Chacun de ces secteurs est important, et aucun n'est encore bien compris. De plus, ils sont liés l'un avec l'autre : la plupart des écoles contemporaines dans le monde développé enseignent plusieurs types d'écritures ainsi que la pensée scientifique. On ne peut donc débrouiller les effets de chacun et déterminer la manière dont ils interagissent. Néanmoins, étant donné l'importance de ces facteurs, il convient de considérer ce que l'on sait de chaque forme, prise aussi isolément que possible, et de voir si ses caractéristiques peuvent être élucidées par la grille que j'ai proposée plus haut.

SCOLARISATION

On s'accorde pour dire qu'en dehors de l'école, les enfants apprennent par l'observation et la participation. En revanche, dans une salle de classe standard, les professeurs parlent, utilisent souvent une forme symbolique abstraite et s'appuient sur des médiums inanimés comme les livres et les diagrammes afin de transmettre l'information. La scolarisation traite généralement d'une matière qu'il n'est facile ni de voir ni de toucher, les modes sensoriels d'acquisition de l'information semblant singulièrement inadaptés à la plupart des tâches scolaires (à l'exception de l'acte visuel de lire). Les enfants doués à l'école sont habitués à se voir présenter des problèmes et des tâches souvent hors contexte et admettent leurs impératifs souvent arbitraires. Les enfants apprennent à chercher des indices, à imaginer des étapes et des stratégies et à s'enquérir avec ténacité de réponses qu'ils ne connaissent pas. Certains des talents appris à l'école sont d'ordre général : une fois que l'on sait lire, on peut lire un livre sur n'importe quel sujet ; une fois que l'on peut écrire, on peut écrire sur n'importe quel sujet ; l'aptitude à calculer, à lire des diagrammes, etc. est également passe-partout. En effet, il se peut très bien que disposer de systèmes de notation soit un instrument de survie capital inculqué à l'école.

Michael Cole et Roy D'andrade ont examiné de nombreuses études et ont mis en lumière les conséquences que l'on peut normalement attendre à la suite d'années de scolarisation. Ceux qui sont régulièrement allés à l'école réussissent mieux que ceux qui n'y sont pas allés dans les tâches qui privilégient le langage lui-même, qui exigent des stratégies de traitement de l'information spécialisées, ou bien où l'on doit spontanément utiliser certains systèmes de classification taxinomiques (mettre ensemble des objets qui appartiennent à la même classe supérieure). Inversement, on observe en général peu de différence, sinon pas du tout, entre des populations scolarisées ou non dans l'exécution de tâches où les matériaux sont familiers, où le type de relations que l'on recherche est fonctionnel ou bien où les modes de classification souhaités sont modelés dans une situation familière non menaçante. De telles découvertes mettent en évidence l'efficacité de l'école pour ce qui est d'attirer l'attention sur le langage et d'enseigner aux élèves à classer d'une certaine manière et à utiliser certaines approches informationnelles. On peut toujours former les talents qui manquent, même chez les enfants non scolarisés, mais il est important d'insister sur le fait qu'ils ne surviennent pas spontanément et que, pour qu'ils apparaissent, les tâches dont se préoccupent d'habitude les enquêteurs expérimentateurs ne suffisent pas.

Selon ma théorie, la scolarisation implique donc un nouveau site d'apprentissage (en dehors du contexte habituel où les talents se déploient pour un travail productif), avec des agents de transmission spécialisés et d'innombrables médiums de transmission qui ne se trouvent généralement pas dans un environnement non scolarisé. Cette combinaison développe des talents mentaux difficiles à acquérir quand la transmission de la connaissance a lieu seulement dans un contexte non médiatisé, sur site. Il se peut qu'un usage plus sophistiqué et plus conscient du langage soit un sous-produit de la scolarisation, de même qu'un nouvel ensemble d'écritures accompagne souvent l'engagement dans le raisonnement logique. Les formes de connaissance personnelles différeront d'un type d'école à l'autre, mais les formes de savoir spatiales, kinesthésiques et musicales n'auront en général qu'un statut accidentel ou optionnel. Les différences entre les écoles dépendront essentiellement de leurs liens avec le modèle religieux traditionnel — où les formes linguistiques et interpersonnelles jouent un rôle de premier plan — ou de leur attirance pour le pôle laïc moderne — où il se trouve que les formes d'intelligence logico-mathématiques et intra-personnelles servent plus les buts du système. Il faut souligner que certaines sociétés, comme le Japon, font des efforts pour encourager la connaissance interpersonnelle au sein du cadre scolaire formel. Par ailleurs, dans certaines écoles strictement traditionnelles, comme l'école coranique qui valorise uniquement la lecture et l'écriture, certaines des révolutions cognitives associées à la scolarisation laïque ne peuvent pas se produire.

LA LECTURE ET L'ÉCRITURE

Venons-en à des discussions sur un ensemble d'aptitudes différentes de celles qui précèdent, mais certainement liées. Comme la scolarisation, l'apprentissage de la lecture et de l'écriture encourage une attention au langage nouvelle et, sous de nombreux aspects, plus réflexive. Dans une société qui ne dispose pas de l'écriture, le langage tend à devenir invisible : tout ce qui est relevé, ce sont les effets de ce qui a été dit. En revanche, dans une société où règne l'écriture, l'individu devient conscient qu'il existe des éléments comme les mots qui se combinent de façon correcte (grammaire) et que ces éléments linguistiques peuvent même se référer à eux-mêmes (métalangage). Les individus apprennent qu'il est possible d'énoncer ce que l'on pense avec précision et sans ambiguïté, d'enregistrer très exactement ce qui a été dit et de distinguer entre ce qui peut avoir été signifié (« Passe-moi le sel ») et ce qui a été dit en réalité (« Pourriez-vous me passer le sel »). Les personnes qui savent lire et écrire sont en mesure de se mettre facilement en rapport les unes avec les autres d'une manière autre que par un face à face direct ; elles peuvent même en venir à connaître quelqu'un qu'elles n'ont jamais rencontré et, si une correspondance épistolaire est possible, à établir une relation avec cet individu. Les relations interpersonnelles peuvent prendre une saveur nouvelle, jusqu'alors presque inconcevable[31].

Il se peut qu'au moins dans certains contextes, l'aptitude à lire et à écrire favorise une forme de pensée plus abstraite, car elle rend capable de définir les termes avec précision, de se référer à des faits et à des définitions qui ont été présentés quelque temps auparavant et de construire une argumentation logique et convaincante. La capacité à employer différentes notations symboliques permet à chacun d'augmenter sa mémoire, d'organiser ses activités futures et de communiquer à un moment donné avec un nombre indéfini d'individus (l'ensemble de tous les lecteurs potentiels).

La maîtrise de différents systèmes d'écriture — par exemple, lire des partitions de musique, des démonstrations mathématiques ou des diagrammes compliqués — introduit à un corpus de connaissances naguère inaccessibles et permet de contribuer à le renouveler. L'apprentissage de la lecture et de l'écriture peut aussi avoir des conséquences sociales profondes : non content de se placer lui-même en position de force par rapport à ses contemporains analphabètes, l'individu qui sait écrire peut aussi acquérir la réputation d'être un certain type de personne. Par exemple, s'il enregistre de façon fiable des transactions publiques et les utilise judicieusement, il peut devenir un « honnête courtier d'assurance » ou bien juger du comportement des autres individus. Comment s'étonner si l'on observe souvent les dirigeants de sociétés qui ne disposent pas de l'écriture feindre de savoir lire et écrire dès qu'ils prennent conscience de ces deux modalités[32] !

De même que Michael Cole et ses collaborateurs nous ont aidés à comprendre les effets (et les limites) des années passées à l'école, ils ont récemment accru sur le plan matériel notre compréhension des implications de la lecture et de l'écriture. Tirant profit d'une expérience unique dans une culture, Cole, Sylvia Scribner et leurs collaborateurs ont consacré plusieurs années à étudier un groupe d'individus, les Vaï au Liberia. Cette population est singulière parce que certains habitants savent lire et écrire seulement l'anglais, certains seulement l'arabe (grâce à l'étude du Coran) et environ 20 % des hommes Vaï ont appris une écriture spéciale limitée à leur région géographique : un syllabaire imaginé au XIXe siècle essentiellement pour écrire des lettres et conserver des archives personnelles. Utilisée pour ces objectifs précieux, l'écriture Vaï n'a aucun contact avec le savoir nouveau ni ne prend acte de l'information scientifique, philosophique ou littéraire.

L'équipe de Cole a constaté qu'atteindre même un haut degré d'instruction dans un de ces systèmes n'a pas en soi des conséquences cognitives étendues[33]. De fait, c'est la présence à l'école, plutôt que l'apprentissage de la lecture et de l'écriture *per se*, qui produit la plupart des différences précitées en matière de résolution de problème, de talent à classifier et à analyser et même de la sensibilité au langage qui peut sembler une partie essentielle de l'immersion dans la lecture et l'écriture. La maîtrise de chaque écriture favorise, en revanche, l'augmentation de certains talents qui sont une partie intégrante de la pratique de chacun de ces systèmes particuliers. Ainsi, les lettrés en vai se révèlent meilleurs que d'autres individus pour intégrer des syllabes dans des unités linguistiques chargées de sens ; les lettrés en arabe ont une aptitude sélective à se rappeler une chaîne de mots (comme ils doivent le faire pour apprendre le Coran), mais ils ne sont pas remarquables par ailleurs. Selon cette analyse, il ne faut pas considérer la lecture et l'écriture comme une panacée à différentes défaillances cognitives, mais plutôt comme un ensemble de talents cognitifs spécifiques qui peuvent avoir une certaine généralité, mais qui ne modifient aucunement une conception du monde. C'est dans le contexte de la scolarisation que l'apprentissage de la lecture et de l'écriture transforme une large famille d'opérations linguistiques et cognitives.

Nous voyons donc qu'un talent particulier de forme linguistique n'a pas nécessairement les effets révolutionnaires qui l'entourent d'habitude dans le contexte scolaire. En cohérence avec la théorie de ce livre, l'utilisation particulière de l'intelligence linguistique ne crée pas forcément d'autres atouts intellectuels. En vérité, il est probable qu'un intérêt général pour l'écrit et les notations produise un individu à la fois conscient des possibilités de recoder l'information et habile à acquérir des types d'écritures supplémentaires (par exemple, de nouveaux langages de programmation pour l'ordinateur). De plus, comme l'apprentissage de la lecture et de l'écriture a lieu d'habitude dans un cadre scolarisé, il permet à l'individu de maîtriser beaucoup d'informations supplémentaires dans un cadre hors contexte. En un sens, lire ouvre au monde. Mais l'étude de Scribner et Cole nous rappelle que nous devons prendre des précautions avant d'affirmer que toute forme nouvelle d'éducation a nécessairement de grandes conséquences. Et en effet, si l'on considère les différences importantes entre une école de brousse et une école religieuse traditionnelle, ou entre une école religieuse traditionnelle et une école laïque moderne, il semble clair que le type d'école produit une différence intellectuelle tout aussi importante que la scolarisation elle-même.

LA SCIENCE

À notre époque, le prétendant principal à la modification des conceptions du monde est notre troisième facteur — la science, un corpus de procédures et de découvertes apparu à la Renaissance, et ses répercussions qui ont produit une bonne part des plus importantes innovations de notre époque. L'adoption des mesures scientifiques et technologiques a rendu possible une abondance sans précédent (ainsi que d'innombrables bouleversements physiques et sociaux imprévisibles) : aucun coin du globe n'a échappé à ses effets ou à sa séduction.

Dans une méthode scientifique, au moins deux aspects travaillent main dans la main. D'un côté, nous trouvons l'intérêt à rassembler des faits, le désir d'être objectivement empirique et d'en apprendre le plus possible sur une matière, en même temps que la volonté (ou même l'empressement à le faire) de changer son esprit à la lumière de faits nouveaux. En complément à cet aspect descriptif de la science, on note l'édification d'une superstructure explicative — une grille théorique qui explique la nature des objets et des forces, les relations qu'ils entretiennent, comment ils se produisent, ce qui peut les changer et sous quelles conditions de tels changements prennent probablement place. La structure théorique dépend du raisonnement : raisonnement déductif, où l'on tire des conséquences d'hypothèses générales ; et raisonnement inductif, où des principes généraux proviennent de l'examen de cas individuels. Ces éléments ont existé dans une certaine mesure pendant l'Antiquité (certainement dans les parages d'Aristote) et aussi dans d'autres coins du monde depuis très longtemps, mais cela a été le génie particulier de la culture européenne après le Moyen Âge de les avoir rassemblés dans une « synthèse scientifique » dont les résultats ont déjà été de grande ampleur et dont les effets ultimes sont incalculables.

Une bonne part de la discussion qui porte sur les différences entre l'esprit moderne et l'esprit « traditionnel », « pré-lettré » ou « primitif » porte sur le rôle de la pensée scientifique. Des autorités comme Claude Lévi-Strauss ont soutenu que l'esprit traditionnel n'est pas fondamentalement différent de l'esprit moderne : il utilise les mêmes opérations, quoiqu'il les applique à des matériaux différents[34]. De fait, il vaut mieux considérer la science primitive comme une science du concret, dont on peut voir les opérations à l'œuvre quand des individus classent des objets ou tissent des explications mythiques. D'autres observateurs qui sont favorables aux formes de pensée pré-modernes ont critiqué la science occidentale en ce qu'elle donne naissance à l'ethnocentrisme dans notre manière de donner couramment sens au monde, qu'ils voient simplement comme une des innombrables conceptions du monde équivalentes.

D'un autre côté, des autorités comme Robin Horton ont défendu l'idée que, s'il est vrai que les formes de pensée scientifiques d'une part, et non scientifiques ou préscientifiques de l'autre, s'efforcent les unes et les autres d'expliquer le monde, elles n'en restent pas moins fondamentalement différentes[35]. De manière spécifique, dans ses efforts pour expliquer le monde, l'esprit scientifique suppose de poser des hypothèses, de stipuler les conditions sous lesquelles une hypothèse peut être rejetée et, si jamais une hypothèse devait être réfutée, de vouloir l'abandonner et d'en concevoir une nouvelle. Partant, le système est par nature ouvert au changement. L'esprit pré-moderne ou non scientifique dispose de tous les processus de pensée de l'esprit scientifique, mais le système au sein duquel il travaille est essentiellement clos : toutes les prémisses ayant déjà été établies à l'avance, toutes les inférences doivent en découler, et le système explicatif n'est pas modifié à la lumière d'une nouvelle information qui arrive. Comme je l'ai dit dans ma discussion sur l'éducation religieuse traditionnelle, on mobilise simplement ses pouvoirs rhétoriques pour fournir des justifications toujours plus ingénieuses à des conclusions, à des conceptions du monde, qui sont déjà connues à l'avance et de toute éternité.

Même si l'on accepte (ce que beaucoup ne font pas) cette différence entre les pensées scientifique et non scientifique, il est important de ne pas en exagérer le caractère envahissant ou décisif. Pour ce qui est des matières cosmiques, il se peut que les individus des sociétés non scientifiques raisonnent dans un système clos ; pourtant, il semble beaucoup moins probable qu'ils adoptent ce mode de raisonnement pour les problèmes de tous les jours[36]. Ils ne peuvent survivre à moins d'utiliser une méthode essentiellement expérimentale pour la vie quotidienne — par exemple, ils rejettent un aliment qui rend malade. Pareillement, même si les scientifiques occidentaux emploient effectivement une méthode de raisonnement qui leur a permis de construire les structures en perpétuelle évolution de la science, on ne peut guère soutenir qu'ils restent, pour leur vie, exempts des aspects en système clos de la pensée. En plus de croyances superstitieuses, mystiques ou religieuses quelles qu'elles soient, nous sommes nombreux à avoir un attachement inébranlable à une foi d'ensemble dans la science qui peut être vue comme une sorte de mythe, que les scientifiques hésitent à abandonner autant que nos frères non scientifiques répugnent à renoncer à leurs systèmes poético-mythiques[37].

La pensée scientifique a beau conduire à une conception du monde différente, fondamentalement étrangère et même incommensurable aux conceptions non scientifiques du monde, elle ne crée pas nécessairement une nouvelle forme d'intelligence. Je pense plutôt que le scientifique se caractérise par sa volonté d'utiliser les modes de pensée linguistiques et logico-mathématiques dans des secteurs où ils n'ont ordinairement pas été utilisés (par exemple, imaginer de nouveaux systèmes de notation ou poser des théories que l'on peut tester), et de les combiner avec une observation soigneuse d'un genre généralement nouveau. Différemment organisées, les composantes de la méthode scientifique ont existé depuis des milliers d'années, dans un grand nombre de sociétés allant de la Chine ancienne à la Grèce antique et à la société musulmane médiévale. Le génie de la science moderne a été de combiner d'une manière nouvelle ces approches sensorielles, logiques et linguistiques et de les dissocier des formes personnelles et religieuses du savoir dans lesquelles elles avaient été noyées jusqu'alors.

De même qu'il est possible de savoir lire et écrire sans éprouver les effets de la scolarisation, il est possible d'avoir une scolarisation sans éprouver les effets de la science. En effet, les écoles informelles de la société sans écriture et les écoles traditionnelles de la société qui dispose de l'écriture ont toutes deux existé depuis de nombreuses années sans aucune implication dans le monde scientifique. Il est même possible de trouver une pensée logico-mathématique au sein du cadre scolaire traditionnel : dans de tels cas, on se harnache d'aptitudes linguistiques et logico-mathématiques sophistiquées afin de justifier certaines conclusions prédéterminées. Ce qui distingue la science contemporaine, qu'elle soit ou non pratiquée dans un cadre scolarisé, c'est l'utilisation particulière qu'elle fait de la pensée logico-mathématique afin de mener une investigation systématique des nouvelles possibilités, de développer des charpentes explicatives neuves, de les tester et ensuite de les réviser ou de les saborder à la lumière des résultats. Il se peut que les liens interpersonnels soient importants dans la maîtrise de la méthode scientifique — en particulier pour qui veut collaborer avec d'autres chercheurs ; mais en pratique, une bonne part du travail scientifique implique l'immersion dans ses propres processus de pensée et l'accomplissement de son propre ensemble de buts, allant du développement d'un programme informatique particulier à une explication scientifique entièrement nouvelle. Ces activités exploitent les formes de compréhension intrapersonnelles plutôt que les formes interpersonnelles. En somme, si la pensée scientifique ne comporte pas en soi une nouvelle forme d'intelligence, elle représente une combinaison d'intelligences qui n'a pas été utilisée jusqu'à présent de cette manière particulière. Cette forme de pensée n'est possible que dans des cadres qui ont certains buts et certaines valeurs — témoin le combat de Galilée contre l'Église ou celui des scientifiques contemporains dans les sociétés totalitaires. Comme la scolarisation et l'apprentissage de la lecture et de l'écriture, la science est une invention sociale, et les intelligences humaines ne peuvent être mises à son service que si la société a la volonté d'en accepter les conséquences.

Retour sur nos exemples

J'ai examiné dans ce chapitre, de façon schématique, un grand nombre de tendances. J'ai observé que l'effet d'une transition des formes « directes » de connaissance à des formes informelles de scolarisation, d'une transition d'une scolarisation informelle à une scolarisation traditionnelle et des écoles traditionnelles aux écoles modernes, a été de minimiser continuellement les formes de connaissance corporelles, spatiales et interpersonnelles — d'abord en faveur des formes linguistiques et ensuite, progressivement, en faveur des formes de pensée logico-mathématiques et intrapersonnelles.

Ce glissement d'accent est évident quand on considère les talents utilisés par nos trois étudiants hypothétiques. Le marin Palau s'appuie essentiellement sur ses capacités corporelles et spatiales : les aptitudes linguistiques ont de l'importance à un moment du processus d'apprentissage, tandis que les capacités logico-mathématiques sont à peine cotées. Le jeune Palau et l'adolescent iranien sont tous deux immergés dans une situation interpersonnelle : à chaque fois, la relation entre le jeune et les aînés qui l'instruiront joue un grand rôle dans le succès de la rencontre éducative. Mais là où le jeune Palau apprend essentiellement dans le contexte « naturel » de la navigation, le jeune Iranien maîtrise un corpus de connaissances moins transparent dans un cadre éloigné de toute activité quotidienne significative. Il est donc plus nettement renvoyé à ses capacités linguistiques, qui doivent inclure non seulement des talents de mémoire verbale (le par cœur), mais aussi l'aptitude à « décrypter le code » de la langue arabe.

Un gouffre tout aussi grand sépare le jeune Iranien de la compositrice parisienne devant son terminal informatique. S'il se peut qu'elle ait acquis dans un cadre interpersonnel les talents nécessaires pour maîtriser la musique et l'informatique, cette adolescente travaille principalement seule : elle doit fonctionner de façon très solitaire pour atteindre son but. Ainsi ce type de maîtrise met-il beaucoup plus l'accent sur la nécessité qu'il y a à cultiver une intelligence intrapersonnelle et une conscience de soi autonomes. Bien plus que ses jeunes homologues des autres parties du monde, elle doit aussi s'appuyer sur ses talents logico-mathématiques : la réussite de l'écriture d'un programme dépend des aptitudes cultivées dans les sphères numériques et déductives. Bien sûr, en tant que compositrice, elle a aussi affaire à des éléments musicaux — en effet, ils seront au centre de ses travaux. Si elle était impliquée dans des dessins vidéo ou dans un raisonnement spatial, elle s'appuierait encore sur d'autres formes d'intelligence. En vertu de son travail sur ordinateur, cette jeune fille doit inévitablement gérer aussi des codes linguistiques : mais comme elle a différents manuels à sa disposition, elle n'a pas besoin de s'appuyer sur cette mémorisation extensive si précieuse pour le jeune Iranien et le jeune Palau. Une fois qu'elle a appris à lire, ce talent peut servir à l'aider à acquérir les formes requises de connaissance logique et mathématique.

Bien sûr, en dehors de ces cadres d'apprentissage particuliers, ces individus conservent la faculté d'utiliser un éventail d'intelligences bien plus large, et il n'y a aucune raison de penser qu'ils ne le font pas. La vie est plus que le déploiement de combinaisons d'intelligences particulières à des fins éducatives spécifiques. Je dois aussi souligner que ces intelligences ne sont pas exclusives l'une de l'autre. Cultiver une intelligence n'interdit pas d'acquérir les autres : certains individus (et certaines cultures) peuvent développer plusieurs intelligences dans une vive mesure, tandis que d'autres peuvent n'en mettre qu'une ou deux en vedette. On ne doit pas penser que les intelligences se développent à partir de zéro : on ne doit pas non plus voir la théorie des intelligences multiples sur un modèle hydraulique, où l'accroissement d'une intelligence emporterait nécessairement le décroissement d'une autre. Pourtant, sur une base statistique, il semble raisonnable d'émettre l'hypothèse que différents individus — et différentes cultures — font des paris différents sur le déploiement des intelligences.

Il est possible d'interpréter la transition du marin à l'élève coranique et à la programmatrice sur ordinateur comme une ligne de progrès ; et en effet, selon la perspective de l'expérience occidentale, l'aptitude d'un individu à créer des œuvres d'art sur ordinateur peut être vue comme le couronnement d'une réussite. Mais il est tout aussi possible de considérer cette série d'épisodes comme une dévaluation systématique de certaines formes d'intelligence, comme l'intelligence interpersonnelle, spatiale ou corporelle, et la destruction de certaines capacités linguistiques importantes. Une autorité aussi considérable que Socrate a déclaré (eu égard à l'arrivée de l'écriture) [38] :

> Car cette invention développera l'oubli dans les âmes de ceux qui l'auront acquise, et ils négligeront la mémoire, dans la mesure où, se fiant à l'écrit, c'est du dehors, par des caractères étrangers, et non du dedans, et grâce à l'effort personnel, qu'on se rappellera ses souvenirs.

L'invention de différents instruments technologiques peut, paradoxalement, produire un individu moins bien préparé à compter sur ses propres aptitudes. Et le déroulement historique dont le monde occidental est témoin n'est certainement pas le seul concevable, et il est très probable que ce ne soit pas le meilleur.

Peut-être le passage d'un mode de pensée préscientifique à un mode scientifique, de l'apprentissage par observation à la scolarisation et de l'absence de la maîtrise de la lecture et de l'écriture à sa présence s'est-il produit en douceur dans le monde occidental et dans d'autres régions. L'histoire de l'Occident n'est pas une saga universelle, et ce serait une grave erreur que d'affirmer qu'elle devrait l'être. De mon point de vue, bien des aspects problématiques de la modernisation résultent de la tentative hasardeuse d'appliquer le modèle et l'histoire de l'Occident à des traditions étrangères, qui avaient une histoire différente, des traditions éducatives différentes et des mélanges favoris d'intelligence différents. Savoir équilibrer ces différents facteurs pour produire des systèmes éducatifs efficaces est délicat et je ne suis pas sûr de pouvoir apporter des réponses. Pourtant, dans mon chapitre de conclusion, je voudrais proposer certaines hypothèses quant à la manière dont ma grille théorique peut contribuer à un tel effort.

CHAPITRE 13

La théorie des intelligences appliquée

L'intelligence est à la mode

En avril 1980, j'ai visité au Japon le Centre Suzuki d'éducation des talents de Matsumoto[1]. J'y ai rencontré les responsables du programme et j'ai écouté un concert de jeunes gens inscrits dans les différentes classes du Centre. Les résultats étaient tout bonnement incroyables : des enfants de sept ou huit ans seulement jouaient des mouvements de concerto pour violon tirés du répertoire classique ; un préadolescent jouait un morceau virtuose de l'époque romantique ; des enfants à peine en âge de tenir un violon jouaient à l'unisson un certain nombre de morceaux qu'en Occident, des écoliers plus âgés auraient été fiers de dominer. Les jeunes jouaient avec du style, du goût et une grande précision : il était clair qu'ils prenaient du plaisir et qu'ils donnaient du plaisir à leur auditoire — essentiellement les mères des exécutants — qui se penchaient passionnément en avant de peur de perdre le moindre coup d'archet. Et le seul à sembler embarrassé était un talentueux violoncelliste de peut-être onze ans — dont le morceau avait été vigoureusement — mais sans méchanceté — critiqué par un professeur de violoncelle venu d'Europe.

Il est clair que si j'avais simplement entendu un des enfants en âge préscolaire du Centre Suzuki jouer de son instrument caché derrière un rideau, j'aurais pensé qu'il était beaucoup plus âgé. Et j'aurais probablement conclu que c'était un prodige (ou que c'était une supercherie) si l'on m'avait dit qu'il avait seulement trois ou quatre ans. J'aurais probablement attribué à son hérédité ce qui est, en réalité, un talent nourri par une habile intervention pédagogique. D'un autre côté, je pense qu'il serait tout aussi erroné de conclure que les facteurs génétiques ne jouent aucun rôle dans la précocité musicale. Si j'avais eu la possibilité d'écouter le jeune Mozart ou bien un enfant autiste en mesure de chanter une centaine de mélodies, j'aurais très probablement conclu à une forte inclination héréditaire.

Dans ce livre, je me suis efforcé d'éviter d'opposer les facteurs génétiques aux facteurs culturels. Les sociologues ont besoin d'une théorie qui, tout en prenant en considération la prédisposition génétique et les facteurs neurobiologiques, admette le rôle formateur de l'environnement. Même si les enfants inscrits au Centre Suzuki sont, dans une certaine mesure, issus de familles douées pour la musique, il est clair qu'ils atteignent un niveau élevé pour leur jeune âge grâce à l'ingéniosité du programme et au dévouement manifeste de leurs parents. Leur niveau est encore meilleur plus tard. Dans ce chapitre, je voudrais montrer comment la théorie des intelligences multiples peut aider à mieux comprendre pourquoi les différents programmes destinés à aider chacun à réaliser son potentiel sont efficaces — ou inefficaces. Et pour conclure, je partirai de la grille présentée au chapitre 12 et j'avancerai certains principes qui peuvent aider les responsables pédagogiques et les politiques à concevoir des interventions plus efficaces.

En comparaison de ce qui se passait il y a cent ou même trente ans, il est beaucoup plus à la mode de parler du développement de l'intelligence, de la réalisation du potentiel humain et du rôle de l'éducation. Ces sujets ont été explorés non seulement par les groupes de pression habituels, mais aussi par des institutions aussi inattendues que les banques pour le développement économique et les gouvernements nationaux. À tort ou à raison, on est désormais convaincu que le progrès humain, le succès et le bonheur sont étroitement liés à une meilleure éducation de masse. À mon sens, cela renforce l'utilité de la psychologie et de la pédagogie. Il est fort peu probable qu'elles auront à nouveau, avant quelque temps, pareille occasion.

À juste titre, la Banque mondiale conteste le bien-fondé du financement exclusif de l'agriculture et de la technologie. En ses lieu et place, elle en appelle à un investissement dans le développement humain[2] et l'éducation. En 1980, Robert S. McNamara, alors président de la banque, a déclaré[3] : « Il est clair que le développement n'est pas un progrès économique mesuré en terme de produit national brut. C'est beaucoup plus fondamental : c'est essentiellement le développement humain, qui est la réalisation par les individus de leur propre potentiel. » Il a souligné que le développement humain — qu'il a défini comme l'amélioration au niveau local de l'éducation, de la santé, de l'alimentation et du planning familial — favorise la croissance économique aussi efficacement que l'investissement de capital dans des projets matériels. Dans *Apprendre pour être*, prestigieux rapport de l'UNESCO de 1972, Edgar Faure déclarait de manière provocatrice[4] : « Le cerveau humain a un potentiel très largement inutilisé, que cer-

taines autorités ont évalué — plus ou moins arbitrairement — à 90 %. »
La mission de l'éducation, c'est de réaliser ce potentiel inutilisé.

En accord avec ces opinions, le Club de Rome, « boîte à idées »
internationale, a commandé un rapport sur la contribution de l'éducation et de l'apprentissage dans le monde d'aujourd'hui et de demain.
Le président du Club, Aurelio Peccei, a déclaré[5] :

> Nous ne pouvons trouver qu'en nous-mêmes tout remède aux lacunes de
> l'homme et toute garantie pour son avenir. Ce dont nous avons besoin
> est pour chacun d'entre nous d'*apprendre* (les italiques sont de Pearce) à
> réveiller notre potentiel endormi et à l'utiliser dès maintenant de façon
> réfléchie et intelligente.

Les auteurs du rapport, intitulé *Pas de limites dans l'apprentissage,*
s'accordèrent pour dire que « pour ce qui est de la pratique, il apparaît
qu'il n'y a virtuellement pas de limites à l'apprentissage[6] ». Au moment
de choisir des moyens de combler les lacunes et de résoudre les problèmes qui harcèlent les sociétés contemporaines, ils ont recommandé
l'apprentissage novateur : un apprentissage du second ordre dans lequel
les individus planifient de conserve le type de monde qui va vraisemblablement se développer dans l'avenir et organisent des actions
communes pour exploiter les occasions et éviter les désastres. Et ils
écrivent[7] :

> L'apprentissage novateur signifie formulation et regroupement de problèmes. Ses attributs principaux sont l'intégration, la synthèse et
> l'élargissement des horizons. Il procède dans des situations [...] ouvertes
> ou dans des systèmes ouverts. Il tire sa signification de la dissonance
> entre contextes. Il conduit à un questionnement critique des affirmations
> conventionnelles contenues dans les pensées et les actions traditionnelles et se concentre sur les changements nécessaires. Ses valeurs ne
> sont pas constantes, mais plutôt en évolution. L'apprentissage novateur
> fait avancer notre pensée en reconstruisant des ensembles, et non pas
> en fragmentant la réalité.

Le ton de ce passage reflète précisément la coloration de l'étude
dans son ensemble. Inspiré et lyrique, le rapport du Club de Rome
invoque une capacité qui serait utile pour le développement conjoint
des individus et des sociétés. Il contient toutefois peu de propositions
concrètes sur la manière de le développer et sur les possibles
contraintes biologiques et culturelles qui empêcheraient d'adopter
cette orientation éclairée, généreuse et progressiste sur des problèmes
particuliers. Le rapport reste embourbé dans les généralités.

Beaucoup moins circonspecte est la plate-forme étonnante que
défend Luis Alberto Machado, homme politique vénézuélien, le
premier et le seul (pour autant que j'en sois informé) ministre du Développement de l'intelligence humaine au monde[8]. Pour lui, tout être

humain a le potentiel pour devenir intelligent. Considérons certaines de ses déclarations :

> Nous avons tous les mêmes potentialités qui s'incarnent tout au long de la vie de différentes manières selon l'existence de chacun.
> L'homme est doué de possibilités illimitées, qui se matérialisent à travers l'apprentissage et l'enseignement.
> Einstein apprit l'intelligence de la même manière qu'une personne apprend à jouer du piano « d'oreille ».
> Un gouvernement devrait donc être l'enseignant de l'intelligence.
> Le développement de l'intelligence de l'homme lui permet de diriger rationnellement l'évolution biologique de sa propre espèce et d'éradiquer le hasard et la nécessité de l'ensemble du processus de cette évolution.
> L'intelligence libre de chaque homme est aussi à l'image et à la ressemblance de l'intelligence de Dieu.

Partant de cette analyse optimiste de la capacité des êtres humains à devenir géniaux (je cite Machado), lui et ses collaborateurs se sont engagés dans un programme ambitieux pour élever l'intelligence dans la population vénézuélienne[9].

> Nous autres [Vénézuéliens], nous allons complètement transformer notre système éducatif. Nous allons apprendre comment développer l'intelligence chaque jour, du jardin d'enfants au collège, et nous allons apprendre aux parents, et surtout aux mères, le moyen d'instruire leurs enfants dès leur naissance, et même avant, de développer toutes les capacités. Ainsi offrirons-nous à notre peuple et à tous les peuples du monde un avenir vraiment nouveau.

En collaboration avec les scientifiques du monde entier (mais avant tout de l'Occident), le Projet Machado présente quatorze programmes différents, conçus initialement ailleurs qu'au Venezuela et maintenant injectés dans les contextes vénézuéliens, depuis la chambre des enfants et l'école élémentaire jusqu'aux milieux de travail et à l'armée.

Le caractère grandiose du Projet Machado est ici manifeste et il invite peut-être trop les observateurs cyniques du théâtre du monde à le prendre pour cible. Il serait facile de tirer à l'aveuglette sur cette entreprise ambitieuse à l'excès et peut-être un peu hâtive, et de montrer pourquoi il est improbable qu'elle réussisse dans ses termes déclarés. Après tout, nous avons vraiment peu de connaissance de ce qu'est l'intelligence (ou les intelligences), de la manière de mieux développer de telles capacités et d'implanter dans un cadre étranger un ensemble de talents qui ont été imaginés dans un contexte historique et culturel donné. Il serait tout aussi facile d'adresser le même genre de critique à d'autres programmes contemporains grandioses, comme ceux qui ont été initiés par les Instituts pour la réussite du potentiel humain de

Philadelphie[10]. Cette organisation déclare être en mesure d'apprendre la totalité des « talents scolaires » à des tout-petits, et même à ceux qui ont souffert d'une lésion cérébrale, et elle prétend joyeusement dans son manuel des « faits cardinaux » que « notre potentiel génétique est le même que celui de Vinci, Shakespeare, Mozart, Michel-Ange, Edison et Einstein ». Par malchance, pourtant, cette organisation n'a pas permis, à ma connaissance, à des experts objectifs de juger du succès de ses interventions.

Mais si tailler ces ambitions en pièces donne un plaisir éphémère à celui qui manie la hache, il est probable que les professionnels qui essaient honnêtement d'améliorer les talents et la base des connaissances des populations humaines en expansion n'en tireront pas un authentique profit. Un sociologue pragmatique a pour obligation d'offrir un meilleur ensemble d'outils et de suggérer, si on les adopte, comment ils produiront plus vraisemblablement des résultats positifs plutôt qu'un autre ensemble de résultats désastreux. Je voudrais aller dans cette direction.

Élucidation d'exemples par l'emploi de la théorie des IM

INTRODUCTION

Pour tenter de penser l'intelligence humaine, on devrait commencer par regarder ce qu'est l'espèce humaine et par considérer les sphères où ses membres sont portés à avoir des actions efficaces, si on leur donne les ressources adéquates et si l'on intervient au bon moment. Dans cette perspective, dire qu'il n'y a « pas de limites à l'apprentissage » est vain : non seulement il est faux de penser qu'un être humain peut tout faire, mais là où tout est possible, il n'y a pas de guide pour indiquer ce qu'il faut ou non tenter. Mes sept formes clés d'intelligence permettent de définir sept régions intellectuelles dans lesquelles la plupart des êtres humains ont un potentiel de progression important et de suggérer certaines des étapes que les individus franchissent quand ils réalisent ces compétences intellectuelles, qu'ils soient doués ou qu'ils ne possèdent apparemment pas de dons particuliers dans un domaine donné, quoiqu'ils soient entièrement normaux.

Nous avons vu, pourtant, qu'à part chez certains individus exceptionnels, ces compétences intellectuelles ne se développent jamais dans le vide. Elles sont plutôt mobilisées par des activités de symbolisation dans des cultures vivantes où elles ont une signification pratique et des conséquences tangibles. Ainsi la capacité (linguistique) innée de traiter certains sons d'une certaine manière est-elle exploitée pour la communication entre les hommes à travers la parole et, dans bien des contextes, à travers l'écriture. Finalement, ces aptitudes ainsi nourries deviennent fondamentales dans certains rôles sociaux, du juriste au poète dans la civilisation occidentale contemporaine, au conteur oral, chaman ou dirigeant politique dans une société traditionnelle.

Un long processus éducatif est nécessaire avant que le potentiel intellectuel brut — qu'il soit linguistique, musical ou logico-mathématique — puisse se réaliser dans le cadre d'un rôle culturel arrivé à maturité. Une part de ce processus développe simplement certains mécanismes « naturels » du développement : une capacité passe par un ensemble prévisible de stades au fur et à mesure qu'elle mûrit et se différencie. J'ai indiqué certaines étapes du développement dans l'aire du langage, et je pourrais également décrire le développement « en forme de ruisseau » dans d'autres domaines intellectuels. Mais quand on en vient à la transmission de talents et de connaissances spécifiques, on voit à l'œuvre un processus plus complexe, moins « naturel ». J'ai fait un effort initial, dans le chapitre précédent, pour analyser ce processus de transmission en soulignant le type de connaissances qui doit être ainsi transmis, les agents de la transmission, les modes et les médiums par lesquels la connaissance doit être transmise et le lieu de la transmission. À mon avis, il faudrait conduire une analyse analogue toutes les fois que le politique recommande l'adoption d'un programme d'éducation.

Une telle analyse rend évident le fait que les compétences intellectuelles de l'homme peuvent être mobilisées de différentes façons. Comme je l'ai déjà souligné, la compétence linguistique de l'homme peut devenir la méthode pour acquérir d'autres talents non linguistiques : on exploite souvent le langage pour aider l'individu à apprendre un processus corporel (comme la danse) ou un processus mathématique (comme la démonstration). Le langage peut lui-même constituer un sujet d'étude, par exemple quand un individu apprend sa propre langue, ou bien une langue étrangère, ou bien quand il maîtrise un sujet d'étude qui est en lui-même hautement linguistique dans son contenu — comme l'histoire ou les sciences politiques. Enfin, les facteurs du développement qui environnent la compétence linguistique sont également pertinents : si, par exemple, les individus manifestent la plus haute aptitude à apprendre la langue au cours des dix premières années de leur vie et une aptitude diminuée à le faire après vingt ans ; et si, par ailleurs, les jeunes enfants sont particulièrement en mesure de maîtriser des matériaux en apprenant par cœur des associations — alors, ces faits doivent également entrer dans toute équation décrivant la transmission de la connaissance.

Ces brèves digressions montrent, je l'espère, que l'adoption d'une perspective comme la théorie des IM peut permettre une analyse plus différenciée et plus précise des manières de mieux considérer et poursuivre les différents buts de l'éducation. Il faut noter, une fois encore, que même si les mécanismes cognitifs d'un individu sont en bon état de fonctionnement, il n'en résultera pas nécessairement de progrès éducatif. La plupart des analyses psychologiques contemporaines affirment que l'individu est avide d'apprendre ; mais, en fait, des facteurs comme la motivation personnelle, un état affectif favorable à l'étude, un ensemble de valeurs qui privilégient un certain type d'études et le soutien d'un contexte culturel sont des facteurs indispensables (quoique souvent insaisissables) dans le processus éducatif. En effet, l'un des projets de recherches patronnés par le Venezuela a conclu que la motivation personnelle pour l'étude peut être la seule différence entre un programme éducatif (et un élève) qui réussit et un qui échoue. Quoi qu'il en soit, pour analyser des expériences éducatives, il convient de prendre en compte des facteurs comme la motivation, la personnalité et le système de valeurs : si ma propre analyse se concentre fortement sur les « composantes purement cognitives », il faut le voir comme une limitation de la formulation présente.

La méthode Suzuki d'éducation des talents

Revenant à l'exemple qui a ouvert le chapitre, il devrait être possible (et certainement souhaitable) d'expliquer en partie le succès du programme musical Suzuki grâce à notre théorie des intelligences humaines. Avant de le faire, il est utile de donner un peu plus d'information sur cette expérience inhabituelle et extraordinairement efficace. Je tire ces détails de mes observations à Matsumoto et de mes propres expériences de père d'un enfant qui a suivi cette méthode Suzuki, comme de la précieuse étude que Lois Taniuchi a entreprise à Harvard sur le programme Suzuki.

Le Programme d'éducation des talents, imaginé juste avant la Seconde Guerre mondiale par Shinichi Suzuki, un violoniste japonais très sensible, est une technique d'éducation musicale très structurée qui commence pratiquement à la naissance et qui a pour but principal la formation de jeunes enfants à devenir des interprètes accomplis. La mère de l'enfant joue un rôle fondamental dans le succès du programme : elle est, surtout au début, la clé du programme et reste tout au long le catalyseur essentiel de l'implication et des progrès de son enfant.

Dans la version actuelle du programme, perfectionnée au Japon et récemment adoptée dans d'autres pays, l'enfant est exposé quotidiennement, pendant la première année de sa vie, à des enregistrements de grandes exécutions musicales. Vers la fin de sa première année, il commence à écouter, de façon régulière, les vingt airs courts qui constitueront son programme d'étude une fois qu'il aura commencé à jouer de l'instrument.

Six mois avant le début de ses leçons, environ à l'âge de deux ans, l'enfant se met à assister à des leçons de groupe. Ces leçons, qui durent environ une heure et demie, réunissent des enfants de différents âges et de différents niveaux d'exécution, couvrant un éventail d'âge de peut-être deux ou trois ans. Les enfants assistent, avec leur mère qui y prend part, à un groupe de jeux et d'exercices. Les leçons elles-mêmes se partagent entre des exercices généraux auxquels tous les enfants participent et de courtes exécutions au cours desquelles chacun des enfants joue les morceaux qu'il a travaillés. Le futur étudiant écoute de façon attentive et participe dans toute la mesure du possible. Il peut observer ce qu'il fera à son tour dans ces leçons une fois qu'elles auront commencé. L'accent est toujours mis sur les progrès que fait chacun d'une semaine sur l'autre, et non sur la compétition avec les autres.

Dans l'intervalle, de retour chez lui, l'intérêt personnel de l'enfant à jouer est délibérément éveillé. La mère a reçu un petit violon, de la taille de celui que l'enfant devra utiliser un jour, et elle commence à exécuter des morceaux elle-même chaque jour (si elle ne sait pas jouer du violon, elle prend des leçons du même type que celles que son enfant devra bientôt prendre). L'enfant regarde, de plus en plus excité. Et finalement, un jour, la mère permet à l'enfant de toucher à l'instrument. C'est le moment le plus palpitant. Peu de temps après, quand la mère et le professeur décident que l'intérêt de l'enfant est assez intense, il est invité à rejoindre le groupe qu'il a observé, et on lui donne une leçon individuelle sur son instrument. Une nouvelle étape a été franchie. La mère et l'enfant rentrent ensuite à la maison et travaillent très dur sur la leçon pour faire une surprise au professeur par les progrès que l'enfant aura faits pendant la semaine. Au cours des mois suivants, les leçons de la mère et de l'enfant et leur pratique continuent ensemble ; progressivement, la participation de la mère comme étudiant actif et joueuse de violon s'arrête, et l'attention se concentre entièrement sur l'enfant.

Au cours des années suivantes, l'enfant poursuit exactement le programme d'études qui a été élaboré avec une attention assidue par Suzuki et ses collaborateurs. Les agents, les lieux et les médiums de transmission sont tous spécifiés dans le programme. Chaque étape est structurée avec soin de manière à faire avancer l'enfant, sans lui causer de frustration ou de difficultés injustifiées. On lui donne constamment des modèles d'exécution correcte par des enregistrements et les démonstrations de la mère et du professeur. L'enfant ne doit pas passer à une nouvelle leçon ni à un nouveau morceau avant d'avoir parfaitement maîtrisé le(la) précédent(e), et il revient à plusieurs reprises aux morceaux anciens pour vérifier qu'il a retenu les modèles et les leçons. On attend beaucoup de la répétition et de la pratique, et l'enfant s'efforce de reproduire exactement les sons qu'il a entendus sur l'enregistrement. Cela permet des exécutions de groupe impressionnantes, mais ne suscite pas d'intéressantes variations en terme d'interprétation (peut-être cela explique-t-il la scène dont j'ai été le témoin, cet étudiant violoncelliste qui n'a pas supporté les critiques vigoureusement émises par le professeur non Suzuki). Un but avoué du programme est de créer des sons séduisants, et l'on demande souvent explicitement aux enfants de produire un beau son. Dans les classes Suzuki pour les étudiants avancés, l'un des défis les plus difficiles est d'obtenir la maîtrise totale d'une unique note. À la manière zen, on demande aux étudiants de pratiquer une note plus de mille fois par semaine, jusqu'à ce qu'ils viennent à comprendre l'effet produit par un son joué à la perfection.

Les années suivantes, l'enfant continue son régime de pratique quotidienne, en même temps que ses leçons hebdomadaires, particulières et en groupe. Naturellement, les enfants progressent chacun à sa vitesse, mais même les élèves les moins remarquables parviennent à un niveau stupéfiant pour des observateurs occidentaux. Un des trente étudiants ayant commencé à l'âge de deux ou trois ans sera à même de jouer un concerto de Vivaldi à six ans et un concerto de Mozart à neuf ou dix ans, et même l'étudiant moyen aura atteint ce niveau de compétence, fût-ce quelques années plus tard. Contrairement à ce qui se passe en Occident, il n'est pas besoin de cajoler ni de câliner les enfants pour qu'ils pratiquent : de fait, c'est l'enfant qui vient réclamer sa répétition (si l'enfant ne veut pas pratiquer, on considère que la mère est en faute, et elle reçoit des conseils sur la manière de restaurer la motivation et l'initiative de son enfant).

Il faut insister sur le fait que Suzuki n'a pas pour objectif déclaré de produire des interprètes hors du commun, contrairement à ce qu'on pourrait croire. Ce programme vise plutôt à former un individu avec un caractère fort, positif et séduisant. Être un bon musicien est simplement un moyen au service de cette fin — lequel peut être obtenu dans le cadre de n'importe quelle expérience artistique intensive. C'est pourquoi il n'est pas pertinent que de nombreux étudiants de Suzuki arrêtent de jouer de leur instrument à l'adolescence. Pourtant, il faut noter qu'environ 5 % des enfants Suzuki se destinent à devenir des musiciens professionnels, et que le pourcentage des étudiants Suzuki augmente dans la plupart des conservatoires occidentaux, comme la Julliard School of Music.

CRITIQUE DE L'APPROCHE SUZUKI

Quel sens a cette expérience étonnante au regard de ma théorie ? Dans cette perspective, il est sans doute capital que Suzuki ait privilégié une des intelligences — celle de la musique — et qu'il ait permis à des individus doués de talents innés très divers de faire des progrès rapides dans ce domaine. En effet, il est à peine exagéré que de dire que le programme ingénieux de Suzuki met à la disposition d'une population beaucoup plus large la compétence liée à un type de domaine que David Feldman a discernée chez les enfants prodiges[11]. Le succès du programme est intégralement lié, à mon avis, à la compréhension intuitive des étapes naturelles du développement musical chez un jeune enfant et à la manière de les surmonter le plus efficacement et le plus en douceur — à travers des morceaux qui augmentent en difficulté.

L'efficacité de ce programme ne dépend pourtant pas seulement d'un sens aigu de la manière de déployer les aptitudes musicales. À mon avis, Suzuki a procédé à une analyse superbement pénétrante de la totalité des facteurs pertinents pour l'acquisition d'interprétations talentueuses — allant des agents de la transmission aux types d'intelligence. Pour commencer, il s'est rendu compte de l'importance particulière des premières années de la vie, où la sensibilité est accrue : non seulement l'apprentissage formel commence à l'âge de trois ans, mais le travail de base a été soigneusement posé dans les premières années de la vie par une vaste exposition aux matériaux qui seront appris ultérieurement. Les morceaux de musique sont autant « dans l'air » que la langue maternelle de l'enfant.

Dans la mesure où il peut y avoir une période critique pour l'acquisition de la compétence musicale et dans la mesure où le cerveau du jeune enfant est spécialement plastique pour ce type d'apprentissage, Suzuki a sans doute tiré parti de facteurs neurobiologiques importants. En second lieu, et c'est peut-être plus important, Suzuki a exploité de façon brillante la relation mère/enfant, la posant au centre de l'acquisition initiale de la motivation et de la compétence pour jouer du violon. À travers sa sensibilité à la connaissance interpersonnelle — la connaissance que la mère a de son enfant et la connaissance que l'enfant a de sa mère — et sa compréhension des liens affectifs forts qui définissent la relation mère/enfant, Suzuki a réussi à encourager un engagement formidable de la part des deux individus pour que l'enfant maîtrise le violon. L'instrument devient un moyen privilégié pour maintenir l'intimité entre l'enfant et sa mère. Le rôle des autres enfants ne doit pas non plus être sous-estimé : le fait qu'une si grande partie de la méthode Suzuki d'enseignement et d'exécution prenne place dans un « contexte d'apprentissage » riche d'autres enfants exploite la tendance des jeunes à imiter le comportement de leurs pairs dans le voisinage. Si l'on devait réduire la complexité de la méthode Suzuki à une seule formule, on pourrait parler d'une forte connaissance interpersonnelle utilisée comme moyen pour négocier un chemin musical complexe, dans un contexte où ce genre d'entreprise jouit d'un grand soutien culturel. Ce n'est pas un hasard si c'est au Japon que l'on a imaginé un programme clairement construit sur l'implication totale de la mère dans les activités de son enfant et tirant aussi parti du soutien d'autres individus.

Tous les régimes ont leur coût, et il faut également souligner certains aspects équivoques de la méthode Suzuki. Cette méthode est très orientée vers l'apprentissage par l'oreille — probablement une décision hautement bénéfique, en considération de l'âge des enfants inscrits. On perdrait beaucoup de temps à essayer d'obtenir que les enfants en âge préscolaire lisent les notes, et l'insistance que l'on met dans de nombreux endroits à commencer sur la partition rend souvent hostiles à leurs leçons de musique des enfants qui ont par ailleurs des inclinations musicales. D'un autre côté, la lecture des notes étant dévalorisée dans la méthode Suzuki, les enfants ne parviennent souvent pas à maîtriser la lecture à vue. Il pourrait sembler souhaitable de passer à une stratégie fondée sur la lecture des notes après l'âge de six ou sept ans, si les habitudes contractées par l'oreille et la main ne sont pas déjà trop ancrées. La très grande plasticité qui permet au début d'apprendre rapidement peut déjà avoir ouvert la voie à un style d'exécution rigide et difficilement transformable.

Un reproche plus sérieux que l'on peut adresser à la méthode Suzuki concerne le caractère limité des talents et de la connaissance musicale qu'elle développe. En premier lieu, la musique jouée est exclusivement de la musique occidentale, de la période baroque à l'époque romantique — un échantillon restreint de la musique occidentale et une portion encore plus petite du répertoire mondial. Cependant, une fois encore, parce que les enfants sont si profondément immergés dans cet idiome commun (ou « imprimés par » lui) durant les années les plus formatrices et « critiques » de leur formation musicale, le programme Suzuki peut produire sans nécessité un goût sclérosé.

Une grande partie de la méthode privilégie l'imitation servile et non critique d'une certaine interprétation de la musique — par exemple, un enregistrement de Fritz Kreisler jouant une sonate classique. Il est probable que les enfants partent avec l'opinion qu'il n'y a qu'une seule manière correcte d'interpréter un morceau de musique, qu'il n'existe pas toute une série d'interprétations également possibles. Il est même encore plus problématique que les enfants aient ainsi l'impression que la chose importante en musique est de reproduire un son tel qu'il a été entendu et de ne pas tenter de le changer. Il n'est guère étonnant qu'il y ait peu, s'il y en a seulement, d'enfants formés selon la méthode Suzuki qui marquent de l'inclination pour la composition. Une forme d'apprentissage si fortement mimétique élimine jusqu'à la notion que l'on peut jouer différemment un morceau, le *dé*composer selon ses variations favorites. Dans ce cas, un mode unique de transmission peut avoir des coûts sévères.

Enfin, cette entreprise a des coûts personnels bien précis. Du point de vue de l'enfant, il consacre des heures chaque semaine à un seul type d'occupation et au développement d'une seule intelligence — au lieu de stimuler et de développer d'autres ruisseaux intellectuels. Un fait plus marquant : ce régime demande beaucoup à la mère. On attend d'elle qu'elle se consacre d'elle-même sans réserve au développement d'une certaine capacité chez son enfant. Si elle réussit, il est probable que les applaudissements iront à son enfant ; si elle échoue, elle sera probablement blâmée (une mère s'est un jour plainte à Suzuki que faire apprendre son fils lui prenait beaucoup de son temps. Il lui a immédiatement répondu : « Pourquoi l'avez-vous donc porté ? »). Finalement, que l'enfant réussisse ou non à maîtriser la musique, il quittera la maison en fin de compte ; dans l'intervalle, les qualités et talents personnels de la mère n'auront pas été significativement mis en valeur, et ce résultat est lamentable (du moins aux yeux des Occidentaux).

Ces défauts sont peut-être mineurs au regard du plaisir de jouer avec talent que la méthode Suzuki a donné à de nombreux individus (y compris aux mères !). Néanmoins, il faudrait se demander quelles transformations pourraient réduire ces insuffisances tout en préservant les points clés de la méthode. Selon mon analyse, il n'y a aucune raison que les enfants n'acquièrent pas un répertoire plus large et guère plus qu'ils n'atteignent pas de hauts niveaux de compétence dans le royaume de la notation musicale. On pourrait certainement élargir les médiums mis à la disposition de l'enfant. Plus problématique est la tension entre la reproduction idéale d'un modèle joué par quelqu'un d'autre et la production de ses propres morceaux de musique dans sa propre voie. La transition d'une exécution adroite à une composition originale est difficile à faire dans tous les cas, et je suis d'avis que la méthode Suzuki la rend presque impossible. Pour ce qui est des coûts interpersonnels, ils semblent également intrinsèques au programme. Dans les sociétés où les mères ne s'investissent pas si totalement, le programme Suzuki ne réussit pas aussi bien et en vient à ressembler, en fait, à une formation musicale « standard ».

Le choix de Suzuki de se concentrer sur la musique est probablement heureux, l'individu pouvant avancer assez vite dans ce domaine intellectuel sans avoir de connaissance plus générale sur le monde. Pourtant, comme je l'ai souligné, le choix du domaine musical n'est pas particulièrement concluant pour ce qui est de Suzuki lui-même : d'autres arts, de l'arrangement floral à la peinture, pourraient produire de nombreux traits de caractère semblables, surtout s'ils sont poursuivis avec la même rigueur, vigueur et foi. Il y a à Matsumoto une école maternelle et un jardin d'enfants où un ensemble plus large de matériaux de programme d'études sont en usage, apparemment avec un succès marqué ; et au Japon, aujourd'hui, on estime que le potentiel d'enfants en âge préscolaire à maîtriser une série de tâches — y compris la lecture, les mathématiques et l'écriture — atteint un très haut niveau (même en comparaison avec la classe moyenne américaine qui centre ses préoccupations sur ses enfants). Le fondateur de Sony, Masuru Ibuka, a même écrit un best-seller, intitulé *Au jardin d'enfants il est trop tard !*, qui exprime la croyance profonde des Japonais dans la primauté des cinq premières années de la vie[12].

LE CAS JAPONAIS : LE POUR ET LE CONTRE

Le succès a mille pères, et le succès phénoménal du Japon dans la période qui a suivi la Seconde Guerre mondiale a produit des candidats innombrables à la « cause première »[13]. Apparemment, il y a fort peu de doutes que les Japonais aient du talent pour étudier les exemples d'autres pays et absorber ensuite ce qu'ils ont trouvé de meilleur chez d'autres individus ou d'autres groupes. Les Japonais ont également une vocation à la discipline, à l'éducation et à l'expertise technologique ; et chacune de ces fins a été poursuivie jusqu'à un haut degré au cours des trente dernières années. En effet, ce succès a envahi presque tous les domaines : les jeunes Japonais d'aujourd'hui sont sensiblement plus grands et ont un quotient intellectuel sensiblement plus élevé que leurs compatriotes d'il y a trente ans — la meilleure preuve (s'il est besoin de preuve) que les expériences précoces d'éducation et d'alimentation peuvent produire d'énormes différences[14]. Cependant, la pure imitation ne suffit pas ; car de nombreux pays en voie de développement ont eu le désir d'imiter l'Occident, sans pour autant égaler aucunement la réussite des Japonais. Tous les indices prouvent que les Japonais ont développé leur capacité à maintenir ce qui convient à la tradition culturelle japonaise et la caractérise, autant que leur aptitude à apprendre d'autres cultures.

Selon ma propre analyse et selon celle de mes collègues du Projet sur le potentiel humain, les Japonais ont réussi à trouver un équilibre efficace entre la préservation du sentiment collectif et de la solidarité, d'un côté, et l'expression individuelle des compétences et des talents, de l'autre[15]. Les deux formes de l'intelligence personnelle semblent y être exploitées. Cet équilibre peut être considéré au niveau de la variété des mises en œuvre. Par exemple, dans les classes de l'école primaire, on attend des individus qu'ils apprennent l'arithmétique. Dans la plus grande partie du monde, on fait apprendre essentiellement par cœur l'arithmétique élémentaire, et on accorde peu d'attention aux concepts sous-jacents, qui rendent souvent perplexes non seulement les jeunes mais aussi les enseignants. Au Japon, pourtant, selon le récent rapport de Jack et Elizabeth Easley, l'enseignant pose des problèmes ardus à des classes entières, dont les membres ont alors la possibilité de travailler ensemble pendant plusieurs jours afin de résoudre ces problèmes[16]. On encourage les enfants à se parler et à collaborer, et on leur permet de faire des erreurs ; de temps en temps, des enfants plus âgés viennent dans les salles de classe et aident les plus jeunes. Ainsi, ce qui est en puissance une situation créatrice de tensions et de frustrations est soulagé par l'implication des enfants dans un effort fait en commun pour comprendre ; on soutient beaucoup l'effort de collaboration général, accompagné du sentiment qu'il est bien de ne pas trouver immédiatement la bonne réponse, pourvu que l'on s'acharne sur les problèmes. Paradoxalement, dans notre société qui est bien plus ouvertement compétitive, le risque de *ne pas* avoir la réponse à la fin du cours semble trop grand : l'enseignant et l'étudiant ont du mal à gérer la tension, et ainsi saborde-t-on l'occasion d'un cours potentiellement valable.

Dans les grandes entreprises japonaises, on rencontre le même équilibre délicat. On dévie bien évidemment une bonne part de la pulsion compétitive vers la compétition avec d'autres sociétés, en quoi le Japon a connu un grand succès, et vers l'anticipation des tendances futures du marché, encore un domaine où le Japon a manifesté beaucoup plus de clairvoyance que ses compétiteurs. Qui plus est, au sein de l'entreprise elle-même, il convient que les individus apportent différentes contributions à la formulation et à la résolution des problèmes. L'individu s'identifie fortement avec sa firme, s'attend à avoir des relations avec elle durant toute sa vie, et il a relativement peu l'impression d'être en compétition directe avec les autres employés. On ne donne pas non plus de valeur au fait qu'un individu — et surtout s'il est jeune — possède en lui-même les compétences requises. Un savant polyvalent précoce pourrait plutôt sembler mal adapté et un peu anachronique. Aussi pouvons-nous dire que l'entreprise japonaise s'est rendu compte, de façon intuitive, qu'il existe un profil des intelligences humaines et que des individus avec des profils différents peuvent apporter leur propre contribution distinctive au succès de leur firme.

Comme le Programme Suzuki d'éducation des talents, le système japonais de management a ses inconvénients ; et comme on en connaît maintenant mieux les succès, ils sont devenus aussi plus évidents. La possibilité de travailler dans une entreprise repose sur le système universitaire ; et ce succès dépend à son tour de l'originalité et des particularités des systèmes japonais pour élever et éduquer les enfants. On croit que la première clé du succès ultérieur d'un enfant réside dans la relation du jeune enfant (en particulier du garçon) avec sa mère. Si le lien fort peut aider à produire des réussites précoces, il peut aussi avoir des effets négatifs, les enfants se sentant pris au piège dans un marché passé avec leur mère : ils doivent réussir. S'ils échouent, ils peuvent exprimer de lourdes frustrations, des tensions, et même des agressions ouvertes contre la mère. Le système de l'école publique s'efforce de maintenir un esprit d'amitié et de coopération entre les étudiants, mais cette convivialité néglige la réalité qu'il y a moins de place à l'université qu'il n'y a de jeunes désirant les prendre. De là on voit se propager une autre école, appelée *juku*, où les jeunes s'entraînent à réussir leur examen d'entrée à l'université. D'après tous les rapports que nous en avons, l'atmosphère dans les *jukus* est bien plus franchement compétitive ; et, à nouveau, on rencontre des coûts psychologiques graves (et parfois des suicides) parmi les jeunes gens qui ne parviennent pas à réussir leurs examens de façon satisfaisante. Enfin, on voit maintenant les limites du talent des Japonais à absorber les modèles propres à d'autres cadres, ces modèles venus d'ailleurs perdant de leur pertinence et les Japonais devant davantage compter sur leurs propres pouvoirs d'innovation. De nombreux commentateurs japonais ont décrié la pénurie dont souffre le Japon en scientifiques originaux, l'imputant aux orientations interpersonnelles de sa culture, et ont souligné, avec une tristesse encore plus grande, que les scientifiques japonais (et les artistes) dont l'originalité se révèle la plus prisée sont ceux qui se sont installés en Occident.

Autres expériences éducatives

Je me suis étendu un peu longuement sur le cas du Japon parce que l'exemple japonais est, dans le monde d'aujourd'hui, spécialement frappant et parce que j'ai le sentiment qu'il faut appliquer en premier lieu ma grille d'analyse aux expériences éducatives qui ont réussi. Il est fondamental de souligner, pourtant, que le succès que remportent les Japonais avec un programme comme celui de l'Éducation des talents n'est pas simplement le reflet d'une conception d'experts. Si c'était le cas, le programme Suzuki aurait partout (et dans tous les champs d'apprentissage) le même succès. Non, la clé du succès du programme Suzuki au Japon repose sur l'ajustement entre les aptitudes et les inclinations d'une population cible (les jeunes enfants) et les valeurs, occasions et institutions propres à la société dans laquelle ils grandissent. L'exportation de tels programmes ne peut être réussie que si des systèmes de soutien similaires existent dans les pays hôtes ; ou bien, si l'on peut procéder à des transformations adaptées de manière à accorder le programme éducatif aux valeurs, procédures et orientations intellectuelles dominantes dans les pays hôtes.

On rencontre en effet, ici, certains indices du succès d'autres interventions éducatives. Dans le cas de l'enseignement des rudiments de la lecture et de l'écriture, par exemple, deux succès notables récents ont tiré parti de situations particulières aux pays hôtes. L'un est l'effort de Paolo Freire pour apprendre à lire à des paysans brésiliens adultes analphabètes [17]. Freire a développé une méthode selon laquelle les individus sont mis en présence de mots clés qui ont une forte valeur personnelle et présentent une structure phonique et morphologique pertinente pour l'apprentissage d'autres mots par la suite : voilà une pédagogie linguistique talentueuse. Mais le programme de Freire s'intègre au sein d'un programme plus large d'action politique, qui a une profonde signification pour les étudiants, qui les stimule et les aide à faire des efforts héroïques. Ici, le contexte de l'apprentissage fait une différence critique. On peut trouver une approche de l'apprentissage de la lecture totalement différente mais tout aussi réussie dans les programmes de télévision « Rue Sésame » ou « Compagnie électrique » qui ont donné les bases de la lecture à toute une génération d'écoliers américains [18]. Une fois encore, ces procédures se construisent sur des méthodes éprouvées et exactes d'entraînement à la lecture. Mais à travers un format de type commercial, de même qu'un tempo adapté à la télévision, ces programmes ont réussi à capter l'attention de l'audience. Dans ces deux cas, brésilien et américain, on a tenté de transplanter des programmes de lecture à des populations très différentes. Je suis d'avis que ces efforts auront du succès dans la mesure où les conditions particulières qui se trouvent dans les pays d'origine peuvent également se rencontrer (ou se construire) dans le nouveau cadre culturel. Dans ma perspective, toute intervention prévue doit être précédée d'une analyse en termes de talents intellectuels à cultiver et de talents déjà mis en valeur dans les sociétés hôtes.

Hélas ! la fréquence des expériences éducatives qui ont échoué est élevée dans le monde contemporain. Il suffit de penser aux tentatives menées en Iran pour occidentaliser le système éducatif au cours des trente dernières années, ou bien les différents flirts de la République populaire chinoise avec une éducation à orientation technologique. Dans ces deux cas, on a tenté d'imposer un programme qui ait davantage le style occidental — qui soit organisé autour de la pensée scientifique — à l'intérieur d'une société qui avait auparavant favorisé des modes de scolarisation traditionnels comme ceux que j'ai examinés dans le chapitre précédent. Une tension formidable a résulté lorsque l'on a demandé à des écoles qui s'étaient largement consacrées à l'enseignement d'une seule forme d'écrit de transmettre « la pensée ouverte », le principe de mesurer des théories en conflit et la primauté accordée au raisonnement logico-mathématique. On a relativement minimisé l'importance des liens sociaux, modifié à une large échelle les usages du langage et insisté sur la nécessité d'appliquer la pensée logico-mathématique aux différents royaumes de l'existence, autant de choix qui se sont révélés trop perturbants dans un contexte d'isolement culturel [19].

Il n'est pas surprenant que le résultat ait été, dans le cas de l'Iran et de la Chine, une réaction de grande ampleur. La Révolution culturelle chinoise s'est caractérisée par son opposition systématique à tout ce qui est occidental, moderne et technologique, et il en va de même du renouveau islamique en Iran [20]. Il est clair qu'en l'absence de toute continuité avec le passé, une innovation éducative a peu de chance de durer.

Indications aux politiques

CONSIDÉRATIONS GÉNÉRALES

Une telle énumération des expériences pédagogiques — couronnées ou non de succès — invite à analyser attentivement les processus éducatifs, tels qu'ils ont existé traditionnellement dans une culture, et à réfléchir soigneusement sur la manière dont ces processus peuvent être mobilisés pour répondre à des nouveaux besoins dans un monde en évolution. Au moment de recommander une ligne d'action particulière dans des situations extrêmement complexes et toujours fluctuantes, je me sens franchement peu à l'aise en tant que néophyte en matière de politique. Néanmoins, il me semble opportun, au moment de conclure, de proposer certaines considérations que les politiques pourraient avoir à l'esprit quand ils tentent de prendre des décisions sur l'éducation — et dans un sens, sur l'existence future — d'individus envers qui ils ont des responsabilités.

Il est toujours judicieux de commencer par énumérer les buts d'une intervention particulière ou de l'ensemble d'un programme éducatif. Plus spécifique sera l'articulation de ces buts, moins il y aura de rhétorique et de généralités, et mieux cela sera. Ainsi ne sert-il à rien de se donner le but d'« éduquer des individus pour qu'ils réalisent leur potentiel » et « pour qu'ils forment un ensemble de citoyens informés » ; mais « en savoir assez pour lire les journaux et débattre d'un problème politique courant » est un but précis et instructif. Pour obtenir ce dernier type de but spécifique, on peut analyser les talents intellectuels constitutifs et imaginer une manière d'évaluer le succès (que ce soit les degrés du succès ou l'échec) ; pour l'autre but, le but grandiose, il n'y a pas de métrique d'évaluation implicite. La formulation de buts explicites conduit aussi à des conflits ou à des contradictions potentielles ; par exemple, le but d'atteindre un certain niveau d'instruction, le talent en matière de pensée scientifique ou la facilité à débattre de problèmes politiques peut entrer en conflit avec le but de maintenir les valeurs religieuses traditionnelles, les attitudes politiques ou un point de vue homogène au sein de la population. Quoique de tels conflits soient malheureux, il vaut mieux y faire face explicitement, plutôt que de les ignorer, de les nier ou de les balayer sous un enrobage rhétorique.

Après l'énumération des buts, l'étape suivante impose une évaluation sur des moyens dont on dispose réellement pour mener ces buts à bonne fin. Il faudrait que certaines de ces analyses se concentrent sur les méthodes traditionnelles disponibles : apprentissage par observation, interaction informelle, système d'apprentissage, médiums prédominants, diversité des écoles, programmes (explicites ou implicites) en cours. Mais il conviendrait aussi de lancer plus largement son filet et de prendre en considération les agents et les lieux de la transmission, ainsi que la manière dont ces valeurs, procédures et rôles ont été effectivement transmis d'une génération à l'autre.

Pour chacun des buts réellement poursuivis, on peut présumer un ensemble d'intelligences qui peuvent être facilement mobilisées pour son accomplissement et aussi un ensemble d'intelligences dont la mobilisation pourrait constituer un plus grand défi. Qui plus est, avec différentes cultures, il semble qu'il y ait des mélanges caractéristiques d'intelligences qui ont été favorisées au cours des années. Il n'est pas facile de déterminer le mélange exact, mais il est possible de retracer les configurations qui ont été relativement dominantes dans différents cadres culturels. Ainsi peut-on s'attendre à ce qu'une société agraire traditionnelle mette au premier plan des formes interpersonnelle, kinesthésique et linguistique d'intelligence dans des cadres éducatifs informels qui sont pour une grande part « sur site » et reposent beaucoup sur l'observation et l'imitation. Dans une société des premiers temps de l'industrialisation, on pourrait prévoir des formes traditionnelles de scolarisation qui se concentrent sur l'apprentissage linguistique par cœur, mais où les formes logico-mathématiques de l'intelligence commencent à être utilisées. Dans les sociétés hautement industrialisées et dans la société postindustrielle, on pourrait prédire que l'on privilégie les formes linguistique, logico-mathématique et intrapersonnelle de l'intelligence ; il est très probable que les écoles laïques modernes pourront conduire à une instruction individuellement informatisée. Le passage de n'importe laquelle de ces formes à la « suivante » pourrait clairement impliquer des coûts ; on peut s'attendre à voir toute tentative de passer directement du mode agraire au mode postindustriel de transmission (comme dans le cas de l'Iran) entraîner des contraintes particulièrement lourdes.

Dans des sociétés dont les ressources sont limitées, il peut sembler nécessaire de passer directement de l'inventaire des buts et des moyens à la décision du meilleur moyen de procéder avec la population dans son ensemble. Pourtant, l'hypothèse principale de cette étude est que les individus ne sont pas tous identiques au regard de leur potentiel cognitif et de leur style intellectuel, et que l'éducation peut avoir de bien meilleurs résultats si elle est taillée à la mesure des aptitudes et des besoins des individus impliqués. En effet, il peut coûter très cher de tenter de traiter de la même manière tous les individus ou d'essayer de transmettre la connaissance à des individus d'une manière peu conforme à leurs modes d'apprentissage favoris : si du moins il est possible de le faire, il est souhaitable d'imaginer des méthodes pour évaluer le profil intellectuel des individus.

Il n'existe pas encore de technologie explicitement destinée à tester le profil intellectuel des individus. Je ne suis pas sûr qu'il serait sage de tenter d'établir un programme explicite de tests, étant donné surtout la manière dont de tels programmes de tests tendent à se standardiser et à être commercialisés. Mais mes analyses montrent clairement que certaines méthodes d'évaluation des profils individuels sont meilleures que d'autres. J'aimerais maintenant indiquer comment évaluer le profil des intelligences d'un individu — pourvu qu'on ait assez de ressources (et des intentions bienveillantes).

L'évaluation des profils intellectuels

Le premier point est que les intelligences ne peuvent pas être soumises au même type d'évaluation à tous les âges. Les méthodes utilisées pour un enfant ou pour l'âge préscolaire doivent être taillées à la mesure du type particulier de savoir qui caractérise ces individus, et elles peuvent être différentes de celles employées pour des individus plus âgés. Je suis convaincu que l'on peut évaluer le potentiel intellectuel d'un individu très tôt dans sa vie, peut-être même pendant sa prime enfance. À ce moment, les points forts et les faiblesses intellectuels apparaissent facilement si l'on donne aux individus l'occasion d'apprendre à reconnaître certains modèles et si l'on teste leurs capacités à se les rappeler d'un jour à l'autre. Ainsi un individu qui a de puissantes aptitudes dans le domaine spatial devrait-il très rapidement apprendre à reconnaître les modèles cibles quand on les met devant lui, à apprécier leur identité même si l'on change leur disposition dans l'espace et à remarquer des déviations minimes quand on les lui présente dans les épreuves suivantes ou bien dans les jours suivants. De la même manière, on pourrait évaluer les aptitudes à reconnaître des modèles dans d'autres domaines intellectuels (comme le langage ou les nombres) ainsi que l'aptitude à apprendre des modèles moteurs, à les corriger et à les transformer en les adaptant. Je pressens qu'il y a aptitude intellectuelle forte quand l'individu qui en est doté ne se contente pas d'apprendre aisément de nouveaux modèles ; en fait, il les apprend si facilement qu'*il lui est pratiquement impossible de les oublier*. De simples mélodies continuent à résonner dans son esprit, les phrases s'y attardent, les configurations spatiales ou gestuelles reviennent facilement sur le devant, quoiqu'elles n'aient pas été émises depuis longtemps.

Même si l'on peut mettre en évidence de tels profils intellectuels dans les deux premières années de la vie, je doute un peu de ce qu'on puisse les modifier si tôt. La principale raison de l'évaluation précoce est qu'elle permet à l'individu de progresser aussi vite que cela semble justifié dans les canaux intellectuels où il a du talent, même si cela revient à donner l'occasion d'encourager des dons naturels qui semblent relativement modestes.

Un peu plus tard (de toute façon après l'âge préscolaire), il devient possible d'assurer une évaluation riche et solide du profil intellectuel d'un individu dans son contexte. Le type d'évaluation préféré pour cet âge est d'impliquer les enfants dans des activités qui sont supposées les motiver : ils peuvent alors progresser avec très peu de tutelle directe d'une étape à l'autre dans la maîtrise d'un problème ou d'une tâche particulière. Puzzles, jeux et autres défis exprimés dans le système symbolique d'une intelligence (ou d'une paire d'intelligences) sont des moyens particulièrement prometteurs pour évaluer l'intelligence en question.

Je pense qu'impliquer des enfants dans des matériaux qui ont, de façon inhérente, le pouvoir de les absorber donne l'occasion idéale d'observer les intelligences à l'œuvre et de surveiller leurs progrès tout au long d'une période de temps définie. Si l'on peut regarder un enfant et voir comment il apprend à faire différentes constructions avec des cubes, on peut avoir des idées de ses talents dans les secteurs de l'intelligence spatiale et kinesthésique : de même, les capacités de l'enfant à raconter un ensemble d'histoires peuvent révéler des facettes de ses promesses linguistiques, de même que sa capacité à manier une simple machine peut éclairer ses talents kinesthésiques et logico-mathématiques. Il est plus que probable que de telles implications dans des environnements riches et provocateurs fournissent des « marqueurs » — signes de dons précoces que des adultes experts dans un domaine intellectuel particulier n'auront pas de mal à remarquer[21]. Le futur musicien peut être marqué par son oreille absolue ; l'enfant doué dans les matières personnelles, par ses intuitions sur les motivations des autres ; le scientifique en herbe par son aptitude à poser des questions provocatrices et à les poursuivre avec d'autres appropriées.

Soulignons en quoi cette approche de l'évaluation diffère de celle qui est employée dans les tests d'intelligence traditionnels. Dans le test conventionnel, l'enfant est face à un adulte qui lui pose à brûle-pourpoint une rapide série de questions. On attend de l'enfant qu'il donne une seule réponse (ou bien, s'il est plus âgé, à coucher sa réponse sur le papier ou à la sélectionner dans un ensemble de choix). L'accent est mis sur la facilité linguistique, sur certaines aptitudes logico-mathématiques et sur un type de talent social à négocier la situation avec un aîné en sa présence. Ces facteurs peuvent tous faire intrusion quand on essaie d'évaluer un autre type d'intelligence — disons, musical, kinesthésique ou spatial. En écartant l'expérimentateur et tout son attirail d'évaluation — ou du moins en le plaçant fermement à l'arrière-plan — et en lui substituant des éléments et symboles réels du royaume dont il est question en particulier, il peut être possible d'obtenir un tableau plus véridique des aptitudes intellectuelles réelles de l'enfant et de son potentiel intellectuel.

Partant de certaines idées émises à l'origine par le psychologue soviétique Vygotsky, il devrait être possible d'imaginer des tests adaptés aux individus qui n'ont pas eu d'expérience avec le matériau particulier ou les éléments symboliques en question (ou qui en ont eu peu) et de voir leur vitesse de progression dans un secteur donné et dans un laps de temps limité[22]. Une telle mission confie à l'organisateur du test la charge particulièrement lourde de découvrir des problèmes qui soient intrinsèquement attrayants et puissent servir d'« expériences cristallisatrices » pour des individus jeunes et naïfs, mais peut-être talentueux[23]. Dans la présente étude des intelligences, j'ai rappelé certaines des expériences qui ont été des catalyseurs pour des individus particuliers dans des domaines particuliers : observer des spectacles folkloriques, pour le futur danseur ; regarder des modèles visuels périodiques, pour le jeune mathématicien ; apprendre des vers longs et complexes, pour le futur poète.

Naturellement les expériences spécifiques favorables à l'évaluation du potentiel intellectuel varieront selon l'âge, la sophistication et le bagage culturel de l'individu. Ainsi, pour enquêter sur le domaine spatial, on peut cacher un objet à un enfant de un an, poser un puzzle devant un enfant de six ans ou fournir un cube Rubik's à un préadolescent. Par analogie, dans le domaine musical, on peut faire varier le thème d'une berceuse devant un enfant de deux ans, fournir à un enfant de huit ans un ordinateur sur lequel il peut composer de simples mélodies ou analyser une fugue avec un adolescent. Dans tous les cas, l'idée générale de trouver des puzzles qui intriguent l'enfant et lui permettent de « décoller » semble être plus efficace pour évaluer les profils des individus que les mesures standard actuelles universelles : des mesures standard destinées à être faites en une demi-heure à l'aide du papier-crayon.

Je suis d'avis qu'il serait possible de dresser un tableau juste du profil intellectuel d'un individu — qu'il ait trois ou treize ans — à peu près en un mois, tout en laissant l'individu impliqué dans les activités régulières de sa salle de classe. La somme totale de temps peut être de cinq à dix heures d'observation — ce qui est long par rapport aux standards actuels des tests d'intelligence, mais très court en comparaison de la vie de l'étudiant. Un tel profil devrait indiquer, pour chaque individu, quelles lignes sont déjà lancées, lesquelles montrent un potentiel de développement marqué, lesquelles sont médiocrement dotées ou comportent des obstacles authentiques (comme la surdité musicale, une imagerie visuelle pauvre ou de la maladresse).

Éduquer les intelligences

J'en arrive maintenant à une étape décisive, mais délicate, dans le planning éducatif. Étant donné les objectifs des programmes d'études que l'on a dans l'esprit pour un individu et les profils intellectuels de l'individu, il faut prendre une décision sur le régime éducatif à lui faire suivre. D'abord et avant tout, ce doit être une décision stratégique générale : faut-il jouer sur ses points forts, renforcer ses faiblesses ou tenter de travailler dans les deux directions en même temps ? Il faut naturellement prendre cette décision en considération des ressources dont on dispose ainsi que des buts les plus directement invoqués à la fois par l'ensemble de la société et par les individus.

Il faut aussi prendre des décisions beaucoup plus centrées, de manière à se donner de l'espace pour développer plus qu'une seule faculté le long d'un seul chemin. Dans le cas de chaque individu, les responsables du planning éducatif doivent décider les moyens qu'il vaut mieux mobiliser pour aider l'individu à atteindre la compétence, le talent, le rôle qu'il souhaite. Dans le cas d'un individu hautement talentueux, il peut être nécessaire (et suffisant) de le mettre à même de travailler directement avec un professeur reconnu, dans une sorte de relation d'apprentissage ; il devrait être également possible de lui fournir les matériaux qu'il puisse explorer par lui-même (et avec lesquels il puisse progresser). Dans le cas d'un individu qui a de faibles aptitudes, ou même de franches pathologies, il sera probablement nécessaire d'imaginer des prothèses, machines, mécanismes spéciaux ou autres moyens pour lui présenter l'information ou les talents de manière à exploiter les aptitudes intellectuelles qu'il a tout en circonvenant ses fragilités intellectuelles (autant que possible). Dans le cas de l'individu qui ne se situe pas aux extrémités de cette courbe des talents en forme de cloche, on peut présumer que l'on pourra s'appuyer sur un plus large ensemble de procédures et de programmes, sans cesser de reconnaître les limites des ressources et le fait que l'étudiant et l'enseignant sont concurremment très pris.

Il est surprenant de voir la pauvreté des contributions de la psychologie éducative pour ce qui est d'établir les principes généraux qui peuvent présider aux progrès dans un domaine intellectuel (cette lacune peut être due en partie à l'intérêt lacunaire pour des domaines particuliers — contre l'apprentissage général ; en partie à l'intérêt puissant qu'elle porte sur le moyen de maîtriser une tâche *spécifique*). Parmi différents efforts dans cette direction, je trouve que les travaux les plus suggestifs viennent de l'école de psychologie soviétique — certains disciples de Lev Vygotsky comme V. V. Davydov, D. Elkonin et

A. K. Markova. Ces chercheurs croient qu'à chaque âge les enfants manifestent un ensemble différent d'intérêts : durant la toute première enfance, l'activité dominante implique le contact émotionnel ; à l'âge de deux ans, l'enfant est absorbé dans la manipulation des objets ; entre trois et sept ans, jouer des rôles et d'autres types d'activité symbolique viennent au premier plan ; de sept à onze ans, l'activité vedette est l'étude formelle à l'école ; et à l'adolescence, le jeune s'attache à combiner des relations personnelles intimes et des efforts d'exploration en vue d'une carrière. Tout programme éducatif devrait avoir ces biais à l'esprit, quoique, bien sûr, le profil spécifique des intérêts puisse différer de façon significative d'une culture à l'autre.

Travaillant au sein de ces larges paramètres, l'éducateur cherche des *exemples génétiques primaires*[24]. Ce sont des problèmes ou des leçons que le novice peut prendre en main mais qui, en même temps, suscitent en lui les abstractions les plus pertinentes au sein de ce domaine. La maîtrise d'un exemple génétique primaire sert à indiquer qu'un individu peut négocier avec succès les étapes suivantes du champ. Pour l'éducateur, le défi consiste à planifier les étapes — les obstacles que l'enfant doit franchir de manière à pouvoir progresser de façon satisfaisante à l'intérieur du domaine et atteindre la phase suivante et l'exemple génétique primaire suivant. Si ce type d'analyse prôné par les psychologues soviétiques pouvait se combiner avec l'approche développée ici, il serait possible d'établir le meilleur chemin de progrès éducatif dans chacun des domaines intellectuels auxquels je me suis intéressé. Une telle analyse devrait révéler le chemin ou l'ensemble de chemins que doivent négocier les enfants normaux aussi bien que ceux qui ont des dons spéciaux ou des difficultés particulières.

Étant donné un vaste éventail de buts culturels et une encore plus grande variété de profils intellectuels, le défi d'apparier l'étudiant et la méthode peut paraître écrasant[25]. Pourtant, les étudiants s'arrangent pour apprendre même quand les leçons ne sont pas taillées à leur mesure, je présume parce que la plupart des programmes sont redondants et parce que les étudiants possèdent eux-mêmes un ensemble de points forts et de stratégies intellectuelles sur lesquels ils peuvent compter. Un « système d'appariement » devrait aider à assurer qu'un étudiant maîtrisera rapidement et en douceur ce qu'il a besoin de maîtriser et sera donc libre de continuer à progresser sur les chemins de son développement à la fois optionnel et optimal.

Bien sûr, l'idée d'apparier des individus à des matières particulières et/ou à des styles d'enseignement est familière : elle a implicitement guidé de nombreux types d'instruction depuis l'âge classique. Il est pourtant décevant de souligner que des tentatives pour établir que des améliorations significatives ont été le fruit de l'appariement d'étudiants avec des techniques d'enseignement appropriées n'ont guère eu de succès.

Les spécialistes de l'éducation s'accrochent néanmoins à la vision d'un appariement optimal entre l'étudiant et le matériau. De mon point de vue, leur persévérance est légitime : après tout, la science de la psychologie éducative est encore jeune ; et sur le chemin de conceptualisations supérieures et de mesures plus fines, on peut continuer à trouver valables les essais d'apparier le profil de l'élève aux matériaux et modes d'instruction. De plus, si l'on adopte la théorie des IM, on voit augmenter les possibilités en faveur de ce type d'appariement : comme je l'ai déjà souligné, il est possible que les intelligences puissent fonctionner à la fois comme des sujets en soi et comme le meilleur moyen d'inculquer différents sujets.

Je me donne pour l'avenir la tâche de mener à son terme cette recherche décisive. Le plus que je puisse faire est d'esquisser certaines attentes. Pour apprendre à programmer sur ordinateur, par exemple, il semble plausible qu'un certain nombre de compétences intellectuelles puissent se révéler pertinentes. L'intelligence logico-mathématique semble centrale, parce que la programmation repose sur le déploiement de strictes procédures de résolution de problèmes ou d'obtention d'un but dans un nombre fini d'étapes. L'écriture du programme exige que les étapes soient claires, précises et organisées dans un ordre strictement logique. L'intelligence linguistique est également pertinente, du moins tant que les manuels et les langages informatiques utilisent le langage ordinaire. La métaphore du programme vu comme une histoire (complète avec des intrigues secondaires) peut aussi aider certains programmeurs en herbe qui ont des dispositions linguistiques. Les intuitions que les individus ont sur des domaines particuliers peuvent bien les aider à apprendre la programmation. Ainsi un individu qui a un mélange musical prononcé peut-il être mieux amené à travailler s'il tente de programmer un morceau de musique simple (ou de maîtriser l'usage d'un programme de composition musicale). Un individu qui a des aptitudes spatiales développées peut être initié grâce à certaines formes de graphiques informatiques — et il peut aussi être aidé à programmer par l'utilisation d'un diagramme des opérations successives ou d'un autre schéma de type spatial. Les intelligences personnelles peuvent jouer un rôle important. La planification étendue d'étapes et de buts que l'individu engagé dans la programmation mène à bien repose sur des formes intrapersonnelles de la pensée, même s'il se peut que la coopération nécessaire pour accomplir une tâche complexe ou pour acquérir de nouveaux talents computationnels repose sur une aptitude individuelle à travailler en équipe[26]. L'intelligence kinesthésique peut jouer un rôle dans le travail sur ordinateur, faciliter le talent à employer le clavier de l'ordinateur ; elle peut être exploitée chaque fois que le sujet de la programmation implique l'emploi du corps (programmer une danse ou une succession de coups au football).

On peut faire appel à des lignes parallèles de raisonnement pour analyser la tâche de l'apprentissage de la lecture. En particulier dans le cas d'individus qui éprouvent au début des difficultés à apprendre à lire un texte, il est sensé de commencer par les introduire à d'autres systèmes symboliques — par exemple, ceux qui sont utilisés pour la notation musicale, la cartographie ou les mathématiques. De plus, des individus qui ont des inaptitudes prononcées à lire doivent parfois avoir recours à des mesures d'apprentissage exceptionnelles — par exemple, maîtriser la lecture et l'écriture par l'exploration kinesthésique tactile[27]. Le contenu du texte peut aussi jouer un rôle important pour améliorer la compréhension de la lecture : un individu qui a quelques connaissances d'un champ particulier ou qui est intéressé par l'idée d'accroître les bases de sa connaissance peut trouver plus facile de lire et il sera aussi plus motivé par la lecture. Il est problématique de décider si le processus réel de la lecture implique, dans une mesure significative, d'autres intelligences que l'intelligence linguistique. Pourtant, à voir les différents systèmes d'apprentissage de la lecture déjà inventés par les êtres humains (comme les systèmes pictographiques) et les types que l'on imaginera sans doute dans l'avenir (des systèmes logico-mathématiques à utiliser avec l'ordinateur), il semble clair que la facilité à lire ne reposera pas que sur les seules capacités linguistiques.

Même si l'ordinateur est un moyen de réflexion utile s'agissant de mettre les intelligences au service de la maîtrise des buts éducatifs, l'utilité potentielle des ordinateurs dans le processus d'appariement des individus avec les modes d'instruction est substantielle. Si même l'enseignant le plus doué peut trouver grandement astreignant d'apparier le profil intellectuel d'un étudiant à ses buts en terme d'instruction, un ordinateur pourrait facilement prendre en charge les types d'information pertinents et suggérer, en une fraction de seconde, l'alternative d'autres programmes ou d'autres itinéraires pédagogiques. Il est plus important de noter que l'ordinateur peut absolument faciliter le processus réel de l'instruction et aider les individus à choisir des séquences à leur allure préférée en utilisant diverses techniques éducatives. Je devrais souligner, pourtant, que l'ordinateur ne peut pas assurer les rôles de type interpersonnel et semble moins performant pour certains domaines intellectuels (disons, kinesthésiques) que pour d'autres (logico-mathématiques). On court le risque de voir l'ordinateur électronique — un produit de la pensée et de la technologie occidentales — se révéler plus utile pour perpétuer précisément les formes d'intelligences qui l'ont propulsé à la première place. Mais peut-être assisterons-nous au développement ultérieur de certaines extensions de l'ordinateur — y compris les robots — visant à faciliter l'apprentissage et la maîtrise dans le jeu complet des domaines intellectuels.

S'il est souhaitable que le responsable du planning éducatif ou le politique considèrent les états terminaux du processus d'apprentissage, il est important qu'ils ne perdent pas de vue cet ordre du jour éducatif dans son ensemble. Enfin, il faut mettre en place des plans éducatifs au sein de différents groupes d'intérêt de la société de sorte qu'ils puissent, pris ensemble, aider la société à accomplir ses buts les plus larges. Il faut considérer les profils individuels à la lumière des buts poursuivis par la société ; et il arrive en effet que des individus qui ont des dons dans certaines directions doivent néanmoins être guidés vers d'autres chemins, moins favorisés, simplement parce que les besoins de la société sont particulièrement urgents dans ce royaume en ce moment. L'aptitude à synthétiser que comporte une prise de décision de ce genre implique son propre mélange d'intelligences — sinon une forme spéciale d'intelligence. Il est important pour une société de trouver un moyen de former, et ensuite d'utiliser, les aptitudes qui donnent une vision d'ensemble large et complexe.

Pour conclure

J'ai conçu ces remarques dispersées pour essayer, autant que possible, de tirer des conséquences éducatives et politiques de la théorie évoquée dans ce livre. J'ai essentiellement emprunté cette théorie aux découvertes faites dans les sciences biologiques et cognitives : il faudrait commencer par la discuter et la tester davantage dans ces secteurs avant de fournir à chaque professionnel un manuel, petit livre rouge ou livre blanc. Même de bonnes idées ont été ruinées par des tentatives d'application prématurées, et nous ne sommes pas encore certains de la qualité de l'idée des intelligences multiples.

Après l'euphorie des années soixante et le début des années soixante-dix, quand les responsables de l'éducation ont cru qu'il était facile d'améliorer les maux du monde, nous avons fini par nous rendre compte avec douleur que les problèmes dépassaient notre compréhension, notre connaissance et notre aptitude à agir avec prudence. Nous avons pris bien plus conscience du rôle de l'histoire, de la politique et de la culture pour circonscrire ou contrarier nos plans ambitieux et pour les guider le long de chemins imprévisibles. Nous nous sommes même rendu compte de façon plus aiguë que les événements historiques particuliers et les développements technologiques peuvent façonner le futur d'une manière qu'il aurait été difficile d'envisager même dix ans plus tôt. En face de tous les responsables et les praticiens qui ont remporté des succès, en face de toutes les « Rue Sésame » et de toutes les méthodes Suzuki, on compte des douzaines, voire des centaines de plans qui ont échoué — ils sont en fait si nombreux qu'il est difficile de savoir si les quelques succès ont été des accidents heureux ou le fruit de rares génies.

Néanmoins, problèmes et potentialités ne partiront pas, et les gens — les enseignants au niveau préscolaire autant que les ministres de l'éducation — continueront à avoir une responsabilité majeure dans le développement des autres individus : ils agiront sagement ou maladroitement, avec ou sans profit, mais il semble préférable qu'ils le fassent avec une certaine conscience de ce qu'ils font, avec une certaine connaissance d'autres méthodes et d'autres résultats, plutôt que seulement par intuition ou totalement par idéologie. Dans ce livre, j'ai insisté sur l'attention soutenue que les éducateurs doivent prêter aux tendances biologiques et psychologiques des êtres humains et au contexte historique et culturel particulier des lieux où ils vivent — c'est bien sûr plus facile à dire qu'à faire. Néanmoins, la connaissance s'accroît et continuera à s'accroître — je l'espère — de ce que sont les êtres humains, considérés dans un isolement relatif et en tant que membres d'une entité culturelle qui fonctionne. Et puisque des individus continueront à assumer la responsabilité de planifier la vie des autres, il vaut mieux, semble-t-il, encadrer leurs efforts par une connaissance accrue de l'esprit humain.

Introduction à l'édition du dixième anniversaire

Tout auteur rêve d'une carrière merveilleuse pour le livre sur lequel il travaille. Pourtant, en écrivant *Les Formes de l'intelligence*, je ne prévoyais pas qu'il trouverait un écho favorable dans des sphères si variées et dans de si nombreux pays. Je ne m'attendais pas non plus à avoir le privilège de rédiger une introduction pour l'édition du dixième anniversaire du livre.

Au moment où je l'écrivais, je le considérais avant tout comme une contribution à mes recherches en psychologie du développement et, plus largement, aux sciences du comportement et de la cognition. Je voulais parvenir à donner une conception élargie de l'intelligence qui inclut non seulement les résultats des tests papier-crayon, mais aussi la connaissance du cerveau humain en tenant compte de la diversité des cultures humaines. Quoique je lance dans les derniers chapitres une discussion sur les conséquences pour l'éducation de ma théorie, je n'ai pas gardé les yeux braqués sur l'école. Pourtant, ce livre a exercé une influence considérable sur les milieux pédagogiques : dans le cadre du Projet zéro de Harvard, nous avons entrepris, mes collègues et moi, plusieurs expériences éducatives inspirées de la « théorie des IM », et d'autres ont tenté de l'appliquer dans des contextes pédagogiques particuliers. Dans le pendant à ce livre, *Les Intelligences multiples*[1], je passe en revue les différentes applications de ma théorie dans le discours pédagogique contemporain.

Je voudrais ici résumer les principaux thèmes, situer la théorie des IM au sein de l'histoire des études de l'intelligence, mettre ce livre en rapport avec mes travaux plus récents, répondre à certaines des principales critiques qui ont été dirigées contre la théorie des IM et, enfin, donner quelques pronostics sur mes éventuels travaux à venir. On trouvera à la fin de cette postface des références bibliographiques pour les matériaux qui ne sont pas traités dans ce livre.

Les principaux thèmes des Formes de l'intelligence

À l'époque où j'ai écrit *Les Formes de l'intelligence*, j'ai quelque peu négligé le fait que la plupart des gens continuent à adhérer à deux hypothèses sur l'intelligence : la première, c'est que l'intelligence est une capacité unique, générale, que tout être humain possède plus ou moins et qui, quelle que soit sa définition, peut être mesurée par des instruments verbaux standardisés, comme des tests papier-crayon à réponses courtes. Soucieux d'aider mes nouveaux lecteurs à entrer dans mon travail et à dépasser ces idées de bons sens en fait intenables, je vous demande d'exécuter deux expériences de pensée.

D'abord, essayez d'oublier que vous avez déjà entendu dire que l'intelligence est une propriété unique de l'esprit humain ou que vous avez déjà entendu parler de ces instruments appelés les tests d'intelligence, lesquels se proposent de mesurer l'intelligence une fois pour toutes. Deuxièmement, projetez votre esprit très loin dans le monde et pensez à toutes les activités que les différentes cultures ont valorisées à différentes époques. Considérez, par exemple, des chasseurs, des pêcheurs, des fermiers, des chamans, des chefs religieux, des psychiatres, des chefs militaires, des chefs civils, des athlètes, des artistes, des musiciens, des poètes, des parents et des scientifiques. Affinant votre réflexion, considérez ensuite les trois états terminaux avec lesquels je commence *Les Formes de l'intelligence* : le marin Palau, l'étudiant de l'école coranique et la compositrice parisienne à son micro-ordinateur.

De mon point de vue, pour englober de façon adéquate le royaume de la cognition humaine, il est nécessaire d'inclure un ensemble de compétences beaucoup plus large et universel que celui que nous avons l'habitude de considérer. Et il est nécessaire de demeurer ouvert à la possibilité que, parmi ces compétences, beaucoup — sinon la plupart — ne se prêtent pas à être mesurées par des méthodes verbales standard, reposant surtout sur un mélange d'aptitudes logiques et linguistiques.

C'est sur ces bases que j'ai formulé une définition de ce que j'appelle une « intelligence ». Être intelligent, c'est être capable de résoudre des problèmes ou de créer des produits, auxquels un cadre culturel ou plusieurs donnent de la valeur. Cette définition ne dit rien des sources de ces aptitudes ni du moyen qui est approprié pour les « tester ».

Partant de cette définition et tirant spécialement parti de preuves biologiques et anthropologiques, j'introduis ensuite huit critères distincts pour reconnaître une forme d'intelligence. Tels que présentés au chapitre 3, ces critères vont de l'isolement d'une capacité à la suite d'une lésion cérébrale à la prédisposition d'une capacité à encoder un système symbolique. Ensuite, dans la deuxième partie du livre, je décris en détail chacune des sept intelligences candidates : les intelligences linguistique et logico-mathématique, très cotées de nos jours dans les écoles ; l'intelligence musicale ; l'intelligence spatiale ; l'intelligence kinesthésique ; et deux formes d'intelligence personnelle, l'une orientée vers les autres personnes, l'autre vers soi-même.

Après avoir présenté ces intelligences et décrit leurs modes opératoires respectifs, j'opère une critique de ma théorie et examine les défauts qui m'ont semblé les plus évidents au moment où j'écrivais. Pour conclure, je m'interroge sur la manière dont les intelligences se développent — et peuvent le faire — au sein d'une culture, et sur la façon dont on peut les mobiliser dans des contextes pédagogiques différents.

Quand on avance une théorie nouvelle, il est parfois utile d'indiquer ce contre quoi on s'oppose le plus radicalement. C'est d'autant plus important que mes critiques ont été incapables d'abandonner les conceptions traditionnelles — ou n'ont pas voulu le faire. Deux pièces à conviction, à cet égard. D'abord, une publicité pour un test d'intelligence. Elle commence ainsi : « Vous avez besoin d'un test individuel qui donne rapidement une estimation fiable de l'intelligence en quatre ou cinq minutes par formulaire ? Qui comporte trois formulaires ? Qui ne repose pas sur la production verbale ni sur une notation subjective ? Qui puisse être utilisé par des personnes gravement handicapées (voire paralysées) pourvu qu'elles puissent répondre par oui ou par non ? Qui vaille aussi bien pour les enfants de deux ans et les adultes doués ? »

Et ainsi de suite. Quelle que soit la valeur de ce test, je peux affirmer sans équivoque que c'est là pure illusion. De plus, vouloir tester l'intelligence en mesurant les temps de réaction ou les ondes cérébrales est vain. Le fait que l'on puisse établir des corrélations entre ces mesures et le QI est, à mon sens, une raison supplémentaire pour remettre le QI en cause.

Ma seconde pièce à conviction est une citation célèbre de Samuel Johnson. Pour lui, le « vrai génie » serait « un esprit qui a de larges pouvoirs généraux, accidentellement déterminés à suivre une direction particulière ». Je ne conteste pas le fait que certaines personnes peuvent exceller dans plusieurs domaines. Cependant, la notion de pouvoirs généraux larges me semble discutable. Selon moi, l'esprit a le potentiel de traiter plusieurs types de *contenu*, mais les facilités d'une personne eu égard à tel contenu ne permettent pas de se prononcer sur d'autres types de contenu. En d'autres termes, il est probable que le génie (et, *a fortiori*, des performances plus ordinaires) est spécifique à des contenus particuliers : les êtres humains ont évolué de manière à manifester plusieurs intelligences et non pas à tirer parti dans des domaines différents d'une seule et même intelligence qui serait flexible.

Les différentes approches de l'intelligence

Pour situer mes propres travaux parmi tous les efforts menés pour donner une théorie de l'intelligence, il me semble utile de préciser les différentes positions qui sont apparues au cours de l'histoire : théories profanes, approche psychométrique standard, pluralisation et hiérarchisation.

Théories profanes. Pendant la plus grande partie de l'histoire humaine, on n'a pas donné de définition scientifique de l'intelligence. On évoquait l'intelligence et on qualifiait les gens de « brillants », « lents », « malins » ou « intelligents ». On peut dire que des personnages exceptionnels aussi divers que Thomas Jefferson, Jane Austen, Frederick Douglas ou le Mahatma Gandhi étaient « vifs d'esprit ». Ces termes flous suffisaient dans la vie courante, mais surtout parce qu'on ne s'interrogeait presque jamais sur ce qu'on entendait exactement par « être intelligent ».

L'approche psychométrique standard. Il y a un siècle environ, les psychologues ont tenté de donner une définition technique de l'intelligence et de concevoir des tests la mesurant (voir le début du chapitre 1). Sous bien des aspects, ce fut une avancée et un succès pour la psychologie scientifique. Néanmoins, sans qu'on doive blâmer ces pionniers, on a ensuite abusé des « tests de QI ». Pour autant, l'approche psychométrique a permis très peu de progrès théoriques (Gould, 1981).

Pluralisation et hiérarchisation. La première génération des psychologues de l'intelligence, comme Charles Spearman (1927) et Lewis Terman (1975), avait tendance à croire qu'il valait mieux voir dans l'intelligence une aptitude unique et générale pour conceptualiser et résoudre les problèmes. Ils ont cherché à démontrer qu'un groupe donné de résultats obtenus par des tests reflétait une composante sousjacente d'une seule et même « intelligence générale ». Cette assertion n'a pas cessé d'être mise en cause. Des psychologues comme L. L. Thurstone (1960) et J. P. Guilford (1967) ont, à l'inverse, défendu l'idée que l'intelligence reposerait en fait sur un grand nombre de composantes. *Les Formes de l'intelligence* s'inscrit dans cette tradition, même si mon livre s'appuie sur des sources différentes. La plupart des pluralistes justifient leur position par la faiblesse des corrélations entre les groupes de tests. Quant à moi, j'ai fondé la théorie des IM sur des preuves neurologiques, évolutionnistes et transculturelles.

Une fois posé qu'il existe plusieurs composantes de l'intelligence, on doit se demander quels rapports elles entretiennent les unes avec les autres et si elles en ont. Certains spécialistes, comme Raymond Cattel (1971) et Philip Vernon (1971), soutiennent qu'elles sont hiérarchisées et que l'intelligence générale, verbale ou numérique, prend le pas sur des composantes plus spécifiques. D'autres, comme Thurstone, affirment au contraire qu'il faut considérer chaque composante comme un membre équivalent d'une structure sans hiérarchie. C'est à ce point de la discussion, en 1983, qu'a paru *Les Formes de l'intelligence*. Depuis, deux nouvelles tendances se sont fait jour : la contextualisation et la distribution.

Contextualisation. Les sciences du comportement sont devenues de plus en plus critiques à l'endroit des théories psychologiques qui ignorent les différences fondamentales entre les contextes au sein desquels les êtres humains vivent et se développent. Être un humain dans une société postindustrielle contemporaine ou pendant l'ère néolithique ou homérique est bien différent. De même aujourd'hui, selon qu'on vit dans un milieu analphabète ou dans le tiers-monde. Au lieu de supposer que l'on posséderait une certaine « intelligence » indépendante de la culture dans laquelle on vit, de nombreux scientifiques considèrent désormais l'intelligence comme une interaction entre, d'une part, certains potentiels et inclinaisons et, de l'autre, les circonstances et les contraintes qui caractérisent un cadre culturel donné. Selon la théorie influente de Robert Sternberg (1985), une part de l'intelligence tient dans la sensibilité de l'individu aux différents contenus qui l'entourent. Sous des formes plus radicales inspirées des travaux du psychologue soviétique Lev Vygotsky (1978), certains chercheurs ont examiné les différences entre les cultures et les pratiques, plutôt que les différences entre les individus (Lave, 1988).

Distribution. Quoique l'idée de distribution fasse écho à celle de contextualisation, le « point de vue distributif » privilégie la relation entre la personne et les choses/objets qui se trouvent dans son environnement immédiat, plutôt que la relation entre les interdits et les valeurs d'une culture ou d'un contexte plus large. Selon le point de vue traditionnel « centré sur l'individu » qui s'en tient aux trois premières phases de la théorie de l'intelligence, une intelligence se trouve dans la tête de la personne : en principe, cette intelligence peut être mesurée isolément. Selon le point de vue distributif, l'intelligence d'une personne est autant inhérente aux produits façonnés et aux individus qui l'entoure qu'elle est dans son crâne. Mon intelligence ne s'arrête pas à ma peau : elle englobe plutôt mes outils (papier, stylo, ordinateur), ma mémoire écrite (contenue sous forme de fiches, de cahiers de notes, de journaux) et le réseau de mes associés (confrères de bureau, collègues professionnels, autres personnes à qui je peux téléphoner ou à qui je peux envoyer des messages électroniques). On trouvera les clés du point de vue distributif (Salomon, 1993). Voir aussi *Perspectives on Socially Shared Cognition* de Lauren Resnick et ses collaborateurs (1991).

Rétrospectivement, je m'aperçois que *Les Formes de l'intelligence* comporte déjà certaines allusions aux théories contextuelle et distributive. Lorsque je présente l'intelligence spatiale, par exemple, je montre combien l'expression de cette intelligence dépend du contexte culturel (de la navigation à l'architecture, à la géométrie et aux échecs) et j'insiste sur la valeur de tout ce qui peut développer l'intelligence de l'enfant en train de grandir. Je pense pourtant honnête de dire qu'en 1983, j'ai centré les intelligences multiples bien plus au sein du cerveau d'un seul individu que je ne le ferais dix ans après.

L'intelligence continue-t-elle à se modifier au-delà du cerveau de l'individu dans le royaume des artefacts ou de la culture ? Une grande partie de la communauté scientifique, surtout continentale et asiatique, répondrait positivement. De ce point de vue, ne considérer l'intelligence qu'à travers les aptitudes et la flexibilité de l'individu reflète un parti pris propre aux Anglo-Saxons. Mais ceux qui privilégient l'approche psychométrique standard n'ont pas le moins du monde laissé tomber les armes.

En effet, ces dix dernières années, le point de vue traditionnel de l'intelligence a connu un renouveau. Des scientifiques comme Arthur Jensen (1980) et Hans Eisenck (1981), non seulement ont réaffirmé leur foi en la singularité de l'intelligence mais, pour défendre les tests psychométriques, se sont appuyés sur l'étude du cerveau. Ils prétendent aujourd'hui qu'une intelligence reflète une propriété de base du système nerveux et peut être évaluée par l'électrophysiologie, sans recours aux tests. Michael Anderson (1988) a ainsi accumulé des preuves pour suggérer que l'on peut mesurer l'intelligence même chez les nouveau-nés. Et Thomas Bouchard et ses collaborateurs (1990) de l'université du Minnesota ont démontré, de façon peut-être plus large, l'importance de l'hérédité en étudiant une population dont la situation est idéale pour fournir des preuves à ce sujet : des jumeaux identiques élevés séparément. Si la position de Bouchard, Jensen et Eysenck est juste, ce n'est vraiment plus la peine de prêter attention à la culture, au contexte ni à la distribution de l'intelligence.

Que faire lorsque certains spécialistes privilégient la réflexion sociale et culturelle tandis que d'autres accumulent des preuves de son fondement neurologique et génétique ? Les deux points de vue peuvent-ils être fondés ? Ces deux traditions ne sont pas nécessairement contradictoires. Une propriété du système nerveux — par exemple, la vitesse et la flexibilité de la transmission nerveuse — pourrait être innée et expliquer en partie le succès de certains tests. Si c'était le cas, l'approche « dure » et les théories biologisantes pourraient se défendre. En même temps, il se peut que les différentes formes d'expression de l'intelligence et les modes d'activités des êtres humains au sein de leur culture soit bel et bien différents et doivent être pris en compte : l'approche « douce » restera donc importante. On peut aussi imaginer que le travail soit divisé : par exemple, Anderson (1992) montre que le point de vue traditionnel est important pour éclairer la cognition chez le nouveau-né tandis que la théorie des intelligences multiples permet d'éclairer le développement ultérieur.

Il est probable que ces deux voies de recherche resteront rivales au lieu de simplement s'entendre pour se partager le terrain de l'intelligence. Par exemple, lors d'une rencontre avec des psychométriciens sur leur propre terrain, Stephen Ceci (1990) a montré comment certaines mesures sont soumises aux effets de la formation et de la culture. Robert LeVine (1991) a montré combien il est difficile de se fonder sur les études de jumeaux élevés séparément, certes, mais dans le même contexte américain. Selon lui, l'environnement humain est extrêmement variable et influe bien plus sur les performances que dans le cas des jumeaux éduqués dans un environnement typique de la classe moyenne occidentale moderne.

Les Formes de l'intelligence *et mes travaux récents*

Une bonne part des travaux que nous avons entrepris, mes collaborateurs et moi, ces dix dernières années porte sur les conséquences pédagogiques de la théorie des IM (voir Gardner, 1996). En particulier, nous avons cherché à prendre en compte les différences de profils individuels d'intelligence au sein d'un système éducatif. Décrivant une « école centrée sur l'individu », nous avons examiné comment évaluer le profil d'intelligence de chaque enfant ; comment adapter chaque enfant à un programme d'études, surtout en référence à la manière dont ce programme est présenté à l'enfant ; et comment permettre aux jeunes qui ont des profils d'intelligence particuliers de bien s'harmoniser aux situations d'apprentissage extérieures à l'école.

Nous avons consacré une part importante de nos efforts à développer des moyens d'évaluation qui soient « respectueux de l'intelligence » : c'est-à-dire qui permettent de mesurer les compétences intellectuelles sans passer par le miroir déformant du langage et de la logique, comme c'est le cas pour les tests standard. Nous avons tout d'abord pensé qu'il serait possible et souhaitable d'essayer de mesurer l'intelligence d'un individu dans sa « forme pure », ce qui donne quelque chose d'assez proche d'un profil d'intelligence à sept pointes. Progressivement, comme nous en sommes venus à admettre les points de vue contextualiste et distributif, nous avons jugé malvenu et peut-être même impossible de tenter de mesurer une intelligence « à l'état brut ».

Les différentes formes d'intelligence s'expriment toujours dans le contexte de tâches, domaines et disciplines spécifiques. Il n'existe pas d'intelligence spatiale « pure ». En revanche, l'intelligence spatiale s'exprime à travers les solutions que propose un enfant pour une devinette, pour trouver sa route, pour jouer aux cubes ou pour faire une passe au basket-ball. De même, les adultes ne manifestent pas directement leur intelligence spatiale, mais ce sont des joueurs d'échecs, des artistes ou des géomètres plus ou moins habiles. Ainsi est-il bienvenu d'évaluer les intelligences en regardant les personnes qui sont déjà familières de ces tâches et ont certains talents, ou bien en observant comment des débutants se débrouillent pour progresser.

Ce glissement dans la conception qu'on doit se faire de l'évaluation reflète ce qui est probablement la plus grande avancée conceptuelle due à la théorie des IM : la distinction entre les *intelligences*, les *domaines* et les *champs*. Au début, ces distinctions n'étaient pas claires. Elles engendraient des confusions chez les lecteurs et, bien souvent, au sein même de ma propre pensée. Toutefois, des travaux menés en commun avec David Feldman (1980, 1986) et Mihaly Csikszentmihalyi (1988) m'ont fourni une taxinomie bien fondée.

Au niveau de l'individu, il convient de parler d'une ou de plusieurs *intelligences* humaines, ou tendances intellectuelles humaines, qui font partie de notre héritage. Ces intelligences peuvent être conçues en termes neurobiologiques. Les êtres humains sont nés dans des cultures qui recèlent un grand nombre de *domaines* — disciplines, métiers et autres occupations — dans lesquels on peut s'acculturer et ensuite être évalué selon le niveau de compétence que l'on a acquis. Quoique les domaines impliquent bien entendu des êtres humains, ils peuvent être considérés de manière impersonnelle — parce que l'expertise dans un domaine peut être, en principe, captée dans un livre, dans un programme informatique ou dans tout autre artefact.

Les intelligences et les domaines sont en relation, mais il est fondamental de ne pas confondre ces deux royaumes. Il est probable qu'une personne qui a une intelligence musicale sera attirée par la musique et y réussira. Mais l'exécution musicale requiert d'autres intelligences que l'intelligence musicale (par exemple, l'intelligence kinesthésique et les intelligences personnelles), de même que l'intelligence musicale peut être mobilisée pour des domaines autres que la musique au sens strict (comme la danse ou la publicité). De façon plus générale, presque tous les domaines requièrent de la compétence dans un ensemble d'intelligences. Et toute intelligence peut être mobilisée et utilisée dans un large ensemble de domaines culturellement disponibles.

Au cours du processus de socialisation, des rapports s'établissent principalement entre l'individu et les différents domaines de la culture. Mais une fois que l'on est parvenu à une certaine compétence, le *champ* devient très important. Le champ — une construction de la sociologie — comprend les gens, les institutions, les mécanismes de récompense, etc., qui portent des jugements sur les qualités des performances individuelles. Dans la mesure où l'on est jugé compétent par le champ, il est probable que l'on devient un praticien qui réussit. D'un autre côté, si jamais le champ se révèle incapable de juger les travaux ou qu'il juge les travaux déficients, alors l'occasion d'aboutir sera radicalement écourtée.

Le trio *intelligence-domaine-champ* a non seulement permis de démêler quantité de problèmes soulevés par la théorie des IM, mais aussi d'étudier la créativité. Formulée correctement à l'origine par Csikszentmihalyi (1988), la question à cet égard est la suivante : où est la créativité ? En fait, la créativité ne doit pas être considérée avant tout comme inhérente au cerveau, à l'esprit ou à la personnalité d'un individu seul. On doit plutôt penser qu'elle provient des interactions entre trois nœuds : l'individu, homme ou femme, avec son profil de compétences et de valeurs ; les domaines disponibles, au sein d'une culture, à l'étude ou à la maîtrise ; et les jugements rendus par le champ qui est jugé compétent au sein d'un domaine. Dans la mesure où le champ accepte l'innovation, une personne (ou ses travaux) peut être jugée créative. Mais dans la mesure où une innovation est rejetée, mal comprise ou jugée sans créativité, il n'est tout bonnement pas valable de soutenir qu'un produit est créatif. Bien entendu, à l'avenir, le champ peut choisir de modifier ses jugements antérieurs.

Chacun des spécialistes qui a travaillé sur cette formulation l'a conçue à sa manière. Pour ma part, j'ai défini l'individu créatif en parallèle à ma définition de l'intelligence. Spécifiquement, l'individu créatif est celui qui résout *régulièrement* des problèmes ou qui fabrique des produits dans un *domaine* et dont les travaux sont considérés à la fois comme *nouveaux* et acceptables par des membres bien informés d'un champ. Sur la base de cette définition, j'ai étudié six hommes et une femme qui, dans les premières années de notre siècle, ont contribué à incarner la conscience moderne en Occident. Chacun d'eux — Sigmund Freud, Albert Einstein, Igor Stravinsky, Pablo Picasso, T. S. Eliot, Martha Graham et le Mahatma Gandhi — illustre l'une des sept intelligences (Gardner, *Creating Minds* traduction à paraître chez Odile Jacob).

Ceux qui s'intéressent à l'évolution de la théorie des intelligences multiples depuis 1983 demandent souvent si des intelligences supplémentaires ont été ajoutées ou si certaines ont été éliminées. J'ai pour le moment choisi de ne pas toucher à la liste initiale, mais je continue à penser qu'une certaine forme d'« intelligence spirituelle » peut exister. Il est pertinent de souligner que ma conception de l'« intelligence intrapersonnelle » a un peu glissé au cours des dix dernières années. Dans *Les Formes de l'intelligence*, j'ai montré combien l'intelligence intrapersonnelle dépend de la « vie sentimentale » d'un individu et comment elle s'organise autour d'elle. Si je devais aujourd'hui retravailler les parties du chapitre 9 qui portent sur cette question, je soulignerais au contraire combien il est important d'avoir un modèle viable de soi-même et d'être en mesure de s'en inspirer pour prendre des décisions pour sa propre vie.

En plus des travaux sur les conséquences pédagogiques de la théorie des IM et de l'extension de ce travail à la créativité, j'ai été impliqué dans une autre direction d'étude. Poser qu'il existe différents types d'intelligence conduit à se demander pourquoi les êtres humains possèdent des intelligences particulières et quels sont les facteurs qui les conduisent à se développer.

Ces deux questions sont au cœur de la psychologie développementale, la discipline à laquelle j'ai été formé. Et il se trouve que l'on peut considérer que mes propres travaux sur l'intelligence relèvent d'une tendance générale de cette discipline à considérer les différents domaines ou « modules de l'esprit » (Carey et Gelman, 1991 ; Fodor, 1983 ; Keil, 1989). De cette recherche en cours a résulté un effort pour dessiner les limites des différentes *contraintes* à l'œuvre dans les domaines de l'esprit : par exemple, indiquer le type d'hypothèse que font les enfants à propos du nombre ou de la causalité, les stratégies que les tout-petits invoquent naturellement pour apprendre leur langue maternelle, les concepts que les enfants forment facilement par opposition à ceux qu'il leur est presque impossible de former.

La recherche des « contraintes » a révélé qu'au terme de la première enfance, les jeunes ont développé des théories puissantes et déjà bien ancrées à propos de leurs mondes immédiats : le monde des objets et des forces physiques ; le monde des entités vivantes ; le monde des êtres humains, y compris leur esprit. De façon surprenante et en contradiction avec les affirmations du grand psychologue du développement Jean Piaget (Mussen et Kessen, 1983), il s'avère difficile de modifier ces « conceptions » et « théories » naïves, même après des années de scolarisation. Ainsi arrive-t-il souvent que les expériences de l'école n'aient aucun effet sur « l'esprit de l'enfant de cinq ans ». Dans *The Unschooled Mind* (1991), j'élucide le rôle de ces contraintes en montrant que, dans tous les domaines du programme d'étude, l'esprit de l'enfant de cinq ans garde toute son emprise.

Le travail sur les intelligences multiples et sur les contraintes qui pèsent sur l'esprit donne une image de l'être humain fort différente de celle qu'on avait naguère. À l'apogée de l'ère psychométrique et béhavioriste, on croyait en général que l'intelligence était une entité unique dont on hériterait ; et que les êtres humains, au départ assimilables à des pages blanches, pouvaient être formés pour apprendre n'importe quoi, pourvu qu'on le leur présente d'une manière qui convienne. De nos jours, un nombre croissant de chercheurs soutient précisément le contraire : il existe une multitude d'intelligences et elles sont indépendantes les unes des autres, chacune a ses propres forces et contraintes, l'esprit, à la naissance, n'est pas une table rase et il est extrêmement difficile d'enseigner des contenus qui vont contre le bon sens naïf ou contre les tendances inhérentes à une intelligence déterminée et au domaine correspondant.

Voilà qui devrait sonner le glas de l'éducation formelle. Il est déjà difficile de former une seule intelligence : qu'en sera-t-il de sept ? En admettant que l'on puisse enseigner quelque chose, c'est déjà difficile : qu'en sera-t-il s'il existe des bornes et des contraintes fortes inhérentes à la condition humaine ?

Pourtant, la psychologie ne donne pas directement des directives pédagogiques (Egan, 1983). Elle aide simplement à comprendre les conditions au sein desquelles l'éducation s'inscrit. Ce qui est une limitation pour une personne peut servir pour une autre. L'existence de sept types d'intelligence devrait permettre sept manières d'enseigner, plutôt qu'une. Et toutes les contraintes puissantes qui existent dans l'esprit peuvent être mobilisées pour présenter un concept particulier (ou bien tout un système de pensée), de sorte que les enfants seront le plus à même d'apprendre et le moins à même de déformer. Paradoxalement, les contraintes peuvent être fécondes et finalement libératrices.

Critiques de ma théorie

Ces dix dernières années, d'innombrables critiques de la théorie des IM se sont exprimées et j'ai eu maintes fois l'occasion d'y répondre. Puisque certaines de ces critiques et réponses sont prévues dans le chapitre 10 et discutées dans *Les Intelligences multiples*, je me centrerai ici sur ce que je crois être les problèmes les plus importants : la terminologie, la corrélation entre les intelligences, l'intelligence et les styles, les processus des intelligences et les risques que l'on court à retomber dans les travers des tests d'intelligence.

Terminologie. De nombreuses personnes, bien qu'elles reconnaissent l'existence de différentes aptitudes et facultés, achoppent quand il s'agit d'utiliser le mot *intelligence*. « Talents, c'est bien, disent-ils, mais le terme intelligence doit être réservé à des types de capacités plus généraux. » On peut bien sûr définir les mots comme on veut. Proposer une définition circonscrite de l'intelligence revient pourtant à dévaluer les capacités sur lesquelles la définition ne porte pas : ainsi des danseurs ou des joueurs d'échecs peuvent-ils être talentueux, mais ils ne sont pas habiles. De mon point de vue, il est juste d'appeler talent la musique ou une aptitude spatiale, tant que l'on appelle aussi talent le langage ou la logique. Mais je refuse d'admettre que certaines aptitudes humaines puissent être distinguées des autres et appelées intelligence, tandis que ce nom serait refusé à d'autres.

Corrélation entre les intelligences. Plusieurs critiques m'ont rappelé qu'il existe généralement des corrélations positives (la prétendue diversité positive) entre les tests de différentes facultés (par exemple, l'espace et le langage). Plus généralement, au sein de la psychologie, presque tous les tests d'aptitude sont au moins un tout petit peu en corrélation avec d'autres tests d'aptitude. Mais cette situation conforte l'idée qu'il existerait une « intelligence générale ».

Je ne puis admettre ces corrélations sur leur bonne mine. Presque tous les tests actuels sont conçus de manière à faire appel principalement aux facultés linguistiques et logiques. Il arrive souvent que le choix des termes d'une question puisse aider ceux qui se soumettent aux tests. Par conséquent, il est probable qu'une personne qui a des talents importants pour réussir avec succès dans ces domaines se comporte relativement bien dans des tests d'aptitude musicale ou spatiale, tandis qu'il est probable qu'une personne qui n'a pas spécialement de facilité du point de vue linguistique ou logique peinera dans de tels tests standard, même si elle est douée dans les domaines censés être testés.

En vérité, et nous ne savons pas encore dans quelle mesure les différentes intelligences (ou bien, comme je dirais aujourd'hui, les fixations des différentes intelligences) sont en réalité corrélées. Nous ne savons pas si quelqu'un qui possède les formes d'intelligence nécessaire pour être un bon joueur d'échecs ou un bon architecte a aussi celles qui permettent de réussir en musique, en mathématiques ou en rhétorique. Nous ne le saurons que quand nous aurons conçu des moyens d'évaluation qui soient respectueux de l'intelligence. À ce moment-là, nous pourrons sûrement trouver certaines corrélations entre les intelligences. De telles découvertes devraient naturellement conduire à redessiner la carte de la cognition humaine. Je serais très surpris, pourtant, si la plupart des intelligences que j'ai définies dans ce livre devaient disparaître dans la nouvelle cartographie — je crois plutôt que de nouvelles intelligences ou des sous-intelligences apparaîtraient.

Intelligences et styles. Beaucoup de gens ont souligné que ma liste des intelligences ressemble aux listes mises au point par des chercheurs qui se sont intéressés aux styles d'apprentissage, aux styles de travail, aux styles de personnalité, aux archétypes humains, etc. Ils m'ont demandé ce que ma formulation apportait de nouveau. Sans aucun doute, ils trouveront des recoupements entre ces listes. Pourtant, trois aspects de ma théorie en sont effectivement distincts.

D'abord et avant tout, je suis arrivé aux sept intelligences par une méthode que je crois unique : la synthèse de corpus importants de preuves scientifiques portant sur le développement, l'effondrement, l'organisation cérébrale, l'évolution et autres concepts du même genre (voyez le chapitre 3). La plupart des autres listes sont la conséquence de corrélations entre les résultats des tests ou bien d'observations empiriques — par exemple d'élèves dans une école.

Deuxièmement, mes intelligences sont spécialement liées au contenu. J'affirme que les êtres humains ont des intelligences particulières au fait des contenus informationnels qui existent dans le monde — information numérique, information spatiale, information sur d'autres gens. La plupart des réflexions sur les styles de pensée négligent le contenu : ainsi dit-on qu'Untel est impulsif, ou analytique, ou émotif en soi.

Troisièmement, plutôt qu'être analogues aux styles (voire redondants), il se peut que les intelligences recoupent les autres types de catégories d'analyse. Peut-être les styles sont-ils spécifiques d'une intelligence, ou les intelligences sont-elles spécifiques d'un style. Il existe, de fait, des preuves empiriques à cet égard. Dans notre projet pédagogique pour jeunes enfants, le Projet Spectre (Gardner et Viens, 1990), nous avons trouvé que certains « styles de travail » s'avèrent tout à fait spécifiques d'un contenu. Le même enfant qui est réflexif ou engagé dans un contenu peut se révéler impulsif ou inattentif envers un autre contenu. Nous n'en savons pas les raisons, mais cela suffit à remettre en cause l'hypothèse selon laquelle les styles seraient indépendants du contenu ou les intelligences pourraient se confondre avec les styles.

Les processus des intelligences. Plusieurs critiques favorables n'ont pas mis en doute l'existence de plusieurs intelligences, mais ils m'ont reproché d'avoir été purement descriptif. De leur point de vue, il appartient au psychologue de rendre compte des processus par lesquels l'activité mentale est menée à bien.

Je concède que le travail accompli dans *Les Formes de l'intelligence* est largement descriptif. Je crois qu'il convient de commencer par dresser un tel tableau. Cela n'empêche pas d'explorer ensuite les processus par lesquels les intelligences opèrent. D'ailleurs, dans cet ouvrage, je fais des suggestions sur les processus et opérations qui peuvent être impliqués par les intelligences spatiales, musicales et autres.

Lorsque ce livre a été publié, la plupart des psychologues croyaient que le traitement de l'information chez les êtres humains était conforme au modèle de l'ordinateur en série de von Neumann. En quelques années, cette attitude a changé : il semble désormais que le traitement de l'information dit en parallèle fournisse un meilleur modèle pour expliquer la cognition humaine (et artificielle) (Gardner, 1987). M'étant abstenu en 1983 de présenter une modélisation détaillée du traitement de chaque intelligence, je n'ai pas à modifier un exposé qui serait aujourd'hui considéré comme profondément défectueux. Je n'en sabre pas moins par avance tout effort pour « modéliser » les différentes intelligences et représenter la façon dont elles œuvrent ensemble.

Les travers des tests d'intelligence. De nombreux critiques de l'intelligence et des tests d'intelligence croient que, loin de tuer le dragon, je l'ai pourvu de cornes supplémentaires et de dents aiguisées. Selon ce point de vue pessimiste, sept intelligences, c'est encore pire qu'une seule : on peut désormais se sentir en inadéquation avec des domaines extrêmement divers et ma classification pourrait servir à stigmatiser des individus et des groupes (« Johnny est kinesthésique » ; « Sally est seulement linguistique » ; « Toutes les filles sont meilleures en X qu'en Y » ; « Ce groupe ethnique excelle en intelligence M, tandis que ce groupe racial est meilleur en intelligence N »).

La théorie des IM a été conçue comme une théorie scientifique et pas comme un instrument de politique sociale. Comme toute autre théorie, des personnes différentes peuvent l'employer à différents usages. Il n'est pas possible, et il est même peut-être malvenu, pour l'auteur d'une théorie, de tenter de contrôler les manières dont elle sera utilisée. Néanmoins, je suis personnellement opposé aux emplois abusifs dénoncés dans ces critiques. Je ne pense pas qu'il faille aucunement importer dans la théorie des intelligences multiples les abus faits en matière de tests d'intelligence. En effet, je ne crois pas possible d'évaluer les intelligences dans leur forme pure, et les types d'évaluations que je défends sont entièrement différents de ceux que l'on associe aux tests de QI. Je décourage les efforts faits pour caractériser des individus ou des groupes selon qu'ils manifestent tel ou tel profil d'intelligences. Quoiqu'à tout moment une personne ou un groupe puisse manifester certaines intelligences, ce tableau est fluide et changeant.

En effet, l'absence totale de développement d'une certaine intelligence peut être une raison de la développer. Dans le chapitre 13, qui traite en particulier de la méthode Suzuki d'éducation musicale, j'ai voulu démontrer que la décision d'une société d'investir des ressources significatives dans le développement d'une intelligence particulière peut rendre la société entière très intelligente à cet égard. Les intelligences ne sont pas figées dans la pierre. Elles sont sujettes à de grandes modifications en fonction des ressources disponibles et, en l'occurrence, de la perception qu'une personne a de ses propres aptitudes et potentiels (Dweck et Licht, 1980). Plus on croit aux points de vue contextuel et distributif, moins on peut poser des limites à l'aboutissement intellectuel.

On me demande parfois si je me sens fâché ou trahi par les gens qui emploient ma théorie et mes concepts à des usages que je n'approuve pas personnellement. Bien sûr, de telles pratiques me mettent mal à l'aise, mais je ne peux pas porter la responsabilité des usages et emplois abusifs de mes idées entre les mains du public. Pourtant, si quelqu'un qui a travaillé avec moi appliquait mes idées d'une manière que je ne puis approuver, je lui demanderais (à lui ou à elle) de développer sa propre terminologie et de cesser de rapporter ses travaux aux miens.

Travaux futurs

La controverse autour de la théorie des IM donnera sans doute lieu à certaines concessions, mais j'espère que le progrès théorique continuera aussi. Mes étudiants ont déjà fait avancer le travail dans des voies que j'admire (par exemple, Granott et Gardner, 1994 ; Hatch et Gardner, 1993 ; Kornhaber, Krechevsky et Gardner, 1990). Dans mes travaux récents, j'ai ajouté une huitième forme d'intelligence (l'intelligence naturaliste) et j'ai aussi envisagé l'existence d'une neuvième forme d'intelligence (l'intelligence existentielle)[2].

Il fait peu de doute que l'on continuera à mener des expériences pédagogiques à partir de la tradition de la théorie des IM. Il en fleurit tellement que je ne peux plus les suivre toutes et encore moins en évaluer la qualité. Dans *Les Intelligences multiples*, j'ai tenté de dresser un bilan. Je compte poursuivre dans cette voie, et continuer à servir de plaque tournante de l'information concernant les expériences et les projets qui sont menés à bien dans la veine des IM.

Il est probable que tous les travaux que je mènerai à l'avenir, à partir du travail décrit ici, revêtiront quatre formes :

1. *Études des divers contextes dans lesquels les intelligences se développent et de la manière dont elles se développent dans ces contextes.* J'ai déjà mené à bien une étude de cas détaillée des options intellectuelles dans une autre culture, la république populaire de Chine (Gardner, 1989) ; et avec plusieurs autres collaborateurs, je mène actuellement à bien une recherche sur l'intelligence dans le contexte particulier d'une école (Gardner et coll., sous presse).

2. *Études des phénomènes de la créativité humaine et de la meilleure façon de la mettre en valeur.* Dans mon projet sur les créateurs de l'ère moderne, je développe une méthode qui permet d'étudier la nature du travail créatif dans différents domaines. Ce faisant, je mène une investigation sur le rôle joué par les différentes intelligences et par les différentes combinaisons d'intelligences, dans l'accomplissement créatif humain au plus haut niveau. Quoique bâti à partir de la théorie des IM, l'accent mis sur la créativité élargit la théorie à plusieurs égards. La créativité dépend de plus que de l'intelligence : elle invoque des facteurs de personnalité en fonction de l'individu, du domaine et du champ à l'œuvre dans une société plus large.

3. *Un examen des dimensions éthiques des intelligences humaines.* Les intelligences ne sont par elles-mêmes ni prosociales ni antisociales. Goethe a utilisé ses intelligences à des fins positives, Goebbels à des fins de destruction ; Staline et Gandhi ont tous les deux compris les autres individus, mais ils ont employé leur intelligence interperson-

nelle à un usage différent. Je m'intéresse aux dimensions éthiques de l'intelligence humaine. D'abord, comment pouvons-nous assurer que tout être humain, homme ou femme, développera le plus pleinement ses potentiels intellectuels ? En second lieu, comment pouvons-nous aider à assurer l'utilisation de ces intelligences à des fins positives plutôt qu'à des fins de destruction ? Ces deux problèmes impliquent des questions de politique et d'« ingénierie sociale » — domaines aussi nouveaux pour moi qu'ils sont traîtres. Pourtant, quoique arrivé à ma maturité, je me sens au moins dans l'obligation de les considérer.

4. *Une réflexion sur les leaders de notre époque.* C'est devenu un truisme de dire que nous vivons dans une ère dépourvue de héros et privée de chefs. Mon point de vue est que nous disposons d'une pleine provision de leaders dans leur domaine : des hommes et des femmes qui peuvent, à force de succès, prendre le commandement des disciplines savantes, des arts, des affaires ou d'autres aires techniques. Mais nous manquons désespérément de chefs pour la société au sens large : des personnes qui soient capables de parler (et d'être entendues), quels que soient les groupes d'intérêt et les aires d'expertise technique, et de faire face aux larges préoccupations de la société, et même de l'humanité dans son ensemble.

Il se peut que j'aie identifié une raison à cette asynchronie apparente. Pour devenir un leader dans un domaine qui met en vedette une certaine intelligence, il faut avant tout exceller dans cette intelligence : les autres personnes impliquées dans ce domaine en viendront facilement à suivre l'exemple de ce chef et à écouter ce qu'il ou elle a à dire (ou à regarder ce qu'il ou elle fait). Nous pouvons dire que des travailleurs au sein d'un domaine déterminé partagent déjà un discours commun. Dans une société plus large, pourtant, cette personne ne dispose pas automatiquement d'un moyen construit aux fins d'attirer des partisans. Celui qui veut devenir chef doit plutôt être en mesure de créer une histoire sur cette société — une narration convaincante qui rende compte de sa place et qui puisse lier des individus différents en matière d'intelligences, de domaines et d'allégeance dans une entreprise d'incorporation plus vaste.

Qui est le leader qui réussit ? Je laisse le sujet pour plus tard — mais pour un jour qui ne soit pas trop loin dans l'avenir, je l'espère. Il est clair pour moi que la question du chef dépasse — c'est naturel — les intelligences multiples. Elle implique des aptitudes qui ne sont pas traitées dans le présent livre — qui dépassent les intelligences et ont des effets sur les personnes d'une manière qui peut être aussi bien affective et sociale que cognitive. Si, selon ma perspective présente, le meilleur point de départ pour comprendre l'esprit humain consiste à examiner ses différentes formes, ses intelligences séparées, nous devons aussi, pour finir, apprendre à unir ces intelligences et à les mobiliser pour des fins constructives.

Cambridge, Massachusetts,
novembre 1992.

Références de la postface

Anderson M., 1988, « Inspection Time, Information Processing and the Development of Intelligence », *British Journal of Developmental Psychology*, 6, p. 43-57.

Anderson M., 1992, *Intelligence and Development : A cognitive Theory*, New York, Blackwell Publishers.

Bouchard T. et coll., 1990, « Sources of Human Psychological Differences : The Minnesota Study of Twins Reared Apart », *Science*, 250, p. 223-228.

Carey S. et Gelman R., 1991, *The Epigenesis of Mind*, Hillsdale, N.J., Lawrence Erlbaum.

Cattell R., 1971, *Abilities : Their Structure, Growth and Action*, Boston, Houghton Mifflin.

Ceci S., 1990, *On Intelligence... More or Less*, Englewood Cliffs, N.J., Prentice-Hall.

Csikszentmihalyi M., 1988, « Society, Culture and Person : A Systems View of Creativity », *in* R. J. Sternberg, éd., *The Nature of Creativity*, New York, Cambridge University Press.

Dweck C. et Licht B. G., 1980, « Learned Helplessness and Intellectual Achievement », *in* J. Barber et M. E. P. Seligman, éds., *Human Helplessness : Theory and Applications*, New York, Academic Press.

Egan K., 1983, *Education and Psychology : Plato, Piaget and Scientific Psychology*, New York, Teachers College Press.

Eysenck H. J., 1981, *The Intelligence Controversy*, New York, John Wiley.

Feldman D., 1980, *Beyond Universals in Cognitive Development*, Norwood, N.J., Ablex.

Feldman D. et Goldsmith L., 1986, *Nature's Gambit*, New York, Basic Books.

Fodor J., 1983, *The Modularity of Mind*, Cambridge, MIT Press.

Gardner H., 1987, Introduction à l'édition poche de *The Mind's New Science*, New York, Basic Books.

Gardner H., 1989, *To Open Minds : Chinese Clues to the Dilemma of Contemporary Education*, New York, Basic Books.

Gardner H., 1991, *The Unschooled Mind : How Children Think and How Schools Should Teach*, New York, Basic Books.

Gardner H., 1996, *Les Intelligences multiples*, Paris, Retz.

Gardner H., *Creating Minds*, New York, Basic Books, trad. fr. à paraître aux Éditions Odile Jacob.

Gardner H., Sternberg R., Krechevsky M. et Okagaki L., 1994, « Intelligence in Context : Enhancing Students' Practical Intelligence for School », *in* K. McGilly, éd., *Classroom Lessons : Integrating Cognitive Theory and Classroom Practice*, Cambridge, Bradford Books/MIT Press.

Gardner H. et Viens J., 1990, « Multiple Intelligences and Styles : Partners in Effective Education », *The Clearinghouse Bulletin : Learning/Teaching Styles and Brain Behavior*, 4 (2), p. 4-5, Seattle, Washington, Association for Supervision and Curriculum Development.

Gould S. J., 1981, *The Mismeasure of Man*, New York, W. W. Norton.

Granott N. et Gardner H., 1994, « When Minds Meet : Interactions, Coincidence and Development in Domains of Ability », *in* R. J. Sternberg et R. K. Wagner, éds., *Mind in Context : Interactionist Perspectives on Human Intelligence*, New York, Cambridge University Press.

Guilford J. P., 1967, *The Nature of Human Intelligence*, New York, McGraw-Hill.

Hatch T. et Gardner H., 1993, « Finding Cognition in the Classroom : An expended View of Human Intelligence », *in* G. Salomon, éd., *Distributed Cognition*, New York, Cambridge University Press.

Jensen A., 1980, *Bias in Mental Testing*, New York, Free Press.

Keil F., 1989, *Concepts, Kinds and Cognitive Development*, Cambridge, Bradford Books/MIT Press.

Kornhaber M. , Krechevsky K. et Gardner H., 1990, « Engaging Intelligence », *Educational Psychologist*, 25 (3, 4), p. 177-199.

Krechevsky K. et Gardner H., 1990, « The Emergence and Nurturance of Multiple Intelligences », *in* M. J. A. Howe, éd., *Encouraging the Development of Exceptional Abilities and Talents*, Leicester, British Psychological Society.

Lave J., 1988, *Cognition in Practice*, New York, Cambridge University Press.

LeVine R., 1991, « Social and Cultural Influences on Child Development », article présenté au Centenaire de l'éducation de Harvard, Cambridge, Massachusetts, Harvard Graduate School of Education.

Mussen P. et Kessen W., éd., 1983, *Handbook of Child Psychology*, vol. 1, New York, John Wiley.

Resnick L., Levine J. et Teasley S. D., éds., 1991, *Perspectives on Socially Shared Cognition*, Washington, DC, American Psychological Association.

Salomon G., 1993, *Distributed Cognition*, New York, Cambridge University Press.

Spearman C., 1927, *The Abilities of Man : Their Nature and Measurements*, New York, Macmillan.

Sternberg R., 1985, *Beyond IQ*, New York, Cambridge University Press.

Terman L. M., 1975 [première édition de 1916], *The Measurement of Intelligence*, New York, Arno Press.

Thurstone L. L., 1960, *The Nature of Intelligence*, Littlefield, Adams.

Vernon P., 1971, *The Structure of Human Abilities*, Londres, Methuen.

Vygotsky L., 1978, *Mind in Society*, Cambridge, Harvard University Press.

Notes

INTRODUCTION : L'idée d'intelligences multiples

1. Sur la méthode Suzuki d'entraînement au violon, voir S. Suzuki, *Nurtured by Love* (New York, Exposition Press, 1969) ; B. Holland, « Among Pros, More Go Suzuki », *The New York Times*, 11 juillet 1982, E9 ; L. Taniuchi, « The Creation of Prodigies through Special Early Education : Three Cas Studies », non publié, Projet Harvard sur le potentiel humain, Cambridge, Massachusetts, 1980.

2. Sur la méthode LOGO d'introduction à la pensée mathématique, voir S. Papert, *Mindstorms* (New York, Basic Books, 1980).

3. Sur le programme pour la réalisation du potentiel humain, voir Banque mondiale, *World Development Report* (New York, Oxford University Press, 1980) ; H. Singer, « Put the People First : Review of World Development Report, 1980 », *The Economist*, 23 août 1980 ; J. W. Botkin, M. Elmandjra et M. Malitza, *No Limits to Learning : Bridging the Human Gap : A Report to the Club of Rome* (Oxford et New York, Pergamon Press, 1979) ; et W. J. Skrzyniarz, « A Review of Projects to Develop Intelligence in Venezuela : Developmental, Philosophical, Policy and Cultural Perspectives on Intellectual Potential », non publié, Projet Harvard sur le potentiel humain, Cambridge, Massachusetts, novembre 1981.

4. Les références classiques sur le rôle de l'intelligence tout au long de l'histoire occidentale sont citées dans J. H. Randall, *The Making of the Modern Mind : A Survey of the Intellectual Background of the Present Age* (New York, Columbia University Press, 1926, 1940). Saint Augustin est cité p. 94 de l'ouvrage de Randall, *Making of the Modern Mind* ; Francis Bacon est cité p. 204 ; Dante est cité p. 105.

5. La distinction d'Archiloque entre « porcs-épics » et « renards » est reprise par I. Berlin, *The Hedgehog and the Fox : An Essay on Tolstoy's View of History* (London, Weidenfeld & Nicolson, 1953 ; New York, Simon & Schuster, 1966).

6. Pour une discussion d'ensemble de la psychologie des facultés, voir J. A. Fodor, *The Modularity of Mind* (Cambridge, Massachusetts, MIT Press, 1983), trad. fr. *La Modularité de l'esprit*, Paris, Minuit, 1986.

7. Sur Franz Joseph Gall, voir E. G. Boring, *A History of Experimental Psychology* (New York, Appleton-Century-Crofts, 1950). Pour un examen des points de vue de Guilford, voir J. P. Guilford, « Creativity », *American Psychologist*, 5, 1950, p. 444-454 ; et J. P. Guilford et R. Hoepfner, *The Analysis of Intelligence* (New York, McGraw-Hill, 1971).

8. Sur un facteur général d'intelligence, voir C. Spearman, *The Ability of Man : Their Nature and Measurement* (New York, Macmillan, 1927) ; et C. Spearman, « "General Intelligence" Objectively Determined and Measured », *American Journal of Psychology*, 15, 1904, p. 201-293.

9. Pour un examen du débat sur le développement de l'enfant entre partisans de structures générales de l'esprit et tenants d'aptitudes spécifiques, voir H. Gardner, *Developmental Psychology*, 2ᵉ édition (Boston, Little, Brown, 1982).

Sur le point de vue qu'il existe une famille d'aptitudes mentales primaires, voir L. L. Thurstone, « Primary Mental Abilities », *Psychometric Monographs*, 1938, n° 1 ; et L. L. Thurstone, *Multiple-Factor Analysis : A Development and Expansion of « The Vectors of the Mind »* (Chicago, University of Chicago Press, 1947).

CHAPITRE 1 : L'intelligence : les théories classiques

1. Pour une discussion des théories de Franz Joseph Gall, voir E. G. Boring, *A History of Experimental Psychology* (New York, Appleton-Centry-Crofts, 1950).

2. Sur la phrénologie, voir l'ouvrage de H. Gardner, *The Shattered Mind : The Person after Brain Damage* (New York, Alfred A. Knopf, 1975), p. 20-21.

3. Voir la critique de M. J. P. Flourens dans son ouvrage, *Examen de phrénologie* (Paris, Hachette, 1842).

4. Sur les travaux de Pierre-Paul Broca sur l'aphasie, voir Gardner, *Shattered Mind*, *op. cit.*, p. 21 ; P. Broca, « Remarques sur le siège de la faculté de langage articulé », *Bulletin de la Société d'anthropologie*, 6 (Paris, 1861) ; et E. G. Boring, *A History of Experimental Psychology* (New York, Appleton-Centry-Crofts, 1950), p. 28-29.

5. Pour une discussion sur l'altération linguistique suite à des lésions de l'hémisphère droit, voir Gardner, *Shattered Mind*, ch. 2.

6. Sur la méthodologie de Francis Galton, voir F. Galton, *Inquiries into Human Faculty and its Development* (Londres, J. M. Dent, 1907 ; New York, E. P. Dutton, 1907) ; et Boring, *A History of Experimental Psychology* (New York, Appleton-Centry-Crofts, 1950), p. 482-488.

7. Les travaux pionniers de Binet et Simon sont décrits p. 573-575 de l'ouvrage de Boring, cité à la note précédente.

8. Les controverses sur les tests de QI sont discutées dans l'ouvrage de A. Jensen, *Bias in Mental Testing* (New York, Free Press, 1980) ; et N. Block G. Dworkin, éds., *The IQ Controversy* (New York, Pantheon, 1976).

9. La thèse d'Eysenck est citée dans l'ouvrage de M. P. Friedman, J. P. Das et N. O'Connor, *Intelligence and Learning* (New York et Londres, Plenum Press, 1979), p. 84.

La théorie de Thomas Kuhn se trouve dans *The Structure of Scientific Revolutions* (Chicago, University of Chicago Press, 1947).

10. Sur C. Spearman, voir son ouvrage, *The Ability of Man : Their Nature and Measurement* (New York, Macmillan, 1927) ; et C. Spearman, « "General Intelligence" Objectively Determined and Measured », *American Journal of Psychology*, 15, 1904, p. 201-293.

11. Sur L. L. Thurstone, voir son article, « Primary Mental Abilities », *Psychometric Monographs*, 1938, n° 1 ; et L. L. Thurstone, *Multiple-Factor Analysis : A Development and Expansion of « The Vectors of the Mind »* (Chicago, University of Chicago Press, 1947).

12. Le point de vue des spécialistes qui admettent l'existence de plusieurs facteurs d'intelligence indépendants est discuté dans l'ouvrage de G. H. Thomson, *The Factoral Analysis of Human Ability* (Londres, University of London Press, 1951).

13. Les problèmes mathématiques que pose l'interprétation des résultats des tests sont examinés dans l'ouvrage de S. J. Gould, *The Mismeasure of Man* (New York, W. W. Norton, 1981), trad. fr., *La Mal-Mesure de l'homme*, Paris, Ramsay, 1983.

14. Sur la carrière et les théories de Piaget, voir H. Gardner, *The Quest for Mind, Lévi-Strauss and the Structuralist Movement* (Chicago et Londres, University of Chicago Press, 1981) ; J. P. Flawell, *The Developmental Psychology of Jean Piaget* (Princeton, Van Nostrand, 1963) ; et H. Gruber et J. Vonèche, éds., *The Essential Piaget* (New York, Basic Books, 1977).

15. L'exemple de l'individu qui perd ses lobes frontaux et dont les tests de QI donnent des résultats proches du génie est décrit dans l'ouvrage de D. O. Hebb, *The Organization of Behavior* (New York, John Wiley, 1949).

16. Sur le concept de zone de développement proximal, voir L. Vygotsky, *Mind in Society*, M. Cole, éd. (Cambridge, Massachusetts, Harvard University Press, 1978) ; et A. L. Brown et R. A. Ferrara, « Diagnosing Zones of Proximal Development : An Alternative at Standardized Testing ? », article présenté à la conférence sur Culture, Communication et Cognition, *Psychosocial Studies*, Chicago, octobre 1980.

17. Voir *Critique de la raison pure, in Œuvres philosophiques*, Paris, Gallimard, 1980, Bibliothèque de la Pléiade.

18. Selon K. Fischer, l'idée de *décalage* domine les études sur le développement cognitif, dans « A Theory of Cognitive Development : The Control of Hierarchies of Skill », *Psychological Review*, 87, 1980, p. 477-531.

19. Les réactions précoces souvent obtenues pour les tâches de Piaget sans le filtre du langage sont discutées dans H. Gardner, *Developmental Psychology*, 2e édition (Boston, Little, Brown, 1980), chap. 10. Voir aussi P. Bryant, *Perception and Understanding in Young Children* (New York, Basic Books, 1974).

20. Sur la psychologie cognitive et la psychologie du traitement de l'information, voir R. Lachman, J. Lachman et E. C. Butterfield, *Cognitive Psychology and Information Processing : An Introduction* (Hillsdale, N. J., Lawrence Erlbaum 1979) ; et G. R. Claxton, éd., *Cognitive Psychology : New Directions* (Londres, Routledge & Kegan Paul, 1980).

21. R. Sternbeg tente d'identifier les opérations impliquées dans la résolution d'exercices standard de test d'intelligence dans « The Nature of Mental Abilities », *American Psychologist*, 34, 1979, p. 214-230.

22. Sur le « nombre magique » de sept morceaux, voir G. A. Miller, « The Magical Number Seven, Plus or Minus Two : Some Limits on Our Capacity for Processing Information », *Psychological Research*, 63, 1956, p. 81-97.

23. Voir notamment E. Cassirer, *The Philosophy of Symbolic Forms*, vol. 1-3 (New Haven et Londres, Yale University Press, 1953-1957), trad. fr. *La Philosophie des formes symboliques*, Paris, Minuit, 1972 ; S. Langer, *Philosophy in a New Key : A Study in the Symbolism of Reason, Rite and Art* (Cambridge, Massachusetts, Harvard University Press, 1942) ; et A. N. Whitehead, *Modes of Thought* (New York, Capricorn Books, Macmillan, 1938).

24. D. Feldman entreprend de réconcilier l'approche pluraliste de l'intelligence avec le modèle de Piaget dans son ouvrage *Beyond Universals in Cognitive Development* (Norwood, N. J., Ablex Publishers, 1980).

25. G. Salomon discute des médiums de transmission des symboles dans son ouvrage *Interaction of Media, Cognition and Learning* (San Francisco, Jossey-Bass, 1979).

26. Les travaux de D. Olson sur les prothèses qui peuvent permettre aux individus de prendre de l'information grâce à d'autres médiums sont discutés dans son ouvrage *Cognitive Development* (New York, Academic Press, 1970).

D. Olson discute le rôle des systèmes symboliques dans la lecture et l'écriture dans son article « From Utterance to Text : The Bias of Language in Speech and Writing », *Harvard Educational Review*, 47, 1977, p. 257-282.

27. Sur les travaux menés dans le cadre du Projet zéro de Harvard sur la structure et le développement au sein des systèmes symboliques, voir D. P. Wolf et H. Gardner, *Early Symbolisations*, en préparation.

28. Les recherches menées au Centre médical de l'administration des anciens com-

battants de Boston sur l'effondrement des capacités symboliques sont décrites dans l'article de W. Wapner et H. Gardner, « Profiles of Symbol Reading Skills in Organic Patients », *Brain and Language*, 12, 1981, p. 303-312.

29. Pour les travaux de N. Goodman sur les symboles, voir son ouvrage *Languages of Art : An Approach to a Theory of Symbols* (Indianapolis, Hackett Publishing, 1976), trad. fr. *Langages de l'art*, Paris, J. Chambon, 1990.

30. Sur les lésions qui peuvent provoquer des troubles dans l'aptitude à lire un seul type de symbole, mais laissent intacte l'aptitude à en lire un autre type, voir H. Gardner, *Art, Mind and Brain : A Cognitive Approach to Creativity* (New York, Basic Books, 1982), quatrième partie.

31. Sur le concept de capacités computationnelles, voir la fin du chapitre 2 de la première partie et le début du chapitre 10 de la deuxième partie *(NdT)*.

CHAPITRE 2 : Les fondements biologiques de l'intelligence

1. Sur la « découverte du code génétique », voir J. D. Watson, *The Double Helix : A Personal Account of the Discovery of the Structure of DNA* (New York, Signet Books, New American Library, 1968).

2. Des combinaisons de gènes mutuellement corrélés sont décrites par L. Brooks dans son article, « Genetics and Human Populations », un compte rendu technique du Projet sur le potentiel humain de Harvard, juin 1980.

3. Sur la controverse sur l'hérédité de l'intelligence, voir S. Scarr-Salapatek, « Genetics and the Development of Intelligence », *in* F. Horowitz, éd., *Review of Child Development Research*, vol. IV (Chicago, University of Chicago Press, 1975) ; S. Gould, *The Mismeasur of Man* (New York, W. W. Norton, 1981) ; et N. Block et G. Dworkin, éds., *The IQ Controversy* (New York, Pantheon, 1976).

4. Sur le Programme Suzuki d'éducation des talents au violon, voir S. Suzuki, *Nurtured by Love* (New York, Exposition Press, 1969) ; B. Holland, « Among Pros, More Go Suzuki, » *The New York Times*, 11 juillet 1982, E9 ; L. Taniuchi, « The Creation of prodigies through Special Early Education : Three Cas Studies », non publié, Projet Harvard sur le potentiel humain, Cambridge, Massachusetts, 1980.

5. Sur la « dérive génétique » dans les îles du Pacifique, voir C. Gajdusek, « The Composition of Musics for Man : On Decoding from Primitive Cultures the Scores for Human Behavior », *Pediatrics*, 34 (1964), 1, p. 84-91.

6. Les travaux novateurs de D. Hubel et T. Wiesel sont résumés de façon concise dans l'article de H. B. Barlow, « David Hubel and Torsten Wiesel : Their Contributions toward Understanding the Visual Cortex », *Trends in Neuroscience*, mai 1982, p. 145-152.

7. Sur les capacités des oiseaux à chanter, voir F. Nottebohm, « Brain Pathways for Vocal Learning in Birds : A Review of the First 10 Years », *Progress in Psychobiological and Physiological Psychology* 9 (1980), p. 85-124 ; M. Konishi, *in* R. A. Hinde, éd., *Bird Vocalization* (Cambridge, Cambridge University Press, 1969) ; et P. Marler et S. Peters, « Selective Vocal Learning in a Sparrow », *Science*, 198 (1977), p. 519-521.

8. Sur la canalisation, voir C. H. Waddington, *The Evolution of an Evolutionnist* (Ithaca, Cornell University Press, 1975). Voir aussi Piaget, *Behavior and Evolution* (New York, Pantheon, 1978).

C. H. Waddington est cité par E. S. Gollin, *Developmental Plasticity : Bahavioral and Biological Aspects of Variations in Development* (New York, Academic Press, 1981), p. 46-47.

9. Sur l'adaptation du système nerveux aux influences environnementales, voir Gollin, *Developmental Plasticity, op. cit.*, p. 236.

10. M. Dennis décrit la capacité du nouveau-né humain à apprendre à parler, même s'il a perdu un hémisphère cérébral ; voir M. Dennis, « Language Acquisition in a

Single Hemisphere : Semantic Organization », *in* D. Caplan, éd., *Biological Studies of Mental Processes* (Cambridge, Massachusetts, MIT Press, 1980).

11. Sur la plasticité résiduelle et les limites de la plasticité en cas de lésion ou de déprivation précoce, voir les résumés suivants des travaux de D. Hubel et T. Wiesel : J. Lettvin, « "Filling out the Forms" : An Appreciation of Hubel and Wiesel », *Science,* 214 (1981), p. 518-520 ; et Barlow, « Hubel and Wiesel : Their Contributions », *art. cit.*

12. Sur le consensus naissant en faveur de l'idée que chaque espèce est spécialement « préparée » pour acquérir certains types d'information, voir J. Garcia et M. S. Levine, « Learning Paradigms and the Structure of the Organism », *in* M. R. Rosenzweig et E. L. Bennett, éds., *Neural Mechanisms of Learning and Memory* (Cambridge, Massachusetts, MIT Press, 1976) ; M. E. P. Seligman, « On the Generality of the Laws of Learning », *Psychological Review*, 77 (1970), p. 406-418 ; et P. Rozin, « The Evolution of Intelligence : An Access to the Cognitive Unconscious », *Progress in Psychology and Physiological Psychology*, 6 (1976), p. 245-280.

13. Les travaux sur les chants des moineaux femelles sont rapportés par M. Baker, « Early Experience Determines Song Dialect Responsiveness of Female Sparrows », *Science*, 214 (1981), p. 819-820.

14. Les études de W. M. Cowan sont examinées dans son article « The Development of the Brain », *Scientific American*, 241 (1979), p. 112-33.

15. Les découvertes de Patricia Goldman sur l'adaptation du système nerveux sont tirées de P. S. Goldman et T. W. Galkin, « Prenatal Removal of Frontal Association Cortex in the Fetal Rhesus Monkey : Anatomical and Functionnal Consequences in Postnatal Life », *Brain Research*, 152 (1978), p. 451-485.

16. À propos des « périodes critiques » dans le développement, voir Gollin, éd., *Developmental Plasticity, op. cit.*

17. Sur le caractère hautement modifiable des régions comme le corps calleux, voir G. M. Innocenti, « The Development of Interhemispheric Connections », *Trends in Neuroscience*, 1981, p. 142-144.

18. Sur l'acquisition du discours suite à l'ablation d'un hémisphère entier tôt dans la vie, voir Dennis, « Language Acquisition », *art. cit.*

19. Sur le système visuel du chat, voir D. H. Hubel et T. N. Wiesel, « Brain Mechanisms of Vision », *Scientific American*, 241 (3 [1979]), p. 150-162 ; et Barlow, « Hubel and Wiesel : Their Contributions », *art. cit.*

20. Sur les effets à long terme d'une lésion du cerveau et du système nerveux, voir P. S. Goldman-Rakic, A. Isseroff, M. L. Schwartz et N. M. Bugbee, « Neurobiology of Cognitive Development in Non-Human Primates », article non publié, Yale University, 1981.

21. L'étude de M. Rosenzweig et de ses collègues sur les rats dans un environnement enrichi et appauvri : M. R. Rosenzweig, K. Mollgaard, M. C. Diamond et E. L. Bennett, « Negative as well as Positive Synaptic Changes May Store Memory », *Psychological Review*, 79, (1 [1972]), p. 93-96. Voir aussi E. L. Bennett, « Cerebral Effects of Differential Experiences and Trainig », dans l'ouvrage de Rosenzweig et Bennett, *Neural Mechanisms, op. cit.*

22. Les découvertes de William Greenough sur les animaux élevés dans des environnements complexes sont rapportées dans « Experience-Induced Changes in Brain Fins Structure : Their Behavioral Implications », *in* M. E. Hahn, C. Jensen et B. C. Dudek, éds., *Development and Evolution of Brain Size : Behavioral Implications* (New York, Academic Press, 1979).

23. F. Nottebohm met en corrélation la taille de deux noyaux dans le cerveau du canari avec l'apparition du chant dans « Ontogeny of Bird Song », *Science*, 167 (1970), p. 950-956.

24. Les observations de O. et A. Vogt ont été rapportées par Arnold Scheibel dans un article présenté à l'Académie de l'Aphasie, London, Ontario, octobre 1981. Voir aussi R. A. Yeo et coll., « Volumetric Parameters of the Normal Human Brain : Intellectual Correlates », article non publié, University of Texas at Austin, 1982.

25. Sur la production d'un excès de fibres neuronales, voir J.-P. Changeux et A. Danchin, « Selective Stabilization of Developing Synapses as a Mechanism for the Specification of Neuronal Networks », *Nature*, 264 (1976), p. 705-712.

26. Sur la période de « mort neuronale sélective », voir W. N. Cowan, « The Development of the Brain », *Scientific American*, 241 (1979), p. 112-133. Voir aussi M. Pines, « Baby, You're Incredible », *Psychology Today*, février 1982, p. 48-53.

27. La formidable croissance des connexions cellulaires suite à des lésions a été décrite par Gary Lynch dans un article présenté devant l'International Neuropsychology Society, Pittsburgh, Pa. février 1982.

28. La réduction du taux de mort des cellules des ganglions rétiniens quand un œil est enlevé à la naissance est établie dans D. R. Sengelaub et B. L. Finlay, « Early Removal of One Eye Reduces Normally Occurring Cell Death in the Remaining Eye », *Science*, 213 (1981), p. 573-574.

29. Sur le phénomène en forme de U, voir S. Strauss, éd., *U-Shaped Behavioral Growth* (New York, Academic Press, 1982).

30. Peter Huttenlocher discute du changement dans la densité synaptique avec le vieillissement dans « Synaptic Density in Human Frontal Cortex : Developmental Changes and the Effects of Aging », *Brain Research*, 163 (1979), p. 195-205.

31. Sur les changements neuraux plus tard dans la vie, voir M. C. Diamond, « Aging and Cell Loss : Calling for an Honest Count », *Psychology Today*, septembre 1978 ; S. McConnell, « Summary of Research on the Effects of Aging on the Brain », compte rendu technique non publié, Projet sur le potentiel humain de Harvard, Cambridge, Massachusetts, 1981 ; R. D. Terry, « Physical Changes of the Aging Brain », *in* J. A. Behnke, C. E. Finch et G. B. Moment, éds., *The Biology of Aging* (New York, Plenum Press, 1979) ; M. E. Scheibel et A. B. Scheibel, « Structural Changes in the Aging Brain », *in* H. Brody, D. Harman et J. M. Ordy, éds., *Aging*, vol. 1 (New York, Raven Press, 1975) ; J. M. Ordy, B. Kaack et K. R. Brizzee, « Life-Span Neurochemical Changes in the Human and Non-Human Primate Brain », *in* H. Brody, D. Harman et J. M. Ordy, éds., *Aging*, vol. 1 (New York, Raven Press, 1975).

32. Sur le chant des oiseaux, voir Marler et Peters, « Selective Vocal Learning in a Sparrow », *art. cit.* Voir aussi Nottebohm, « Brain Pathways », *art. cit.* et « Ontogeny of Bird Song », *art. cit.*

33. E. R. Kandel a décrit ses travaux sur les formes d'apprentissage les plus simples chez l'aplysie dans « Steps toward a Molecular Grammar for Learning : Explorations into the Nature of Memory », article présenté devant le Symposium du bicentenaire de la faculté de médecine de Harvard, 11 octobre 1982, p. 9.

34. Le résumé de Kandel provient de la p. 35 de l'article cité note précédente.

35. Sur le lien entre une mauvaise alimentation et une instabilité émotive chez les enfants, voir J. Cravioto et E. R. Delicardie, « Environmental an Nutritional Deprivation in Children with Learning Disabilities », *in* W. Cruickshank et D. Hallahan, éds., *Perceptual and Learning Disabilities in Children*, vol. II (Syracuse, Syracuse University Press, 1975).

36. On peut trouver le point de vue de Vernon Mountcastle sur l'organisation du cortex cérébral dans son « An Organizing Principle for Cerebral Function : The Unit Module and the Distributed System », *in* G. M. Edelman et V. B. Mountcastle, éds., *The Mindful Brain* (Cambridge, Massachusetts, MIT Press, 1978).

37. La thèse de David Hubel et Torsten Wiesel provient de leur article, « Brain Mechanisms of Vision », *Scientific American*, 241 (3 [1979]), p. 161. Sur l'organisation du lobe frontal, voir W. Nauta, « The Problem of the Frontal Lobe : A Reinterpretation », *Journal of Psychiatric Research*, 8 (1971), p. 167-187 ; P. S. Goldman-Rakic, A. Isseroff, M. L. Schwartz et N. M. Bugbee, « Neurobiology of Cognitive Development in Non-Human Primates », article non publié, Yale University, 1981.

38. Sur les réactions des cellules corticales du système visuel à la couleur, à la direction du mouvement et à la profondeur, voir Hubel et Wiesel, « Brain Mechanisms », *art. cit.*, p. 162.

39. Sur le relais de l'information d'une aire corticale à la suivante, voir Lettvin, « "Filling out the Forms" », *art. cit.*

40. Sur des détails des spéculations de P. Goldman et M. Constantine-Paton, voir F. H. C. Crick, « Thinking about the Brain », *Scientific American*, 241 (3 [1979]), p. 228.

41. La remarque de Crick vient de la p. 228 de l'article cité note précédente.

42. Sur la latéralité du cerveau, voir B. Milner, « Hemispheric Specializations : Scope and Limits », *in* F. O. Schmitt et F. G. Worden, éds., *The Neurosciences : Third Study Program* (Cambridge, Massachusetts, MIT Press, 1974), p. 75-89 ; et M. Kinsbourne, « Hemisphere Specialization and the Growth of Human Understanding », *American Psychologist*, 37 (4 [1982]), p. 411-420.

43. Sur les désordres linguistiques résultant de lésions dans différentes aires du cerveau, voir H. Gardner, *The Shattered Mind : The Person after Brain Damage* (New York, Alfred A. Knopf, 1975).

44. La proposition de D. Hubel provient de son article « Vision and the Brain », *Bulletin of the American Academy of Arts and Sciences*, 31 (7 [1978]), p. 7, 17-28.

45. Sur les zones du langage en cas de surdité, voir H. J. Neville et U. Bellugi, « Patterns of Cerebral Specialization in Congenitally Deaf Adults : A Preliminary Report », *in* P. Siple, éd., *Understanding Language through Sign Language Research* (New York, Academic Press, 1978).

46. Le langage gestuel développé par les enfants sourds est discuté dans S. Goldin-Meadow, « Language Development without a Language Model », article présenté à la réunion biennale de la Société de recherche sur le développement de l'enfant, Boston, avril 1981, *in* K. Nelson, éd., *Children's Language*, vol. V (New York, Gardner Press).

47. Le cas de Genie, une enfant gravement maltraitée qui a acquis le langage par l'utilisation de son hémisphère droit, a été décrit par S. Curtiss dans *Genie : A Linguistic Study of a Modern-Day Wild Child* (New York, Academic Press, 1977).

48. Le point de vue du cerveau comme « organe équipotentiel » est avancé par Karl S. Lashley dans son article « In Search of the Engram », *Symposia of the Society for Experimental Biology*, 4 (1950), p. 454-482.

49. Les découvertes que des lésions spécifiques conduisent à des altérations dans la performance des rats parcourant un labyrinthe sont rapportées dans J. Garcia et M. S. Levine, « Learning Paradigms and the Structure of the Organism », *in* Rosenzweig et Bennett, *Neural Mechanisms*, *op. cit.*

50. Sur l'importance des régions pariétales postérieures dans les tâches mesurant l'intelligence « à l'état brut », voir E. Zaidel, D. W. Zaidel et R. W. Sperry, « Left and Right Intelligence : Cas Studies of Raven's Progressive Matrices Following Brain Bisection and Hemidecortication », *Cortex*, 17 (1981), p. 167-186.

51. Pour les faiblesses de la conception de l'équipotentialité de Lashley, voir R. B. Loucks, « Methods of Isolating Stimulation Effects with Implanted Barriers », *in* D. E. Sheer, éd., *Electrical Stimulation of the Brain* (Austin, University of Texas Press, 1981).

52. Les effets des altérations des hémisphères gauche et droit sur différents aspects du dessin sont décrits dans le chapitre 8 de Gardner, *Shaterred Mind*, *op. cit.* ; voir aussi les références citées dans cet ouvrage.

53. On peut trouver le point de vue que la cognition humaine consiste en de nombreux dispositifs cognitifs dans J. A. Fodor, *The Modularity of Mind* (Cambridge, Massachusetts, MIT Press, 1983).

Voir aussi M. Gazzaniga et J. Ledoux, *The Integrated Mind* (New York, Plenum Press, 1978) ; et P. Rozin, « The Evolution of Intelligence and Access to the Cognitive Unconscious », *Progress in Psychobiology and Physiological Psychology*, 6 (1976), p. 245-80.

Pour le point de vue de Allport sur les dispositifs cognitifs à objectif spécial, voir D. A. Allport, « Patterns and Actions : Cognitive Mechanisms Are Content Specific », *in* G. L. Claxton, éd., *Cognitive Psychology : New Directions* (Londres, Routledge & Kegan Paul, 1980).

54. P. Rozin discute de la capacité spéciale à devenir conscient du fonctionnement

de son propre traitement de l'information, dans son article « The Evolution of Intelligence and Access to the Cognitive Unconscious », cité note précédente.

55. Pour des preuves de ce que la croissance par d'autres voies, ce que permet la plasticité, n'est pas toujours un avantage, voir B. T. Woods, « Observations on the Neurological Basis for Initial Language », et N. Geschwind, « Some Comments on the Neurology of Language », *in* Caplan, *Biological Studies, op. cit.*

CHAPITRE 3 : Qu'est-ce qu'une intelligence ?

1. Sur le développement de l'aptitude à reconnaître les visages, voir S. Carey, R. Diamond et B. Woods, « Development of Face Recognition — A Maturational Component ? », *Developmental Psychology*, 16 (1980), p. 257-269.

2. Les cinq modes de communication de Larry Gross sont discutés dans « Modes of Communication and the Acquisition of Symbolic Capacities », *in* D. Olson, éd., *Media and Symbols* (Chicago, University of Chicago Press, 1974).

3. Sur les sept formes de connaissance de Paul Hirst, voir *Knowledge and the Curriculum* (Londres, Routledge & Kegan Paul, 1974).

4. Sur le « modèle du démon » de l'intelligence selon Selfridge, voir O. G. Selfridge, « Pandemonium : A Paradigm for Learning », *Symposium on the Mechanization of Thought Processes*, vol. I (Londres, H. M. Stationery Office, 1959).

5. Tout au long de l'ouvrage, l'auteur emploie l'expression en français *(NdT)*.

6. Pour une discussion sur les *idiots savants*, voir chapitres 5 et 6 *in* H. Gardner, *The Shaterred Mind : The Person after Brain Damage* (New York, Alfred A. Knopf, 1975).

7. On peut trouver une discussion sur les aspects décisionnels du déploiement d'une intelligence dans le livre à paraître de mon collègue Israel Scheffler, dont le titre provisoire est *Of Human Potential.*

8. La distinction entre « savoir-comment » et « savoir-que » est traitée dans G. Ryle, *The Concept of Mind* (Londres, Hutchinson, 1949).

CHAPITRE 4 : L'intelligence linguistique

1. La remarque de l'indigène des îles Gilbert provient de R. Finnegan, « Literacy versus Non-Literacy : The Great Divide ? », *in* R. Horton et R. Finnegan, éds., *Modes of Thought, Essays on Thinking in Wstern Societies* (Londres, Faber & Faber, 1973).

2. La description de l'écriture selon Lillian Hellman provient de son autobiographie, *An Unfinished Woman* (New York, Bantam, 1970).

3. La correspondance entre Keith Douglas et T. S. Eliot est décrite dans l'article de A. Coleman, « T. S. Eliot and Keith Douglas », *London Times Literary Supplement*, 7 février 1970, p. 731.

4. La quête de T. S. Eliot pour trouver les mots justes est exposée en détail dans l'article de C. Ricks, « Intense Transparencies », l'explication de *The Composition of « Four Quartets »*, par Helen Gardner, *London Times Literary Supplement*, 15 septembre 1978, p. 1006-1008.

5. La quête de Robert Graves pour trouver le mot juste est décrite dans son livre *On Poetry : Selected Talks and Essays* (Garden City, New York, Doubleday, 1969), p. 417-419.

6. La quête de Stephen Spender pour trouver les mots justes est décrite dans B. Ghiselin, éd., *The Creative Process* (New York, Mentor, New American Library, 1952), p. 112.

7. « Les vagues sont des fils métalliques/Brûlant comme des chants secrets des feux », « Le jour brûle dans les fils métalliques tremblants/Avec une vaste musique d'or dans les yeux », « Le jour rougeoie sur ses fils métalliques en feu/Comme des vagues

de musique d'or pour les yeux », « L'après-midi brûle sur les fils métalliques/ Lignes de musique éblouissant les yeux », « L'après-midi dore ses fils métalliques vibrants/Vers le silence de la musique visuelle des yeux ».

8. « Certains jours, l'océan heureux repose/Comme une harpe sans doigté », « L'après-midi dore toutes les cordes métalliques silencieuses/Dans une musique en feu des yeux ».

9. L'observation de T. S. Eliot sur la logique du poète provient de sa préface à *Anabase* de Saint-John Perse (New York, Harcourt, Brace, Jovanovich, 1970).

10. La remarque de W. H. Auden provient de C. D. Abbott, éd., *Poets at Work* (New York, Harcourts, Brace, 1948), p. 171.

11. La remarque de H. Read sur la nature visuelle des mondes poétiques provient de son livre *The Philosophy of Modern Art* (Londres, Faber & Faber, 1964), p. 164.

12. Helen Vendler discute des classes de poésie de Robert Lowell dans son article « Listening to Lowell », *New York Times Book Review*, 3 février 1980.

13. La remarque de N. Frye provient de l'« Introduction polémique » à son livre *The Well-Tempered Critic* (Bloomington, Indiana University Press, 1963), p. 5.

14. L'importance de la sensibilité à des nuances subtiles entre les mots est discutée dans J. L. Austin, *Philosophical Papers*, 3e édition, J. O. Urmson et G. J. Warnock, éds. (Oxford et New York, Oxford University Press, 1979), p. 274.

15. Sur les fonctions du langage, voir R. Jacobson, « Closing Statement : Linguistics and Poetics », *in* T. A. Sebeok, éd., *Style in Language* (Cambridge, Massachusetts, MIT Press, 1960).

16. Les points forts majeurs de la théorie de N. Chomsky sont présentés dans son ouvrage *Language and Mind* (New York, Harcourt, Brace, Jovanovich, 1968).

17. Sur le développement de l'aptitude linguistique chez les enfants, voir H. Gardner, *Developmental Psychology*, 2e édition (Boston, Little, Brown, 1982), chapitre 4 ; et P. Dale, *Language Development : Structure and Function* (Hillsdale, Illinois, Dryden, 1972).

18. On peut trouver des preuves en faveur de l'affirmation que diverses hypothèses sur le fonctionnement du langage se construisent à l'intérieur du système nerveux dans K. Wexler et P. Culicover, *Formal Principles of Language Acquisition* (Cambridge, Massachusetts, MIT Press, 1980). Voir aussi D. Osherson, « Thoughts on Learning Functions », article non publié, University of Pennsylvania, 1978 ; et Noam Chomsky, *Rules and Representations* (New York, Columbia University Press, 1980).

19. La remarque de Jean-Paul Sartre, « En écrivant j'existais », provient de son autobiographie, *Les Mots* (Gallimard, 1964). De même pour celle qui décrit ses activités à l'âge de neuf ans.

20. La discussion d'Auden sur les pièges qui menacent de prendre le jeune écrivain et son analogie avec un jeune homme courtisant une dame proviennent de son livre *Forewords and Afterwords* (New York, Vintage, 1973), p. 13.

21. La discussion de Spender sur sa fine mémoire de ses expériences est citée dans Ghiselin, *Creative Process*, op. cit., p. 120-121.

22. Auden discute du poète sous-développé et de l'intérêt qu'il y a à écrire une douzaine d'hexamètres rhopaliques dans son livre *Forewords and Afterwords*, op. cit., p. 224-225.

23. Le commentaire de Thornton Wilder est cité dans M. Cowley, éd., *Writers at Work : The Paris Review Interviews* (New York, Viking Press, 1959), p. 117.

24. Le commentaire que Walter Jackson Bate propose de Keats provient de W. J. Bate, *John Keats* (New York, Oxford University Press, 1966), p. 438.

25. Igor Stravinsky décrit l'aptitude d'Auden à écrire des vers sur commande dans I. Stravinsky, *Stravinsky in Conversation with Robert Craft* (Harmondsworth, Angleterre, Pelican Books, 1962), p. 280.

26. La remarque de Karl Shapiro sur le génie du poète est cité dans Abbott, éd., *Poets at Work*, op. cit., p. 94.

27. Sur la vie et l'œuvre d'Einstein, voir B. Hoffman, *Einstein* (Frogmore, St. Albans, Herts, Grande-Bretagne, Palatin, 1975).

28. La simplification des expressions chez les enfants dont le langage est perturbé a été discutée par H. Sinclair-de-Zwart dans une conférence à l'université de Harvard, en mai 1976. Voir aussi H. Sinclair-de-Zwart, « Language Acquisition and Cognitive Development », *in* T. E. Moore, éd., *Cognitive Development and the Acquisition of Language* (New York, Academic Press, 1973) ; et A. Sinclair et coll., *The Child's Conception of Language* (Springer Series in Language and Communication, vol. II [New York, Springer-Verlag, 1979]).

29. Sur les enfants hyperlexiques, voir C. C. Mehegan et F. E. Dreifuss, « Exceptional Reading Ability in Brain-Damadged Children », *Neurology*, 22 (1972), p. 1105-1111 ; et D. E. Elliot et R. M. Needleman, « The Syndrome of Hyperlexia », *Brain and Language*, 3 (1976), p. 339-349.

30. Sur la latéralité cérébrale et le langage, voir J. M. Ranklin, D. M. Aram et S. J. Horowitz, « Language Ability in Right and Left Hemiplegic Children », *Brain and Language*, 14 (1981), p. 292-306. Voir aussi M. Dennis, « Language Acquisition in a Single Hemisphere Semantic Organization », *in* D. Caplan, éd., *Biological Studies of Mental Processes* (Cambridge, Massachusetts, MIT Press, 1980).

31. Le cas de Genie a été établi par S. Curtiss dans *Genie : A Linguistic Study of a Modern-Day Wild Child* (New York, Academic Press, 1977). Sur la capacité des enfants sourds à entendre leurs parents pour développer un système de langage gestuel, voir S. Goldin-Meadow, « Language Development without a Language Model », article présenté à la réunion biennale de la Société de recherche sur le développement de l'enfant, Boston, avril 1981, *in* K. Nelson, éd., *Children's Language*, vol. V (New York, Gardner Press).

32. Des preuves que le langage est plus fortement concentré dans l'hémisphère gauche chez les hommes sont données dans M. H. Wittig et A. C. Peterson, éds., *Sex Related Differences in Cognitive Functioning* (New York, Academic Press, 1979) ; A. Kertesz, « Recovery and Treatment », *in* K. M. Heilman et E. Valenstein, éds., *Clinical Neuropsychology* (New York, Oxford University Press, 1979) ; et J. Levy, « Cerebral Asymmetry and the Psychology of Man », *in* Wittig et Peterson, *Sex-Related Differences*, *op. cit.*

33. Pour des raisons inconnues, les fonctions du langage semblent plus fortement localisées dans l'hémisphère gauche chez les mâles que chez les femelles.

34. Pour des preuves tirées d'études du cerveau que le langage écrit « monte sur le dos » du langage oral, voir H. Gardner, *The Shattered Mind : The Person after Brain Damage* (New York, Alfred A. Knopf, 1975), chap. 3.

35. Sur le décodage des symboles *kana* contre les symboles *kanji*, voir S. Sasnuma, « Kana and Kanji Processing in Japanese Aphasics », *Brain and Language*, 2, 1975, p. 369-382.

36. Sur l'aptitude de certains individus gravement aphasiques à bien exécuter d'autres tâches cognitives, voir H. Gardner, « Artistry Following Damage to the Human Brain », *in* A. Ellis, éd., *Normality and Pathology in Cognitive Functions* (Londres, Academic Press, 1982).

37. Sur l'idioglossie, l'aphasie anomique et les différents styles d'écriture produits par différentes lésions, voir Gardner, *Shattered Mind*, 132, chap. 2 et 3.

38. En français dans le texte *(NdT)*.

39. Sur l'évolution du cerveau, voir M. LeMay, « Morphological Cerebral Asymmetries of Modern Man, Fossil Man and Nonhuman Primate », *in* S. R. Harnad, H. D. Steklis et J. Lancater, *Origins and Evolution of Language and Speech* (New York, New York Academy of Sciences, 1976), vol. 280.

40. Pour le point de vue de N. Chomsky sur l'évolution du langage, voir son livre *Reflections on Language* (New York, Pantheon, 1975). J'ai appris le point de vue de Lévi-Strauss, à savoir que le langage a évolué d'un seul coup, au cours d'une conversation personnelle, en juin 1981.

41. Sur l'évolution du langage chez l'homme et les primates, voir G. W. Hewes, « The

Current Status of the Gestural Theory of Language Origin », *in* Harnad, Stecklis et Lancaster, *Origins and Evolution*, 136, vol. 280.

42. Sur l'évolution du langage chez les chimpanzés, voir T. A. Sebeok et J. Umiker-Sebeok, éds., *Speaking of Apes : A Critical Anthology of Two-Way Communication with Man* (New York, Plenum Press, 1980).

43. L'évolution de la capacité de discours chez l'homme est également discutée dans P. Lieberman, « On the Evolution of Language : A Unified View », *Cognition*, 2, 1974, p. 59-95.

44. Sur les chanteurs de vers contemporains, voir A. B. Lord, *The Singer of Tales* (New York, Atheneum, 1965).

45. Sur les exigences mnémoniques du jeu d'échecs, voir W. Chase et H. Simon, « The Mind's Eye in Chess », *in* W. G. Chase, éd., *Visual Information Processing* (New York, Academic Press, 1973).

46. Sur la découverte de E. F. Dube que des Africains illettrés se rappellent mieux les histoires que ne le font des Africains scolarisés ou les New-Yorkais scolarisés, voir « A Cross-Cultural Study of the Relationship between "Intelligence" Level and Story Recall », thèse de doctorat non publiée de Ph. D., Cornell University, 1977. Les découvertes de Dube sont également citées dans l'ouvrage de W. W. Lambert, *Introduction to Perspectives*, vol. 1 du *Handbook of Cross-Cultural Psychology*, H. C. Triandis et W. W. Lambert, éds. (Boston, Allyn & Bacon, 1980), p. 29.

47. G. Bateson, *Naven* (Stanford, Californie, Stanford University Press, 1958), p. 222. L'importance de la mémoire pendant l'Antiquité et le Moyen Âge est décrite dans F. Yates, *The Art of Memory* (Londres, Routledge & Kegan, Paul, 1966).

48. On peut trouver les découvertes d'Ericcson et Chase sur la mémoire des chiffres dans K. A. Ericcson, W. G. Chase et S. Faloon, « Acquisition of a Memory Skill », *Science*, 208 (1980), p. 1181-1182.

49. La méditation de Suzanne Langer sur sa mémoire verbale provient de son article « A Lady Seeking Answers », *New York Times Book Review*, 26 mai 1968.

50. En français dans le texte *(NdT)*.

51. A. R. Luria décrit son étude d'un mnémoniste dans *The Mind of the Mnemonist* (New York, Basic Books, 1968).

52. Les duels verbaux entre Chamula du Chiapas, au Mexique, sont discutés par G. Gossen dans son article « To Speak with a Heated Heart : Chamula Canons of Style and Good Performace », *in* R. Bauman et J. Sherzer, éds., *Explorations in the Ethnography of Speaking* (Cambridge, Cambridge University Press, 1974).

53. La langue maya, tzeltal, est décrite dans B. Stross, « Speaking of Speaking : Tenejapa Tzeltal Metalinguistics », dans le livre de Bauman et Sherzer, cité note précédente.

54. Le kpelle profond est décrit dans M. Cole, J. Gay, J. A. Glick et D. W. Sharp, *The Cultural Context of Learning and Thinking* (New York, Basic Books, 1971).

55. J. Comaroff discute des Tshidi du Bostwana dans son article « Talking Politics : Oratory and Autority in a Tswana Chiefdom », *in* M. Bloch, éd., *Political Language and Oratory in Traditional Society* (Londres, Academic Press, 1975).

56. E. Havelock discute de la culture orale grecque dans son livre *Preface to Plato* (Cambridge, Massachusetts, Harvard University Press, 1963), p. 126.

57. La remarque de Henry James est prise de son livre *The Art of the Novel*, R. Blackmur, éd. (New York, Charles Scribners, 1950 ; 1re édition, 1934), p. 122.

58. La citation de Jakobson se trouve dans I. A. Richards, « Jakobson on the Subliminal Structures of a Sonnet », *The London Times Literary Supplement*, 28 mai 1980.

59. En français dans le texte *(NdT)*.

CHAPITRE 5 : L'intelligence musicale

1. La définition de la musique selon Hoene Wronsky est citée dans D. H. Cope, *New Directions in Music* (Dubuque, Iowa, Wm. C. Brown, 1978), p. 87.

2. La discussion de R. Sessions sur la composition de la musique est empruntée à son livre *Questions about Music* (New York, W. W. Norton, 1970), p. 89.

3. On peut trouver la définition de Sessions de la « pensée musicale logique » *in op.cit.*, p. 110 du livre *Questions about Music*, cité note précédente.

4. Sur la tâche du compositeur, voir aussi A. Copland, *What to Listen for in Music* (New York, McGraw-Hill, 1939). La remarque d'Aaron Copland sur la composition comme un acte naturel se trouve p. 20.

5. La remarque d'Arnold Schönberg est citée dans C. Rosen, « The Possibilities of Disquiet », un compte rendu du livre de B. Tagebuch *Arnold Schönberg*, J. Rufer, éd., *The London Times Literary Supplement*, 7 novembre 1975, p. 1336.

6. Le point de vue de Harold Shapero est cité dans B. Ghiselin, *The Creative Process* (New York, New American Library, 1952), p. 49-50.

7. Sessions discute du processus de composition dans son livre *Questions about Music, op. cit.*, p. 29-30.

8. La remarque d'Igor Stravinsky se trouve dans ses *Conversations with Robert Craft* (Londres, Pelican Books, 1971), p. 29.

9. Arnold Schönberg cite le point de vue de Schopenhauer dans Rosen, « The Possibilities of Disquiet », 159, p. 1335.

10. Cette expression de C. Lévi-Strauss provient de son livre *Le Cru et le Cuit. Introduction à une science de la mythologie* (Plon, 1967).

11. A. Copland discute de l'auditeur intelligent dans son livre *What to Listen for in Music*, 158, p. 17.

12. Le point de vue de Cone sur « l'écoute active » est prise de son livre *Musical Form and Musical Performance* (New York, W. W. Norton, 1968), p. 21.

13. Les remarques de Cone sur une exécution musicale adéquate se trouvent p. 31 du livre précité.

14. Stravinsky discute du public auquel il se promet dans ses *Conversations with Robert Craft, op. cit.*, p. 32.

15. La différence d'accent dans la tradition musicale des différentes cultures est décrite par E. May dans *Musics of Many Cultures* (Berkeley, University of California Press, 1980).

16. La remarque de Sessions est tirée de son livre *Questions about Music, op. cit.*, p. 42.

17. La définition de la musique selon Arnold Schönberg est prise de ses *Lettres*, E. Stein, éd. (New York, St. Martin's Press, 1965), p. 186.

18. S. Langer discute des implications émotionnelles de la musique dans son livre *Philosophy in a New Key, A Study in the Symbolism of Reason, Rite and Art* (Cambridge, Massuchusetts, Harvard University Press, 1942).

19. La remarque de Sessions provient de son livre *Questions about Music, op. cit.*, p. 14.

20. On peut trouver la remarque de Stravinsky et sa palinodie ultérieure dans R. Craft et I. Stravinsky, *Expositions and Developments* (Londres, Faber & Faber, 1962).

21. Les études de Paul Vitz sont décrites dans P. Vitz et T. Todd, « Preference for Tones as a Function of Frequency (Hz) and Intensity (db), *Psychological Review*, 78 (3 [1971]), p. 207-228.

22. L'approche « juste milieu » en recherche musicale est prise dans C. Krumhansl, « The Psychological Representation of Musical Pitch in a Tonazl Context », *Cognitive Psychology*, 11 (1979), p. 346-374.

On peut trouver un exposé des découvertes de la psychologie de la musique dans E. Winner, *Invented Worlds* (Cambridge, Massachusetts, Harvard University Press, 1982).

23. Les études de Metchild Papousek et Hanus Papousek sont décrites dans M. Papousek, « Musical Elements in Mother-Infant Dialogues », article présenté à la Conférence internationale sur les études du nouveau-né, Austin, Texas, mars 1982.

24. Sur le développement chez les enfants de la compétence musicale, voir L. Davidson, P. MacKernon et H. Gardner, « The Acquisition of Song : A Developmental Approach », *in Documentary Report of the Ann Arbor Symposium* (Reston, va., Music Educators National Conférence, 1981).

25. J. C. Messenger décrit la musique et la danse chez les Anang du Nigeria dans « Reflections on Esthetic Talent », *Basic College Quarterly*, 4 (20-24 [1958]), p. 20-21.

26. A. Merriam décrit la formation musicale chez les Vanda du Nord-Transvaal dans A. Merriam, *The Anthropology of Music* (Evanston, Illinois, Northwestern University Press, 1964), p. 148, les griots de Sénégambie sont discutés p. 158. Voir aussi E. May, *Musics of Many Cultures* (Berkeley, University of California Press, 1980).

27. Sur les travaux de Bamberger, voir E. Winner, *Invented Worlds, op. cit.* ; et J. Bamberger, « Growing up Prodigies : The Mid-Life Crisis », *New Directions for Child Development*, 17 (1982), p. 61-78.

28. Sur la méthode Suzuki d'entraînement au violon, voir S. Suzuki, *Nurtured by Love* (New York, Exposition Press, 1969) ; B. Holland, « Among Pros, More Go Suzuki, » *The New York Times*, 11 juillet 1982, E9 ; L. Taniuchi, « The Creation of Prodigies through Special Early Education : Three Cas Studies », non publié, Projet Harvard sur le potentiel humain, Cambridge, Massachusetts, 1980.

29. Sur la notion de zone de développement proximal, voir L. Vygotsky, *Mind in Society*, M. Cole, éd. (Cambridge, Massachusetts, Harvard University Press, 1978).

30. Sur les premières années de la vie de Rubinstein, voir son livre *My Young Years* (New York, Alfred A. Knopf, 1973). Rubinstein réfléchit à l'absence de dons musicaux dans sa famille p. 4. La description qu'il fait de son jeu dans le salon se trouve aussi p. 4.

31. Sur la rencontre de Rubinstein avec Joachim, voir p. 7 du livre cité note précédente.

32. R. Serkin est cité dans M. Meyer, « He Turned the Store Upside Down », *The New York Times*, 7 décembre 1969, D1.

33. La réflexion de Stravinsky se trouve dans Stravinsky et Craft, *Expositions and Developments, op. cit.*, p. 21.

34. En français dans le texte *(NdT)*.

35. Sur la musique dans d'autres cultures, voir Merriam, *The Anthropology of Music, op. cit.* ; et B. Nettl, *Music in Primitive Culture* (Cambridge, Massachusetts, Harvard University Press, 1956).

36. John Lennon est cité dans B. Miles, « The Lennon View », *The Boston Globe*, 11 décembre 1980, p. 1.

37. Sur l'évolution de la musique, voir J. Pfeiffer, *The Creative Explosion : An Inquiry into the Origins of Arts and Religion* (New York, Harper & Row, 1982).

38. Sur le chant des oiseaux, voir F. Nottebohm, « Brain Pathways for Vocal Learning in Birds : A Review of the First 10 Years », *Progress in Psychobiological and Physiological Psychology*, 9 (1980), p. 85-124 ; M. Konishi, *in* R. A. Hinde, éd., *Bird Vocalization* (Cambridge, Cambridge University Press, 1969) ; et P. Marler et S. Peters, « Selective Vocal Learning in a Sparrow », *Science*, 198 (1977), p. 519-521.

39. Cette citation est de I. Stravinsky, *The Poetics of Music in the Form of Six Lessons* (New York, Vintage, 1956), p. 24.

40. Sur la découverte de D. Deutsch qu'il y a 40 % d'erreurs dans le souvenir des sons, voir son article « The Organization of Short-term Memory for a Single Acoustic Attribute », *in* D. Deutsch et J. A. Deutsch, éds., *Short-term Memory* (New York, Academic Press, 1975), p. 112 ; voir p. 108-112 pour des preuves que le matériau verbal ne doit pas perturber le matériau mélodique.

41. Les effets d'une lésion cérébrale sur les aptitudes musicales sont décrits dans M. I. Botez, T. Botez et M. Aube, « Amusia : Clinical and Computerized Scanning (CT) Correlations », *Neurology*, 30 (avril 1980), p. 359.

42. Pour un compte rendu des découvertes sur Ravel, Chebaline et d'autres compositeurs, ainsi que pour une inspection de la neuropsychologie de la musique, voir

H. Gardner, « Artistry Following Damage to the Human Brain », *in* A. Ellis, éd., *Normality and Pathology in Cognitive Functions* (Londres, Academic Press, 1982).

43. Les découvertes de H. Gordon sont décrites dans son article « Degree of Ear Asymmetries for Perception of Dichotic Chords and for Illusory Chord Localization in Musicians of Différent Levels of Competence », *Journal of Experimental Psychology : Human Perception and Performance* (1980), p. 516-527.

44. Sur les *idiots savants* aux talents musicaux exceptionnels (Harriet), voir B. M. Minogue, « A Case of Secondary Menal Deficiency with Musical Talent », *Journal of Applied Psychology*, 7, 1923, p. 349-357 ; WX. A. Owens et W. Grim, « A Note Regarding Exceptional Musical Ability in a Low-Grade Imbecile », *Journal of Educational Psychology*, 32, 1942, p. 636-637 ; et D. S. Viscott, « A Musical Idiot Savant », *Psychiatry*, 33, 1970, p. 494-515.

45. La remarque de Peter F. Oswald sur un jeune compositeur provient de son article « Musical Behavior in Early Childhood », *Developmental Medicine and Child Neurology*, 15 (3 juin 1973), p. 368.

46. Les réminiscences de Stravinsky sur l'orchestre de marine proviennent de Stravinsky et Craft, *Expositions and Developments, op. cit.*, p. 21, 28. Son souvenir des femmes de la campagne se trouve p. 36 du même livre.

47. Sur les propriétés de la musique précieuses au Japon, voir W. Malm, « Some of Japan's Musics and Musical Principles », *in* May, *Musics of Many Cultures, op. cit.*, p. 52.

48. G. Bateson, *Naven*, 2ᵉ édition (Stanford, Californie, Stanford University Press, 1958).

49. Lévi-Strauss discute de la musique dans *Le Cru et le Cuit, op. cit.*

50. Stravinsky affirme que la musique doit être vue pour être correctement assimilée, dans *The Poetics of Music in the Form of six Lessons, op. cit.*

51. Harris discute de l'importance des aptitudes spatiales pour les compositeurs, dans L. J Harris, « Sex Differences in Spatial Ability », *in* M. Kinsbourne, éd., *Asymmetrical Functions of the Brain* (Cambridge, Cambridge University Press, 1978).

52. Sur la surprenante aptitude d'A. Lintgen à reconnaître des morceaux de musique à partir des sillons du disque, voir B. Holland, « A Man Who Sees What Others Hear », *The New York Times*, 19 novembre 1981 ; et encore « Read Any Good Records Lately ? », *Time*, 4 janvier 1982.

53. Le cas du compositeur qui a subi une lésion de l'hémisphère droit, mais qui est pourtant resté en mesure d'enseigner la musique et d'écrire des livres à ce sujet est décrit dans H. Gardner, « Artistry Following Damage to the Human Brain », *in* A. Ellis, éd., *Normality and Pathology in Cognitive Functions* (Londres, Academic Press, 1982). Le musicien qui a perdu ses sentiments esthétiques est décrit dans K. Popper et J. Eccles, *The Self and Its Brain* (New York, Springer International, 1977), p. 338.

54. Pour la recherche de ressemblances entre la musique et le langage, voir F. Lerdahl et R Jackendoff, « Toward a Formal Theory of Tonal Music », *Journal of Music Theory*, printemps 1977, p. 11-71 ; et J. Sundberg et B. Lindblom, « Generative Theories in Language and Music Descriptions », *Cognition*, 4 (1976), p. 99-122.

55. Sur les connexions entre musique et maths, voir E. Rothstein, « Math and Music : The Deeper Links », *The New York Times*, 29 août 1982.

56. La remarque de Stravinsky sur les relations entre la musique et les mathématiques vient de ses *Conversations with Robert Craft, op. cit.*, p. 34.

57. Cette dernière citation de Stravinsky provient de R. Craft et I. Stravinsky, *Expositions and Developments, op. cit.*, p. 99.

58. L'affirmation de Stravinsky que musique et mathématiques ne sont pas semblables provient de *The Poetics of Music in the Form of Six Lessons, op. cit.*, p. 99.

59. La remarque de G. H. Hardy est citée dans l'article d'Anthony Storr, « The Meaning of Music », *The London Literary Supplement*, 28 novembre 1970.

60. En français dans le texte *(NdT)*.

CHAPITRE 6 : L'intelligence logico-mathématique

1. La remarque de Whitehead provient de A. N. Whitehead, *Science and the Modern World* (New York, New American Library, 1948), p. 26.

2. Piaget raconte l'anecdote sur l'enfance d'un futur mathématicien dans son livre *Genetic Epistemology* (New York, W. W. Norton, 1971).

3. On peut trouver les travaux de Piaget sur le développement de la pensée logico-mathématique dans son livre *The Child's Conception of Number* (New York, W. W. Norton, 1965) ; J. Piaget et B. Inhelder, *The Psychology of the Child* (New York, Basic Books, 1969). Voir aussi H. Gardner, *The Quest for Mind : Piaget, Lévi-Strauss and the Structuralist Movement* (Chicago et Londres, University of Chicago Press, 1981) ; J. P. Flavell, *The Developmental Psychology of Jean Piaget* (Princeton, Van Nostrand, 1963) ; et H. Gruber et J. Vonèche, éds., *The Essential Piaget* (New York, Basic Books, 1977).

4. Sur le développement numérique de l'enfant, voir R. Gelman et R. Gallistel, *The Child's Understanding of Number* (Cambridge, Massachusetts, Harvard University Press, 1978).

5. Pour un traitement critique de la théorie de Piaget, voir C. Brainerd, *Piaget's Theory of Intelligence* (Englewood Cliffs, N.J., Prentice-Hall, 1978).

6. Le point de vue de B. Rotman provient de son livre *Jean Piaget : The Psychologist of the Real* (Ithaca, N.Y., Cornell University Press, 1977), p. 77.

7. Euler est cité dans G. Polya, *How to Solve It* (New York, Anchor Books, 1957), p. 3.

8. On peut trouver la distinction de Quine entre logique et mathématiques dans ses *Methods of Logic* (New York, Holt, Rinehart & Winston, 1950), p. *xvii*. Voir aussi l'article « You Cannot Be a Twentieth-Century Man Without Maths », *The Economist*, 27 octobre 1979, p. 107.

9. Les points de vue de Whitehead et Russell sont discutés dans J. G. Kemeny, *A Philosopher Looks at Science* (New York, D. Van Nostrand, 1959).

10. La remarque de Whitehead provient de *Science and the Modern World*, *op. cit.*, p. 27.

11. Sur le scientifique et le monde de la pratique, voir W. V. Quine, « The Scope and Language of Science », *The Ways of Paradox and Other Essays* (Cambridge, Massachusetts, et Londres, Harvard University Press, 1966).

12. La figure de rhétorique de A. M. Gleason provient de son essai « The Evolution of Differential Topology », *in* COSRIMS, éds., *The Mathematical Sciences : A Collection of Essays* (Cambridge, Massachusetts, MIT Press, 1969), p. 1.

13. La phrase complexe est citée par M. Polanyi dans son livre *Personal Knowledge : Towards a Post-Critical Philosophy* (Chicago, University of Chicago Press, 1958), p. 118.

14. Les deux citations d'Henri Poincaré proviennent de B. Ghiselin, éd., *The Creativ Process* (Berkeley, University of California Press, 1952), p. 35.

15. La remarque d'Adler provient de son article « Mathematics and Creativity », *The New York*, 19 février 1972, p. 39-40.

16. La remarque d'Adler concernant les qualités des mathématiciens provient de l'article cité dans la note précédente. La remarque d'Adler « Un grand édifice... » provient de la p. 45 du même article.

17. La remarque de G. H. Hardy (« Il est indéniable... ») provient de son livre *A Mathematician's Apology* (Cambridge, Cambridge University Press, 1967), p. 70. La citation « Un mathématicien... » provient de la même source, p. 86.

18. Sur Andrew Gleason, voir COSRIMS, *The Mathematical Sciences*, *op. cit.*, p. 177.

19. La remarque de S. Ulam provient de son livre *Adventures of a Mathematician* (New York, Charles Scribner's, 1976), p. 180.

20. Henri Poincaré est cité dans J. Hadamard, *An Essay on the Psychology of Invention in the Mathematical Field* (Princeton, N.J., Princeton University Press, 1945), p. 106.

21. Sur les erreurs par omission et par excès, voir A. N. Whitehead, *Science and the Modern World, op. cit.*, p. 29.

22. Adler décrit les niveaux de l'abstraction en mathématiques dans son article « Mathematics and Creativity », *op. cit.*, p. 43-44.

23. La suggestion de Ulam provient de *Adventures of a Mathematician, op. cit.*, p. 120.

24. Sur l'aptitude à trouver une analogie entre des analogies, voir Ulam, *Adventures of a Mathematician, op. cit.*, p. 120.

25. Ulam discute de von Neumann à la p. 76 de son livre *Adventures of a Mathematician, op. cit.*.

26. L'échange de Bronowski avec von Neumann provient du livre de Bronowski, *The Ascent of Man* (Boston, Little, Brown, 1973), p. 433.

27. Julian Bigelow sur von Neumann, dans S. J. Heims, *John von Neumann and Norbert Wiener : From Mathematics to the Tchnologies of Life and Death* (Cambridge, Massachusetts, et Londres, MIT Press, 1980), p. 127.

28. La remarque « Plus que quiconque... » provient de la p. 129 du livre cité note précédente.

29. La remarque d'Ulam provient de son livre *Adventures of a Mathematician, op. cit.*, p. 292.

30. L'observation d'Arthur Rubinstein que les mathématiques sont impossibles pour lui provient de son autobiographie *My Young Years* (New York, Alfred A. Knopf, 1973).

31. On peut trouver des indications de valeur générale sur la résolution de problèmes mathématiques dans A. Newell et H. Simon, *Human Problem-Solving* (Englewood Cliffs, N.J., Prentice-Hall, 1972) ; et dans G. Polya, *How to Solve It, op. cit.*.

32. Le rôle de Newton en tant que l'un des inventeurs du calcul différentiel et intégral est décrit dans l'article de *The Economist*, « You Cannot Be a Twentieth-Century Man Without Maths », *op. cit.*, p. 108.

33. J. Piaget décrit les ressemblances entre l'évolution de la science et le développement de la pensée logico-mathématique dans son livre *Logique et connaissance scientifique* (Paris, Encyclopédie de la Pléiade, 1967).

34. L'observation de H. Butterfield provient de son livre *The Origins of Modern Science* (New York, Free Press, 1965), p. 117.

35. Le fait que Newton se considère lui-même comme un explorateur est cité dans Bronowski, *The Ascent of Man, op. cit.*, p. 237.

36. La remarque se trouve dans Bronowski, *The Ascent of Man, op. cit.*, p. 223.

37. La remarque d'Einstein sur la « vérité en physique... » provient du portrait que Jeremy Bernstein fait d'Albert Einstein, *The New Yorker*, 5 mars 1979, p. 28.
La discussion qu'Einstein fait de sa décision de carrière provient de B. Hoffman, *Einstein* (Frogmore, St. Albans, Herts, Grande-Bretagne, Paladin, 1975), p. 8.

38. La remarque d'Ulam provient de son livre *Adventures of a Mathematician, op. cit.*, p. 447.

39. W. Heisenberg discute de Niels Bohr dans son livre *Physics and Beyond* (New York, Harper & Row, 1962), p. 37.

40. Heisenberg rapporte sa conversation avec Einstein p. 68 du livre cité note précédente.

41. Les points de vue de G. Holton proviennent de son article « On the Role of Themata in Scientific Thought », *Science*, 188 (avril 1975), p. 328-338.

42. Einstein est cité dans J. G. Kemeny, *A Philosopher Looks at Science, op. cit.*, p. 62.

43. La remarque de Holton « la prise de conscience de paradigmes... » provient de son article « On the Role of Themata in Scientific Thought », *op. cit.*, p. 331.

44. La discussion que Frank Manuel fait de Newton provient de F. Manuel, « Isaac Newton as Theologian », *The London Times Literary Supplement*, 29 juin 1973, p. 744.

45. Les souvenirs d'Einstein sur ses première années sont cités dans Hoffman, *Einstein, op. cit.*, p. 9.

46. Les souvenirs d'Ulam sur son enfance proviennent de son livre *Adventures of a Mathematician, op. cit.*, p. 10.

47. Sur les modélistes et les dramaturges, voir D. Wolf et H. Gardner, « Style and Sequence in Symbolic Play », *in* N. Smith et M. Franklin, éds., *Symbolic Functioning in Childhood* (Hillsdale, N.J., Erlbaum Press, 1979).

48. Sur la jeunesse de Pascal, voir C. M. Cox, « The Early Mental Traits of Hundred Geniuses », *in* L. M. Terman, éd., *Genetic Studies of Genius*, vol. 2 (Stanford, Californie, Stanford University Press, 1926), p. 691.

49. Le souvenir de Russell est cité dans R. Dinnage, « Risks and Calculations », compte rendu du livre de Ronald W. Clark, « The Life of Bertrand Russell », *The London Times Literary Supplement*, 31 octobre 1975, p. 1282.

50. L'exposé que propose Ulam du cours du développement d'une passion pour les mathématiques provient de son livre *Adventures of a Mathematician, op. cit.*, p. 19.

51. L'anecdote sur Saul Kripke provient de T. Branch, « New Frontiers in American Philosophy », *The New York Times Sunday Magazine*, 14 août 1977.

52. La remarque de Descartes est citée dans G. Polya, *How to Solve It, op. cit.*, p. 93.

53. La remarque de G. H. Hardy provient de son livre *A Mathematician's Apology* (Cambridge, Cambridge University Press, 1967), p. 63.

54. L'observation de I. I. Rabi est citée dans le portrait que Jeremy Bernstein fait de I. I. Rabi, *The New Yorker*, 20 octobre 1975, p. 47.

55. La remarque d'Adler que la productivité mathématique décline avec l'âge provient de son article « Mathematics and Creativity », *op. cit.*, p. 40.

56. Le point de vue que les spécialités humanistes s'améliorent avec l'âge est discuté dans M. W. Miller, « Unusual Promotion Granted in English », *Harvard Crimson*, 29 septembre 1982, p. 1.

57. Sur les aptitudes à calculer du mathématicien Gauss et de l'astronome Truman Safford, voir K. R. Lewis et H. Plotkin, « Truman Henry Safford, the Remarkable "Lightning Calculator" », *Harvard Magazine*, septembre-octobre 1982, p. 54-56.

58. Sur Obadiah et George, *idiots savants* en mathématiques, voir W. A. Horwitz et coll., « Identical Twin — "idiots savants" — Calendar Calculators », *American Journal of Psychiatry*, 121 (1965), p. 1075-1079 ; et A. Phillips, « Talented Imbeciles », *Psychological Clinic*, 18, 1930, p. 246-265.

59. L'*idiot savant* L. est décrit dans M. Scheerer, E. Rothmann et K. Goldstein, « A Case of "Idiot Savant" : An Experimental Study of Personality Organization », *Psychology Monographs*, 269 (1945), p. 1-61. Voir aussi B. M. Minogue, « A Case of Secondary Mental Deficiency with Musical Talent », *Journal of Applied Psychology*, 7 (1923), p. 349-357 ; W. A. Owens et W. Grim, « A Note Regarding Exceptional Musical Ability in a Low-Grade Imbecile », *Journal of Educational Psychology*, 32 (1942), p. 636-637 ; D. S. Viscott, « Musical Idiot Savant », *Psychiatry*, 33 (1970), p. 494-515 ; A. C. Hill, « Idiots Savants : A Categorization of Abilities », *Mental Retardation*, 12 (1974), p. 12-13 ; E. Hoffman et R. Reeves, « An Idiot Savant with Unusual Mechanical Ability », *American Journal of Psychiatry*, 136 (1979), p. 713-714 ; et R. M. Restak, « Islands of Genius », *Science*, 82, mai 1982, p. 63.

60. Sur le syndrome de Gertsmann, voir H. Gardner, *The Shattered Mind : The Person after Brain Damage* (New York, Alfred A. Knopf, 1975), chap. 6.

61. La question de John Holt est posée dans *How Children Fail* (New York, Delta Books, Dell Publishing, 1964), p. 92.

62. Sur les précurseurs de l'aptitude numérique chez les animaux, voir O. Kohler, dans la publication de la Société pour la biologie expérimentale, *Physiological Mechanisms in Animal Behavior*, 1950.

Sur le langage dansé des abeilles, voir K. von Frisch, *Dance Language and Orienta-*

tions of Bees, L. E Chadwick, trans. (Cambridge, Massachusetts, Harvard University Press, 1967).

Sur la capacité des primates à faire des estimations de probabilité, voir D. Premack, *Intelligence in Ape and Man* (Hillsdale, N.J., Erlbaum Press, 1976).

63. L'importance de l'hémisphère droit pour la compréhension des relations et des quantités numériques est discutée dans N. Dahmen, W. Hartje, A. Büssing et W. Sturm, « Disorders of Calculation in Aphasic Patients — Spatial and Verbal Components », *Neuropsychologia*, 20 (2 [1982]), p. 145-153 ; A. Basso, A. Berti, E. Capitani et E. Fenu, « Aphasia, Acalculia and Intelligence », article présenté à la Société internationale de neuropsychologie, juin 1981, Bergen, Norway ; et E. K. Warrington, « The Fractionation of Arithmetic Skills : A Single Case Study », *Quarterly Journal of Experimental Psychology*, 34A (1982), p. 31-51.

64. Sur l'importance du lobe pariétal gauche et de certaines régions contiguës pour la logique et les mathématiques, voir J. Grafman, D. Passafiume, P. Faglioni et F. Boller, « Calculation Disturbances in Adults with Focal Hemispher Damage », *Cortex*, 18 (1982), p. 37-50.

65. A. R. Luria discute des effets des lésions dans l'aire du gyrus angulaire dans son livre *Higher Cortical Functions in Man* (New York, Basic Books, 1966).

66. Des études de A. Gervais établissent l'implication des deux hémisphères pour la résolution des problèmes mathématiques ; les résultats sont rapidement décrits dans « Complex Math for a Complex Brain », *Science News*, 121 (23 janvier 1982), p. 58. Voir aussi R. H. Kraft, O. R. Mitchell, M. L. Langvis et G. H. Wheatley, « Hemispheric Asymmetries during Six-to-Eight-Year-Olds' Performance of Piagetian Conservation and Reading Tasks », *Neuropsychologia*, 18 (1980), p. 637-643.

67. Des tâches expérimentales que les « primitifs » exécutent mieux que les enquêteurs sont décrites dans B. N. Colby, « Folk Science Studies », *El Palacio*, hiver 1963, p. 5-14.

68. Sur l'invention et l'utilisation appropriée de systèmes élaborés hiérarchiquement organisés, voir M. Cole, J. Gay, J. A. Glick et D. W. Sharp, *The Cultural Context of Learning and Thinking* (New York, Basic Books, 1971).

69. Sur les talents à marchander et commercer, voir M. Quinn, « Do Mfantse Fish Sellers Estimate Probabilities in Their Heads ? », *American Ethnologist*, 5 (2 [1978]), p. 206-226. Voir aussi H. Gladwin et C. Gladwin, « Estimating Market Conditions and Profit Expectations of Fish Sellers at Cape Coast, Ghana », *in* G. Dalton, éd., *Studies in Economic Anthropology*, Anthropological Studies, n° 7, P. J. Bohannon, éd. (Washington, D.C., American Anthropological Association, 1971).

70. La remarque sur les talents de chasseurs dans la brousse africaine provient de Nicholas Blurton-Jones et Melvin Konner, « Kung Knowledge of Animal Behavior », *in* R. B. Lee et I. DeVore, éds., *Kalahari Hunter-Gatherers* (Cambridge, Massachusetts, Harvard University Press, 1976), p. 35.

71. Sur les aptitudes des Kpelle adultes, au Liberia, à faire des estimations, voir J. Gay et M. Cole, *The New Mathematics and an Old Culture* (New York, Holt, Rinehart & Winston, 1967), p. 43-44.

72. Sur le *kala*, jeu arithmétique, voir C. Zaslavsky, *Africa Counts : Number and Pattern in African Culture* (Boston, Prindle, Weber & Schmidt, 1973), p. 130.

73. La description que fait Cole des stratégies des vainqueurs provient de M. Cole et coll., *The Cultural Context, op. cit.*, p. 182-184.

74. Le mélange de pensée mathématique et de préoccupations religieuses est décrit dans J. Goody, éd., *Introduction to Literacy in Traditional Societies* (Cambridge, Cambridge University Press, 1968) ; voir p. 18 sur l'utilisation de carrés magiques pour guérir des maladies. Voir aussi Zaslavsky, *Africa Counts, op. cit.*, p. 138.

75. Cette citation provient de H. W. Smith, *Man and His Gods* (New York, Grosset & Dunlap, 1952), p. 261, cité dans Zaslavsky, *Africa Counts, op. cit.*, p. 274.

76. Sur les systèmes mathématiques des Indiens du Moyen Âge, voir K. Menninger,

Number Words and Number Symbols : A Cultural History of Numbers, P. Broneer, trans. (Cambridge, Massachusetts, MIT Press, 1969), p. 12.

77. Cette affirmation m'a été faite par L. Sanneh au cours d'une conversation personnelle, en septembre 1982.

78. Sur la controverse sur la nature rationnelle de la pensée primitive, voir R. A. Shweder, « Rationality "Goes without Saying" », *Culture, Medicine and Psychiatry*, 5 (4 décembre 1981), p. 348-358. Voir aussi D. Sperber, *Rethinking Symbolism*, Cambridge Studies in Social Anthropology, J. Goody, général éd. (Cambridge, Cambridge University Press, 1975).

79. L'étude d'Edwin Hutchins sur les îles Trobriand est décrite dans son livre *Culture and Inference : A Trobriand Case Study* (Cambridge, Massachusetts, Harvard University Press, 1980), p. 117-118.

80. Sur la nécessité à remettre en question la sagesse établie dans les sociétés « scolarisées », à l'inverse des sociétés « primitives », voir G. N. Seagrim et R. J. Lendon, *Furnishing the Mind : Aboriginal and White : A Report on the Hemannsburg Project*, Behavioral Development : A Series of Monographs (New York, Academic Press, 1981), p. 297.

81. La remarque de B. Rotman sur les différentes attitudes à l'égard des mathématiques à différents moments de l'histoire se trouve dans son *Jean Piaget, op. cit.*, p. 73.

82. La théorie de Kuhn se trouve dans *The Structure of Scientific Revolutions* (Chicago, University of Chicago Press, 1947).

83. Paul Feyerabend met en cause la distinction entre science et non-science dans son livre *Against Method* (Atlantic Highlands, N.J., Humanities Press, 1975).

84. L'exposé que G. H. Hardy fait du mathématicien indien Ramanujan provient de J. R. Newman, *The World of Mathematics*, vol. 1 (New York, Simon & Schuster, 1956), p. 366-367.

85. La remarque de W. V. Quine provient de son livre *Methods of Logic* (New York, Holt, Rinehart & Winston, 1950), p. *xiv*.

86. D. Hofstadter, *Gödel, Escher, Bach : An Eternal Golden Braid* (New York, Basic Books, 1979).

CHAPITRE 7 : L'intelligence spatiale

1. Capablanca est cité dans B. Schechter, « Electronic Masters of Chess », *Discover*, décembre 1982, p. 110.

2. Pour des exemples de problèmes spatiaux, voir R. H. McKim, *Experiences in Visual Thinking* (Belmont, Californie, Brooks Cole, 1972) ; et E. J. Eliot et N. Salkind, *Children's Spatial Development* (Springfeld, Illinois, Charles C. Thomas, 1975).

3. Sur l'aptitude spatiale, voir aussi M. I. Smith, *Spatial Ability* (Londres, University of London Press, 1964).

4. La description de la théorie de la relativité d'Einstein se trouve p. 118 du livre de E. J. Eliot et N. Salkind, *Children's Spatial Development, op. cit.*

5. L'étude de Roger Shepard est décrite *in* R. N. Shepard et G. W. Cermak, « Perceptual Cognitive Explorations of a Toroidal Set of Free Form Stimuli », *Cognitive Psychology*, 4 (1973), p. 351-357. Voir aussi R. N. Shepard et J. Metzler, « Mental Rotation of Three-Dimensional Objects », *Science*, 171 (1971), p. 701-703, dont la figure 3 est tirée.

6. Sur L. L. Thurstone, voir son article « Primary Mental Abilities », *Psychometric Monographs*, 1938, n° 1 ; et *Multiple-Factor Analysis : A Development and Expansion of « The Vectors of the Mind »* (Chicago, University of Chicago Press, 1947). Voir M. I. Smith, *Spatial Ability, op. cit.*, p. 85.

7. Sur la distinction que El-Koussy fait entre l'aptitude spatiale bi- et tridimensionnelle, voir A. A. H. El-Koussy, *The Directions of Research in the Domain of Spatial Aptitudes*, édition du Centre national de la recherche scientifique, Paris, 1955.

8. Pour une discussion plus détaillée des aptitudes spatiales et de l'imagerie mentale, voir U. Neisser et N. Kerr, « Spatial and Mnemonic Properties of Visual Images », *Cognitive Psychology*, 5 (1973), p. 138-150 ; et Z. Pylyshyn, « What the Mind's Eye Tells the Mind's Brain : A Critique of Mental Imagery », *Psychological Bulletin*, 80 (1973), p. 1-24.

9. Les analogies de Lewis Thomas proviennent de son livre *The Lives of a Cell* (New York, Bantam Books, 1975). Pour les images de grande ampleur, voir H. Gruber, *Darwin on Man* (Chicago, University of Chicago Press, 1981).

10. Sur les modèles mentaux et le rôle de l'imagerie pour la résolution de problèmes quotidiens, voir P. N. Johnson-Laird, *Mental Models* (Cambridge, Massachusetts, Harvard University Press, 1983).

11. La remarque de R. Arnheim provient de son *Visual Thinking* (Berkeley, University of California Press, 1969), p. v.

12. En français dans le texte *(NdT)*.

13. Lee R. Brooks décrit ses études sur l'imagerie dans son article « Spatial and Verbal Components of the Act of Recall », *Canadian Journal of Psychology*, 22 (1968), p. 349-350.

14. On peut trouver les travaux de Piaget sur les aptitudes spatiales dans J. Piaget et B. Inhelder, *The Child's Conception of Space* (Londres, Routledge & Kegan Paul, 1956). Voir aussi H. Gardner, *The Quest for Mind, Lévi-Strauss and the Structuralist Movement* (Chicago et Londres, University of Chicago Press, 1981) ; J. P. Flavell, *The Developmental Psychology of Jean Piaget* (Princeton, Van Nostrand, 1963) ; et H. Gruber et J. Vonèche, éds., *The Essential Piaget* (New York, Basic Books, 1977). Pour un compte rendu des autres travaux, voir H. Gardner, *Developmental Psychology* (Boston, Little, Brown, 1972), chap. 10.

15. Les effets d'une lésion des régions postérieures droites sont décrites dans J. Wasserstein, R. Zappulla, J. Rosen et L. Gerstman, « Evidence for Differentiation of Right Hemisphere Visual-Perceptual Functions », article non publié, New School for Social Research, New York, 1982.

16. Sur les effets de lésions des régions pariétales droites, sur l'attention visuelle, l'orientation spatiale et la production d'imagerie et la mémoire, voir H. Gardner, *The Shattered Mind : The Person after Brain Damage* (New York, Alfred A. Knopf, 1975), chap. 8.

17. Les travaux de Nelson Butters et ses collègues sur les difficultés visuo-spatiales sont décrits dans N. Butter, M. Barton et B. A. Brady, « Role of the Right Parietal Lobe in the Mediation of Cross-Modal Associations and Reversible Operations in Space », *Cortex*, 6 (2 [1970]), p. 174-190.

18. Pour les travaux de B. Milner et D. Kimura, voir l'article de D. Kimura, « The Asymmetry of the Human Brain », *Scientific American*, 228 (3 [1973]), p. 70-80.

19. Sur la difficulté qu'ont les patients atteints de lésion de l'hémisphère droit à faire des dessins, voir E. K. Warrington et A. M. Taylor, « Two Categorical Stages of Object Recognition », *Perception*, 7 (1978), p. 695-705. Voir aussi H. Gardner, *The Shattered Mind, op. cit.*, chap. 8.

20. L'anecdote de Moira William est citée dans L. J. Harris, « Sex Differences in Spatial Abilitiy », *in* M. Kinsbourne, éd., *Asymmetrical Function of the Brain* (Cambridge, Cambridge University Press, 1978), p. 124.

21. Sur l'imagerie des patients souffrant de lésion de l'hémisphère droit, voir E. Bisiach, E. Capitani, C. Luzzati et D. Perani, « Brain and Conscious Representation of Outside Reality », *Neuropsychologia*, 19 (4 [1981]), p. 543-551.

22. Sur Hubel et Wiesel, voir D. H. Hubel et T. N. Wiesel, « Brain Mechanisms of Vision », *Scientific American*, 241 (3 [1979]), p. 150-162 ; et H. B. Barlow, « David Hubel and Torsten Wiesel : Their Contributions towards Understanding the Primary Visual Cortex », p. 145-152.

23. Pour des études des régions temporales inférieures dans le cerveau des primates, voir C. G. Gross, C. E. Rocha-Miranda et D. Bender, « Visual Properties of Neurons in

Inferotemporal Cortex of the Macaque », *Journal of Neurophysiology*, 35 (1972), p. 96-111 ; et M. Mishkin, « Visual Mechanisms Beyond the Striate Cortex », *in* R. W. Russel, éd., *Frontiers in Physiological Psychology* (New York, Academic Press, 1967). D'autres aspects du fonctionnement spatial ont été discutés dans J. LeDoux, C. S. Smylie, R. Ruff et M. S. Gazzaniga, « Left Hemisphere Visual Processes in a Case of Right Hemisphere Symptomatology : Implications for Theories of Cerebral Lateralization », *Archives of Neurology*, 37 (1980), p. 157-159 ; et M. Gazzaniga et et J. LeDoux, *The Integrated Mind* (New York, Plenum, 1978).

24. L'importance des lobes frontaux pour se remémorer la localisation spatiale a été décrite par Michael Goldberg dans un article présenté au Symposium international de neuropsychologie, juin 1982, Ravello, Italie.

25. La mémoire spatiale des Esquimaux est discutée dans J. S. Kleinfeld, « Visual Memory in Village Eskimo and Urban Caucasian Children », *Artic*, 24 (2 [1971]), p. 132-138.

26. Sur la différence de talents spatiaux entre les sexes, voir R. L. Holloway, « Sexual Dimorphism in the Human Corpus Callosum », *Science*, 216 (1982), p. 1431-1432 ; et S. G. Vandenberg et A. R. Kuse, « Spatial Ability : A Critical Review of the Sex-linked Major Gene Hypothesis », *in* M. A Wittig et A. C. Peterson, éds., *Sex Related Differences in Cognitive Functionning* (New York, Academic Press, 1979).

27. Pour les travaux de Wolfgang Köhler avec les grands singes du Tenerife, voir son livre *The Mentality of Apes*, 2e édition (Londres, Routledge & Kegan Paul, 1973 ; première édition anglaise, Londres, 1925).

28. Sur les aptitudes spatiales de l'aveugle, voir J. M. Kennedy, *A Psychology of Picture Perception : Images and Information* (San Francisco, Jossey-Bass, 1974).

29. Voir S. Millar, « Visual Experience or Translation Rules ? Drawing the Human Figure by Blind and Sighted Children », *Perception*, 4 (1975), p. 363-371 ; S. Millar, « Effects of Input Conditions on Intramodal and Crossmodal Visual and Kinesthetic Matches by Cvhildren », *Journal of Experimental Child Psychology*, 19 (1975), p. 63-78.

30. G. S. Marmor, « Mental Rotation by the Blind : Does Mental Rotation Depend on Visual Imagery ? », *Journal of Experimental Psychology : Human Perception and Performance*, 2 (4 [1976]), p. 515-521 ; la remarque citée se trouve p. 520.

31. B. Landau, « Early Map Use by the Congenitally Blind Child », article présenté devant l'Association américaine de psychologie, Los Angeles, août 1982 ; et B. Landau, H. Gleitman et E. Spelke, « Spatial Knowledge and Geometric Representation in a Child Blind from Birth », *Science*, 213 (1981), p. 1275-1278.

32. Sur les effets du syndrome de Turner sur la perception visuelle, voir « Sex Differences in Spatial Ability : Possible environmental, Genetic and Neurological Factors », *in* M. Kinsbourne, éd., *Asymmetrical Functions of the Brain*, *op. cit.*

33. Sur les difficultés spéciales que rencontrent des enfants atteints au cerveau dans les tâches visuo-spatiales, voir R. G. Rudel et H.-L. Teuber, « Spatial Orientation in Normal Children and in Children with Early Brain Injury », *Neuropsychologia*, 9 (1971), p. 401-407 ; et R. G. Rudel et H.-L. Teuber, « Pattern Recognition within and across Sensory Modalities in Normal and Brain-injured Children », *Neuropsychologia*, 9 (1971), p. 389-399.

34. Sur les travaux de S. Kosslyn, voir son livre *Image and Mind* (Cambridge, Massachusetts, Harvard University Press, 1980).

35. L'observation de Francis Galton que les scientifiques ont une imagerie visuelle pauvre est discutée dans son livre *Inquiries into Human Faculty and Its Development* (Londres, Dent, 1907).

36. E. B. Titchener est cité dans R. Arnheim, *Visual Thinking*, *op. cit.*, p. 107.

37. La remarque d'Aldous Huxley provient de son livre *The Doors of Perception* (New York, Harper & Row, 1970), p. 46.

38. La description des aptitudes de Nikola Tesla se trouve dans McKim, *Experiences in Visual Thinking*, *op. cit.*, p. 8.

39. Rodin est cité dans H. Read, *The Art of Sculpture* (New York, Pantheon Books, 1961), p. 73.

40. Le cas de Henry Moore est discuté à la p. *ix* de H. Read, *The Art of Sculpture*, cité note précédente.

41. Les cas des Japonais Yamoshita et Yamamura sont discutés dans D. Doust, « Still Life », *The London Sunday Times*, 1977.

42. Sur Nadia, voir L. Selfe, *Nadia : A Case of Extraordinary Drawing Ability in an Autistic Child* (Londres et New York, Academic Press, 1977).

43. La remarque sur Einstein provient de « The Talk of the Town », une section du *The New Yorker*, 5 mars 1979, p. 28.

44. Kekulé est cité p. 9 de McKim, *Experiences in Visual Thinking, op. cit.*

45. E. S. Ferguson décrit les processus de pensée de scientifiques et ingénieurs dans son article « The Mind's Eye : Nonverbal Thought in Technology », *Science*, 197 (4306 [1977]), p. 827-836.

46. M. I. Smith examine l'importance relative de l'aptitude spatiale dans les différentes sciences, dans son *Spatial Ability, op. cit.*, p. 236-237.

47. Cette citation provient de G. H. Colt, « The Polyhedral Arthur Loeb », *Harvard Magazine*, mars-avril 1982, p. 31.

48. On peut trouver l'étude de Binet sur la virtuosité mnémonique aux échecs qui se jouent les yeux bandés dans A. Binet, « Mnemonic Virtuosity : A Study of Chess Players », *Genetic Psychology Monographs*, 74 (1966), p. 127-162.

49. La remarque du Dr Tarrasch se trouve dans l'article de A. Binet, « Mnemonic Virtuosity », *art. cit.*, p. 135.

50. Cette remarque se trouve dans l'article de A. Binet, *op. cit.*, p. 147, de même que le commentaire de Binet.

51. *Ibid.*, p. 152.

52. *Ibid.*, p. 159.

53. La conclusion de Binet se trouve dans « Mnemonic Virtuosity », *art. cit.*, p. 160.

54. Le point de vue de Napoléon sur une bataille est décrit par McKim, *Experiences in Visual Thinking, op. cit.*, p. 105.

55. Adrian de Groot et ses collègues décrivent des champions d'échecs dans A. D. de Groot, *Thought and Choice in Chess* (La Haye, Mouton, 1965).

56. W. Chase et H. Simon étudient le champion d'échecs dans « The Mind's Eye in Chess », *in* W. G. Chase, éd., *Visual Information Processing* (New York, Academic Press, 1973).

57. Les remarques de Vincent Van Gogh proviennent de *Dear Theo : The Autobiography of Vincent Van Gogh*, I. Stone et J. Stone, éds. (New York, Grove Press, 1960), respectivement p. 176 et 55.

58. Le Corbusier est cité dans R. L. Herbert, *Modern Artists on Art* (Englewood Cliffs, N.J., Prentice-Hall, 1964), p. 64.

59. La gravure sur bois de Dürer de 1527 est souvent reproduite : par exemple dans McKim, *Experiences in Visual Thinking, op. cit.*, p. 72.

60. G. Vasari discute de Léonard de Vinci dans ses *Lives of the Artists* (New York, Noonday Press, 1957), p. 148 ; la description de Michel-Ange se trouve p. 322.

61. W. Hogarth est cité par H. Gardner, *The Arts and Human Development : A Psychological Study of the Artistic Process* (New York, John Wiley, 1973), p. 260.

62. Ce conseil de Vinci à ses élèves peintres est rapporté par G. Bachelard, *La Poétique de l'espace* (José Corti, 1957).

63. L'affirmation de Picasso se trouve dans R. Arnheim, *Visual Thinking, op. cit.*, p. 56.

64. La remarque de Arnheim se trouve dans son *Visual Thinking, op. cit.*, p. 273.

65. La description de Ben Shahn provient de son livre *The Shape of Content* (New York, Vintage, 1960), p. 58, 88.

66. La description de Sir Herbert Read provient de son livre *The Philosophy of Modern Art* (New York, Meridian Books, 1955), p. 11.

67. Picasso est cité dans Read, *The Philosophy of Modern Art, op. cit.*, p. 30.
68. Constable est cité dans Read, *The Philosophy of Modern Art, op. cit.*, p. 17.
69. Cézanne est cité dans Read, *The Philosophy of Modern Art, op. cit.*, p. 17.
70. La remarque de Clive Bell provient de C. Bell, *Old Friends : Personal Recollections* (Londres, Chatto & Windus, 1956), p. 95.
71. Picasso est cité dans A. Malraux, « As Picasso Said, "Why Assume That to Look Is to See ?"A Talk between Malraux and the Master », *The New York Times Magazine*, 2 novembre 1975.
72. K. Clark discute de la sensation esthétique pure dans son livre *Another Part of the Wood : A Self Portrait* (New York, Ballantine, 1976), p. 45.
73. Cette remarque provient du livre cité note précédente p. 46.
74. *Ibid.*, p. 107.
75. *Ibid.*, p. 153.
76. Sur les bushmen Gikwe du Kalahari, voir Yi-Fu Tuan, *Topophilia* (Englewood Cliffs, N.J., Prentice-Hall, 1974), p. 78.
77. Sur les Kikuyu du Kenya, voir C. Zaslavsky, *Africa Counts : Number and Pattern in African Culture* (Boston, Prindle, Weber & Schmidt, 1973), p. 225.
78. Sur le peuple Shongo du Congo, voir C. Zaslavsky, *Africa Counts : Number and Pattern in African Culture* (Boston, Prindle, Weber & Schmidt, 1973), p. 111-112.
79. Sur l'acuité visuelle des Esquimaux, voir J. S. Kleinfeld, « Visual Memory », *art. cit.*

Voir aussi P. R. Dasen, « Piagetian Research in Central Australia », *in* G. E. Kearney, P. R. de Lacy et G. R. Davidson, éds., *The Psychology of Aboriginal Australians* (Sidney, John Wiley, 1973), p. 5.

80. Sur la navigation des Palau, voir T. Gladwin, *East is a Big Bird : Navigation and Logic on Puluwat Atoll* (Cambridge, Massachusetts, Harvard University Press, 1970).
81. La citation suivante se trouve dans le livre cité note précédente, p. 146.
82. *Ibid.*, p. 131 et 155.
83. Ce détail se trouve p. 186 du même livre.
84. La citation suivante se trouve dans le même livre, p. 219.
85. Henry Moore est cité dans G. Glück, « Henry Moore », *The New York Times*, 11 juillet 1978, section III, p. 5.

CHAPITRE 8 : L'intelligence kinesthésique

1. M. Simmel décrit Marcel Marceau dans son article « Anatomy of a Mime Performance », *The Justice* (Brandeis University), jeudi 6 mai 1975. Voir aussi M. Simmel, « Mime and Reason : Notes on the Creation of the Perceptual Object », *The Journal of Aesthetics of Art Criticism*, 31 (2 [1972]), p. 193-200.
2. L'accent mis sur l'harmonie entre l'esprit et le corps dans la Grèce ancienne est décrit dans M. N. H'Doubler, *Dance : A Creative Art Experience* (Madison, University of Wisconsin Press, 1940), p. 9.
3. Norman Mailer est cité dans B. Lowe, *The Beauty of Sport : A Cross-Disciplinary Inquiry* (Englewood Cliffs, N.J, Prentice-Hall, 1977), p. 255.
4. Sur la tendance récente à poser un lien entre l'utilisation du corps et la cognition, voir N. Bernstein, *The Coordination and Regulation of Movements* (Londres, Pergamon Press, 1967).
5. L'analogie de Frederic Bartlett est présentée dans son livre *Thinking* (New York, Basic Books, 1958), p. 14.
6. Sur les talents de préhension des prosimiens et des primates supérieurs, voir C. Trevarthen, « Manipulative Strategies of Baboons and the Origins of Cerebral Asymmetry », *in* M. Kinsbourne, éd., *Asymmetrical Functions of the Brain* (Cambridge, Cambridge University Press, 1978).

7. Sur les mouvements de main d'un pianiste expert, voir L. H. Shaffer, « Performances of Chopin, Bach and Bartok : Studies in Motor Programming », *Cognitive Psychology*, 13 (1981), p. 370-371.

8. Suzanne Farrell est citée dans W. Goldner, « The Inimitable Balanchine », *The New York Times Magazine*, 30 mai 1976, p. 35.

9. Roger Sperry est cité dans E. Ewarts, « Brain Mechanisms in Movement », *Scientific American*, 229 (1er [juillet 1973]), p. 103.

10. Pour un compte rendu de la manière dont le corps exécute des actions motrices, voir M. Clynes, *Sentics : The Touch of Emotions* (New York, Anchor Press/Doubleday, 1978).

11. En français dans le texte *(NdT)*.

12. Une explication détaillée de l'interaction main/œil a été donnée par E. Bizzi dans un article présenté au Symposium international de neuropsychologie, Ravello, Italie, juin 1982.

13. Sur le rétrocontrôle des mouvements volontaires, voir N. Benrstein, *The Coordination and Regulation of Movements* (Londres, Pergamon Press, 1967).

14. Sur le point de vue que la perception d'un individu du monde est influencée par l'état de ses activités motrices, voir H.-L. Teuber, « Perception », *in* J. Field, éd., *Handbook of Physiology ; Neurophysiology*, vol. 3 (Washington, D.C., American Psysiological Society, 1960), p. 1595-1668.

15. La remarque de Manfred Clynes provient de M. Clynes, *Sentics, op. cit.*, p. 21.

16. Noam Chomsky cite la remarque suivante de G. B. Kolata, dans *Rules and Representations* (New York, Columbia University Press, 1980), p. 40. Voir aussi G. B. Kolata, « Primate Neurobiology : Neurosurgery with Fetuses », *Science*, 199 (mars 1978), p. 960-961.

17. Sur la capacité de dominance cérébrale, voir « Neural Parallels and Continuities », partie XII, *in* S. N. Harnad, H. D. Steklis et J. Lancaster, éds., *Prigins and Evolution of Language and Speech* (New York, New York Academy of Sciences, 1976).

18. Sur les altérations motrices sélectives produites par des lésions de l'hémisphère gauche, voir E. A. Roy, « Action and Performance », *in* A. W. Ellis, *Normality and Pathology in Cognitive Functions* (Londres et New York, Academic Press, 1982), p. 281.

19. Les apraxies cinétiques des membres, idéomotrice et idéatoire sont décrites par H. Hécaen et M. L. Albert dans leur livre *Human Neuropsychology* (New York, John Wiley, 1978).

20. L. Squire a décrit la rétention des modèles moteurs chez des patients dépourvus de mémoire verbale dans un article présenté devant la Conférence sur la cognition, l'éducation et le cerveau, Warrenton, Va., mars 1982.

21. Sur les cas d'Earl et de M. A., voir A. C. Hill, « Idiots Savants : A Categorization of Abilities », *Mental Retardation*, 12 (1974), p. 12-13 ; et E. Hoffman et R. Reeves, « An Idiot Savant with Unusual Mechanical Ability », *American Journal of Psychiatry*, 136 (1979), p. 713-714.

22. Le récit que fait Bernard Rimland de Joe, enfant autiste, est cité dans R. M. Restak, « Islands of Genius », *Science*, 82, mai 1982, p. 63. Voir aussi B. M. Minogue, « A Case of Secondary Mental Deficiency with Musical Talent », *Journal of Applied Psychology*, 7 (1923), p. 349-357 ; W. A. Owens et W. Grim, « A Note Regarding Exceptional Musical Ability in a Low-grade Imbecile », *Journal of Educational Psychology*, 32 (1942), p. 636-637 ; D. W. Viscott, « A Musical Idiot Savant », *Psychiatry*, 33 (1970), p. 494-515 ; W. A. Horwitz et coll., « Identical Twin — "idiots savants"— Calendar Calculators », *American Journal of Psychiatry*, 121 (1965), p. 1075-1079 ; et A. Phillips, « Talented Imbeciles », *Psychological Clinic*, 18 (1930), p. 246-265 ; et M. Scheerer, E. Rothmann et K. Goldstein, « A Case of "Idiot Savant" : An Experimental Study of Personality Organization », *Psychology Monographs*, 269 (1945), p. 1-61.

23. Bettelheim discute de « Joey, the Mechanical Boy », dans B. Bettelheim, *The*

Empty Fortress : Infantile Autism and the Birth of the Self (New York, Free Press, 1967), p. 233-239 ; la citation provient de la p. 235.

24. Sur le fait que les animaux inférieurs aux primates n'utilisent pas les outils, voir D. Preziosi, *Architecture, Language and Meaning* (Bloomington, Indiana University Press, 1979), p. 20.

25. Sur le récit de l'utilisation des outils chez les primates supérieurs, voir W. C. McGrew, « Socialization and Object Manipulation of Wild Chimpanzees », *in* S. Chevalier-Skolnikoff et F. E. Poirier, éds., *Primate Bio-Social Development : Biological, Social and Ecological Determinants* (New York, Garland Publishing, 1977), p. 269.

26. La description que fait Geza Teleki de la pêche aux termites chez les chimpanzés se trouve dans son article « Chimpanzee Subsistence Technology : Materials and Skills », *Journal of Human Evolution*, 3 (1974), p. 575-594 ; sa remarque sur l'adresse de la sélection provient de la p. 587.

27. Sur la pêche aux termites de la population de chimpanzés Gombe de Tanzanie, voir W. C. McGrew, C. E. G. Tutin et P. J. Baldwin, « Chimpanzees, Tools and Termites : Cross-Cultural Comparisons of Senegal, Tanzania and Rio Muni », *Man (N.S.)*, 14 (1979), p. 185-214.

28. Sur l'hypothèse que trois ensembles de facteurs déterminent si les primates apprendront à utiliser les outils, voir B. Beck, *Animal Tool Behavior* (New York, Garland STPM Press, 1980) ; et W. A. Mason, « Social Experience and Primate Cognitive Development », *in* G. M. Burghardt et M. Bekoff, éds., *The Development of Behavior : Comparative and Evolutionary Aspects* (New York, Garland STPM Press, 1978).

29. Sur l'évolution de l'utilisation des outils, voir A. Marshack, « The Ecology and Brain of Two-Handred Bipedalism », article présenté à la Conférence Harry Frank Guggenheim sur la cognition chez l'animal, 2-4 juin 1982, Columbia University ; Preziosi, *Architecture, Language and Meaning, op. cit.* ; et S. L. Washburn, « The Evolution of Man », *Scientific American*, septembre 1978.

30. Sur la symbolisation chez l'homme paléolithique, voir J. Pfeiffer, *The Creative Explosion* (New York, Harper & Row, 1982).

31. Sur la relation entre le développement des hominidés et le développement des enfants, voir S. Parker et K. R. Gobson, « A Developmental Model for the Evolution of Language and Intelligence in Early Hominids », *The Behavioral and Brain Sciences*, 1979, Cambridge University Press.

32. Sur le rôle dans l'évolution des humains d'une augmentation générale de la taille du cerveau et l'apparition de nouvelles régions cérébrales, voir H. T. Epstein, « Some Biological Bases of Cognitive Development », *Bulletin of the Orton Society*, 30 (1980), p. 46-62.

33. Sur la relation entre la connaissance et le développement des talents, voir J. S Bruner, « The Grow and Structure of Skill », article présenté à la Conférence Ciba de Londres, novembre 1968 ; et K. Fischer, « A Theory of Cognitive Development : The Control of Hierarchies of Skill », *Psychological Review*, 87 (1980), p. 477-531.

34. L'anecdote que rapporte Edith Kaplan sur l'apraxie provient d'une conversation personnelle, février 1975.

35. Sur l'évolution de la danse, voir A. Royce, *The Anthropology of Dance* (Bloomington, Indiana, Indiana University Press, 1977).

36. La définition de la danse selon Judith Hanna se trouve dans son livre *To Dance Is Human* (Austin, University of Texas Press, 1979), p. 19.

37. Les points de vue que défend Anthony Shay sur les nombreux objectifs de la danse sont décrits p. 79 du livre de Royce, *The Anthropology of Dance, op. cit.*

38. Cette remarque sur la tribu Nuba Tira provient de Hanna, *To Dance Is Human, op. cit.*, p. 183.

39. La danse chez les Indiens Hopi est décrite dans *The Anthropology of Dance, op. cit.*, p. 140.

Margaret Mead décrit la danse chez les Samoans dans son livre *Coming of Age in Samoa* (New York, William Morrow, 1928).

40. Paul Taylor décrit la tâche du danseur *in* S. J. Cohen, éd., *The Modern Dance* (Middleton, Connecticut, Wesleyan University Press, 1965), p. 91.

41. Les multiples combinaisons possibles du mouvement sont décrites dans M. N. H'Doubler, *Dance, op. cit.*

42. La remarque de Balanchine provient de la p. 97 de S. J. Cohen, éd., *The Modern Dance, op. cit.*

43. La remarque d'Isadora Duncan est citée *in* Tamara Comstock, éd., *New Directions in Dance Research : Anthropology and Dance (the American Indian)* (New York, Committee on Research on Dance, 1974), p. 256.

44. La remarque de Martha Graham provient de son livre *The Notebooks of Martha Graham* (New York, Harcourt Brace Jovanovitch, 1973).

45. José Limon est cité *in* S. J. Cohen, éd., *The Modern Dance, op. cit.*, p. 23.

46. Les promesses de Nijinsky dans ses années d'étude sont décrites dans J. Russell, « Pas de Deux », une revue de Irina Nijinska et J. Rawlinson, éds. et trans., *Bronislava Nijinska : Early Memoirs, New York Review of Books*, 3 décembre 1981.

47. Amy Greenfield a décrit ses premières leçons de ballet à la Harvard Graduate School of Education, lors d'une tribune sur la chorégraphie dans les années quatre-vingt, 14 avril 1982.

48. Alwin Nikolai est cité *in* Cohen, éd., *The Modern Dance, op. cit.*, p. 67.

49. Le test de Rorschach veut que l'on présente différentes taches d'encre à un sujet pour qu'il les interprète *(NdT)*.

50. Donald McKayle est cité à la p. 57 de Cohen, éd., *The Modern Dance, op. cit.*

51. L'observation de Baryshnikov provient de M. Baryshnikov et M. Swope, *Baryshnikov at Work* (New York, Alfred A. Knopf, 1976), p. 10.

52. Ron Jenkins décrit sa formation pour devenir un clown balinais dans son article « Becoming a Clown in Bali », *The Drama Review*, 23 (2 [1979]), p. 49-56.

53. Richard Boleslavsky insiste sur la nécessité d'une concentration absolue pour jouer dans *Acting : The First Six Lessons* (New York, Theatre Arts, 1970). La discussion sur la mémoire spéciale qu'a l'acteur des sentiments provient de la p. 36. Ses remarques sur le « don d'observation » se trouvent respectivement p. 93 et 101 du même livre.

54. Constantin Stanislavski souligne le rôle crucial de l'émotion dans le jeu dans son livre *An Actor Prepares* (New York, Theatre Arts, 1948), p. 266. Sa remarque, « Certains musiciens... » se trouve p. 158.

55. J. Martin discute du sixième sens kinesthésique dans son *Introduction to the Dance* (New York, Dance Horizons, 1965).

56. La remarque de Martin sur la fonction du danseur se trouve p. 53-54 du livre cité note précédente.

57. Cette citation se trouve *ibid.* p. 48.

58. La remarque de Ruth Benedict provient de son livre *The Chrysanthemum and the Sword* (New York, Meridian Books, 1946), p. 269.

59. Sur l'imitation des mouvements de mains des spectateurs balinais des combats de coqs, voir G. Bateson et M. Mead, *Balinese Character : A Photographic Analysis*, Publication spéciale de l'Académie des sciences de New York, vol. 11 (New York, New York Academy of Sciences, 1942), p. 18.

60. Pour un récit du désir de plusieurs acteurs, enfants, à faire les pitres, voir Steeve Allen, *The Funny Men* (New York, Simon & Schuster, 1956).

61. La description que fait B. Lowe de « l'étoffe » provient de son livre *The Beauty of Sport : A Cross-Disciplinary Inquiry* (Englewood Cliffs, N.J., Prentice-Hall, 1977), p. 308.

62. Les qualités nécessaires du joueur de base-ball sont décrites dans D. Owen, « The Outer Limits of Excellence », *Inside Sports*, 3 (novembre 1981), p. 62-69.

63. Jack Nicklaus est cité dans Löwe, *The Beauty of Sport, op. cit.*, p. 177. Voir aussi J. Nicklaus, *Golf my Way* (New York, Simon & Schuster, 1974).

64. Le talent de Wayne Gretsky est décrit dans P. Gzowski, « The Great Gretzky »; *Inside Sports*, 3 (novembre 1981), p. 90-96 ; le passage cité se trouve p. 94.

65. Sur les ressemblances entre l'entraînement de l'athlète et celui de l'exécutant artistique, voir B. Bloom, éd., *Taxonomy of Educational Objectives* (New York, David McKay, 1956).

66. John Arnold décrit comment il réussit à faire de nouveaux dispositifs d'imprimerie dans M. Hunt, *The Universe Within : A New Science Explores the Human Mind* (New York, Simon & Schuster, 1982), p. 309.

67. Tracy Kidder discute des « mêmes prodiges » dans *The Soul of a New Machine* (New York, Avon, 1981), p. 216 et 93, respectivement.

68. La remarque sur le respect des Grecs pour le corps humain provient de E. Hawkins, « Pure Poetry », *in* S. J. Cohen, éd., *The Modern Dance, op. cit.*, p. 40-41.

69. Sur la danse chez les Ibo du Nigeria, voir Hanna, *To Dance Is Human, op. cit.*; p. 34.

70. La remarque de John Messenger se trouve dans ses « Reflections on Esthetic Talent », *Basic College Quarterly*, 4 (20-24 [1958]), p. 23.

71. Sur les talents de navigateur des enfants Manus, voir M. Mead, *Growing Up in New Guinea* (New York, William Morrow, 1975).

72. Les descriptions de l'attention au talent corporel à Bali sont tirées de G. Bateson et M. Mead, *Balinese Character, op. cit.*, p. 15 et 17.

CHAPITRE 9 : Les intelligences personnelles

1. S. Freud, *Origins and Development of Psychoanalysis* (New York, Regnery-Gateway, 1960).

2. L'échange entre James et Freud est cité dans H. Stuart Hughes, *Consciousness and Society* (New York, Alfred A. Knopf, 1963), p. 113.

3. Cette confidence de James est citée dans H. A Murray, *Endeavors in Psychology : Selections from the Personology of Henry A. Murray* (New York, Harper & Row, 1981), p. 340.

4. On peut trouver cette célèbre phrase de James dans sa *Psychology*, éd. abrégée (New York, Fawcett, 1963), p. 169.

5. On peut trouver une discussion sur les origines sociales de la connaissance dans J. M. Baldwin, *Mental Development in the Child and the Race* (New York, Macmillan, 1897). Voir aussi G. H. Mead, *Mind, Self and Society* (Chicago, University of Chicago Press, 1934).

6. Pour les points de vue sceptiques de David Wechsler sur l'intelligence sociale, voir *The Measurement of Adult Intelligence*, 3ᵉ édition (Baltimore, Williams & Wilkins, 1944), p. 88-89.

7. Mais non pas tous : le redoutable chercheur en intelligence David Wechsler a écrit il y a de nombreuses années sur l'intelligence sociale.

8. On peut trouver les travaux de Harry Harlow sur les singes sans mère dans H. Harlow, « Love in Infant Monkeys », *Scientific American*, 200 (juin 1959), p. 68-74 ; H. Harlow, *Learning to Love* (New York, Ballantine Books, 1971) ; H. Harlow et M. K. Harlow, « Social Deprivation in Monkeys », *Scientific American*, 207 (1962), p. 136-144 ; et H. Harlow et M. K. Harlow, « Affects of Various Mother-Infant Relationships on Rhesus Monkey Behaviors », *in* B. M. Foss, éd., *Determinants of Infant Behavior*, vol. 4 (New York, Barnes & Noble, 1969).

9. Sur le lien entre le nouveau-né et ceux qui prennent soin de lui, et sur les effets du placement des enfants en institution, voir dans le livre de J. Bowlby, *Attachment and Loss*, respectivement les volumes I et II *Attachment* (New York, Basic Books, 1969) et *Separation : Anxiety and Anger* (New York, Basic Books, 1973).

10. Pour des preuves qu'il existe un ensemble universel d'expressions du visage, voir I. Eibl-Eibesfeldt, *Ethology : The Biology of Behavior* (New York, Holt, Rinehart & Winston, 1970) ; C. E. Izard, *The Face of Emotion* (New York, Appleton-Century-Crofts, 1971) ; et C. Darwin, *The Expression of the Emotions in Man and Animals* (Chicago et Londres, University of Chicago Press, 1965).

11. Sur la déduction qu'il existe des états corporels et cérébraux associés aux expressions de l'émotion sur le visage, voir M. Clynes, *Snetics : The Touch of Emotions* (New York, Anchor Press Doubleday, 1978).

12. Sur la tâche de discrimination des humeurs des familiers, voir J. M. Baldwin, *Mental Development in the Child and the Race* (New York, Macmillan, 1897).

13. Sur l'aptitude des nouveau-nés à imiter les expressions du visage, voir A. N. Meltzoff et M. K. Moore, « Imitation of Facial and Manual Gestures by Human Neonates », *Science*, 198 (1977), p. 5-78.

14. Sur les aptitudes empathiques des jeunes enfants, voir M. L. Simner, « Newborn's Response to the Cry of Another Infant », *Developmental Psychology*, 5 (1971), p. 136-150 ; et H. Borke, « Interpersonal Perception of Young Children : Egocentrism or Empathy ? », *Development Psychology*, 5 (1971), p. 263-269.

Sur les ondes cérébrales distinctes produites quand un enfant fait la distinction entre différentes expressions affectives, voir R. Davidson, « Asymmetrical Brain Activity Discriminates between Positive versus Negative Affective Stimuli in Ten-Month-Old Human Infants », *Science*, 218 (1982), p. 235-237.

15. Les études de Gordon Gallup sont décrites dans « Chimpanzees : Self Recognition », *Science*, 167 (1970), p. 86-87.

16. Sur la détresse de l'enfant quand il viole les normes, voir J. Kagan, *The Second Year* (Cambridge, Massachusetts, et Londres, Harvard University Press, 1981) ; et M. Lewis et L. Rosenblum, éds., *The Origins of Fear* (New York, John Wiley, 1975).

17. J'utilise l'expression *conscience de la personne* pour éviter la confusion avec l'expression *conscience de soi* telle que définie dans l'introduction de ce chapitre.

18. Sur l'identité sexuelle comme un moyen d'auto-discrimination, voir L. Kohlberg, « Cognitive Developmental Analysis of Children's Sex-Role Concepts and Attitudes », in E. Maccoby, éd., *The Developmental of Sex Differences* (Stanford, Stanford University Press, 1966).

19. Pour une présentation de l'exposé que Freud fait du développement du jeune enfant, voir S. Freud, *New Introductory Lectures on Psychoanalysis* (New York, W. W. Norton, 1965).

20. Pour l'exposé que fait Erik Erikson des conflits entre les sentiments d'autonomie et de honte, voir E. H. Erikson, *Childhood and Society* (New York, W. W. Norton, 1963).

21. Sur l'égocentrisme du jeune enfant, voir J. Piaget et B. Inhelder, *The Psychology of the Child* (New York, Basic Books, 1969).

22. Sur l'école « symbolique interactive » de George Herbert Mead et Charles Cooley, voir G. H. Mead, *Mind, Self and Society* (Chicago, University of Chicago Press, 1934) ; et C. H. Cooley, *Social Organization* (New York, Charles Scribner, 1909).

Sur les réflexions « médiationnistes », voir L. Vygotsky, *Mind and Society* (Cambridge, Massachusetts, Harvard University Press, 1978) ; et A. R. Luria, *The Making of Mind* (Cambridge, Massachusetts, Harvard University Press, 1981).

23. Pour des détails sur le développement personnel, voir H. Gardner, *Developmental Psychology* (Boston, Little, Brown, 1982), chap. 5, 8 et 12.

24. Erik Erikson discute de l'identité dans son livre *Childhood and Society, op. cit.* ; et *Identity, Youth and Crisis* (New York, W. W. Norton, 1968).

25. Erik Erikson discute des dernières phases de la maturation du soi dans son « Identity and the Life Cycle », *Psychological Issues*, 1 (1959).

26. Pour un exemple de la perspective adoptée par une école de psychologie sociale sur ce qui détermine le comportement, voir E. Goffman, *The Presentation of Self in*

Everyday Life (New York, Doubleday, 1959) ; et E. Goffman, *Relations in Public* (New York, Basic Books, 1971).

27. T. S. Eliot est cité dans R. W. Hepburn, « The Arts and The Education of Feeling and Emotion », *in* R. F. Deardon, P. Hirst et R. S. Peters, éds., *Education and the Development of Reason*, partie III : Education and Reason (Londres, Routledge & Kegan Paul, 1975).

28. Sur l'importance qu'il y a pour un individu à comprendre ses propres sentiments, voir R. S. Peters, « The Education of the Emotions », *in* M. B. Arnold, éd., *Feelings and Emotion* (New York, Academic Press, 1970). Hepburn, « The Arts and the Education of Feeling and Emotion », *art. cit.* ; et E. T. Gendlin, J. Beebe, J. Cassens, M. Klein et M. Oberlander, « Focusing Ability in Psychotherapy, Personality and Creativity », *Research in Psychotherapy*, 3 (1968), p. 217-241.

29. Sur les formes primitives de conscience chez les animaux supérieurs, voir D. Griffin, *The Question of Animal Awareness*, éd. revue (Los Altos, Californie, W. Kaufmann, 1981).

30. Sur la socialisation des jeunes chimpanzés, voir W. C. McGrew, « Socialization and Object Manipulation of Wild Chimpanzees », *in* S. Chevalier-Skolnikoff et F. E. Poirier, éds., *Primate Bio-Social Development : Biological, Social and Ecological Determinants* (New York, Garland, 1977).

31. Sur les capacités d'adaptation de la famille nucléaire, voir L. L. Cavalli-Sforza, « The Transition to Agriculture and Some of Its Consequences », essai préparé pour le septième symposium international du Smithson Institute, Ashington, D.C., novembre 1981 ; et C. O. Lovejoy, « The Origin of Man », *Science*, 211 (4480 [23 janvier 1981]), p. 341-350 ; S. Moscovici, *Society against Nature* (Sussex, Eng., Harvester Press, 1976).

32. On peut trouver la distinction de Harry Jerison entre la perception de soi et celle des autres dans son *Evolution of the Brain and Intelligence* (New York, Academic Press, 1973), p. 429.

33. Les points de vue de N. K. Humphrey sont développés dans son « The Social Function of Intellect », *in* P. P. G. Bateson et R. A. Hinde, éds., *Growing Points in Ethology* (Cambridge, Angleterre, Cambridge University Press, 1976) ; la citation se trouve p. 312.

34. Sur le fonctionnement du « système d'attaque » chez les chats, voir J. P. Flynn, S. B. Edwards et R. J. Handler, « Changes in Sensory and Motor Systems during Centrally Elicited Attack », *Behavioral Science*, 16 (1971), p. 1-19 ; et F. Bloom, *The Cellular Basis of Behavior*, rapport de recherche du Salk Institute (San Diego, Californie, Salk Institute, non daté).

35. Des expériencess provoquant des dépressions chez les rats ont été faites par W. Sullivan, « Depletion of Hormone Linked to Depression », *The New York Times*, 25 août 1982, p. A15.

36. Sur la peur provoquée chez les chimpanzés, voir D. O. Hebb, *The Organization of Behavior* (New York, John Wiley, 1949).

37. Sur les singes sans mère de Harry Harlow, voir ses études « Love in Infant Monkeys » et *Learning to Love* ; et H. Harlow et M. K Harlow, « Social Deprivation » et « Affects of Various Mother-Infant Relationships », *art. cit.*

38. Pour les études de Ronald Myers sur le système nerveux du primate, voir son « Neurology of Social Communication in Primates », *The 2nd International Congress on Primates* (Atlanta, Ga.) 3 (1968), p. 1-9 ; E. A Frazen et R. E. Myers, « Age Effects on Social Behavior Deficits Following Prefontal Lesions in Monkeys », *Brain Research*, 54 (1973), p. 277-286 ; et R. E. Myers, C. Swett et M. Miller, « Loss of Group-Affinity Following Prefrontal Lesions in Free-ranging Macaques, *Brain Research*, 64 (1973), p. 257-269.

39. Ross Buck a discuté des systèmes distincts d'expressions d'émotions volitionnelles et spontanées dans son « A Theory of Spontaneous and Symbolic Expression : Implications for Facial Lateralization », article présenté à la réunion de la Société internationale de neuropsychologie, Pittsburgh, Pa., 4 février 1982.

40. Sur l'importance des lobes frontaux dans les différentes formes de connaissance personnelle, voir Gardner, *Shaterred Mind, op. cit.*, chap. 10.

41. Sur les effets d'une lésion de l'aire orbitale des lobes frontaux, voir D. Blumer et D. F. Benson, « Personality Changes with Frontal and Temporal Lobe Lesions », *in* D. F. Benson et D. Blumer, éds., *Psychiatric Aspects of Neurological Disease* (New York, Grune & Stratton, 1975).

42. A. R. Luria décrit Zasetsky dans son livre *The Man with a Shattered World : The History of a Brain Wound*, Lynn Solotaroff, trans. (New York, Basic Books, 1972).

43. La remarque tirée du journal de Zasetsky est citée dans le livre de Luria (voir note précédente).

44. En français dans le texte *(NdT)*.

45. Le point de vue exprimé par Walle Nauta que les lobes frontaux sont un lieu de rencontre de l'information est avancé dans son article « The Problem of the Frontal Lobe : A Reinterpretation », *Journal of Psychiatric Research*, 8 (1971), p. 167-187.

46. Sur l'autisme, voir B. Rimland, *Infantile Autism* (New York, Appleton-Century-Crofts, 1964).

47. Sur les effets d'une lésion de l'hémisphère droit (cas où la personnalité est modifiée, les talents verbaux demeurant intacts pour l'essentiel), voir Gardner, *Shaterred Mind, op. cit.*, chap. 9 et les références citées.

48. Sur les différences entre les patients qui souffrent d'une maladie d'Alzheimer et ceux qui ont une maladie de Pick, voir Gardner, *Shaterred Mind, op. cit.*, chap. 7 et les références citées. Pour l'épilepsie du lobe temporal, voir Gardner, *Shaterred Mind, op. cit.*, chap. 10.

49. Les travaux de David Bear sur l'épilepsie ont été décrits dans son article (non publié), « Hemispheric Specialization and the Neurology of Emotion », Harvard Medical School, 1981.

50. Sur les patients « callosotomisés », voir M. Gazzaniga, *The Bisected Brain* (New York, Appleton-Century-Crofts, 1970) ; et N. Geschwind, « Disconnexion Syndromes in Animals and Man », *Brain*, 88 (1965), p. 273-348, 585-644. Ma critique des caractérisations des deux hémisphères se trouve dans *Art, Mind and Brain* (New York, Basic Books, 1982), partie IV.

51. Cliffort Geertz esquisse différentes conceptions culturelles du soi dans son article « On the Nature of Anthropological Understanding », *American Scientist*, 63 (janvier/février 1975), 1, p. 47-53.

52. Sur les Javanais, voir article précité, p. 49.

53. Sur les Balinais, voir article précité, p. 50.

54. La métaphore de Harry Lasker des sociétés « champ » et « particule » vient d'une conversation personnelle, Projet Harvard sur le potentiel humain, mars 1980.

55. La remarque sur la tradition littéraire française provient de S. Sontag, « Writing Itself : On Roland Barthes », *The New Yorker*, 26 avril 1982, p. 139.

56. La remarque de Sartre se trouve dans *Huis-Clos* (Gallimard, 1945).

57. Sur l'opposition entre les Dinka du Sud-Soudan et la « société de particules » occidentale, voir G. Liennhart, *Divinity and Experience : The Religion of the Dinka* (Oxford, Clarendon Press, 1961).

58. Sur les Maoris de Nouvelle-Zélande, voir J. Smith, « Self and Experience in Maori Culture », *in* P. Heelas et A. J. Locke, éds., *Indigenous Psychologies : The Anthropology of the Self* (New York, Academic Press, 1981).

59. Sur la psychologie des Yogas, voir A. Rawlinson, « Yoga Psychology », *in* P. Heelas et A. J. Locke, éds., *Indigenous Psychologies : The Anthropology of the Self* (New York, Academic Press, 1981) ; et M. Eliade, *Yoga* (Londres, Routledge & Kegan Paul, 1958).

60. Sur la Chine traditionnelle, voir I. A Richards, *Mencius on the Mind : Experiments in Multiple Definition* (Londres, Routledge & Kegan Paul, 1932).

61. Sur les Ojibwa des environs du Lac supérieur, voir A. I. Hallowell, *Culture and Experience* (Philadelphia, University of Pennsylvania Press, 1971).

62. Sur la « communication des messages minimum » chez les Japonais et sur les *jikkan*, voir T. S. Lebra, *Japanese Patterns of Behavior* (Honolulu, University Press of Hawaï, 1976).

63. La remarque sur les Ixils du Guatemala provient de B. N. Colby et L. M. Colby, *The Daykepper : The Life and Disourse of an Ixil Diviner* (Cambridge, Massachusetts, Harvard University Press, 1981), p. 156.

64. Sur la « capacité négative », voir W. J. Bate, *John Keats* (New York, Oxford University Press, 1963).

65. Sur l'apparition d'une conscience d'identité personnelle, voir T. Luckmann, « Personal Identity as an Evolutionary and Historical Problem », *in* M. von Cranach et K. Koppo et coll., éds., *Human Ethology* (Cambridge, Cambridge University Press, 1980).

CHAPITRE 10 : Une critique de la théorie des intelligences multiples

1. La remarque de Robert Nozick provient de ses *Philosophical Explanations* (Cambridge, Massachusetts, Belknap Press of Harvard University Press, 1981), p. 633.

2. Pour une présentation non technique de la psychologie cognitive et de la science cognitive, voir M. Hunt, *The Universe Within* (New York, Simon & Schuster, 1982). Pour un traitement plus technique, voir A. Newell et H. A. Simon, *Human Problem Solving* (Englewood Cliffs, N.J., Prentice-Hall, 1972).

3. Sur le point de vue d'Allport sur l'esprit humain, voir D. A. Allport, « Patterns and Actions : Cognitive Mechanisms Are Content Specific », *in* G. L. Claxton, éd., *Cognitive Psychology : New Directions* (Londres, Routledge & Kegan Paul, 1980). La citation suivante se trouve p. 5.

4. On peut trouver la défense que fait Jerry Fodor de la modularité de l'esprit dans son livre *The Modularity of Mind* (Cambridge, Massachusetts, MIT Press, 1983).

5. Zenon Pylyshyn pose une distinction entre les processus pénétrables et impénétrables dans son article « Computation and Cognition : Issues in the Fondations of Cognitive Science », *The Behavioral and Brain Sciences*, 3 (1980), p. 111-169.

6. Sur le modèle en parallèle des opérations du système nerveux, voir G. E. Hinton et J. A. Anderson, éds., *Parallel Models of Associatic Memory* (Hillsdale, N.J., Lawrence Erlbaum, 1981).

7. Les spéculations de Gazzaniga et de ses collègues se trouvent dans J. LeDoux, D. H. Wilson et M. S. Gazzaniga, « Beyond Commosurotomy : Clues to Consciousness », *in* M. Gazzaniga, éd., *Handbook of Neuropsychology* (New York, Plenum, 1977).

8. Israel Scheffler propose une nouvelle charpente pour examiner le concept de potentiel dans son livre à paraître, qui a pour titre provisoire *Of Human Potential*.

9. Sur la créativité, voir les « Studies of the Creative Personality », C. Taylor et F. Barron, éds., *Scientific Creativity* (New York, John Wiley, 1963).

10. Sur les tests des analogies de Miller, voir N. E. Wallen et M. A Campbell, « Vocabulary and Nonverbal Reasoning Components of Verbal Analogy tests », *Journal of Educational Research*, 61 (1967), p. 87-89. Voir aussi des études du TAM dans O. K. Buros, éd., *Intelligence Tests and Reviews* (Highland Park, N.J., Gryphon Press, 1975).

11. Sur la recherche menée dans le cadre du Projet zéro de Harvard sur le développement des capacités métaphoriques, voir E. Winter, M. McCarthy et H. Gardner, « The Ontogenesis of Metaphor », *in* R. Honeck et R. Hoffman, éds., *Cognition and Figurative Language* (Hillsdale, N.J., Lawrence Erlbaum, 1980) ; et H. Gardner, E. Winner, R. Bechhofer et D. Wolf, « The Development of Figurative Language », *in* K. Nelson, éd., *Children's Language* (New York, Gardner Press, 1978).

12. On peut savourer les dons de Lewis Thomas dans n'importe lequel de ses recueils d'essais. Voir, par exemple, *The Lives of a Cell* (New York, Viking, 1974).

CHAPITRE 11 : La socialisation
des intelligences humaines par les symboles

1. On peut trouver les points de vue de Nelson Goodman sur les symboles et les systèmes symboliques dans son livre *Languages of Art : An Approach to a Theory of Symbols* (Indianapolis, Hackett Publishing, 1976).

2. En français dans le texte *(NdT)*.

3. Sur la recherche menée dans le cadre du Projet zéro de Harvard sur le développement symbolique, voir H. Gardner et D. P. Wolf, « Waves and Streams of Symbolization », *in* D. R. Rogers et J. A. Sloboda, éds., *The Acquisition of Symbolic Skills* (Londres, Plenum Press, 1983).

4. Sur la notion d'expériences cristallisatrices, voir **L. S.** Vygotsky, *Mind in Society : The Development of Psychological Processes* (Cambridge, Massachusetts, Harvard University Press, 1978).

5. Sur les talents isolés, par opposition aux talents liés, voir P. Rozin, « The Evolution of Intelligence and Access to the Cognitive Conscious », *Progress in Psychobiology and Psychology*, 6 (1976), p. 245-280 ; A. Brown et J. C. Campione, « Inducing Flexible Thinking : The Problem of Access », *in* M. Friedman, J. P. Das et N. O'Connor, éds., *Intelligence and Learning* (New York, Plenum Press, 1980) ; et A. Brown, « Learning and Development : The Problems of Comptability, Access and Induction », *Human Development*, 25 (2 [1982]), p. 89-115.

6. Sur l'aptitude d'un étudiant à décupler sa mémoire à court terme, voir K. A. Ericcson, W. G. Chase et S. Faloon, « Acquisition of A Memory Skill », *Science*, 208 (1980), p. 1181-1182.

7. B. Bloom soutient que la plupart des différences de performance peuvent être éliminées en fin de compte par la mise en place d'une tutelle : voir B. Bloom, éd., *Taxinomy of Educational Objectives* (New York, David MacKay, 1956).

8. Pour une analyse des talents impliqués dans la profession juridique, voir P. A. Freund, « The Law and the Schools », *in* A. Berthhoff, éd., *The Making of Meaning* (New York, Boynton/Cook, 1981) ; et E. H. Levi, *Introduction to Legal Reasoning* (Chicago, University of Chicago Press, 1949).

9. Sur les avocats dans les sociétés africaines, voir S. Tambiah, « Form and Meaning of Magical Acts : A point of View », *in* R. Horton et R. Finnegan, éds., *Modes of Thought* (Londres, Faber & Faber, 1973), p. 219 ; E. Hutchins, *Culture and Inference : A Trobriand Case Study* (Cambridge, Massachusetts, Harvard University Press, 1980).

10. Sur le facteur « g » ou général d'intelligence, voir D. K. Detterman, « Does "g" Exist ? », *Intelligence*, 6 (1982), p. 477-531.

11. En français dans le texte *(NdT)*.

12. Sur la découverte que le *décalage* d'un domaine à l'autre est la règle plutôt que l'exception, voir K. Fischer, « A Theory of Cognitive Development : The Control of Hierarchies of Skill », *Psychological Review* 87 (1980), p. 477-531.

13. Sur la psychologie par traitement de l'information, voir A. Newell et H. A. Simon, *Human Problem-Solving* (Englewood Cliffs, N.J., Prentice-Hall, 1972).

14. Alan Allport suggère que le tableau de l'esprit humain réalisé par l'approche de la psychologie de traitement de l'information varie en fonction du type d'analyse utilisée et en fonction du type d'ordinateur considéré. Voir D. A. Allport, « Patterns and Actions : Cognitive Mechanisms Are Content Specific », *in* G. L. Claxton, éd., *Cognitive Psychology : New Directions* (Londres, Routledge & Kegan Paul, 1980).

15. Sur N. Chomsky, voir *Reflections on Language* (New York, Pantheon, 1975) ; sur J. A. Fodor, *The Modularity of Mind* (Cambridge, Massachusetts, MIT Press, 1983).

16. Les travaux qui suivent se sont préoccupés des effets de la culture sur le développement de l'individu : J. Lave, « Tailored Learning : Education and Cognitive Skills

among Tribal Crafstmen in West Africa », article non publié, université de Californie, Irvine, 1981 ; M. Cole, J. Gay, J. A. Glick et D. W. Sharp, *The Cultural Context of Learning and Thinking* (New York, Basic Books, 1971) ; et S. Scribner et M. Cole, *The Psychology of Literacy* (Cambridge, Massachusetts, Harvard University Press, 1981).

17. Clifford Geertz cite Gilbert Ryle dans *The Interpretation of Cultures* (New York, Basic Books, 1972), p. 54.

18. Cette citation de Geertz se trouve dans L. A. Machado, *The Right to Be Intelligent* (New York, Pergamon Press, 1980), p. 62.

19. M. Cole examine les résultats d'individus issus de différentes cultures en matière de test d'intelligence et de raisonnement dans « Mind as a Cultural Achievement : Implications for IQ Testing », rapport annuel 1979-1980 du Centre de recherche et de clinique pour le développement de l'enfant, Faculté d'éducation de l'université d'Hokkaido, Sapporo, Japon.

20. Les travaux suivants sont le fait des spécialistes contemporains du développement et de l'éducation : J. S. Bruner, *Toward a Theory of Instruction* (Cambridge, Massachusetts, Belknap Press of Harvard University Press, 1966) ; J. S. Bruner, *The Process of Education* (New York, Vintage, 1960) ; J. S. Bruner, J. J. Goodnow et G. A. Austin, *A Study of Thinking* (New York, Science Editions, Inc., 1965) ; J. S. Bruner, A. Jolly et K. Sylva, *Play : Its Role in Development and Evolution* (New York, Penguin, 1976) ; D. H. Feldman, *Beyond Universals in Cognitive Development* (Norwood, N.J., Ablex Publishing, 1980) ; D. E. Olson, éd., *Media and Symbols : The Forms of Expression, Communication and Education* (Chicago, University of Chicago Press, 1974) ; et G. Salomon, *Interaction of Media, Cognition and Learning* (San Francisco, Jossey-Bass, 1979).

CHAPITRE 12 : L'éducation des intelligences

1. Jules Henry discute du rôle central de l'éducation dans son article « A Cross-Cultural Outline of Education », *Current Anthropology*, 1 (4 [1960]), p. 267-305 ; la citation se trouve p. 287.

2. Sur les « agents » de l'éducation dans différentes cultures, voir p. 297 de l'ouvrage cité note précédente.

3. Sur la manière de devenir un marin Palau, voir T. Gladwin, *East is a Big Bird : Navigation and Logic on Puluwat Atoll* (Cambridge, Massachusetts, Harvard University Press, 1970).

4. La citation de Gladwin se trouve p. 131 du livre cité note précédente.

5. La discussion de Gladwin de la construction de « modèles mentaux » se trouve p. 182 du même livre.

6. Sur l'entraînement pour devenir un chanteur épique, voir A. B. Lord, *The Singer of Tales* (New York, Atheneum, 1965). La citation suivante sur l'imitation se trouve p. 24.

7. Sur les rites des Tonga en Afrique, voir J. W. M. Whiting, C. Kluckhohn et A. Anthony, « The Function of Male Initiation Ceremonies at Puberty », *in* E. E. Maccoby, T. N. Newcomb et E. L. Harley, éds., *Readings in Social Psychology*, 3e édition (New York, Henry Holt, 1958), p. 308.

Sur les rituels des tribus amérindiennes et sur les Tikopia de Polynésie, voir M. N. Fried et M. H. Fried, *Transitions : Four Rituals in Eight Cultures* (New York, W. W. Norton, 1980).

8. Lamin Sanneh décrit le rite de circoncision qui dure trois mois en Sénégambie dans une conversation personnelle.

9. Sur la scolarisation dans la brousse de l'Afrique de l'Ouest, voir M. H. Watkins, « The West African "Bush" School », *American Journal of Sociology*, 48 (1943), p. 666-677 ; et A. F. Caine, « A Study and Comparison of the West African "Bush" School and

the Southern Sotha Circumcision School », Thèse de doctorat, Northwestern University, Illinois, juin 1959.

10. Sur le système d'apprentissage, voir J. Bowen, *A History of Western Education*, vol. I (Londres, Methuen, 1972), p. 33.

11. Sur l'apprentissage chez les Anang du Nigeria, voir J. Messenger, « Reflections on Esthetic Talent », *Basic Collge Quarterly*, 4 (20-24 [1958]).

12. Sur l'histoire de l'éducation en Inde, voir K. V. Chandras, *Four Thousand Years of Indian Education* (Palo Alto, Californie, R & E Research Associates, 1977).

13. Sur l'apprentissage dans l'Égypte ancienne, voir le livre de Bowen, *op. cit.*, p. 42. Sur le système d'apprentissage des sculpteurs sur bois en Égypte, voir A. Nadim, « Testing Cybernetics in Khan-El-Khalili : A Study of Arabesque Carpenters », thèse de doctorat non publiée, University of Indiana, 1975.

14. Sur l'éducation coranique, voir D. A. Wagner, « Learning to Read by "Rote" in the Quranic Schools of Yemen and Senegal », article présenté au symposium de l'Association américaine de psychologie, Education, Literacy and Technicity : Traditional and Contemporary Interfaces, Washington, D.C., décembre 1980 ; S. Scribner et M. Cole, *The Psychology of Literacy* (Cambridge, Massachusetts, Harvard University Press, 1981) ; et S. Pollak, « Traditional Islamic Education », article non publié, Projet sur le potentiel humain de Harvard, mars 1982.

15. Sur les caractéristiques de l'éducation traditionnelle, voir M. J. Fischer, *Iran : From Religions Dispute to Revolution* (Cambridge, Massachusetts, Harvard University Press, 1980) ; R. A. LeVine, « Western Schools in non-Western Societies : Psychosocial Impact and Cultural Responses », *Teachers College Record*, 79 (4 [1978]), p. 749-755 ; S. Pollak, « Of Monks and Men : Sacred and Secular Education in the Middle Ages », article non publié, Projet sur le potentiel humain de Harvard, décembre 1982 ; S. Pollak, « Traditional Jewish Learning : Philosophy and Practice », article non publié, Projet sur le potentiel humain de Harvard, décembre 1981 ; et S. Pollak, « Traditional Indian Education », article non publié, Projet sur le potentiel humain de Harvard, avril 1982.

16. En français dans le texte *(NdT)*.

17. Sur le contact fréquent entre les groupes religieux du Proche-Orient au Moyen Âge, voir M. J. Fischer, *Iran, op. cit.*

18. Richard McKeon est cité dans M. J. Fischer, *Iran, op. cit.*, p. 51.

19. La description que fait J. Symonds d'une université à la Renaissance est citée dans M. J. Fischer, *Iran, op. cit.*, p. 40-41. La remarque suivante de Fischer se trouve p. 40.

Voir aussi les articles réunis *in* D. A. Wagner et H. W. Stevenson, éds., *Cultural Perspectives on Child Development* (San Francisco, W. H. Freeman, 1982).

20. John Randall cite maître Tubal Holopherne de Rabelais *in* J. Randall, *The Making of the Modern Mind* (New York, Columbia University Press, 1926, 1940, 1976), p. 215.

Il cite Francis Bacon p. 215.

21. Les points de vue d'Érasme sur l'éducation sont décrits dans J. Bowen, *A History of Western Education*, vol. II (Londres, Methuen, 1972), p. 340.

22. Sur l'importance de constituer des relations interpersonnelles étroites dans les sciences, voir M. Polanyi dans son livre *Personal Knowledge* (Chicago, University of Chicago Press, 1958).

23. Sur l'essor de l'école laïque moderne, voir M. Oakshott, « Education : The Engagement and Its Frustration », *in* R. F. Deardon, P. Hirst et R. S. Peters, éds., *Education ans the Development of Reason, Part I : Critique of Current Educational Aims* (New York, Routledge & Kegan Paul, 1975). Voir aussi W. F. Connell, *A History of Education in the Twentieth Century World* (New York, Teachers College Press, 1980).

24. En allemand dans le texte *(NdT)*.

25. Des critiques de la scolarisation ont été faites ces dernières années par I. Illich dans son livre *Reschooling Society* (New York, Harper & Row, 1971) ; P. Freire, *Peda-*

gogy of the Oppressed (New York, Seabury, 1971) ; R. Dore, *The Diploma Disease : Education, Qualification and Development* (Berkeley, University of California Press, 1976) ; U. Neisser, « General, Academic and Artificial Intelligence », *in* L. B. Resnick, éd., *The Nature of Intelligence* (Hillsdale, N.J., Erlbaum) ; C. Jencks, *Inequality* (New York, Basic Books, 1972) ; et M. Maccoby et N. Modiano, « On culture and Equivalence », *in* J. S. Bruner, R. S. Oliver et P. M. Greenfield, éds., *Studies in Cognitive Growth* (New York, John Wiley, 1966).

26. La remarque de Maccoby et Modiano se trouve p. 269 de l'article cité note précédente.

27. Pour des études rapportant les effets positifs des écoles modernes bien conçues, voir M. Rutter, *Fifteen Thousand Hours* (Cambridge, Massachusetts, Harvard University Press, 1979) ; et I. Lazer et R. Darlington, « Lasting Effects of Early Education », *Monographs of the Society fior Research in Child Development* (1982), p. 175 (en entier).

28. Pour un passage en revue des conséquences que l'on peut attendre d'années de scolarisation, voir M. Cole et R. D'Andrade, « The Influence of Schooling on Concept Formation : Some Preliminary Conclusions », *The Quarterly Newsletter of the Laboratory of Comparative Human Cognition* 4 (2 [1982]), p. 19-26.

29. Sur les talents développés par une scolarisation traditionnelle, voir D. A. Wagner, « Rediscovering "Rote" : Some Cognitive and Pedagogical Preliminaries », *in* S. Irvine et J. W. Berry, éds., *Human Assessment and Cultural Factors* (New York, Plenum, sous presse) ; et D. A. Wagner, « Quranic Pedagogy in Modern Morocco », *in* L. L. Adler, éd., *Cross-Cultural Research at Issue* (New York, Academic Press, 1982).

30. Sur les résistances des écoles traditionnelles strictes aux changements cognitifs, voir Scribner et Cole, *The Psychology of Literacy*, et D. A. Wagner, « Learning to Read by "Rote" », *art. cit.*

31. Sur les conséquences sociales du fait de savoir lire et écrire dans les sociétés traditionnelles, voir J. Goody, M. Cole et S. Scribner, « Writing and Formal Operations : A Case Study among the Vai », *Africa*, 47 (3 [1977]), p. 289-304.

32. Lévi-Strauss remarque que l'on observe souvent les chefs des sociétés sans écriture en train de feindre de savoir lire et écrire dans son livre *Tristes Tropiques*.

33. Les résultats de l'étude menée par Jack Goody, Michael Cole et Sylvia Scribner et leurs collègues sur les Vai du Liberia sont rapportés dans leur article « Writing and Formal Operations », *art. cit.*

34. On peut trouver les points de vue de Lévi-Strauss sur les différences entre l'esprit « traditionnel » et l'esprit « moderne » dans son livre *L'Esprit sauvage*.

35. Robin Horton argumente qu'il existe une différence fondamentale entre les manières de pensée scientifique et non scientifique *in* R. Hortion et R. Finnegan, éds., *Modes of Thought : Essays on Thinking in Western Societies* (Londres, Faber & Faber, 1973).

36. Sur les ressemblances entre la pensée scientifique et la pensée non scientifique, voir R. Schweder, « Likeness and Likelihood in Everyday Thought : Magical Thinking in Judgements and Personality », *Current Anthropology*, 18 (1977), p. 637-658 ; et D. Sperber, *Le Savoir des anthropologues : Trois essais* (Paris, Hermann, 1982).

37. Sur les croyances mythiques des scientifiques, voir J. Jaynes, *The Origin of Consciousness in the Breakdown of the Bicameral Mind* (New York, Houghton, Mifflin, 1976).

38. La remarque de Socrate est citée dans P. H. Coombs, *The World Educational Crisis : A Systems Analysis* (New York, Oxford University Press, 1968), p. 113.

CHAPITRE 13 : La théorie des intelligences appliquée

1. Sur le Centre Suzuki d'éducation des talents, voir S. Suzuki, *Nurtured by Love* (New York, Exposition Press, 1969) ; B. Holland, « Among Pros, More Go Suzuki »,

The New York Times, 11 juillet 1982, E9 ; L. Taniuchi, « The Creation of Prodigies through Special Early Education : Three Cas Studies », non publié, Projet Harvard sur le potentiel humain, Cambridge, Massachusetts, 1980.

2. Sur l'appel lancé par la Banque mondiale pour des investissements dans le développement humain et l'éducation, voir Banque mondiale, *World Development Report, 1980* (New York, Oxford University Press, 1980) ; et H. Singer, « Put the People First : Review of World Development Report, 1980 », *The Economist*, 23 août 1980, p. 77.

3. La remarque de R. S. McNamara est citée dans « Attack on Poverty : Will We Do Still Less ? », *The Boston Globe*, 3 octobre 1980.

4. La remarque d'Egdar Faure provient de son livre *Learning to Be : The World of Education Today and Tomorrow*, Rapport de l'UNESCO (New York, Unipub [a Xerox publishing company], 1973), p. 106.

5. Pour le rapport du Club de Rome, voir J. W. Botkin, M. Elmandjra et M. Malitza, *No Limits to Learning : Bridging the Human Gap : A Report to the Club of Rome* (Oxford et New York, Pergamon Press, 1979) ; la remarque d'Aurelio Peccei se trouve p. xiii.

6. Cette citation est tirée de la p. 9 du livre cité note précédente.

7. Cette remarque se trouve *ibid*. p. 43.

8. Les remarques de Luis Alberto Machado sont tirées de son livre *The Right to Be Intelligent* (New York, Pergamon Press, 1980), p. 2, 9, 24, 30, 52 et 59, respectivement.

9. La citation suivante est tirée de l'article « The Development of Intelligence : A Political Outlook », *Human Intelligence*, 4 (septembre 1980), p. 4. Voir aussi E. de Bono et H. Taiquin, « It makes You Think », *The Guardian*, 16 novembre 1979, p. 21 ; J. Walsh, « A Plenipotentiary for Human Intelligence », *Science*, 214 (1981), p. 640-641 ; et W. J. Skrzyniarz, « A Review of Projects to Develop Intelligence in Venezuela : Developmental, Philosophical, Policy and Cultural Perspectives on Intellectual Potential », article non publié, Projet pour le potentiel humain de Harvard, Cambridge, Massachusetts, novembre 1981.

10. Les remarques des Instituts pour la réussite du potentiel humain sont citées dans « Bringing Up Superbaby », *Newsweek*, 28 mars 1983, p. 63. Voir aussi K. Schmidt, « Bringing Up Baby Bright », *American Way*, mai 1982, p. 37-43.

11. On peut trouver la discussion que David Feldman propose de l'adresse en certains domaines et des enfants prodiges dans son *Beyond Universals in Cognitive Development* (Norwood, N. J., Ablex Publishers, 1980).

12. Le conseil de Masuru Ibuka, fondateur de Sony, est rapporté dans son best-seller, *Kindergarten Is Too Late !* (New York, Simon & Schuster, 1980).

13. Sur le succès du Japon après la Seconde Guerre mondiale, voir E. Vogel, *Japan as Number one : Lessons for America* (Cambridge, Massachusetts, Harvard University Press, 1979), voir aussi R. A. LeVine, « Western Schools in non-Western Societies : Psychosocial Impact and Cultural Responses », *Teachers College Record* 79 (4 [1978]), p. 749-755.

14. Sur la première éducation au Japon et les résultats élevés obtenus aux tests de QI par les jeunes Japonais par comparaison avec les jeunes Américains, voir M. Alper, « All Our Children *can* Learn », *University of Chicago Magazine*, été 1982 ; D. P. Schiller et H. J. Walberg, « Japan : The Learning Society », *Educational Leadership*, mars 1982 ; « I. Q. in Japan and America », *The New York Times*, 25 mai 1982 ; D. Seligman, « Japanese Brains : Castroism for Kids », *Fortune*, 31 mai 1982 ; et K. Kobayashi, « The Knowledge-Obsessed Japanese », *The Wheel Extended*, janvier-mars 1982, p. 1.

15. Sur le succès des Japonais à garder l'équilibre entre les différentes compétences et le sens collectif, voir L. Taniuchi et M. I. White, « Teaching and Learning in Japan : Premodern and Modern Educational Environments », article non publié, Projet sur le potentiel humain de Harvard, octobre 1982.

16. Pour les comptes rendus faits par Jack et Elizabeth Easley sur l'enseignement des mathématiques au Japon, voir J. et E. Easley, *Math Can Be Natural : Kitamaeno Priorities Introduced to American Teachers* (Urbana, Illinois, University of Illinois Com-

mittee on Culture and Cognition, 1982). Voir aussi F. M. Hechinger, « Math Lessons from Japan », *The New York Times*, 22 juin 1982.

17. P. Freire décrit ses efforts couronnés de succès pour apprendre à lire à des paysans brésiliens illettrés dans son livre *Pedagogy of the Oppressed* (New York, Contiuum Publishing, 1980).

18. Sur l'approche pédagogique utilisée dans « Rue Sésame », voir G. S. Lesser, *Children and Television : Lessons from Sesame Street* (New York, Random House, 1974).

19. Sur la tentative chinoise, durant la révolution culturelle, d'éradiquer toute influence éducative occidentale, voir T. Fingar et L. A. Reed, *An Introduction to Education in the People's Republic of China and US-China Educational Exchange* (Washington, D.C., US-China Education Clearinghouse, 1982) ; S. L. Shirk, *Competitive Comrades : Career Incentives and Student Strategies in China* (Berkeley et Los Angeles, University of California Press, 1982) ; et J. Unger, *Education under Mao : Class and Competition in Canton Schools, 1960-1980* (New York, Columbia University Press, 1982).

20. Sur l'échec des tentatives d'occidentaliser l'éducation en Iran, voir M. J. Fischer, *Iran : From Religions Dispute to Revolution* (Cambridge, Massachusetts, Harvard University Press, 1980).

21. Sur les « marqueurs » ou signes de dons précoces, voir B. Bloom, « The Role of Gifts and Markers in the Development of Talent », *Exceptional Children*, 48 (6 [1982]), p. 510-522.

22. L. S. Vygotsky développe la notion de « zone de développement proximal » dans son *Mind in Society : The Development of Higher Psychological Processes* (Cambridge, Massachusetts, Harvard University Press, 1978) ; voir aussi « Play and the Role of Mental Development in the Child », *Soviet Psychology*, 5 (1967), p. 6-18.

23. Sur les expériences cristallisatrices, les activités dominantes et les périodes critiques, voir V. V. Davydov, « Major Problems in Developmental and Educational Psychology at the Present Stage of Developmental Education », *Soviet Psychology*, 20 (1 [1981]), p. 22-46 ; D. B. El'konin, « Toward the Problem of Stages in the Mental Development of the Child », *Soviet Psychology*, 10 (printemps 1972), p. 3 ; et Feldman, *op. cit.*

24. Sur les exemples génétiques primaires, voir A. K. Markova, *The Teaching and Mastery of Language* (New York, M. E. Sharp, 1979), p. 63-65.

25. Sur les tentatives d'établir des améliorations résultant de l'appariement des étudiants avec des techniques d'enseignement appropriées, voir L. J. Cronbach et R. E. Snow, *Aptitudes and Instructional Methods* (New York, Irvington Publishers, 1977).

26. Le rôle de la coopération dans la programmation informatique est illustré dans le livre de T. Kidder, *The Soul of the New Machine* (New York, Avon, 1982).

27. Sur l'utilisation de l'exploration kinesthésique tactile pour surmonter des inaptitudes à apprendre, voir J. Isgur, « Letter-Sound Associations Established in Reading-Disabled People by an Object-Imaging-Projection Method », article non publié, Pensacola Florida Learning Disabilities Climic, 1973.

POSTFACE : Introduction à l'édition du dixième anniversaire

1. Howard Gardner, *Multiple Intelligences. The Theory in Pratice* (New York, Basic Books, 1993) ; trad. fr. *Les Intelligences multiples. Pour changer l'école : la prise en compte des différentes formes d'intelligence* (Paris, Retz, 1996).

2. H. Gardner, « Are there additional intelligences ? », *in* J. Kane, éd., *Education, Information, and Transformation* (Englewood, N.J., Prentice Hall, à paraître).

Index des noms

Allen, Woody, 241
Arnheim, Rudolf, 208
Augustin, saint, 15, 421

Bellow, Saul, 180
Bernstein, Leonard, 133
Bigelow, Julian, 436
Binet, Alfred, 26, 28, 422
Blake, William, 83
Blurton-Jones, Nicholas, 171, 438
Bohr, Niels, 158
Boleslavsky, Richard, 239
Bowlby, John, 255
Broca, Pierre-Paul, 24, 60, 95, 97
Bronowski, Jacob, 152, 157
Brooks, Lee R., 188, 189
Brown, Ann, 326
Bruner, Jerome, 233, 338
Buck, Ross, 271
Butterfield, Herbert, 156
Butters, Nelson, 192

Capablanca, José, 181, 192, 206
Carroll, Lewis, 151
Carson, Johnny, 241
Cassirer, Ernst, 35
Cézanne, Paul, 209
Changeux, Jean-Pierre, 53
Chaplin, Charlie, 241
Charlip, Remy, 237

Chase, William, 100
Chomsky, Noam, 86, 88, 98, 133, 294, 335, 336, 338
Churchill, Winston, 103
Clark, Kenneth, 9, 210, 211, 249
Clynes, Manfred, 223
Cole, Michael, 9, 172, 336, 337, 366, 368, 369
Cone, Edward T., 111, 112
Constable, John, 59, 209
Cooley, Charles, 259
Copernic, Nicolas, 17
Copland, Aaron, 110, 111
Cowan, W. Maxwell, 49
Craft, Robert, 111
Crick, Francis, 43, 59, 202
Culicover, Peter, 88
Cunningham, Merce, 238

D'Andrade, Roy, 366
Dalton, John, 187
Danchin, Antoine, 53
Darwin, Charles, 17, 53, 104, 187, 202
Davydov, 398
Descartes, René, 15, 25, 163
Deutsch, Diana, 125
Dore, Ronald, 364
Douglas, Keith, 81, 91, 179, 408
Dreifuss, Fritz, 93

Dube, E. F., 100
Duncan, Isadora, 236
Dürer, Albrecht, 207

Easley, Elizabeth, 389
Edison, Thomas A., 381
Einstein, Albert, 92, 157, 158, 159, 160, 161, 162, 179, 183, 201, 380, 381, 413
Eliot, T. S., 81, 82, 84, 105, 265, 413
Elkonin, D., 398
El-Koussy, A. A. H., 186
Ericcson, K. Anders, 100
Erikson, Erik, 258, 262, 263
Euclide, 162, 201, 210
Euler, Leonhard, 144
Eysenck, H. J., 27, 410, 459

Farrell, Suzanne, 221
Faulkner, William, 98
Feldman, David, 9, 36, 37, 338, 386, 412, 459
Ferguson, E., 202
Feyerabend, Paul, 176
Fischer, Kurt, 233, 334
Fischer, Michael, 356, 359
Flaubert, Gustave, 105
Flourens, Pierre, 24
Flynn, John, 269
Fodor, Jerry, 63, 294, 295,

296, 302, 306, 335, 414, 460

France, Anatole, 24
Frege, Gottlob, 175
Freire, Paolo, 364, 391
Freud, Sigmund, 104, 187, 249, 250, 258, 262, 413
Freund, Paul, 330
Frye, Northrop, 85
Fuller, Buckminster, 203

Gajdusek, Carleton, 45
Galamian, Ivan, 122
Galilée, 156, 372
Gall, Franz-Joseph, 16, 23, 24, 25, 41, 294
Gallup, Gordon, 257
Gandhi, Mahatma, 251, 263, 408, 413, 419
Gaulle, Charles de, 103
Gauss, Karl Friedrich, 165
Gay, J., 172
Gazzaniga, Michael, 63, 295, 296
Geertz, Clifford, 279, 280, 281, 282, 336
Gladwin, Thomas, 213, 214, 349
Gleason, Andrew, 145, 149
Goldman, Patricia (aussi Goldman-Rakic), 49, 59
Goldstein, Kurt, 62, 166
Goodman, Nelson, 39, 312
Gordon, Harold, 127, 257
Gould, Stephen Jay, 28, 408, 460
Graham, Martha, 180, 236, 413
Graves, Robert, 82, 83, 84
Greco, 17
Greenfield, Amy, 237
Greenough, William, 52
Gretzky, Wayne, 243
Groot, Adrian de, 205, 206
Gross, Charles, 194
Gross, Larry, 69
Guilford, J. P., 16, 333, 408, 460

Hall, G. Stanley, 249
Hanna, Judith, 234
Hardy, G. H., 135, 148, 164, 177, 179
Harlow, Harry, 255, 270

Havelock, Eric, 102
Hawkins, Eric, 237
Haydn, Franz Joseph, 121, 129
Head, Henry, 62
Hebb, Donald, 269
Heims, Steve, 152
Heisenberg, Werner, 158
Hemingway, Ernest, 97
Henry, Jules, 342
Hilbert, David, 154
Hinton, Geoffrey, 295, 296
Hirst, Paul, 69
Hogarth, William, 208
Holt, John, 167
Holton, Gerald, 160
Homère, 83
Horton, Robin, 370
Hubel, David, 46, 58, 60, 194
Hughes, H. Stuart, 249
Hull, Clark, 292
Humphrey, N. K., 268
Hutchins, Edwin, 174
Huxley, Aldous, 198

Illich, Ivan, 364

James, Henry, 105
James, William, 25, 102, 249, 250, 262
Jencks, Christopher, 364
Jenkins, Ron, 238, 239
Jensen, Arthur, 332, 410, 460
Jerison, Harry, 268
Jésus Christ, 263
Joachim, Joseph, 121
Johnson, Lyndon B., 251
Joyce, James, 103

Kandel, Eric, 55, 56, 57
Kant, Emmanuel, 30, 35, 175
Kaplan, Edith, 234
Keaton, Buster, 241
Keats, John, 91, 285
Kekulé, Friedrich, 201
Kennedy, John F., 103, 196
Kepler, Johann, 17, 154
Kidder, Tracy, 245
Kimura, Doreen, 193
Köhler, Wolfgang, 195
Konishi, Mark, 46

Konner, Melvin, 171
Kosslyn, Stephen, 198
Kreisler, Fritz, 387
Kreutzberg, Harald, 237
Kripke, Saul, 163
Kuhn, Thomas, 27, 176

Landau, Barbara, 197
Langer, Suzanne, 35, 100, 101
Lashley, Karl, 62
Lasker, Harry, 8, 283
Lave, Jean, 336, 409, 460
Le Corbusier, 207
Lenier, Susan, 91
Lennon, John, 123
Levi, Edward, 330
LeVine, Robert, 7, 12, 356
Lévi-Strauss, Claude, 98, 131, 245, 370
Lieberman, Phillip, 99
Limon, José, 237
Lintgen, Arthur, 131, 132
Lloyd, Harold, 241
Loeb, Arthur, 203
Lord, Albert B., 99, 350
Lowe, B., 85, 242
Lowell, Robert, 85
Luckmann, Thomas, 286
Luria, Alexander, 101, 168, 259, 273

Maccoby, Michael, 364
Machado, Luis Alberto, 379, 380
Mailer, Norman, 219
Marceau, Marcel, 217, 218, 219, 221
Markova, A. K., 399
Marler, Peter, 46
Marmor, Gloria, 197
Marshack, Alexander, 230
Martin, John, 240, 241
McKeon, Richard, 358
Mead, George Herbert, 250, 259
Mead, Margaret, 246
Mehegan, Charles, 93
Mendelssohn, Felix, 108
Menuhin, Yehudi, 302
Messenger, John, 246
Metzler, Jacqueline, 9, 182
Michel-Ange, 207, 208, 211, 381

Millar, Susanna, 302
Milner, Brenda, 193
Mishkin, Mortimer, 194
Modiano, Nancy, 364
Montaigne, Michel de, 105
Moore, Henry, 199, 215
Mountcastle, Vernon, 58, 59
Mozart, Wolfgang Amadeus, 107, 108, 121, 129, 134, 302, 378, 381, 385
Myers, Ronald, 271

Nabokov, Vladimir, 103
Nadia, 9, 199, 200, 201, 205
Napoléon, 205
Nauta, Walle, 274
Neisser, Ulric, 364
Neumann, John von, 151, 152
Newell, Allen, 153
Newton, Isaac, 155, 156, 157, 159, 160, 161
Nicklaus, Jack, 243
Nijinsky, Vaslav, 237
Nikolai, Alwin, 237
Nottebohm, Fernando, 52
Nozick, Robert, 291, 310

Ockham, William of, 169
Olson, David, 36, 38, 338

Papousek, Hanus, 117
Papousek, Mechthild, 117
Parker, Susan, 231
Parry, Millman, 99, 350
Pascal, Blaise, 162
Pearce, Bryan, 199
Peccei, Aurelio, 379
Piaget, Jean, 17, 28, 29, 30, 31, 32, 33, 34, 36, 37, 38, 88, 118, 137, 138, 140, 141, 142, 143, 144, 155, 168, 169, 179, 189, 190, 191, 232, 258, 326, 327, 333, 334, 338, 414, 459
Picasso, Pablo, 208, 209, 210, 215, 413
Platon, 15, 25, 179
Poincaré, Henri, 146, 147, 149
Polanyi, Michael, 145, 146
Pollak, Susan, 356
Polya, George, 153
Proust, Marcel, 251, 285

Pylyshyn, Zenon, 295
Pythagore, 25, 133, 157

Quine, Willard, 144, 177

Rabelais, François, 360
Rabi, I. I., 164
Ramanujan, Srinivasa, 176, 177
Raphaël (Sanzio), 211
Ravel, Maurice, 126
Raven J. C., 63
Read, Herbert, 84, 209
Reagan, Ronald, 103
Riemann, George Friedrich, 154
Rimland, Bernard, 226
Rodin, Auguste, 199
Roosevelt, Eleanor, 263
Roosevelt, Franklin, 103
Rosenzweig, Mark, 51, 52
Rotman, Brian, 144, 175
Rousseau, Jean-Jacques, 285
Rozin, Paul, 63, 326
Rubinstein, Arthur, 121, 122, 153
Runyan, Damon, 98
Russell, Bertrand, 144, 162, 175, 201
Ryle, Gilber, 336

Safford, Truman, 165
Salomon, Gavriel, 15, 36, 38, 338, 410, 460, 461
Sartre, Jean-Paul, 89, 90, 119, 283
Scheffler, Israel, 11, 12, 297
Schönberg, Arnold, 110, 111, 113
Schopenhauer, Arthur, 111
Schubert, Franz, 129
Scriabine, Alexandre, 113
Scribner, Sylvia, 336, 368, 369
Selfridge, Oliver, 70
Serkin, Rudolf, 122
Sessions, Roger, 108, 109, 110, 111, 113, 114, 131
Shahn, Ben, 209
Shakespeare, William, 285, 381
Shapero, Harold, 110
Shepard, Roger, 9, 182, 185

Simmel, Marianne, 218
Simon, Herbert, 153, 179, 206
Simon, Théodore, 26, 28
Skinner, B. F., 292
Smith, McFarlane, 202
Socrate, 15, 114, 263, 374
Spearman, Charles, 17, 27, 332, 408, 461
Spence, Kenneth, 292
Spender, Stephen, 9, 82, 83, 84, 90, 104
Sperry, Roger, 58, 222
Spinoza, Baruch, 163
Spurzheim, Joseph, 23
Stanislavski, Constantin, 239
Sternberg, Robert, 34, 409, 459, 460, 461
Stravinsky, Igor, 111, 112, 113, 114, 122, 129, 131, 134, 135, 302, 413
Suzuki, Shinichi, 14, 45, 107, 120, 377, 378, 383, 384, 385, 386, 387, 388, 390, 391, 402, 418

Taniuchi, Lois, 383
Teleki, Geza, 227, 228
Tesla, Nikola, 198
Thomas, Lewis, 187, 305
Thurstone, L. L., 17, 27, 186, 333, 408, 409, 461
Titchener, Edward B., 198
Titien, 215
Tolstoï, Léon, 105
Turner, Joseph M. W., 197, 209

Ulam, Stanislaw, 149, 150, 151, 152, 153, 158, 162, 163
Updike, John, 103

Van Gogh, Théo, 206
Van Gogh, Vincent, 206
Vasari, Giorgio, 207
Vendler, Helen, 85
Verdi, Giuseppe, 129
Vinci, Léonard de, 202, 207, 208, 381
Vitz, Paul, 114
Vivaldi, Antonio, 385

Vygotsky, Lev, 29, 121, 259, 397, 398, 409, 461

Waddington, C. H., 47
Wagner, Richard, 110, 130
Warrington, Elizabeth, 193

Watson, James D., 43, 202
Wexler, Kenneth, 88
Whitehead, Alfred North, 35, 137, 144, 145
Whitman, Walt, 24
Wiesel, Torsten, 46, 58, 194

Wilder, Thornton, 91
Williams, Moira, 193
Wolf, Dennie, 314
Wundt, Wilhelm, 25

Zasetsky, 273

Index des thèmes

Action, 238-242 ; et don pour l'imitation, 238-242

Amusie, 55, 126

Anémie, 43

Aphasie, 55 ; anomique, 98 ; de Broca, 60, 97 ; et intelligence corporelle, 96 ; et intelligence linguistique, 24, 61, 96-98 ; et intelligence logico-mathématique, 167 ; et intelligence musicale, 126 ; et intelligence personnelle, 252, 275 ; de Wernicke, 60, 98, 126

Aphasie de Broca, 60, 95

Aphasie de Wernicke, 60, 98, 126

Aplysie, 55

Apraxie, 234

Aptitude à modéliser : et échecs, 205, 206 ; et aptitude métaphorique, 302 ; et intelligence logico-mathématique, 148, 157, 161-163, 179, 180, 302 ; et mathématiques, 148, 157, 162-163 ; et intelligence spatiale, 206

Aptitude métaphorique, 302-305 ; et aptitude à modéliser, 302 ; et génie, 302-304 ; et imagerie visuelle, 186-188 ; et intelligence logico-mathématique, 186-188, 302 ; et intelligence spatiale, 186-188 ; et originalité, 186-188, 302 ; et science, 186-188

Autisme, 71, 324 ; et développement symbolique, 318 ; et intelligence corporelle, 225-227 ; et intelligence linguistique, 92-93 ; et intelligence musicale, 121, 129, 378 ; et intelligence personnelle, 275 ; et intelligence spatiale, 199-201

Bali : clowns balinais, 238-241 ; et intelligence corporelle, 238-242 ; et intelligence personnelle, 280-282

Banque mondiale, 19, 378

Béhaviorisme, 249

Biologie : psychologie cognitive, 33-34 ; et intelligence, 19, 23-27, 34, 41-66, 311-312, 314, 337 ; voir aussi les différentes intelligences

Bon sens, 299-300 ; et intelligence logico-mathématique, 300 ; et intelligence personnelle, 299

Bushmen du Kalahari : et intelligence logico-mathématique, 171 ; et intelligence spatiale, 211-212

Canalisation, 325 ; et développement neural, 46, 51, 57, 61, 65 ; et développement symbolique, 326 ; et intelligence linguistique 61, 94 ; et trouble du cerveau, 51

Canaux de symbolisation, 315, 318, 321-323

Cécité : aptitude au dessin, 196-197 ; et intelligence spatiale, 196-197 ; rotation dans l'espace, 197

Cécité des couleurs, 43

Centre médical de l'administration des anciens combattants de Boston, 8, 38

Chant d'oiseaux, 54-55, 125 ; et amusie, 55 ; et chant humain, 54, 124 ; et hémisphères cérébraux, 124

Chant épique, 99, 346, 348-350 ; et éducation, 347, 348-350 ; et intelligence musicale, 350 ; et intelligence personnelle, 350

Club de Rome, 379

Composition musicale, 108-112, 123, 126, 301 ; et méthode Suzuki, 387

Conception centraliste de la structure du cerveau, 293-295

Conception de l'intelligence des « hérissons », 16, 27, 42, 62, 332-333

Conception de l'intelligence des « renards », 16, 27, 42, 332-333

Conception modulaire : de la structure du cerveau, 64, 294-296 ; de l'intelligence, 292-297

Conception uniforme de l'intelligence, 292

Conscience de soi, 249-288, 306-309 ; voir aussi intelligence personnelle

Conservation, 30, 32 ; et intelligence logico-mathématique, 139, 170

Culture : et éducation, 367-369, 372, 391, 401 ; et écoles, 372 ; et éducation coranique, 355 ; et intelligences multiples, 366-368 ; et mémoire verbale, 100

Culture : intelligence corporelle, 234-236, 238, 239, 240 ; et développement symbolique, 44, 322 ; et intelligence, 19, 37, 311-312, 314, 341-402 ; et intelligence linguistique, 99-103 ; et intelligence logico-mathématique, 170-175 ; et intelligence musicale, 118, 119, 120 ; et intelligence personnelle, 251, 279-285 ; et intelligence spatiale, 211-214 ; voir aussi éducation

Danse, 234-238, 246, 397 ; fonctions culturelles de la, 235

Débat nature/culture, 15, 328-329, 378

Décalage, 32, 334

Dessin, 319 ; et autisme, 199-200 ; d'aveugles, 197 ; et trouble du cerveau, 193

Développement, 28-32, 36-39, 72 ; approche par domaines du, 36-37 ; approche par les systèmes symboliques, 36-39 ; conception d'Erikson, 258 ; conception freudienne, 258 ; stades de Piager, 28-32, 137-144, 170, 189-191, 258, 326-328, 338 ; théorie de Piaget, 28-32, 39, 326-328, 334, 338 ; voir aussi développement neural, développement symbolique, développement de chacune des intelligences

Développement cognitif, 29-31 ; voir aussi stades de Piaget et développement de chaque intelligence

Développement neural, 46-57 ; canalisation du, 46, 51, 57, 61, 65 ; comportement précoce, 53 ; différences individuelles, 42 ; et environnement, 51, 52, 57 ; facteurs génétiques, 42, 43, 65-66 ; flexibilité, 41-57, 46, 66 ; et hémisphères cérébraux, 47 ; période critique, 49, 54, 61 ; et trouble du cerveau, 48, 49-52

Développement symbolique, 36, 315-329, 341 ; et autisme, 318 ; et canalisation, 326 ; et flexibilité, 326 ; et stades de Piaget, 326-328 ; et théorie de Chomsky, 335, 338 ; et théorie de Piaget, 326-328, 338 ; et trouble du cerveau, 318

Dominance cérébrale, 225

Dramaturges, 162

Dyslexie, 166

Dysphasique, 166

Échecs : intelligence logico-mathématique, 161 ; aptitude à modéliser, 100, 206 ; et intelligence spatiale, 203, 206 ; et mémoire visuelle, 204-206

Écoles, 343, 344-346, 352-369, 372 ; brousse, 352, 368-369 ; et culture, 372 ; laïques modernes, 361-366, 368-369 ; religieuses traditionnelles, 355-361, 365, 368-369 ; et science, 372

Écoles de brousse, 352, 396

Éducation, 323, 341-403 ; agents de l', 345-347, 351, 352-354, 359-361, 364 ; apprentissage, 353-354, 394 ; contexte, 344-346, 349-369 ; coranique, 355-357, 367, 373-374 ; et culture, 366-369, 372, 391, 401 ; formelle, 355-372, 403 ; informelle, 350 ; et intelligence linguistique, 345, 355-358, 362, 366-368 ; et intelligence logico-mathématique, 345 ; et intelligences multiples, 19, 341-381, 375, 383, 394-403 ; et intelligence musicale, 14, 45, 107, 120, 377, 383-391, 402 ; japonaise, 367, 389-391 ; et potentiel humain, 378-381, 398 ; programmation informatique, 335, 400-401 ; et lien mère/enfant, 383-386, 390 ; et médiums, 345 ; et mémorisation, 349-351, 355, 359-362 ; et motivation, 383 ; et navigation, 344, 346, 349-374, 350, 353, 360, 373-374 ; et rites d'initiation, 351 ; dans des sociétés sans écriture, 346-355 ; et science, 370-372 ; et symbolisation, 332 ; voir aussi écoles

Éducation coranique, 14, 355-356 ; et intelligence linguistique, 356 ; et intelligences multiples, 373 ; et mémorisation, 355-356

Éducation japonaise, 365, 389-391 ; et lien mère/enfant, 390 ;

Épilepsie, 277

Esquimaux, intelligence spatiale des, 195, 212, 213, 215

Étude des jumeaux, 43

Expérience cristallisatrice, 352, 397

Expérience de Michelson-Morley, 159

Expression, 113-114, 318

Flexibilité : et trouble du cerveau, 47, 49, 50, 51, 53, 95 ; dans le développement neural, 41-42, 46-57, 66 ; dans le développement symbolique, 326 ; et intelligence linguistique, 61, 93 ; et intelligence logico-mathématique, 168

Fonction exécutive, 293

Génétique, 43-46, 65-66 ; dérive, 45 ; génie, 46 ; et intelligence, 25-28, 43, 337 ; et intelligence linguistique, 88, 89 ; et intelligence musicale, 108 ; et personnalité, 44

Hémisphères cérébraux : intelligence corporelle, 63 ; et développement neural, 47, 48 ; et intelligence linguistique, 60-61, 92-94, 97, 98 ; et intelligence logico-mathématique, 167, 168 ; et intelligence musicale, 126-127 ; et intelligence spatiale, 60, 63, 192-194

Hémophilie, 43, 44

Humour, 241

Hyperlexie, 93, 166

Idioglossie, 98

Idiots savants, 18, 40, 71 ; et intelligence corporelle, 225 ; et intelligence linguistique, 93, 328-329 ; et intelligence logico-mathématique, 165 ; et intelligence musicale, 129 ; et intelligence personnelle, 275 ; et intelligence spatiale, 199, 204

Imagerie eidétique, 199

Imagerie visuelle, 184, 185-188, 197-206 ; et originalité, 186-188, 201 ; et sciences, 186-188, 202

Institut pour le développement du potentiel humain, 380

Intelligence corporelle, 248 ; et action, 238-242 ; et aphasie, 221-222 ; et apraxie, 234 ; et aptitude à imiter, 238-241 ; et autisme, 225-226 ; et biologie, 224-225 ; et culture balinaise, 238-241 ; et culture grecque, 246 ; et danse, 234-

238, 246 ; développement de l', 232-234 ; différences culturelles, 234-236, 239, 241 ; et dominance cérébrale, 224 ; évolution de l', 227-232 ; et hémisphères cérébraux, 224-225 ; et humour, 241 ; et idiots savants, 225 ; et intelligence linguistique, 225, 231 ; et intelligence musicale, 131 ; et intelligence personnelle, 247-248 ; et invention, 244-245 ; et manipulation d'objets, 218-219, 243-245 ; de navigation, 350 ; et opérations clés, 234, 238-241, 244 ; et outils, 227-232 ; et primates non humains, 224 ; et réaction neurale, 223 ; et sport, 242-244 ; et stades de Piaget, 232-233 ; et structure du cerveau, 224-225 ; et symbolisation, 231-232 ; et talents mécaniques, 218-222 ; et trouble du cerveau, 224-225

Intelligence : et biologie, 19, 23-27, 34, 41-66, 311-312, 314, 337 ; voir aussi les différentes intelligences ; conception de Chomsky, 335-337 ; conception classique, 15 ; conception de l'apprentissage par l'environnement, 17 ; conception des « porcs-épics », 27, 332-333 ; conception des « renards », 16, 27, 42, 332-333 ; conception de l'- en termes de processus informationnels, 33-34, 42, 333-335 ; conception de l'- en termes de quotient intellectuel, 13, 16, 35 ; conception modulaire de l', 292-297 ; conception uniformiste, 292 ; voir aussi les différentes intelligences ; intelligences multiples ; et culture, 19, 37, 311-312, 341-403 ; voir aussi éducation, et les différentes intelligences ; débat nature/culture, 15, 378 ; facteur « g », 17, 32, 332 ; fonction exécutrice, 293 ; et génétique, 26, 27, 43, 337 ; l'ordinateur comme modèle de l', 34, 290, 334 ; et processus horizontaux, 28, 31, 33, 48, 57, 63 ; théorie de Piaget, 17, 28-32, 36-39, 333-335

Intelligence interpersonnelle, 77, 249-288 ; définition de l', 251 ; voir aussi intelligence personnelle

Intelligence intrapersonnelle, 249-288, 298, 300 ; définition de l', 251 ; voir aussi intelligence personnelle

Intelligence linguistique, 86-106, 341 ; et aphasie, 24, 61, 96-98 ; et autisme, 92-94 ; et biologie, 59-61, 63, 87, 92-98 ; et canalisation, 51, 61, 94 ; et culture, 99, 355, 366-369, 371, 391 ; développement de l', 50, 59-61, 87-89, 106, 338 ; différences culturelles, 99-103 ; différences individuelles, 89 ; et éducation, 345, 355-358, 361, 368 ; et environnement, 88 ; évolution de l', 95, 98, 105 ; facteurs génétiques, 88 ; et flexibilité, 51, 61, 93, 95 ; et hémisphères cérébraux, 59-61, 63, 92-95, 96-98 ; et hyperlexie, 93 ; et idioglossie, 98 ; et idiots savants, 93 ; et intelligence corporelle, 225, 231 ; et intelligence musicale, 106, 123, 133 ; et intelligence spatiale, 188 ; et langage imagé, 88 ; et mémoire verbale, 86, 355, 356 ; et navigation, 350, 373 ; et opérations clés, 92-99, 290, 318 ; période critique, 95 ; et phonologie, 86, 88, 92 ; et poésie, 81-85, 90-92, 102, 105 ; et pragmatique, 86, 87 ; prédisposition à l', 48 ; chez les primates non humains, 99 ; et professions juridiques, 329-330 ; et retard, 92 ; et rhétorique, 86 ; et rites d'initiation, 101 ; et sémantique, 50, 84, 89, 93, 95, 97 ; dans les sociétés sans écriture, 99-103, 326, 355-356 ; et structure du cerveau, 50, 59-61, 63, 66 ; et surdité, 61, 87, 94, 106 ; et symbolisation, 316, 381 ; et syntaxe, 87, 89, 92, 94 ; et talent littéraire, 81-85, 89-92, 101-106 ; et trouble du cerveau, 50, 59-61, 66, 92-98

Intelligence logico-mathématique, 137-180 ; et action, 164, 214 ; et aphasie, 167 ; et aptitude à modéliser, 148, 161-163, 179, 180, 302 ; et aptitude métaphorique, 186-188, 302 ; et biologie, 166-169 ; et bushmen du Kalahari, 171 ; et changement historique, 149, 156, 175-178 ; développement de l', 137-144, 162, 171, 178 ; différences culturelles, 81-85, 170-175, 370-372 ; et don pour le calcul, 165-167 ; et échecs, 161 ; et éducation, 345 ; et faculté à compter, 144 ; et faculté d'estimation, 172 ; et flexibilité, 168 ; handicap au départ pour l', 48 ; et hémisphères cérébraux, 167, 168 ; et idiots savants, 165 ; dans les îles Trobiandes, 174 ; et intelligence musicale, 113, 132-134, 153, 178 ; et intelligence spatiale, 178, 186-188, 215 ; et intuition, 149, 150, 158 ; et mathématiques, 133, 134, 144-179, 396 ; et mémoire, 146-148 ; et mysticisme, 160-162, 172-175 ; et ordinateurs, 177 ; et opérations clés, 147-169, 180, 302 ; et prodiges, 163-165 ; et professions juridiques, 329-330 ; et résolution de problèmes, 150-154 ; et science, 144, 154-162, 164-166, 175-178, 370-372 ; et sens commun, 299 ; et stades de Piaget, 137-144, 170 ; et symbolisation, 316-326, 381 ; et syndrome de Gerstmann, 168 ; et théorie de Piaget, 33-34, 334 ; et trouble du cerveau, 167-169

Intelligence musicale, 107-135, 341 ; et amusie, 126 ; et aphasie, 126 ; approche figurée, 118, 119, 127 ; et autisme, 107 ; et biologie, 108, 123-128 ; chant épique, 350 ; et chants d'oiseaux, 128-130 ; et composition, 108, 112, 123, 126, 301, 387 ; développement de l', 116, 123, 338, 386 ; différences culturelles, 118, 120 ; et différences individuelles, 117 ; et éducation, 15, 45, 107, 121, 377, 383, 391, 402 ; voir aussi méthode Suzuki ; évolution de l', 123, 128 ; et expression, 113, 114, 318 ; facteurs environnementaux, 107 ; facteurs génétiques, 119, 127 ; et hémisphères cérébraux, 126, 128 ; et idiots savants, 129 ; et intelligence linguistique, 106, 123, 125, 133 ; et intelligence logico-mathématique, 114, 132-134, 153, 179 ; et intelligence personnelle, 132 ; et intelligence spatiale, 131 ; et lancer, 112 ; et opérations clés, 112, 116, 318 ; période critique, 386 ; et prodiges, 107, 120, 122, 290 ; et retard, 128, 129 ; sens de l'écoute, 113 ; et structure du cerveau, 124, 128 ; et surdité, 113 ; talent pour l'écoute, 111, 112, 126, 128 ; et trouble du cerveau, 124-126

Intelligence personnelle, 77, 249-288, 298, 300 ; et aphasie, 252, 275 ; et autisme, 275 ; et biologie, 270-273, 275-279 ; et bon sens, 300 ; et chant épique, 350 ; conception de William James, 249-250 ; conception freudienne de l', 249-250, 258 ; et culture balinaise, 279-282 ; culture de Java, 279-282 ; et culture marocaine, 281-282 ; développement de l', 255-264 ; différences culturelles, 251, 279-285 ; et égocentrisme, 258-261 ; et empathie, 256 ; et épilepsie, 266-269 ; évolution de l', 277 ; et identité sexuelle, 258 ; et idiots savants, 275 ; et intelligence corporelle, 247-248 ; intelligence interpersonnelle, 251 ; intelligence intrapersonnelle, 251 ; et intelligence musicale, 132 ; et jeux de rôles, 285-259 ; et lien mère/enfant, 255, 266, 270 ; et lobes frontaux, 272-274 ; et maladie d'Alzheimer, 276 ; et maladie de Pick, 277 ; et méthode scientifique, 372 ; et méthode de Suzuki, 386 ; pathologies de l', 272-

277 ; et patients callosotomisés, 278-279 ; et période de latence, 260 ; chez les primates non humains, 266, 270-271 ; et professions juridiques, 329-330 ; et reconnaissance des visages, 350 ; et retard, 36 ; et rites d'initiation, 351-352 ; et stade des opérations concrètes, 260 ; dans une société de champ, 283 ; dans une société « de particules », 283 ; et structure du cerveau, 272-274, 275-279 ; et symbolisation, 253, 257, 268-269, 286, 307 ; et systèmes symboliques, 286, 307 ; et trouble du cerveau, 270-273, 275-279

Intelligence spatiale, 77, 181, 215 ; et appréciation des arts visuels, 208-211 ; et aptitude métaphorique, 186-188 ; et aptitude à modéliser, 206 ; et autisme, 198-201 ; et biologie, 60, 63 192-195, 197 ; et bushmen du Kalahari, 211-212 ; et cécité, 196-197 ; et dessin, 193, 196, 198-201, 318 ; développement de l', 189-191 ; différences culturelles, 211-215 ; différence des sexes, 195 ; et don pour l'imitation, 185 ; et échecs, 202-206 ; et Esquimaux, 195, 212, 213, 215 ; évolution de l', 195-196 ; et hémisphères cérébraux, 60, 63, 192-195 ; et idiots savants, 199, 204 ; et imagerie eidétique, 199 ; et intelligence linguistique, 188 ; et intelligence logico-mathématique, 179, 186-188, 215 ; et intelligence musicale, 131 ; imagerie visuelle, 184, 185-188, 197-206 ; et Kikuyus, 212 ; mémoire visuelle, 190-193, 202-206, 208, 212 ; et navigation, 212-214, 350-373 ; et opérations clés, 185-187, 203, 318 ; et paralysie cérébrale, 198 ; et peinture, 199, 206-211 ; chez les primates non humains, 195 ; et prodiges, 198-201 ; et retard, 199 ; et rotation dans l'espace, 185, 197 ; et sciences, 186-188, 201-203 ; et sculpture, 199, 206 ; et sens de la composition, 187, 209 ; et Shongos, 212 ; et stade des opérations concrètes, 190 ; et stades de Piaget, 189-191 ; et structure du cerveau, 60, 63, 192-195, 197 ; syndrome de Turner, 197 ; et tests d'intelligence, 186, 188 ; et trouble du cerveau, 192-194, 197 ; et vieillissement, 215 ; vision localisatrice, 188

Intelligences multiples : et programmation informatique, 335, 373-374 ; critique des, 289-310 ; critère pour, 18, 68, 70-75 ; et culture, 366-368 ; définition de l', 67-77 ; et éducation, 20, 104, 341-375, 381-383, 394-403 ; et fonctions culturelles, 341-342 ; introduction aux, 17-20 ; et motivation, 298 ; et potentiel humain, 398-402 ; profils individuels, 19, 394-397 ; et science, 370-372 ; et symbolisation, 316-326, 381 ; voir aussi les différentes intelligences

Julliard School of Music, 385 ;

Lancer, 112
Langage, voir intelligence linguistique
Lien mère/enfant : et éducation, 383-386, 390 ; et éducation japonaise, 390 ; et intelligence personnelle, 255, 266, 270 ; et méthode Suzuki, 383-386
Lobe frontal, 272-274
Localisation, 156 ; cérébrale, 17, 24, 25, 61, 63, 294 ; de l'intelligence spatiale, 188
LOGO, 14

Maladie d'Alzheimer, 276
Maladie de Pick, 277
Mathématiques, 143-154, 161-165, 396 ; et action, 164, 214 ; et aptitude à modéliser, 148, 157, 162-163 ; différences culturelles, 170-176 ; et don pour le calcul, 165, 166-169 ; et faculté à compter, 144 ; histoire des, 175-178 ; et intelligence musicale, 113, 133, 153, 178 ; et intuition, 149, 150 ; et mémoire, 146 ; et prodiges, 163-165 ; et résolution de problèmes, 150-154 ; et science, 154-165 ; et trouble du cerveau, 166-169
Mémoire à court terme, 33, 34, 293
Mémoire : et échecs, 203-206 ; et éducation, 355-360, 361 ; et idiots savants, 204 ; et intelligence linguistique, 86, 100 ; et intelligence logico-mathématique, 146-148 ; et intelligence spatiale, 203-206, 212
Mémoire verbale, 86 ; dans les sociétés sans écriture, 100, 101, 355-356
Mémoire visuelle, 190-193, 202-206, 208, 212 ; et échecs, 203-206 ; et idiots savants, 204 ; et peinture, 207, 208
Méthode Suzuki, 14, 45, 107, 120, 377, 383-391 ; et composition, 387 ; critique de la, 385-389 ; et imitation, 386-388 ; et intelligence personnelle, 386 ; et lecture des notes, 387 ; et lien mère/enfant, 383-386

Mime, 218
Modélisateurs, 162

Navigation, 14, 341 ; et éducation, 343, 346, 349-351, 354, 373-374 ; et intelligence corporelle, 350, 373 ; et intelligence linguistique, 350, 373 ; et intelligence logico-mathématique, 373 ; et intelligence personnelle, 350, 373 ; et intelligence spatiale, 211-214, 341, 350, 373
Neuropsychologie, 34, 39, 41-66 ; et intelligence corporelle, 224-225 ; et intelligence linguistique, 50, 59-61, 66, 88, 92-98 ; et intelligence logico-mathématique, 66 ; et intelligence musicale, 107, 123-128 ; et intelligence personnelle, 197, 270-273, 275-279 ; et intelligence spatiale, 60, 63, 192-195
Notation symbolique, 315, 322

Ondes de symbolisation, 315, 318, 319-321
Opérations clés, 71, 316 ; intelligence corporelle, 234, 243-244 ; intelligence linguistique, 85-89, 92-102, 290, 318 ; intelligence logico-mathématique, 147-169, 180, 302 ; intelligence musicale, 112-116, 290, 318, 330 ; intelligence personnelle, 251-262, 272-278 ; intelligence spatiale, 181, 185-187, 197, 318
Ordinateur : éducation, 335, 400, 401 ; comme modèle de la cognition, 33-34, 290, 334 ; et intelligence logico-mathématique, 177 ; et intelligences multiples, 335, 373 ; programmation, 14, 335, 336-337, 400
Originalité, 300-302, 324, 326 ; et aptitude métaphorique, 186-188, 304 ; et imagerie visuelle, 186-188 ; et science, 186-188 ; et science cognitive, 36 ; et théorie de Piaget, 32
Outils : et intelligence corporelle, 227, 232 ; développement, 231-232 ; évolution, 229-231 ; et évolution du langage, 231 ; et invention, 245 ; chez les primates non humains, 227-229 ; et systèmes symboliques, 231

Paralysie du cerveau, 197
Pêche aux termites, 227-229
Peinture, 199, 206-211 ; et composition, 187, 209 ; et mémoire visuelle, 207, 208
Période critique : dans le développement linguistique, 94 ; dans le développement musical, 385 ; dans le développement neural, 49, 54, 61
Phonologie, 86, 88 ; et trouble du cerveau, 92
Phrénologie, 23-26
Plasticité, voir flexibilité
Poésie, 90-92, 102, 104-106, 397
Potentiel humain, 7, 11-12, 14, 19 ; et éducation, 378-381, 398-403 ; et intelligences multiples, 398-402
Pragmatique, 86, 97
Primates non humains : et intelligence corporelle, 221, 224, 227-229 ; et intelligence linguistique, 99 ; et intelligence personnelle, 266, 270-271 ; et intelligence spatiale, 195 ; et outils, 227, 229
Processus horizontaux, 25, 31, 33, 48, 57, 63, 294
Prodiges, 18, 37, 38, 40, 45, 71, 377, 386, 396 ; dans l'intelligence logico-mathématique, 163-165 ; dans l'intelligence musicale, 107 ; dans l'intelligence spatiale, 198-201 ; et théorie des domaines, 37-39 ; et théorie de Piaget, 37-39
Profession juridique : et intelligence linguistique, 329-330 ; et intelligence logico-mathématique, 329-330 ; et intelligence personnelle, 329-330
Projet Machado, 19, 379-381
Projet Van Leer, 7-8, 389
Projet Zéro de Harvard, 8, 38, 303, 323
Psychanalyse, 249-250
Psychologie, 25-27, 67, 73, 249-250 ; voir aussi psychologie cognitive, développement, neuropsychologie
Psychologie cognitive, 19, 32-34, 292, 333-334 ; biais logico-mathématiques, 33-34 ; biais verbaux, 34 ; et biologie, 33-34 ; critique de la, 34 ; et originalité, 34 ; voir aussi processus informationnels

Quotient intellectuel, 13, 18, 19, 20, 28, 29 ; et génétique, 27 ; théorie de l'intelligence, 16, 34

Reconnaissance des visages, 13, 256, 274
Résolution de problèmes, 32, 33, 63, 68, 292 ; et mathématiques, 150-154
Retard, 26, 44, 71 ; et intelligence linguistique, 92 ; et intelligence musicale, 128 ; et intelligence personnelle, 275 ; et intelligence spatiale, 199
Rhétorique, 86

Rites d'initiation, 351-353 ; et intelligence linguistique, 101 ; et intelligence personnelle, 351-353
Ruisseaux de symbolisation, 315, 318
Rythme, 112-114 ; et surdité, 113

Science, 144, 154-159 ; et don pour le calcul, 165 ; et éducation, 370-372 ; histoire des, 154-156, 175-178 ; et intelligence spatiale, 186-188, 201-203 ; et intuition, 158 ; et mathématiques, 154-159 ; et mysticisme, 160-162 ; et originalité, 186-188 ; et réalité physique, 156-162 ; dans les sociétés sans écriture, 370-371 ; et vieillissement, 164
Science cognitive, 19, 32-34, 292, 333, 334 ; voir aussi psychologie cognitive, processus informationnels
Sculpture, 132, 199, 206
Sémantique, 50, 84, 89 ; et trouble du cerveau, 93, 95, 97
Sens de la composition, 186-188
« Sesame Street », 392, 402
Sociétés sans écriture : et éducation, 346-355 ; et intelligence linguistique, 99-103 ; et science, 370-371
Soi, voir conscience de soi
Sport, 242-244
Stade de la permanence de l'objet, 138
Stade des opérations concrètes, 30-31 ; intelligence logico-mathématique, 141 ; intelligence personnelle, 259 ; intelligence spatiale, 190
Stade des opérations formelles, 31 ; intelligence logico-mathématique, 141-143 ; intelligence spatiale, 190
Stade sensori-moteur, 29 ; de l'intelligence logico-mathématique, 138 ; de l'intelligence spatiale, 189
Stades de Piaget, 28-32 ; et développement symbolique, 326-328, 338 ; et intelligence corporelle, 231 ; et intelligence logico-mathématique, 137-144, 170 ; et intelligence personnelle, 260 ; et intelligence spatiale, 189-191
Structuralisme, voir théorie de Piaget
Structure du cerveau, 41-66 ; conception centraliste de la, 293-295 ; conception holiste de la, 17, 62 ; conception horizontale de la, 62, 294 ; conception informationnelle de la, 62, 64 ; conception localisationniste de la, 17, 24, 25, 62-63, 294 ; conception modulaire de la, 64, 294, 296 ; conception molaire de la, 59-61, 63, 66 ; conception moléculaire de la, 58-59, 63, 66 ; conception verticale de la, 62, 192-195, 294 ; et fonction exécutive, 293 ; et intelligence corporelle, 224-225 ; et intelligence linguistique, 50, 60-61, 92-98 ; et intelligence logico-mathématique, 167, 169 ; et intelligence musicale, 126-128 ; et intelligence personnelle, 272-274, 275-279 ; et intelligence spatiale, 60, 63, 108 ; et systèmes symboliques, 39
Surdité : et intelligence linguistique, 61, 84, 94, 106 ; et intelligence musicale, 113 ; et rythme, 113
Symbolisme : bases biologiques, 324 ; canaux de, 315, 318, 321-323 ; connaissance de premier jet, 317 ; courants de, 315, 317 ; et éducation, 323 ; épanouissement, 234, 321 ; et intelligence corporelle, 231, 233 ; et intelligences multiples, 316-326, 381 ; et intelligence personnelle, 253, 257, 286, 307 ; notation, 315-321 ; outils, 231 ; ondes de, 318, 319-321 ; stade littéral du, 323 ; et trouble du cerveau, 38, 39
Syndrome de Gerstmann, 166-168
Syndrome de Turner, 197
Syntaxe, 87-89, 93, 94
Systèmes symboliques, 30, 74, 311-338 ; et biologie, 39, 311-312, 314 ; et culture, 39, 311-312 ; définition des, 312 ; et intelligence personnelle, 286, 307 ; et médias, 36, 38

Taille des cellules nerveuses, 54
Talent littéraire, 81-85, 89-92, 101-106
Tests d'intelligence, 13, 14, 17, 18, 26, 27, 32, 333 ; biais logico-mathématiques, 34 ; biais verbaux, 34, 28-29 ; et intelligence spatiale, 185-188
Théorie de Piaget, 14, 17, 28, 32-34, 36-39 ; biais logico-mathématiques de la, 33-34, 334 ; biais verbaux de la, 32 ; et biologie, 34 ; critique de la, 30-32, 34, 37 ; et originalité, 32 ; et prodiges, 37-39 ; et théorie des domaines, 36-37
Timbre, 113
Traitement de l'information, 26, 64, 67, 71, 290 ; conception de la structure du cerveau en termes de, 32-34, 62, 64 ; conception de l'intelligence en termes de, 42, 334 ; voir aussi psychologie cognitive
Trouble du cerveau, 60 ; et canalisation, 52 ; comme critère des intelligences multiples, 18, 70 ; et développement

neural, 47, 49-51 ; et flexibilité, 93 ; et intelligence corporelle, 224-225 ; et intelligence linguistique, 50, 60-61, 92-98 ; et intelligence logico-mathématique, 167-169 ; et intelligence musicale, 125-126 ; et intelligence personnelle, 40, 272-274, 275-279 ; et intelligence spatiale, 192-194, 198 ; et lecture, 96 ; et phonologie, 92, 95-96 ; et pragmatique, 95, 97 ; et sémantique, 93, 95, 97 ; et symbolisation, 38, 319 ; et syntaxe, 93-95, 97

TABLE

Avant-propos 7
Note sur le Projet sur le potentiel humain 11
Introduction : L'idée d'intelligences multiples 13

Première partie
LE CONTEXTE

CHAPITRE 1 : L'intelligence : les théories classiques 23
La Psychologie proprement dite 25
Piaget 28
Le traitement de l'information 32
Les « systèmes symboliques » 35

CHAPITRE 2 : Les fondements biologiques de l'intelligence .. 41
Le problème 41
Les leçons de la génétique 43
La perspective neurobiologique 46
Canalisation et plasticité, 46 — Identification des éléments du
système nerveux, 57
L'organisation cérébrale 61
Conclusion 65

CHAPITRE 3 : Qu'est-ce qu'une intelligence ? 67
Les conditions nécessaires 68
Les critères 70
Isolement possible en cas de lésion cérébrale, 70 — L'existence
d'idiots savants, de prodiges et d'autres individus exceptionnels, 71

— Une opération clé ou un ensemble d'opérations identifiables, 71
— Une histoire développementale distincte, en même temps qu'un
ensemble définissable de performances expertes ou « états terminaux », 72 — Histoire et plausibilité évolutionnistes, 72 — Soutien
venu des tâches de la psychologie expérimentale, 73 — Soutien
venu des découvertes psychométriques, 73 — La possibilité d'encodage dans un système symbolique, 74

Délimitation du concept d'intelligence 74
Conclusion 76

Deuxième partie
LA THÉORIE

CHAPITRE 4 : L'intelligence linguistique 81
La poésie : un exemple parfait d'intelligence linguistique 81
Les opérations clés du langage 85
Le développement des aptitudes linguistiques 87
Le développement de l'écrivain 89
Cerveau et langage 92
Variations linguistiques transculturelles 99
Le langage comme outil 104
Conclusion 105

CHAPITRE 5 : L'intelligence musicale 107
La composition 108
Les composantes de l'intelligence musicale 112
Le développement de la compétence musicale 116
Aspects évolutionnistes et neurologiques de la musique 123
Des talents musicaux exceptionnels 128
Relations avec les autres compétences intellectuelles 130

CHAPITRE 6 : L'intelligence logico-mathématique 138
La pensée logico-mathématique selon Piaget 138
Le travail du mathématicien 145
La pratique scientifique 154
Le talent mathématique pris isolément 165
Logique et mathématiques à travers les cultures 170
Les mathématiques, la science et le passage du temps 175
Relation avec les autres intelligences 178

CHAPITRE 7 : L'intelligence spatiale 181
Les dimensions de l'intelligence spatiale 181
Le développement de l'intelligence spatiale 189
Considérations neuropsychologiques 192

Formes exceptionnelles de l'aptitude et de l'inaptitude spatiales 196
Les usages de l'intelligence spatiale 201
Les arts visuo-spatiaux 206
Perspective culturelle 211

CHAPITRE 8 : L'intelligence kinesthésique 217
Définition de l'intelligence kinesthésique 217
Le rôle du cerveau dans le mouvement corporel 221
L'évolution du talent corporel 227
Le développement de l'intelligence corporelle chez l'individu 232
Formes d'expression corporelle à maturité 234
   La danse, 234 — Autres types d'exécution, 238
L'intelligence corporelle dans d'autres cultures 246
Le corps, sujet et objet 247

CHAPITRE 9 : Les intelligences personnelles 249
Introduction : la conscience de soi 249
Le développement des intelligences personnelles 255
   Le nouveau-né, 256 — L'enfant âgé de deux à cinq ans, 257 —
   L'enfant d'âge scolaire, 259 — Fin de l'enfance, 260 — L'Adoles-
   cence, 261 — La conscience de soi arrivée à maturité, 263 —
   Tutelle en matière de connaissance personnelle, 264
Les bases biologiques de la personnalité 266
   Considérations évolutionnistes, 266 — Les sentiments chez les
   animaux, 269 — Pathologie de la personnalité, 271 — Modifica-
   tions de la connaissance personnelle, 277
Les personnes dans d'autres cultures 279
Conclusion 285

CHAPITRE 10 : Une critique de la théorie des intelligences
multiples 289
Introduction 289
Théories apparentées 292
Autres interprétations psychologiques 297
Opérations cognitives « de niveau supérieur » 298
   Le bon sens, 299 — L'originalité, 300 — La capacité métaphorique,
   302 — Sagesse, 305 — La conscience de soi revisitée, 306
Infirmation de la théorie 308
Conclusion 309

CHAPITRE 11 : La socialisation des intelligences humaines
par les symboles 311
Le rôle central des symboles 311
L'apparition de la compétence symbolique 315
   Introduction, 315 — Les ruisseaux de symbolisation, 317 — Les

ondes de symbolisation, 319 — Canaux de symbolisation, 321 —
Vue d'ensemble, 323
Les problèmes du développement symbolique 326
L'interaction entre compétences intellectuelles 329
Autres approches de l'intelligence humaine 332
Encore une fois les porcs-épics et les renards, 332 — Piaget et le
traitement de l'information, 333 — La position de Chomsky, 335
— La prise en compte de la culture, 336
Conclusion 337

Troisième partie
IMPLICATIONS ET APPLICATIONS

CHAPITRE 12 : L'éducation des intelligences 341
Introduction 341
Grille d'analyse des processus éducatifs 343
Talents dans la société qui ne dispose pas de l'écriture, 349 —
Trois formes éducatives de transition, 351
La diversité des écoles 355
L'Éducation coranique, 355 — Les écoles traditionnelles, 356 —
L'école laïque moderne, 361
Trois caractères de l'éducation moderne 365
Scolarisation, 366 — La lecture et l'écriture, 367 — La science, 370
Retour sur nos exemples 373

CHAPITRE 13 : La théorie des intelligences appliquée 377
L'intelligence est à la mode 377
Élucidation d'exemples par l'emploi de la théorie des IM 381
Introduction, 381
La méthode Suzuki d'éducation des talents 383
Critique de l'approche Suzuki, 385 — Le cas japonais : le pour et
le contre, 389
Autres expériences éducatives 391
Indications aux politiques 393
Considérations générales, 393
L'évaluation des profils intellectuels 395
Éduquer les intelligences 397
Pour conclure 402

Postface : Introduction à l'édition du dixième anniversaire ... 405
Références de la postface 421
Notes 423
Index des noms 461
Index des thèmes 465

Cet ouvrage a été transcodé
chez Nord Compo (Villeneuve-d'Ascq).
Reproduit et achevé d'imprimer sur Roto-Page
par l'Imprimerie Floch (Mayenne)
en mai 1999

N° d'impression : 46105.
N° d'édition : 7381-0378-1.
Dépôt légal : mars 1997.

Imprimé en France